D1636255

L'ÉNÉIDE

VIRGILE

L'ÉNÉIDE

Traduction
chronologie, introduction et notes
par
Maurice Rat
agrégé de l'Université

GF
FLAMMARION

ISBN 2-08-070051-0

PETITE CHRONOLOGIE VIRGILIENNE

70-69 av. J.-C. — *Dans l'une ou l'autre de ces deux années, dont la première est celle qui suit la mort de Spartacus,* naissance, à Andes, près de Mantoue, un 15 octobre sans doute, de Virgile (Publius Vergilius Maro).

65 av. J.-C. — *Naissance d'Horace.*

58 av. J.-C. — *Première année de la Guerre des Gaules*; premières études de Virgile à Crémone.

55 av. J.-C. (17 mars). — Virgile revêt la toge virile *le jour même, a-t-on dit, de la mort du poète Lucrèce*, puis va poursuivre ses études à Milan, puis à Rome.

50 av. J.-C. — *César, vainqueur des Gaules, passe le Rubicon.*

49-46 av. J.-C. — *Guerre civile entre César et Pompée, marquée par les victoires du premier et la mort du second (septembre 48).*

45 av. J.-C. — *Victoire de César, dictateur pour dix ans, à Munda.*

44 av. J.-C. (15 mars). — *Assassinat de César.*

43 av. J.-C. — *Triumvirat d'Octave, héritier de César, d'Antoine et de Lépide; proscriptions (novembre), mort de Cicéron et construction du temple de César.*

37 av. J.-C. — *Abdication de Lépide et partage de l'empire entre Octave (l'Occident) et Antoine (l'Orient).*
Virgile, qui vient de publier *les Bucoliques*, apparaît aux côtés d'Horace, parmi les amis qui accompagnent Mécène dans son voyage à Brindes.

31 av. J.-C. (2 septembre). — *Victoire d'Octave sur Antoine à Actium.*

30 av. J.-C. — *Octave, à Brindes, partage entre ses vétérans les territoires des cités qui ont pris parti pour Antoine, lequel se donne la mort ainsi que Cléopâtre.*
Virgile, peu après Actium, compose *les Géorgiques*, qui seront dédiées à Mécène.

28 av. J.-C. — *Octave, consul pour la sixième fois, établit le recensement de la population et procède à l'épuration du Sénat.*
Virgile publie *les Géorgiques.*

27 av. J.-C. (16 janvier). — *Un ami de Virgile, Cornélius Gallus, accusé de prévarications et de lèse-majesté, se donne la mort.*
Environ cette date, Virgile, qui avait formé le projet de dresser à la gloire d'Auguste un temple impérissable, commence d'écrire *l'Enéide*, poème à la fois épique et national.
Le poète accomplit un voyage en Grèce, auquel son ami Horace fait allusion dans son *Ode au vaisseau de Virgile.*

23 av. J.-C. — *Mort de Marcellus, gendre d'Auguste, dont le nom est donné au Théâtre de César.*
Virgile fait magnifiquement allusion à cette mort au VIe chant de son *Enéide.* Auguste, au retour de son expédition contre les Cantabres, écoute la lecture par le poète des chants IV et VI; et Properce invite les écrivains latins et grecs à faire place à ce poète héroïque, grâce auquel allait naître « quelque chose de plus grand que *l'Iliade.* »

20 av. J.-C. — *Voyage d'Auguste en Orient* (Asie Mineure et Syrie).

19 av. J.-C. — Avant de mettre la dernière main à *l'Enéide*, Virgile, parti pour la Grèce et l'Asie Mineure, afin de voir les lieux où se passait une partie de son récit, tombe malade à Mégare, et s'alite à Athènes où, dit-on, Auguste, qui s'en revenait d'Orient, le persuade de rentrer avec lui en Italie. Il y arrive pour mourir (21 septembre) peu de temps après avoir abordé à Brindes.

8 av. J.-C. — *Mort de Mécène.*

14 ap. J.-C. — *Mort et apothéose d'Auguste; avènement de Tibère.*

INTRODUCTION

La gloire de Virgile — du moins la part la plus vivante de sa gloire — repose-t-elle, comme l'a dit Jules Lemaitre, sur un faux sens, sur un contresens et sur la tradition incertaine d'une phrase qu'il n'aurait jamais prononcée ?

Le faux sens serait sur le vers sibyllin de la quatrième églogue :

Magnus ab integro saeclorum nascitur ordo.

« Voici que recommence le grand ordre des siècles » où l'on a voulu voir l'annonce de l'ère chrétienne et qui est cause que Dante, croyant Virgile prophète, l'ait pris pour guide dans l'autre monde, jusqu'au seuil du paradis même, ou que Hugo plus tard ait écrit :

Dieu voulait qu'avant tout, rayon du Fils de l'Homme,
L'aube de Bethléem blanchît le front de Rome.

Or ce vers n'est, on le sait, qu'un trait hyperbolique à l'égard d'Asinius Pollion, protecteur du poète.

Le contresens serait sur trois mots de *l'Enéide : Sunt lacrimae rerum*, romantiquement traduit par : « Les choses ont des larmes » et qui veulent dire, placés dans leur contexte, et dans la bouche d'Enée visitant à Carthage le temple de Junon où des tableaux peignent le siège de Troie : « Nos malheurs obtiennent des larmes jusqu'ici... »

Quant à la remarque fameuse : *On se lasse de tout, excepté de comprendre*, parole digne de Sainte-Beuve ou d'Ernest Renan, elle n'est pas dans l'œuvre de Virgile, mais lui est attribuée par un commentateur, le grammairien Servius.

A vrai dire, la gloire de Virgile est fondée non sur ces trois erreurs, mais sur les trois chefs-d'œuvre qu'il a écrits, *les Bucoliques*, *les Géorgiques* et *l'Enéide*, — *l'Enéide* surtout, cette épopée où l'histoire de Rome se mêle à la légende et où partout l'on retrouve « l'ombre de la grande Louve, la majesté du peuple romain, régulateur du monde, le sentiment de sa vocation terrestre révérée comme un dogme », *l'Enéide* traversée de dieux et de déesses, de héros et de ces héroïnes qui ont pour noms : Didon, l'ardente reine de Carthage dont la figure enchante au cours des siècles, a dit Anatole France, l'élite des adolescents, Andromaque en prières sur la tombe vide d'Hector, et Pallas, et Camille dans la partie guerrière.

Les images qui se lèvent, fortes, gracieuses ou tragiques, de cet humain et divin poème, dans les vers duquel constamment l'âme et l'art sont inséparables, viennent du talent génial d'un auteur, dont il faut, pour le bien comprendre, connaître un peu la vie, car nul auteur n'a mis plus de lui-même dans son œuvre.

I. — VIE DE VIRGILE.

La vie de Virgile est connue par d'anciens textes d'inégale valeur dont le plus important de beaucoup est la longue notice placée en tête du commentaire de Donat, et qui est, peut-être, de Suétone. On trouve encore des renseignements sur Virgile dans les notices sommaires placées en tête des commentaires de Valérius Probus et de Servius, dans *la Vie* en vers, inachevée, du grammairien Phocas, dans une note des manuscrits de Berne 167 et 172. On cueille enfin des témoignages épars dans différents auteurs latins.

Il ressort de ces divers renseignements et témoignages que le poète que nous nommons Virgile, et qui s'appelait en réalité Publius Vergilius Maro, naquit le 15 octobre de l'an 70 av. J.-C., sous le premier consulat de Crassus et de Pompée, ou de l'an 69 — comme tend à l'admettre M. Jérôme Carcopino — dans la petite ville d'Andes (aujourd'hui Pietola), à trois milles de Mantoue. Il appartenait donc par sa naissance à la Gaule cisalpine, pays dont les écrivains se sont toujours signalés par des qualités d'élégance et de mesure.

Il était le fils, selon les uns d'un ouvrier potier, selon Suétone du fermier ou régisseur d'un certain Magius, de Crémone, lui-même appariteur d'un magistrat de Mantoue, et qui lui donna sa fille en mariage. Cette Magia, dont le nom est cause peut-être que la légende médiévale fera du poète un mage et un sorcier, eut du père de Virgile deux autres fils, Silon et Flaccus, qui moururent prématurément, et l'on assure qu'elle eut un tel chagrin à la mort de son fils Flaccus qu'elle ne put lui survivre.

Les premières années du poète s'écoulèrent dans la maison de cette mère sensible et de ce père campagnard, située dans la plaine bordée de petites collines, où serpentent les eaux vertes du Mincio : paysage doux, monotone, non dénué de mélancolie, sous un ciel fréquemment voilé, et qui s'accordait bien, semble-t-il, au caractère rêveur et triste de Virgile.

A l'âge de douze ans, l'enfant alla faire ses premières études à Crémone; à quinze ans, le 17 mars ~ 55, il revêtit la toge virile — dix-huit mois environ avant l'âge habituellement fixé pour cette cérémonie et le jour même de la mort de Lucrèce — et il alla étudier à Milan, puis à Rome. Il n'est nullement prouvé qu'il fut, dans cette dernière ville, l'élève du rhéteur Epidius, maître d'Antoine et d'Octave, ni le disciple du grammairien-poète Parthénius, mais il suivit certainement les leçons d'un professeur du même genre, qui l'initia, comme c'était l'usage, aux chefs-d'œuvre de la littérature grecque et alexandrine, et il écouta sans doute le philosophe épicurien Siron qui, si l'on en croit Cicéron, était un homme excellent et de vaste savoir. C'est probablement l'enseignement de Siron qui inspira au futur poète de la sixième *Bucolique* sa doctrine atomistique de la formation du monde, et c'est sans doute l'enseignement de son professeur de rhétorique qui lui fit prendre un goût si vif pour l'alexandrinisme.

Le jeune Publius s'essaya-t-il d'abord au barreau, et s'en détourna-t-il après un début malheureux, comme le disent certains biographes, c'est possible, ce n'est pas certain. Il ne faut pas croire, en tout cas, comme l'affirme Chateaubriand, par suite d'un contresens sur un passage de Suétone, que Virgile eut un défaut de prononciation; il avait au contraire une voix d'un joli timbre, disait fort bien les vers, mais il était extrêmement timide et n'avait pas les dons de l'improvisateur. Au reste, si beaucoup de condisciples de Virgile se destinaient au barreau, il était tout naturel que le futur poète eût peu d'inclination pour les exercices du Forum, et ce qu'on doit retenir, c'est que, studieux de nature et curieux de savoir, il avait une culture générale solide et précise, une culture embrassant les lettres, la philosophie, l'histoire, les mathématiques, les sciences naturelles et la médecine, ce qui permit à Macrobe, commentant un passage des *Géorgiques* sur l'astronomie, de constater très justement que « Virgile en matière de science ne commettait nulle erreur ».

On peut croire, non sans vraisemblance, que, pendant les sept ou huit ans qu'il étudia à Rome, il revint souvent sur les bords du Mincio, où la maison paternelle lui offrait, dans un cadre familier, son familial spectacle et un refuge.

Ayant trop peu d'argent pour se consumer comme Catulle dans une vie de dissipation et de plaisirs, de santé d'ailleurs délicate (il avait souvent des crachements de sang et des maux de tête), gauche d'allures et resté un peu campagnard, il trouvait sans doute dans les « vacances » passées au pays natal un réenracinement salutaire et réconfortant.

Partageant donc sa vie entre la maison d'Andes et les cercles de Rome, épris de la nature et de beaux vers, il se liait avec les jeunes écrivains de son époque. Au premier rang, parmi ses amis de jeunesse, il faut citer : Æmilius Macer, auteur de trois poèmes scientifiques et alexandrins qui ne nous sont pas parvenus, mais que Quintilien juge écrits dans un style terre à terre (*humilis*); Plotius Tucca et Varius Rufus, qui seront chargés tous deux par Auguste de la publication posthume de *l'Enéide*, le premier peu connu de nous, le second, auteur de poèmes épiques et de tragédies renommées, dont l'une, nommée *Thyeste*, pouvait être avantageusement comparée, dit Quintilien, à n'importe quelle tragédie grecque, et qu'Horace loue pour son accent épique; mais surtout il convient de citer, parmi ses grands amis, Asinius Pollion et Cornélius Gallus. Gallus, originaire de la même contrée que Virgile (il était du Frioul), et du même âge que lui, auteur d'élégies célèbres sur sa maîtresse Lycoris, qui n'était autre que la comédienne Cythéris, eut une carrière politique, et qui devait mal finir, puisque, gouverneur de la province d'Egypte, il fut condamné pour concussion par le Sénat et obligé de se tuer. Pollion, lieutenant de César et d'Antoine, et par surcroît orateur, historien, poète — faisant, dit Virgile, « des vers d'un goût nouveau » — fut le meilleur ami sans doute de celui-ci. C'est Pollion, ami d'Antoine, qui négocia avec Mécène, ami d'Octave, la paix de Brindes — paix incertaine, précaire, simple trêve dans la guerre civile. Et c'est le même Pollion, à en croire Servius, qui, vers 42 av. J.-C., engagea Virgile à écrire *les Bucoliques*.

II. — VIRGILE AVANT L'ÉNÉIDE.

Aucun Romain encore ne s'était exercé dans le genre bucolique. Aucun genre ne pouvait mieux convenir aux goûts champêtres de Virgile et à sa prédilection pour les bergers. Et c'est pourquoi sans doute, sur les traces de Théocrite, le poète de Mantoue a composé une œuvre originale.

Originale, car, en imitant Théocrite, Virgile a procédé librement : Théocrite, dans ses églogues, est d'un réalisme à la fois bien court et bien cru; Virgile est élégant, précieux et romanesque. Théocrite est toujours précis, Virgile est souvent vague, et le cadre de ses paysages garde un air indéterminé. Théocrite est sec et un peu froid; Virgile est tendre, humain, émouvant. Le premier a réuni des tableautins d'une poésie familière et brève, le second a trouvé des accents consulaires et a su introduire en ses *Bucoliques* l'ombre et le grand mystère de la haute poésie.

C'est sans doute en pensant aux *Bucoliques* autant qu'aux *Géorgiques* qu'Horace a écrit que « les Muses amies des champs ont donné à Virgile le don des vers tendres et gracieux ». Le succès de l'ouvrage fut d'ailleurs très grand, et durable, puisqu'un siècle plus tard, sous l'Empire, on chantait encore sur le théâtre des morceaux des églogues.

Aussi n'est-il point étonnant, si l'on s'en rapporte à une tradition attestée par Probus et par Servius, que Mécène, devant une telle révélation et un pareil succès, ait demandé à Virgile d'écrire *les Géorgiques*, pour aider Auguste à remettre les travaux des champs en honneur : Mécène savait, comme Auguste, le pouvoir de la littérature sur les mœurs; l'un et l'autre, le ministre et le prince, ont essayé de lutter par elle contre l'abandon des campagnes... Même si *les Géorgiques* n'ont point été « commandées » à Virgile par Mécène, il est plus que probable que l'idée du poème lui a été inspirée par le ministre d'Auguste, et il est certain que Virgile, plus que tout autre écrivain de l'époque, était désigné pour l'écrire.

Les Géorgiques, que Montaigne considérait comme « le plus accompli ouvrage » de la poésie latine, sont le poème où Virgile a mis, et pour notre plaisir, le plus de lui-même. A côté du « savant », du peintre, du styliste, du versificateur, il y a là un poète lyrique qui prête son âme aux choses et laisse libre cours à une humanité profonde. C'est à ce poète lyrique que la compassion pour les paysans a inspiré *les Géorgiques;* c'est lui qui souffre des peines et des déceptions des laboureurs; ou qui trouve des accents d'une douceur inconnue pour peindre la joie du cultivateur qui rentre chez lui et la sereine vieillesse du jardinier de Tarente. C'est lui qui, le premier, a décrit la tendresse des corbeaux pour leur nichée, le deuil du rossignol privé de ses petits, l'affliction du taureau qui a perdu son frère; lui qui, le premier encore, et sans vaine métaphysique, a parlé des plantes mêmes comme de créatures vivantes et souffrantes. Cette humanité universelle s'accompagne du plus haut sentiment national. Virgile, Mantouan et patriote, embrassant les idées d'Auguste et de Mécène, prône la restauration agricole, religieuse, césarienne. Il a des morceaux de la plus vigoureuse facture pour s'apitoyer sur les guerres civiles et le meurtre du divin Jules, pour chanter les victoires d'Octave, pour saluer avec une magistrale piété l'Italie « grande mère des récoltes et grande mère des héros ».

III. — VIRGILE ET L'ÉNÉIDE.

Les Scoliastes de Virgile n'ont pas tort, et ce n'est pas non plus sans raison qu'ils voient dans *l'Enéide* comme une « somme » de la poésie; c'est très justement qu'ils relèvent dans chaque vers — quelquefois dans chaque mot d'un vers — une réminiscence ou un souvenir, un trait savant ou une allusion. Mais avec cette aisance remarquable, dont il avait déjà donné des preuves dans *les Bucoliques* et dans *les Géorgiques*, le poète ici a fondu les éléments les plus divers et les plus disparates. *L'Enéide* est un miracle de composition. Tout y fait corps. Il y a bien sans doute quelques contradictions çà et là, mais elles ne sont jamais graves, et trouvent facilement leur excuse dans l'état d'inachèvement où le poème fut laissé.

Quelle habileté, en revanche, dans le choix des moyens! Quelle dextérité à utiliser chaque détail pour parfaire l'harmonie de l'ensemble! Voyez le poète tirant parti du dogme de la métempsycose pour faire défiler aux yeux d'Enée toute la suite des héros latins jusqu'à Auguste et à Marcellus. Voyez-le détournant à ses fins l'invention homérique du bouclier pour retracer les principales scènes de l'histoire romaine : l'enfance de Romulus, la menace terrible des Gaulois sur la ville du Capitole, la bataille d'Actium et le triomphe d'Auguste. Voyez-le utilisant la légende nationale d'Hercule et de Cacus. Voyez-le, enfin, remémorant au lecteur, par les prédictions faites à Énée, la patriotique mission du héros : c'est l'intervention d'Hector, celle des Pénates, d'Hélénus, des Harpyes, de la Sibylle, d'Anchise, annonçant, tous et toutes, l'établissement d'Enée en Italie et l'enfantement de la grandeur romaine.

D'un livre aux autres, par un entrelacs adroit et subtil, s'établissent des correspondances et des rapports. Prenez le livre VI : la rencontre de Palinure y ramène le lecteur au livre V, celle de Didon au livre V, celle de Déïphobe au livre II, celle d'Anchise aux livres VII-XII. Aucun chant n'est digressif, gratuit, ni solitaire. Virgile, nulle part, ne s'éloigne de son but, qui est de tracer la « geste » du peuple romain.

Et, à cette habileté de composition foncière, s'ajoute une harmonie formelle non moins grande. Elle tient à ceci, que Virgile, comme les Alexandrins, compose presque toujours en tableaux — procédé d'un poète qui avait sans aucun doute pour modèles des œuvres peintes ou sculptées, et qui les transposait dans son œuvre écrite. *L'Enéide* apparaît à cet égard comme une série de tableaux où rien n'a été laissé au hasard, où chaque scène est liée ou opposée à une autre, avec une entente admirable des effets d'harmonie et de contraste.

IV. — LE SENTIMENT ROMAIN DANS L'ÉNÉIDE.

La même fusion heureuse se retrouve dans l'image que Virgile nous présente du peuple romain et de sa grandeur. Sans doute *l'Enéide* exalte avant tout Auguste et sa gloire neuve, mais, sans préjugé d'époque ni de parti, le poète assigne à chacun sa part dans le vaste édifice de l'Empire : il n'oublie ni Fabius le Temporisateur, ni Camille l'Impétueux, ni des républicains radicaux comme Brutus et Caton; il cite sur un pied d'égalité les divers peuples qui constituent l'Etat romain : les Troyens, les Etrusques, les Latins; il consacre l'origine de bien des choses romaines, proclame la divinité du lieu où se dressera plus tard la Ville aux sept collines, attribue aux sujets du roi Latinus l'habitude d'ouvrir le temple de Janus au moment où éclate une guerre, confère la plus haute et la plus noble origine à toutes les institutions de son époque : sacerdoce des Potitii et des Pinarii, collège des Quindécemvirs, jeux Troyens, etc., et insère parmi les jeux funéraires d'Anchise le carrousel parce que celui-ci figure aux jeux Troyens d'Auguste. Il donne non seulement à la famille des Jules, mais à celle des Cluentii, des Sergii, des Memmii le prestige incomparable d'une ascendance troyenne. Il se plaît à faire accomplir par Evandre et Enée l'itinéraire que suivaient les processions triomphales à travers Rome; à décrire par avance, dans le délire auquel est en proie la femme de Latinus, les Libéralies ou Bacchanales latines; à faire dire aux Nymphes avertissant Enée la même formule qu'employaient les Vestales, lorsqu'un jour de fête elles s'adressaient au roi des sacrifices. Il énumère les pays italiques, leurs troupes, leurs armes, avec une minutie et une fidélité que Niebuhr lui-même doit reconnaître, et M. Carcopino a montré du reste dans sa thèse sur *Virgile et les origines d'Ostie* que l'auteur de *l'Enéide* avait mis l'archéologie et la science historique au service de la poésie.

On a pu lui reprocher des anachronismes, mais il convient plutôt de l'en admirer, s'il est vrai, comme il le semble bien, que ces anachronismes qui rendaient son poème plus vivant et plus actuel s'amalgament et se fondent sans heurt avec les données de l'histoire, et qu'ils ne sont jamais disparates. Enée peut, sans nous choquer, apercevoir de son navire les villes sicanes dont Virgile connaissait les murs et les ruines; et la Carthage que Didon construit ne nous intéresse pas moins, au contraire, d'être semblable à celle qu'Auguste rebâtissait.

Vieux Romain, qui connaît les origines des choses, et Romain de son époque, qui seconde patriotiquement les fondations d'Auguste, Virgile fait entrer avec une dextérité merveilleusement souple l'histoire contemporaine dans la légende antique, et la réalité dans la fable. Ceux-là s'en plaignent à tort, qui ne comprennent pas que *l'Enéide* est avant tout un chant en l'honneur de la Rome d'Auguste.

V. — LES CARACTÈRES ET LES PERSONNAGES.

Eux aussi, les personnages du poème sont romains, à commencer par Enée lui-même.

Enée, dans l'*Iliade*, est un héros comme beaucoup d'autres, plein de bravoure. « Il marche comme un lion, confiant dans sa force; il tient en avant sa lance et son bouclier, qui le couvre de partout, prêt à tuer quiconque viendrait à sa rencontre, et poussant des cris qui répandent l'effroi. » — Dans *l'Enéide*, il est l'ancêtre de la *gens Julia* et le prototype des vertus romaines. La qualité même de son courage guerrier est celle du Romain : il n'est point bouillant, impétueux, emporté, il est discipliné, réfléchi et prudent, prescrivant à ses compagnons d'employer la tactique romaine, qui est de s'abriter dans des murs et de refuser le combat en rase campagne, ne se battant lui-même que lorsque les dieux lui en ont donné l'ordre ou lorsqu'il a été provoqué; au demeurant énergique, tenace, animé de cette invincible et patiente opiniâtreté à laquelle tant de chefs romains durent de vaincre l'ennemi et de triompher des destins contraires. Il se bat non par vengeance, non par désir de domination, mais par devoir, et pour introduire dans le Latium les dieux d'Ilion dont il est le gardien. « La ville de Troie a péri, écrit Fustel de Coulanges, mais non pas la cité troyenne; grâce à Enée, le foyer n'est pas éteint et les dieux ont encore un culte... Voilà ce qui devait singulièrement éveiller l'intérêt des Romains. Dans ce poème, ils se voyaient, eux, leur fondateur, leurs croyances, leur empire; car sans ces dieux la cité romaine n'existerait pas. » Il y a beaucoup de vrai dans cette assertion de Fustel, et l'on comprend que, préfigurant non seulement les consuls, mais encore les pontifes de Rome, le héros de *l'Enéide* n'ait pas la fougue d'Achille : il est « le pieux Enée ». Pieux d'abord à l'égard des divinités, qu'il prie, consulte et honore sans cesse, leur sacrifiant selon les rites, comme tout bon Romain; leur obéissant toujours, même quand il lui faut, sur leur ordre, se séparer de son plus cher amour. Pieux aussi à l'égard de son père, qu'il a sauvé de l'incendie de Troie, qu'il écoute en soldat respectueux et discipliné, soit qu'Anchise interprète un songe, soit qu'il donne un ordre de départ; auquel il rend, une fois qu'il est mort, les suprêmes devoirs familiaux. Pieux encore à l'égard du petit Iule — du petit Iule « grandissant » — qui continue et maintient sa race et qui porte avec lui les destinées romaines. Enée enfin est pieux envers les autres hommes, respectant les règles du droit et de l'honneur, modéré, clément, chevaleresque, ayant gardé des épreuves subies le goût de la mesure et le sens de l'humain.

Ceux qui ont trouvé que le héros de *l'Enéide* manquait de couleur et de relief, et qui lui ont préféré un bravache comme Turnus, n'ont rien compris à l'art de Virgile, qui a osé faire du protagoniste de son poème un personnage en demi-teintes, fortement et finement caractérisé et non point tout d'une pièce. Ils n'ont point pris garde, par exemple, qu'Enée n'était pas le même avant et après sa descente aux Enfers : ballotté auparavant par les flots et les événements, incertain, irrésolu, vacillant, le voici, après l'initiation reçue de son père mort, fortifié de savoir tout d'avance, assuré et grave, comme un chef qui vit dans l'avenir et qui connaît que le présent le prépare. Dans la maîtrise réfléchie d'Enée, après son entrevue avec Anchise, il y a quelque chose de la maîtrise d'Auguste, faite de la vue claire du but à atteindre et de la préparation précise des moyens.

Autour d'Enée, des personnages secondaires, comme Turnus, ardent, vaillant et probe, mais peu maître de lui et trop peu soumis aux volontés des dieux, ou, comme Mézence, emporté et dépourvu de piété, font avec le héros troyen un contraste achevé ou un demi-contraste. Plus jeunes qu'Enée, plus vifs, aussi braves et moins sages, Pallas, puis Nisus et Euryale, héroïque paire d'amis, représentent la « vertu romaine » des *juniores*, tandis que le vieil Evandre, et Latinus et Aceste, qui affrontent le destin avec une bonne volonté émouvante ou une souriante dignité, incarnent celle des *seniores*, concourant tous d'ailleurs au dessein national du poème.

VI. — LA SENSIBILITÉ DE VIRGILE DANS L'ÉNÉIDE.

Ce poème national est aussi un poème « virgilien », j'entends par là un poème où se retrouve, accrue, cette puissance d'émotion qui caractérisait déjà *les Bucoliques* et *les Géorgiques*. Le poète a mis là son âme profonde et douce, sa pitié grave et grande, son sentiment de la nature des choses et des êtres.

Est-ce le poète de *l'Enéide* ou celui des *Géorgiques* qui compare les travaux des Troyens au labeur des fourmis, la grêle des flèches qui s'abat sur Enée à une pluie d'orage sur les champs, l'élan des Eques au vol des cygnes, la ruine de Troie à la chute d'un orme et l'énervement de Didon blessée et trépidante à la fuite d'une biche percée de coups ? Est-ce le poète épique ou le chantre pastoral qui décrit avec amour la cabane champêtre où dort Evandre et les journées heureuses de ce bon roi rustique ? Est-ce vraiment Enée, ou n'est-ce plutôt le rêveur mélancolique de Mantoue qui a cette tristesse alliée au désir de la mort et ce sentiment de la misère de vivre, qui lui fait s'écrier, au souvenir des épreuves cruelles : « O trois fois et quatre fois heureux, ceux qui ont eu la chance de succomber à la vue de leurs pères sous les hauts murs de Troie ! » Est-ce Enée exilé, ou n'est-ce encore le berger Mélibée, contraint de fuir sa petite patrie et ses doux champs, qui dit son inquiétude et le *taedium*, c'est-à-dire l'amertume de son cœur ?

Il y a, dans les vers de *l'Enéide*, une sympathie à tous les maux, et notamment au mal de l'amour. Le poète qu'avait ému le désespoir de Gallus peut bien juger sévèrement Didon, condamner son infidélité au souvenir d'un mari défunt, la sombre et folle ardeur de sa passion, son égarement et son suicide, il la plaint néanmoins d'avoir été faible, d'avoir lutté en vain, et il trace de cet amour sensuel et tragique une peinture si belle et si déchirante qu'elle remue à travers les âges l'élite des adolescents et des hommes. Il exprime avec une délicatesse infinie l'amertume résignée d'Andromaque, « veuve d'Hector, hélas ! et femme d'Hélénus », et qui erre comme une ombre dépossédée et muette dans le palais de son troisième mari. Il est, comme l'a remarqué Fénelon, le plus « touchant » des peintres de la mort, joignant à chaque récit une circonstance émouvante, faisant expirer

Euryale sous les yeux de son cher Nisus, Pallas devant l'armée éplorée, Corèbe devant sa fiancée. Il prête à la mère douloureuse d'Euryale ou au vieil Evandre perdant leur fils des accents qu'on ne saurait oublier. Et quand, au lieu de personnages de légende, il évoque la mort du jeune Marcellus, qu'il a connu, admiré, dont, comme tous les Romains et comme Auguste, il espérait beaucoup, il a des mots d'un pathétique rare, en leur grâce liliale et funéraire. Sa muse, compatissante au destin des mortels et qui prête sa sensibilité aux dieux mêmes, enseigne qu'il faut porter secours à ceux qui souffrent : *Haud ignara mali, miseris succurrere discit.*

VII. — L'ART DE VIRGILE.

Bien qu'il n'ait pas eu le temps de mettre la dernière main à son ouvrage, Virgile lui a donné une forme souvent définitive.

L'Enéide vaut d'abord par l'arrangement, qui est d'une variété merveilleuse. Dans ce poème si un, si ordonné, où le sujet est toujours présent à l'esprit de l'auteur et du lecteur, un artiste qui avait fait ses preuves dans *les Géorgiques* a su perpétuellement renouveler l'intérêt : récits et dialogues, voyages et combats, histoires de guerre et histoires d'amour, jeux, travaux champêtres, visions infernales se succèdent sans effort ni heurt. Et, cet artiste ayant un sens unique de peindre, toute scène y est tableau, et s'y compose avec des traits si nets, si « cernés » et si vrais qu'on a souvent pensé que le poète, comme ses précurseurs alexandrins, s'était inspiré de statues, de tableaux et de bas-reliefs et en avait transporté l'art dans son œuvre.

Le style, d'une plasticité admirable, où la couleur répond à la sonorité, est extrêmement savant sous la simplicité apparente. Peut-être, comme le lui reprochait Agrippa, Virgile parfois force-t-il un peu la note; il a un faible pour les épithètes à effet, *ingens*, *immanis*, *immensus*, « énorme, monstrueux, immense », qui reviennent souvent dans ses vers; mais il ne faut point oublier qu'il traite un sujet épique, et qu'à ses qualités habituelles il veut ici adjoindre la puissance... Au reste, pour bien apprécier un style, si composite à la fois et si parfaitement harmonieux, il faudrait décomposer chaque scène dans un livre, chaque vers dans une scène, étudier le choix et la place des mots, le jeu des sons, la souplesse d'une versification, où rien jamais n'est laissé au hasard : césure, coupe, enjambement, où tout est lié avec un bonheur incroyable. *L'Enéide* est un savant et pur chef-d'œuvre.

VIII. — CHRONOLOGIE DES CHANTS.

C'est ce chef-d'œuvre pourtant que son auteur inquiet eût détruit en mourant si Auguste l'avait laissé faire. On sait que, sur l'ordre exprès de l'empereur, Varius et Plotius Tucca ne jetèrent pas au feu, comme Virgile le demandait, son œuvre inachevée. Ils la publièrent telle qu'elle était, sans y rien changer, y laissant même ces vers incomplets que le poète nommait des « pierres d'attente ».

Virgile avait travaillé à *l'Enéide* pendant onze ans, de 30 à 19 av. J.-C. On a voulu établir la chronologie du poème et déterminer l'ordre dans lequel les divers chants furent écrits. Ribbeck a proposé le système : I, VIII, III, IV, II, IX, V, VII (VI, X, XI et XII seraient de date incertaine); Kroll, le système : II, III, V, I, IV, VI, VII-XII; Hæberlin, le système : II, IV, VI, V, III, I, VIII, IX, X, XI, XII, VII, etc. La différence sensible des chronologies proposées montre la fragilité des divers systèmes.

Nous estimons, quant à nous, que Ribbeck et d'autres ont cherché vainement une solution à un problème qui ne se posait pas, — Virgile ayant d'abord écrit un canevas en prose, puis ayant lentement versifié, avec maintes sautes et maintes retouches, telle ou telle partie de son récit. Tout ce qu'on peut dire d'à peu près certain sur la date de composition s'applique à tel passage ou à tel vers, non à tel livre. On peut ainsi affirmer que le vers I, 293, renfermant une allusion à la dernière fermeture du temple de Janus, est postérieur à ~ 29; que le vers III, 280, où sont mentionnés les jeux Actiaques, est postérieur à ~ 28; que le vers VIII, 678, où l'empereur est nommé Auguste, est postérieur à ~ 27; que les vers VI, 860-887, sur la mort de Marcellus, sont postérieurs à ~ 23; que le vers VII, 606, où l'on mentionne la restitution des enseignes romaines par les Parthes, est postérieur à ~ 20, etc. Mais c'est tout, et c'est peu en somme.

Ce qui est certain également, c'est qu'au cours de ce vaste et patient labeur de onze années le poète eut souvent des doutes sur la qualité de son œuvre. Il eut ces accès de découragement, ces craintes, ces minutieux scrupules que connaissent tant de grands artistes. Mais Auguste et Mécène, auxquels il se confiait, le soutinrent et le réconfortèrent. L'empereur lui écrivit de l'armée pour l'inviter, en mêlant aux prières des menaces plaisantes, à lui envoyer « ou un sommaire ou un fragment quelconque » de son œuvre nouvelle; au retour de son expédition contre les Cantabres, en ~ 22, il écouta la lecture des chants II, IV et VI. De l'auteur des *Géorgiques*, les lettrés et la foule attendaient un suprême chef-d'œuvre; et Properce invitait les écrivains latins et grecs à faire place au poète, grâce auquel allait naître « quelque chose de plus grand que l'*Iliade* ».

Comme *l'Enéide* était sur le point d'être achevée, Virgile, en 19 av. J.-C., partit pour la Grèce et l'Asie Mineure; il voulait voir les lieux où se passait une partie de son récit, puis revenir en Italie et mettre la dernière main à son poème. Le destin ne le lui permit pas. Etant tombé malade au cours d'une excursion à Mégare, il dut s'aliter à Athènes, où Auguste, qui revenait de l'Orient, le persuada de rentrer avec lui en Italie. Il y arriva pour mourir, peu de temps après avoir abordé à Brindes, le 22 septembre de l'an ~ 19. Un tombeau, sur la route qui va de Naples à Pouzzoles, recouvrit ses restes; il portait l'épitaphe suivante, composée, au dire des biographes, par le poète lui-même :

Mantua me genuit, Calabri rapuere, tenet nunc
Parthenope; cecini pascua, rura, duces.

« Mantoue m'a donné le jour, les Calabres m'ont ravi, Parthénope (Naples) me possède maintenant; j'ai chanté les pâturages, les campagnes, les chefs *. »

IX. — L'ÉNÉIDE A TRAVERS LES SIÈCLES.

La gloire de Virgile était grande déjà, on l'a vu, dans les années qui précédèrent la mort du poète. Aimé d'Auguste et aimé de Mécène, Virgile avait aussi la faveur populaire, et Tacite conte qu'un jour qu'il entrait au théâtre l'assistance se leva en signe d'hommage. La publication de *l'Enéide* mit le comble à cette gloire.

Un érudit, Carvilius Pictor, publia bien un pamphlet, l'*Æneidomastix*, « le fouet de *l'Enéide* », où il se montrait aussi ridiculement sévère pour Virgile que Zoïle le fut pour Homère; il ne fut suivi que par peu de détracteurs **, et l'on peut dire que Virgile, après sa mort, fut considéré comme le plus grand de tous les poètes latins, et *l'Enéide* tenue pour un chef-d'œuvre. Ce chef-d'œuvre devint immédiatement classique. Juvénal nous décrit les écoliers de son temps allant suivre les cours des grammairiens, en portant sous leur bras une *Enéide* inscrite au programme, et il nous montre les femmes savantes de l'époque instituant des « parallèles » entre Homère et Virgile. On étudie *l'Enéide* dès l'enfance, on sait le poème par cœur. Les professeurs de rhétorique s'y réfèrent et le commentent. Les écrivains l'imitent, le copient, le pastichent. Les bibliothèques publiques

* Les pâturages, dans *les Bucoliques ;* les campagnes, dans *les Géorgiques ;* les chefs, dans *l'Enéide.*

** Tels *Pérellus Faustus* et *Octavius Avitus,* qui dénoncèrent ses larcins ; tel *Hérennius,* qui releva ses fautes.

en sont pleines dès l'époque de Caligula au point de donner de l'humeur au capricieux César. Polybe, l'affranchi de Claude, le traduit en vers grecs. Les oisifs en griffonnent des vers sur les murs des maisons et des édifices. Les mimes le jouent. Néron, le jour de sa mort, songe à danser le rôle de Turnus. Stace, dans sa *Thébaïde*, Silius Italicus dans ses *Punica* subissent profondément l'influence de Virgile; le premier demande à son poème, non point de rivaliser avec la « divine *Enéide* » — ce qui est impossible — « mais de la suivre de loin en adorant toujours la trace de ses pas »; le second, qui, dans son culte pour le maître, célébrait son anniversaire avec plus de piété que le sien propre, met en vers virgiliens la seconde décade de Tite-Live; il reproduit avec une fidélité touchante les principaux épisodes de *l'Enéide :* on trouve dans ses *Punica* un bouclier d'Hannibal qui rappelle celui d'Enée; un Fabius apaisant le peuple, à la façon de Neptune apaisant les vents; un dieu du lac Trasimène apparaissant à Hannibal comme le dieu du Tibre à Enée; une descente de Scipion aux enfers qui imite la descente d'Enée, etc. Valérius Flaccus, dans les huit livres de ses *Argonautiques*, suit encore Virgile de plus près, et Lucain l'imite sans le vouloir. Au temps des Antonins, Hadrien qui, par snobisme, affecte de préférer Ennius à Virgile, y cherche pourtant des prédictions et des oracles. On le déclame sur les places publiques et dans les festins élégants. Au IVe siècle ap. J.-C., Claudien, le dernier poète national de Rome, est encore tout imprégné de Virgile, et Ausone compose un épithalame avec des centons des *Bucoliques*, des *Géorgiques* et de *l'Enéide.* Les grammairiens Servius et Donat commentent *l'Enéide.* Macrobe consacre quatre livres (sur sept) de ses *Saturnales* à faire le tour du poème, comptant les vers d'Homère que Virgile a traduits, ceux qu'il a empruntés aux vieux poètes latins, ceux qu'il a imités de Pindare, les mots qu'il a créés, les figures qu'il a employées, louant le poète de ses connaissances universelles et trouvant à la vérité dans son œuvre toute l'histoire, toute la philosophie et toute la liturgie. Les chrétiens sont des admirateurs de Virgile aussi enthousiastes que les païens : Lactance le cite et le tire à lui, voyant dans les vers de la 4e Bucolique une prédiction de la venue du Christ; saint Jérôme et saint Augustin sont tout remplis de son œuvre : celui-ci rappelle dans ses *Confessions* les délices puisées par son enfance à l'aventure du cheval de bois, à la prise de Troie, à « l'ombre de Créuse elle-même »; celui-là l'appelle « le sublime poète, non point le second, mais bien le premier Homère des Latins ». Les écrivains de l'*Histoire Auguste* rapportent qu'on se sert de *l'Enéide* comme d'un moyen de divination : on l'ouvre au hasard, et on cherche à interpréter les vers sur lesquels on tombe dans un sens qui convienne à la question posée. Certains de ses vers sont proverbiaux, sont cités et parfois déformés dans les inscriptions. Les scènes principales de *l'Enéide*, telles que la chasse de Didon, Enéc admirant son bouclier, Enée guéri de sa blessure par Vénus, etc., sont reproduites dans les peintures murales des villes de Campanie, dans les mosaïques d'Afrique.

Au Moyen Age, il n'est pas oublié. Fulgence, au VIe siècle, trouve à chaque livre, et presque à chaque vers ou à chaque mot de *l'Enéide* un sens allégorique. Alcuin s'inspire souvent de *l'Enéide*. Au XIIe siècle, Jean de Salisbury rêve autour du nom même d'Enée, *ennaios*, « l'habitant », et fait du pieux héros le symbole de l'âme qui habite le corps. Virgile devient le prophète des païens et figure avec Moïse, David ou Isaïe parmi les personnages qui viennent rendre témoignage à Jésus.

Puis Dante le choisit comme guide à travers son *Enfer* et admet au Paradis le Troyen Riphée; au XIIe et au XIIIe siècle, l'histoire d'Enée est répandue sous forme de « *romans* » en France, en Italie, en Angleterre, en Flandre; Didon prend place dans *le Roman de la Rose*; Pétrarque modèle son *Africa* sur *l'Enéide;* au XVIe siècle, Octavien de Saint-Gelais la traduit en vers français, Douglas en vers anglais; Ronsard, dans sa préface de *la Franciade*, illustre par *l'Enéide* sa savante théorie de l'Epopée, et révèle, par les réminiscences virgiliennes qui abondent dans son œuvre, la profondeur de l'influence subie; Jodelle tire du IVe livre de *l'Enéide* sa tragédie de *Didon;* Montaigne, bien qu'il trouve *les Géorgiques* plus parfaites que *l'Enéide*, tient son auteur pour le plus grand des poètes latins. En Italie, le grand poète néolatin Sannazar imite l'épopée virgilienne dans son poème chrétien *De partu Virginis*, « De l'enfantement de la Vierge »; l'Arioste, dans son *Roland furieux*, donne à Roger maints traits du pieux Enée, fait mourir Rodomont comme était mort Turnus, modèle l'expédition de Cloridan et de Médor sur l'épisode de Nisus et Euryale; Le Tasse, dans sa *Jérusalem délivrée*, rapproche d'Enée son Godefroy de Bouillon, de Camille sa Clorinde, et de Turnus son Auguste. Au Portugal, Camoëns en ses *Lusiades* se souvient incessamment de *l'Enéide*.

Au XVIIe siècle, Boileau, dans son *Art poétique*, définit en songeant à *l'Enéide* les règles de l'Epopée. Racine découpe au IIIe livre de *l'Enéide* le sujet de son *Andromaque*, et rencontre en Didon le prototype de ses femmes jalouses et furieuses, des Hermione, des Roxane, des Phèdre. Fénelon, dans sa *Lettre à l'Académie*, célèbre en Virgile le peintre et le poète, et, dans son *Télémaque*, se montre imprégné de *l'Enéide*. Segrais le traduit, non sans art, en vers. Dès le second quart de siècle, le poème de Virgile était si familier au public lettré que le burlesque put s'en emparer. Lalli en Italie et Scarron en France obtenaient le plus vif succès, l'un avec son *Enéide travestita*, l'autre avec son *Virgile travesti*, qui, arrêté au huitième chant, fut continué par Moreau de Braséi. Milton, en Angleterre, tente de rivaliser avec l'épopée virgilienne en écrivant *le Paradis perdu*.

Au XVIIIe siècle, Voltaire rend à Virgile des hommages

répétés et chaleureux et, notamment dans son *Essai sur le poème épique*, propose *l'Enéide* pour idéal et pour modèle; il tâche de l'imiter lui-même dans sa *Henriade* qui, comme l'observe Villemain, a « une tempête, un récit, une Gabrielle quittée comme une Didon, une descente aux Enfers, un Élysée, une vue anticipée des grandeurs et des maux de la patrie, et même un *Tu Marcellus eris* qui s'applique au Dauphin ». André Chénier s'en inspire souvent avec piété et Delille la traduit avec un grand succès.

Puis Chateaubriand vient, qui cite Virgile avec complaisance, le commente avec ingéniosité, lui fait, dans son *Génie du christianisme*, une très belle place. Hugo le sait par cœur, transpose plusieurs de ses vers avec bonheur, lui emprunte le titre d'un de ses plus beaux poèmes : *Oceano Nox*, le salue comme un précurseur :

> O Virgile, ô poète, ô mon maître divin!

et le situe parmi les « mages » et les « prophètes » :

> Dans Virgile parfois, dieu tout près d'être un ange,
> Le vers porte à sa cime une lueur étrange...

Michelet, dans *Rome* et dans *la Bible de l'humanité*, en parle avec ferveur. Sainte-Beuve, qui avait pleuré, enfant, sur Didon, écrit sur son poète une étude pénétrante. Renan, qui le tire à lui, admire (*Histoire d'Israël*, t. v) « le bel état d'équilibre religieux où se tenait Virgile, cette façon de tout aimer sans rien croire... ». Flaubert, qui relit *l'Enéide* à l'époque où il écrit *Salammbô*, « se pâme devant le style et la précision des mots », l'« admire comme un vieux professeur de rhétorique », trouve avec une bonhomie savoureuse que « cet art antique fait du bien ». Leconte de Lisle, Baudelaire, Heredia, Anatole France, Frédéric Plessis, Moréas, Muselli doivent à *l'Enéide* quelques-uns de leurs plus beaux vers. Les poètes s'essaient à traduire ses hexamètres en alexandrins et en vers libres. Naguère et hier encore André Bellessort consacrait à l'auteur de *l'Enéide* un essai substantiel, M. Jérôme Carcopino une étude érudite, Léopold Constans une analyse aussi fine qu'attentive et M. Jacques Perret un essai prudent et subtil, riche de suggestions et ennobli de ferveur. Son second millénaire a été célébré avec éclat. Sa gloire antique est toujours nouvelle.

M. R.

NOTE
SUR CETTE ÉDITION

Traduire un poète, surtout un poète aussi grand que Virgile, et l'un des plus merveilleux « versificateurs » de tous les temps, dans une prose étrangère, c'est toujours le trahir. Du moins avons-nous tâché que notre version française de *l'Enéide* fût fidèle et fût sûre, et de ces hexamètres rendît le sens sinon l'art, l'art d'un poète qui joue et module, et qui dispose des mots à l'intérieur du vers en tenant compte surtout de leur volume sonore et de la suite des syllabes latines. Comme l'a fort bien vu M. Jacques Perret, « on devine, hélas! ce qu'une telle poésie peut perdre dans la meilleure traduction », où le lecteur n'a plus devant lui qu'une prose qui n'est même pas rythmée... « Avec l'hexamètre, tout a disparu; c'est la méduse brillante et colorée naguère, qui n'est plus, tirée sur le sable, qu'un amas informe. »

Dans le même esprit de probe exactitude littérale, et contrairement à la plupart de ceux qui, avant nous, ont traduit *l'Enéide*, nous avons scrupuleusement gardé leur diversité aux noms propres virgiliens, qu'il s'agisse de noms de peuples, de pays ou de lieux, de patronymes ou du nom des dieux. Il nous a semblé que ç'eût été, en quelque manière, trahir le poète, que d'employer, par exemple, le seul mot de *Troyens*, quand notre auteur emploie (et non pas toujours indifféremment) les termes de Troyens, Trojugènes, Teucères, Dardaniens, Dardanides, Phrygiens, etc. User d'un seul mot, c'était d'abord remplacer arbitrairement la diversité par cette monotonie qu'a voulu éviter Virgile; c'était aussi, quelquefois, commettre une erreur grave en confondant des dieux aussi différents, du moins à l'origine, que Mars et Mavors, Pluton et Dis, etc.

Des notes justifiant notre traduction, nous nous permettons d'y renvoyer le lecteur, qui y trouvera les éclaircissements nécessaires. Mais, pour sa commodité, et afin qu'il ait une vue d'ensemble de la nomenclature de Virgile, nous croyons utile de donner ici une liste sommaire des principales appellations :

1. *Noms de peuples et de pays.* — Les Troyens sont nommés

tour à tour Teucères *(Teucri)*, Dardaniens *(Dardanii)*, Dardanides *(Dardanides)*, Laomédontiades *(Laomedontiadæ*, 1 fois), Troyens *(Troes* ou *Trojani)*, Trojugènes *(Trojugenæ)*, Phrygiens *(Phryges* ou *Phrygii)*, etc.

Les Grecs reçoivent les noms d'Achéens *(Achivi)*, d'Argiens *(Argivi)*, de Danaens *(Danai)*, de Grecs *(Graii)*, de Grajugènes *(Grajugenæ)*, etc.

Les Italiens sont nommés Italiens *(Itali)*, Italides *(Italides*, 1 fois), Ausoniens *(Ausonii)*, Ausonides *(Ausonides)*.

Les Etrusques sont nommés encore Tyrrhéniens *(Tyrrheni)*, Lydiens *(Lydi)*, Méonides *(Mæonidæ*, 1 fois), Toscans *(Tusci)*, etc.

Les Latins sont nommés Arcadiens *(Arcades)* et Latins *(Latini)*.

A ces noms de peuples correspondent le plus souvent des noms de pays et des adjectifs, tels que pour grec : *achaïcus, a, um, argolicus, danaus* (1 fois), etc.; pour troyen : *dardanius, troïanus, troïcus, iliacus, phrygius*, etc.

2. *Patronymes.* — Virgile, selon la coutume grecque, donne quelquefois à ses héros le nom de leurs ascendants : un tel, fils ou descendant d'un tel. C'est ainsi qu'Enée est nommé fils d'Anchise *(Anchisiades)* et Priam descendant de Laomédon *(Laomedontiades)*; que le même mot Eacide *(Æacides)* désigne tantôt Achille, tantôt Pyrrhus, tantôt Persée; que le mot Eolide *(Æolides)* désigne tour à tour Ulysse, Clytius et Misène; que le nom d'Agamemnonien désigne tour à tour Oreste et Halésus; que le même mot de Pélide *(Pelides)* désigne trois fois le fils de Pélée, Achille, et une fois son petit-fils Néoptolème; que le nom de Tydide *(Tydides)* désigne Diomède, et celui d'Iaside tantôt Palinure et tantôt Iapyx, etc.

D'autre part, un double nom désigne parfois le même personnage : Ascagne, s'appelle encore Iule; Pyrrhus, Néoptolème; Didon est nommée Elissa par Enée.

3. *Noms des divinités :*

a) Certaines divinités reçoivent plusieurs noms, soit qu'il s'agisse en réalité de dieux et de déesses différents à l'origine et confondus plus tard, soit que le poète tienne à insister sur une de leurs fonctions particulières. C'est ainsi que Bacchus est nommé tour à tour Bacchus (11 fois), Lenæus Pater (1 fois), Liber (1 fois); que le poète distingue Mars et Mavors; que le dieu des enfers est nommé Pluton (1 fois) et Dis (3 fois), que Vulcain est nommé une fois Mulciber; que Minerve reçoit les noms de Minerva (10 fois), de Pallas (10 fois), de Tritonia (1 fois) et de Tritonis (1 fois); Diane ceux de Diane (11 fois), de Phébé (1 fois), de Lune (2 fois), de Trivie (3 fois) et d'Hécate (5 fois), etc.

b) Les dieux reçoivent aussi des noms toponymiques, rappelant les lieux où ils ont un temple ou un culte célèbre, ou dont ils sont originaires. C'est ainsi que Vénus est nommée tour à tour l'Acidalienne (1 fois), la Cythérée, l'Erycine, l'Idalienne; Cybèle la Bérécyntienne et l'Idéenne; Apollon, l'Amphrysien, le Délien, le Thymbréen; Mercure, le Cyllénien; Pan, le Lycéen, etc.

c) Enfin les dieux reçoivent aussi un nom patronymique : Jupiter, fils de Saturne, est quelquefois nommé *Saturnius ;* Junon est souvent appelé *Saturnia ;* Diane, fille de Latone, *Latonia ;* Hercule, petit-fils d'Alcée, *Alcides.*

L'ÉNÉIDE

LIVRE PREMIER

L'ARRIVÉE D'ÉNÉE A CARTHAGE

Je chante les combats et ce héros qui, le premier [1], des rivages de Troie, s'en vint, banni du sort, en Italie, aux côtes de Lavinium [2] : longtemps il fut le jouet, et sur terre et sur mer, de la puissance des dieux Supérieurs [3], qu'excitaient le ressentiment et le courroux de la cruelle Junon; longtemps aussi il eut à souffrir les maux de la guerre, avant de fonder une ville et de transporter ses dieux [4] dans le Latium : de là sont sortis la race Latine, les pères Albains [5] et les remparts de la superbe Rome.

Muse, rappelle-moi les causes de ces événements, dis-moi pour quelle offense à sa divinité, pour quelle injure, la reine des dieux [6] poussa un héros, insigne par sa piété, à courir tant de hasards, à affronter tant d'épreuves. Est-il tant de courroux dans l'âme des dieux célestes ?

Il fut une ville antique [7] (des colons de Tyr l'habitèrent), Carthage, dressée au loin en face de l'Italie et des bouches du Tibre, abondante en richesses et redoutable par son ardeur guerrière. Junon la préférait, dit-on, à toutes les autres terres, et à Samos elle-même [8] : c'est là qu'elle avait ses armes [9] et son char [10]; c'est à lui faire obtenir l'empire du monde, si les destins le permettent, que dès lors elle tend ardemment. Mais elle avait appris qu'une race, issue du sang troyen [11], renverserait un jour la citadelle tyrienne; qu'un peuple, régnant au loin [12] et superbe à la guerre, viendrait d'elle pour la ruine de la Libye : ainsi le voulait le destin déroulé par les Parques [13]. A cette crainte et au souvenir de la guerre qu'elle avait jadis soutenue devant Troie pour ses Argiens chéris [14], la Saturnienne [15] joignait des raisons de haine et des ressentiments cruels qui n'étaient pas encore sortis de sa mémoire : elle garde, gravé au fond de son cœur, le jugement de Pâris [16], l'injure de sa beauté méprisée, l'horreur d'une race odieuse [17], l'enlèvement et les honneurs de Ganymède [18]. Enflammée par ces outrages, elle repoussait loin du Latium les Troyens, jouets de la mer immense, restes de la fureur des Danaens [19] et de l'impitoyable Achille [20]; depuis de longues années, poursuivis par le sort, ils erraient de mer en mer :

tant était lourde la tâche de fonder la nation romaine!

A peine, perdant de vue la terre de Sicile [21], les Troyens faisaient-ils voile, joyeux [22], vers la haute mer, et, de l'airain de leurs proues, fendaient-ils les ondes écumantes, que Junon, qui gardait au fond de son cœur son éternelle blessure, se dit à elle-même : « Me faut-il donc, vaincue, renoncer à mon entreprise, sans pouvoir détourner de l'Italie le roi des Teucères [23] ? les destins me le défendent! Pallas a bien pu brûler la flotte des Argiens et les engloutir dans la mer, pour châtier la faute et les fureurs du seul Ajax, fils d'Oïlée [24]! elle-même, lançant du haut des nues le feu rapide de Jupiter, dispersa leurs vaisseaux, bouleversa les flots à l'aide des vents, et, dans un tourbillon, enleva le coupable dont la poitrine transpersée vomissait des flammes et le cloua sur un roc aigu! Et moi, la reine des dieux qui m'avance à leur tête, moi la sœur et la femme de Jupiter, je fais la guerre, depuis tant d'années, à un seul peuple! Qui donc voudra désormais adorer la puissance divine de Junon et porter, suppliant, des vœux à ses autels ? »

La déesse, roulant de telles pensées dans son cœur enflammé, arrive dans l'Eolie [25], la patrie des orages, lieux tout pleins de furieux autans. Là, dans un antre vaste, le roi Eole [26] maîtrise les vents tumultueux et les bruyantes tempêtes, et les tient à l'attache, prisonniers. Eux, indignés, avec un mugissement qui remplit la montagne, se pressent en frémissant aux clôtures de l'enceinte. Assis au sommet du rocher, Eole, son sceptre en main, adoucit leur humeur et modère leur courroux. Sans lui, les vents emporteraient certainement dans leur course les mers, les terres et la voûte du ciel, et les balaieraient dans les airs. Mais, craignant ce danger, le Père tout-puissant les a enfermés dans de sombres cavernes, et a entassé sur leurs têtes une lourde masse de hautes montagnes; et il leur a donné un roi qui, en vertu d'un pacte précis, sut, écoutant ses ordres, ou serrer ou lâcher les rênes. C'est à lui que Junon suppliante s'adressa alors en ces termes : « Eole (car c'est à toi que le père des dieux et le roi des hommes a donné le pouvoir d'apaiser les flots et de les soulever au moyen du vent), une race que je hais navigue sur la mer Tyrrhénienne [27], portant en Italie Ilion [28] et ses Pénates vaincus : déchaîne la violence des vents, submerge et engloutis leurs poupes, ou disperse çà et là mes ennemis et couvre la mer de leurs corps épars. J'ai deux fois sept nymphes dont le corps est d'une beauté éclatante : la plus belle de toutes, Déiopée, unie à toi par un hymen durable [29], sera ton bien propre, et je veux que, pour prix d'un tel service, elle passe avec toi toutes ses années et te rende père d'une belle postérité. »

Eole lui répondit : « A toi, reine, le soin d'examiner ce que tu souhaites; à moi, le devoir d'exécuter tes ordres [30]. C'est de toi que je tiens tout mon pouvoir, et mon sceptre, et la faveur de Jupiter; c'est toi qui me fais asseoir aux festins des dieux, et disposer en maître des orages et des tempêtes. »

Ayant dit, d'un revers de lance, il a frappé le flanc du mont caverneux; et les vents, comme en un bataillon, se précipitent par l'issue qui leur est ouverte, et balaient la terre de leur trombe. D'un seul coup l'Eurus [31], et le Notus [32], et l'Africus [33], fécond en tempêtes, se sont abattus sur la mer, la bouleversent toute dans ses profondeurs et roulent vers les rivages de vastes flots. Alors s'élèvent le cri des hommes et le sifflement des câbles. Soudain les nuages dérobent le ciel et le jour aux yeux des Teucères; sur la mer une nuit sombre s'étend; les cieux ont tonné, et l'éther brille de feux redoublés, et l'univers offre aux hommes le spectacle de la mort présente.

Tout à coup Enée sent ses membres se glacer : il gémit sourdement, et, levant ses deux paumes vers les astres, il prononce les paroles suivantes : « O trois et quatre fois heureux ceux qui ont eu la chance de mourir sous les yeux de leurs parents, au pied des hautes murailles de Troie! O toi, le plus brave des Grecs, fils de Tydée [34], que n'ai-je pu succomber dans les plaines Iliaques et expirer sous tes coups, aux lieux où gît le farouche Hector [35] percé du fer de l'Eacide [36], où est couché le grand Sarpédon [37], où le Simoïs [38] a englouti et roule dans ses ondes tant de boucliers, et de casques, et de corps de héros! »

Il parlait encore, que le souffle strident de l'Aquilon [39] frappe en plein sa voile, et soulève les flots jusqu'aux astres. Les rames se brisent, puis la proue se détourne et livre aux vagues le flanc du navire; l'onde s'amoncelle en forme de montagne escarpée. Les uns sont suspendus sur le sommet des flots; les autres découvrent la terre dans le sein des ondes entrouvertes; le sable bouillonne avec fureur. Trois vaisseaux qu'emporte le Notus [40] sont lancés contre ces rochers invisibles — rochers situés au milieu des flots, que les Italiens nomment les *Autels* [41], et dont l'énorme dos effleure la surface de la mer. L'Eurus [42] en pousse trois autres de la haute mer sur des bas-fonds et sur des syrtes [43] (ô spectacle douloureux!), les brise sur des écueils et les ceint d'une barrière de sable. Le navire, qui portait les Lyciens [44] et le fidèle Oronte [45], reçoit, sous les yeux mêmes d'Enée, le choc d'une lame de fond qui s'abat sur la poupe : le pilote chancelle, tombe et roule, la tête en avant, dans l'abîme; le navire tourne trois fois sur lui-même, et sombre, englouti par un rapide tourbillon. Quelques naufragés apparaissent çà et là, nageant sur le gouffre immense; avec eux flottent des armes [46], des planches et le trésor de Troie. Déjà le solide vaisseau d'Ilionée [47], et celui du vaillant Achate, et celui qui porte Abas, et celui que monte le vieil Alétès sont vaincus par la tempête : tous par leurs flancs disjoints reçoivent l'onde ennemie, et s'entrouvrent de toutes parts.

Cependant, au mugissement énorme qui s'élève de la mer, Neptune s'est aperçu que la tempête était déchaînée et la mer agitée jusqu'en ses profondeurs : vivement ému, il lève son front calme à la surface de l'onde, et, promenant son regard sur la vaste étendue, il voit la flotte d'Enée dispersée sur toute la mer, et les Troyens accablés par les flots et par le ciel, qui semble fondre sur eux. Les artifices et les fureurs de Junon n'ont point échappé à son frère [48]. Il appelle à lui l'Eurus [49] et le Zéphyr [50], puis leur parle en ces termes : « Est-ce votre origine [51] qui vous a donné une telle audace ? Osez-vous bien, sans ma permission, vents insolents, bouleverser le ciel et la terre et soulever ces énormes masses ? Je devrais vous... Mais, avant tout, il faut calmer les flots émus. Désormais, pour de tels méfaits, je vous réserve un autre châtiment. Fuyez vite, et dites à votre roi que ce n'est pas à lui, mais à moi, que l'empire de la mer et le trident redoutable [52] ont été donnés par le sort [53]. Maître des énormes rochers qui sont, Eurus [54], votre demeure, qu'Eole [55] se prélasse dans ce beau palais, et règne dans la prison où les vents sont captifs. »

Ainsi dit-il, et, en moins de temps qu'il n'en faut pour le dire, il apaise les flots enflés, chasse les nues amoncelées et ramène le soleil. Cymothoé [56] et Triton [57], unissant leurs efforts, dégagent les vaisseaux de la pointe des rochers; lui-même les soulève avec son trident, ouvre les vastes syrtes [58], calme la plaine liquide, et, sur les roues légères de son char, effleure la surface des ondes. De même, on voit souvent une sédition s'élever dans un grand peuple, et l'ignoble populace, en proie à la colère, faire voler les brandons et les pierres, la fureur armer tous les bras; mais qu'alors apparaisse un homme recommandable par sa piété et les services rendus, la foule se tait, et lui prête, immobile, une oreille attentive : il parle, et sa parole gouverne les esprits, et adoucit les cœurs. Ainsi est tombé tout d'un coup le bruit des vagues, dès que le père des dieux [59], jetant les yeux sur la plaine liquide et porté sous un ciel serein, lance ses chevaux et abandonne les rênes à son char qui vole sur les eaux.

Harassés, les compagnons d'Enée se hâtent de gagner le plus prochain rivage et se dirigent vers les côtes de la Libye. Là, dans une baie profonde [60], est une île, dont les flancs, par leur disposition, forment un port : les flots, venus de la haute mer, se brisent tous contre cette barrière et reculent, scindés en deux courants. A droite et à gauche il y a de vastes rochers, et deux cimes menaçantes se dressent vers le ciel, à l'abri desquelles les flots demeurent au loin calmes et silencieux; au-dessus s'élèvent en amphithéâtre des arbres touffus aux feuilles frémissantes, sombre bois qui étend son ombre hérissée. Du côté opposé, sous des rocs suspendus, une grotte renferme des eaux douces et des bancs taillés dans la pierre vive : c'est la demeure des nymphes. Là, les navires fatigués par l'orage ne sont ni retenus par des câbles, ni enchaînés par l'ancre à la dent recourbée. C'est là qu'Enée se réfugie après avoir rallié sept navires, les seuls de toute sa flotte qui lui restent; empressés à toucher la terre, les Troyens débarquent, prennent possession de la plage tant désirée, et reposent sur la côte leurs membres ruisselants d'eau salée. Et d'abord Achate fait jaillir d'un caillou une étincelle, reçoit le feu sur des feuilles, l'entoure de matières sèches qu'il attise et enflamme. Puis les Troyens, pressés par le besoin, tirent des vaisseaux les armes de Cérès [61] et ses dons altérés par les ondes, et s'apprêtent à sécher dans les flammes et à broyer sous la pierre le grain sauvé du naufrage.

Cependant Enée monte sur un rocher et promène tout au loin ses regards sur la mer; il cherche s'il verra Anthée, ballotté par le vent, et les birèmes phrygiennes, ou Capys, ou les armes [62] de Caïcus [63] sur sa poupe élevée. Aucun vaisseau ne paraît à l'horizon, mais il voit trois cerfs [64] avancer sur le rivage : un troupeau entier suit leurs pas et paît en longue file à travers la vallée. Il s'arrête, saisit son arc et les flèches rapides que portait le fidèle Achate [65], et il commence par abattre les chefs mêmes, dont la tête élevée portait une haute ramure; puis il disperse les autres et poursuit de ses traits la troupe entière qui fuit parmi les bois feuillus. Il ne s'arrête point avant que son arc vainqueur n'ait étendu à terre sept énormes cerfs, nombre égal à celui de ses vaisseaux. Alors il retourne au port, partage son butin à tous ses compagnons, leur distribue le vin dont le généreux Aceste [66] avait chargé sa flotte prête à quitter la côte de Trinacrie [67], et console en ces termes leurs cœurs affligés :

« O compagnons, nous n'avons pas oublié nos anciens malheurs, et vous en avez souffert de plus grands : un dieu mettra aussi un terme à ces misères. Vous avez vu de près la rage de Scylla [68] et ses rochers aux cavernes retentissantes; vous avez affronté les rocs des Cyclopes [69]. Reprenez courage, et bannissez la crainte qui vous attriste. Peut-être même quelque jour vous plaira-t-il d'évoquer ces souvenirs. A travers des hasards variés, à travers tant de périls, nous marchons vers le Latium, où les destins nous montrent de paisibles demeures : c'est là que les dieux nous permettent de relever le royaume de Troie. Soyez patients, et réservez-vous pour des jours favorables. »

Tels sont les mots que prononce Enée; au milieu des cruels soucis qui le dévorent, son visage feint l'espoir, mais son cœur cache une douleur profonde. Les Troyens se mettent à apprêter leur proie et leur prochain repas. Ils dépouillent les côtes et mettent à nu les viscères. Les uns les coupent en morceaux, et les percent, toutes palpitantes, de broches; les autres placent sur le rivage des vases d'airain et attisent les flammes. Bientôt ils réparent leurs forces en mangeant, et, couchés sur l'herbe, se rassasient de vin vieux et de grasse venaison. Quand ce repas a chassé leur faim, et que les tables sont enlevées, ils déplorent dans de longs entretiens la perte de leurs compagnons : partagés entre l'espoir et la crainte, ils doutent s'ils vivent encore, ou si, ayant trouvé leur dernière journée, ils n'entendent plus la voix qui les appelle [70]. Le pieux Enée surtout gémit, tantôt sur le sort du bouillant Oronte, tantôt sur celui d'Amycus [71], et sur la destinée cruelle de Lycus [72], et sur le brave Gyas [73], et sur le brave Cloanthe [74].

Les plaintes avaient pris fin, quand Jupiter, contemplant

du haut de l'éther et la mer, couverte de voiles, et l'étendue des terres, et les rivages, et les vastes peuples, s'arrêta au sommet du ciel et porta ses regards sur le royaume de Libye. Tandis que de tels soins agitaient son esprit, Vénus, triste et mouillant de larmes ses yeux brillants, lui adresse ce discours : « O toi dont les décrets éternels règlent les destins des hommes et des dieux, toi dont les foudres épouvantent le monde, quel si grand crime mon Enée et les Troyens ont-ils pu commettre envers toi, pour se voir, après tant de désastres, fermer tout l'univers à cause de l'Italie ? C'est d'eux pourtant, c'est du sang rajeuni de Teucer [75], qu'un jour, dans le déroulement des années, doivent naître les Romains, peuple dominateur dont le souverain empire s'étendra sur la mer et les terres : du moins, tu me l'avais promis; pourquoi, mon père, as-tu changé d'avis ? C'est dans cette pensée, à vrai dire, que je me consolais de la chute de Troie et de son lamentable écroulement, opposant des destins meilleurs à des destins contraires. Mais voici qu'après tant de revers la même fortune les poursuit encore. Quel terme, grand roi, assignes-tu à leurs travaux ? Anténor [76], échappé du milieu des Achéens [77], a pu pénétrer sans péril dans le golfe d'Illyrie et jusqu'au fond du royaume des Liburnes [78], et franchir la source du Timave [79], qui, par neuf bouches à la fois, sort de la montagne avec un vaste murmure, tel qu'une mer impétueuse, et inonde les guérets de ses flots retentissants. C'est là pourtant qu'il a fondé la ville de Patavium [80], fixé le siège des Teucères, donné à la nation le nom qu'elle porte [81] et suspendu les armes de Troie [82] : maintenant il repose au sein d'une paix tranquille [83]. Mais nous, ta progéniture, à qui tu promets une place au ciel, nous perdons (ô malheur indicible) nos navires, et, livrés au courroux d'une seule ennemie, nous sommes rejetés loin des côtes d'Italie. Est-ce là le prix de la piété ? Est-ce ainsi que tu nous remets le sceptre en main ? »

Le père des dieux et des hommes, souriant de cet air dont il calme le ciel et les tempêtes [84], donna un baiser à sa fille [85] puis il lui dit : « Bannis ta crainte, Cythérée [86]; les destinées des tiens demeurent immuables; tu verras cette ville et ces murs de Lavinium [87] qui t'ont été promis, et tu élèveras jusqu'aux astres du ciel le magnanime Enée : non, je n'ai point changé d'avis. Ce héros (car je m'en vais te le dire, puisque ce souci met en toi sa morsure, et même je m'en vais dérouler à tes yeux le secret des destins) soutiendra en Italie une grande guerre, domptera des peuples farouches, et donnera à ses guerriers des lois et des remparts, jusqu'à ce que trois étés l'aient vu régner dans le Latium et que trois hivers aient passé sur la soumission des Rutules [88]. Le petit Ascagne, qui porte maintenant le surnom d'Iule [89] (il s'appelait Ilus tant que subsista le royaume d'Ilion [90]), remplira de son règne le long cercle de mois qui forme trente années [91] et transportera le siège du pouvoir de Lavinium [92] à Albe-la-Longue [93], qu'il ceindra de puissantes murailles. Là, durant trois fois cent ans, régnera la race d'Hector, jusqu'à ce qu'Ilia [94], reine et prêtresse, fécondée par Mars, mette au monde deux jumeaux. Puis Romulus, tout joyeux de porter la fauve dépouille d'une louve [95], sa nourrice, recevra le sceptre, et bâtira les remparts de Mavors [96], et donnera son nom aux Romains. Je ne mets de limites à leur puissance ni dans le temps ni dans l'espace [97], je leur ai donné un empire sans fin. Elle-même, l'âpre Junon, qui fatigue aujourd'hui de ses craintes et la mer et la terre et le ciel, cédera à de meilleures inspirations, et favorisera avec moi les Romains, maîtres du monde, et la race qui porte la toge [98]. Telle est ma volonté. Un temps viendra, après bien des lustres écoulés [99], où la maison d'Assaracus [100] asservira Phthie [101] et l'illustre Mycènes [102], et dominera dans Argos [103] vaincue. Puis naîtra César, Troyen de belle origine [104], qui étendra son empire jusqu'à l'Océan et sa renommée jusqu'aux astres : son nom de Jules lui viendra du grand Iule. Toi-même, libre de soucis, tu recevras un jour au ciel ce héros, chargé des dépouilles de l'Orient [105] et les mortels lui adresseront aussi leurs vœux [106]. Alors les guerres cesseront et les générations farouches se feront douces. La Foi chenue [107], Vesta [108], Quirinus avec son frère Rémus [109] feront la loi; d'étroites chaînes de fer tiendront closes les portes redoutées du temple de la Guerre [110]; au-dedans, la Fureur impie [111], assise sur des armes meurtrières et les mains liées derrière le dos par cent nœuds d'airain, frémira de rage, horrible et la bouche sanglante. »

Il dit, et du haut de l'éther envoie le fils de Maia [112] ménager l'hospitalité aux Teucères sur la terre et dans les remparts de la nouvelle Carthage; car il craint que Didon, ignorante du destin, ne les chasse de ses Etats. Le dieu, porté sur ses ailes rapides [113], fend l'air immense et arrive vite aux côtes de la Libye. Déjà il exécute les ordres de Jupiter, et les Phéniciens, dociles à la volonté du dieu, dépouillent leur humeur farouche; la reine surtout prend pour les Teucères des sentiments pacifiques et un esprit bienveillant.

Cependant le pieux Enée, agité pendant la nuit de mille pensées diverses, a résolu, dès l'apparition de la lumière bienfaisante du jour, de sortir et d'explorer ces lieux inconnus; il veut savoir sur quels bords les vents l'ont poussé, si ce pays, qu'il voit inculte, est habité par des hommes ou par des bêtes sauvages, et rapporter à ses compagnons ses découvertes. Il cache sa flotte dans un enfoncement des bois, sous une roche creuse, que les arbres entourent et couvrent de leurs ombrages touffus; lui-même se met en route accompagné du seul Achate [114], et brandissant dans sa main deux javelots armés d'un large fer. Sa mère s'offre à sa vue au milieu de la forêt, sous les traits, le costume et les armes d'une vierge Spartiate [115], ou telle que la Thrace Harpalyce [116], quand elle fatigue ses chevaux et devance à la course l'Eurus au vol rapide [117]. Vêtue en chasseresse, elle avait, selon l'usage, suspendu à ses épaules un arc léger, et laissé ses cheveux flotter au gré des vents; son genou était nu, un nœud relevait les plis flottants de sa robe : « Hé! jeunes gens, dit-elle la première, n'avez-vous pas vu par hasard quelqu'une de mes sœurs errer par ici, armée d'un carquois et couverte de la peau tachetée d'un lynx, ou presser de ses cris la course d'un sanglier écumant ? »

Ainsi parle Vénus, et le fils de Vénus lui répond : « Je n'ai ni entendu ni vu aucune de tes sœurs, ô vierge que je ne sais de quel nom appeler; car tu n'as point l'air d'une mortelle, et ta voix n'a pas le son humain. O déesse, oui, j'en suis sûr, es-tu la sœur de Phébus [118], ou du sang des Nymphes ? Sois-nous propice, et allège, qui que tu sois, le fardeau de nos misères; apprends-nous sous quel ciel, sur quels bords nous nous trouvons jetés : ignorant et ces lieux et leurs habitants, nous errons par ici, où le vent et les vastes flots nous ont poussés. Nos mains feront tomber plus d'une victime devant tes autels. »

Alors Vénus : « Non, je ne suis pas digne d'un tel honneur. C'est l'usage des vierges de Tyr de porter un carquois et de serrer leurs jambes dans un cothurne [119] de pourpre [120]. Tu vois ici un royaume punique [121], des Tyriens et la ville d'Agénor [122]; mais le pays appartient aux Libyens, race indomptable à la guerre. Didon, partie de sa ville pour fuir son frère [123], y exerce le pouvoir. L'histoire de ses malheurs est longue, longues ses vicissitudes; mais j'en effleurerai seulement les faits principaux. Elle avait épousé Sychée, le plus opulent des Phéniciens, et, la malheureuse, elle le chérissait d'un grand amour. C'était à lui que son père [124] l'avait donnée, vierge encore, et unie sous les premiers auspices de l'hymen [125]. Mais le trône de Tyr était occupé par Pygmalion, son frère, le plus scélérat de tous les hommes. La discorde avec ses fureurs vint entre les deux frères. L'impie, aveuglé par son amour de l'or, surprend Sychée au pied des autels et l'égorge en secret, sans se soucier des amours de sa sœur. Il tint longtemps son forfait caché, et inventa mille prétextes, le cruel, pour leurrer d'un vain espoir cette amante désolée. Mais l'ombre même de Sychée, privé de sépulture, apparut à sa femme, pendant son sommeil, le visage couvert d'une étrange pâleur : il lui montra l'autel sanglant, son sein percé d'un glaive, et dévoila le crime secret commis dans le palais. Puis il la persuada de fuir en toute hâte et de quitter sa patrie, et, pour l'aider dans son voyage, lui montra d'anciens trésors enfouis sous la terre, amas ignoré d'argent et d'or. Dans son effroi, Didon se prépare à la fuite et cherche des compagnons. Autour d'elle se rassemblent ceux qu'animait contre le tyran une haine féroce ou un vif sentiment de crainte. Le hasard leur offre des vaisseaux tout prêts : ils s'en emparent et les chargent d'or. Les richesses de l'avide Pygmalion sont emportées sur la mer : c'est une femme qui a tout conduit. Arrivés aux lieux où tu verras maintenant d'énormes murailles et la citadelle imposante de la nouvelle Carthage, ils achetèrent tout le terrain qu'ils pourraient entourer avec une peau de taureau : d'où lui vient le nom de Byrsa [126]. Mais vous enfin, qui êtes-vous ? de quels bords êtes-vous venus ? où portez-vous vos pas ? » A ces questions Enée soupire, et tirant sa voix du fond de sa poitrine :

« O déesse, dit-il, si je remontais jusqu'à l'origine première de mes maux, et que tu eusses le loisir d'en écouter l'histoire, Vesper [127], avant la fin de mon récit, aurait fermé les portes de l'Olympe et du jour. Partis de l'antique Troie (si le nom de Troie par hasard est venu jusqu'à vos oreilles) et errant de mer en mer, la tempête par hasard nous a poussés sur les côtes de Libye. Je suis le pieux Enée, qui transporte avec moi sur ma flotte les Pénates dérobés à l'ennemi, Enée dont le renom est allé jusqu'au haut de l'éther. Je cherche l'Italie, terre de mes pères [128], qui descendent du grand Jupiter. J'avais deux fois dix vaisseaux quand je m'embarquai sur la mer de Phrygie, et quand, la déesse, ma mère, me montrant le chemin [129], je suivis les destins qui m'étaient assignés : c'est à peine s'il m'en reste sept, brisés par les ondes et par l'Eurus [130]. Moi-même, inconnu, dénué de tout, je parcours les déserts de la Libye, repoussé de l'Europe et de l'Asie. »

Vénus, ne pouvant supporter plus longtemps la plainte de son fils, l'interrompit ainsi au milieu de sa douleur : « Qui que tu sois, non, les Célestes, je le crois, ne te voient pas cueillir les brises de la vie avec des yeux de haine, puisque te voilà arrivé à la ville des Tyriens. Poursuis seulement ta route, et rends-toi au palais de la reine. Je t'annonce que tes compagnons sont de retour et que ta flotte t'est rendue et a été ramenée en lieu sûr grâce aux Aquilons [131] qui ont tourné, à moins toutefois que mes parents ne m'aient abusé en m'enseignant l'art vain des augures. Vois ces cygnes [132], en nombre de deux fois six [133], heureux de voler en colonne : l'oiseau de Jupiter [134], fondant du haut de l'éther, les dispersait dans le vaste ciel; maintenant, rangés en une longue file, ils semblent ou descendre sur la terre, ou regarder d'en haut la place qu'ils vont choisir. De même que ces oiseaux réunis jouent en battant des ailes et cachent le ciel qu'ils font retentir de leurs chants, de même tes vaisseaux et tes jeunes guerriers ou sont déjà au port ou y entrent à pleines voiles. Hâte-toi donc, et suis le chemin qui te conduit. »

Elle dit, et, détournant la tête, elle fit briller son cou de rose; ses cheveux parfumés d'ambroisie [135] exhalèrent une odeur divine; les plis de sa robe s'abaissèrent jusqu'à ses pieds [136], et sa démarche révéla une vraie déesse [137].

Ayant reconnu sa mère, il la poursuivit, fuyante, de ces mots : « Pourquoi toi aussi, cruelle, te joues-tu si souvent de ton fils par de trompeuses images ? Que ne m'est-il donné de mettre ma main dans la tienne, de t'entendre me parler et de te répondre sans feinte ? » Tout en lui faisant ces reproches, il dirige ses pas vers les murailles. Vénus, pendant leur marche, obscurcit l'air autour d'eux, et les enveloppe d'un voile nébuleux [138], pour que personne ne puisse les voir, les toucher, leur susciter aucun retard ou leur demander les motifs de leur venue. Elle-même, s'élevant dans les airs, s'éloigne vers Paphos [139], et se plaît à revoir ce séjour chéri où, dans le temple qui lui est consacré, l'encens de Saba [140] brûle sur cent autels parfumés de fraîches guirlandes.

Cependant les deux guerriers se sont avancés à grands pas en suivant le sentier qui les guide. Et déjà ils gravissaient la haute colline qui surplombe la ville, et dont le sommet fait face à la citadelle. Enée admire la masse des édifices, qui ont remplacé les cabanes d'antan [141]; il admire les portes, le bruit de la foule, le pavé des rues. Les Tyriens s'emploient avec ardeur : les uns prolongent les murs, construisent la citadelle et de leurs mains roulent des blocs de pierre; les autres choisissent l'emplacement de leur maison, et l'enferment d'un fossé. On élit des magistrats, et des juges, et le Sénat vénérable. Ici, l'on creuse un port; là, on jette les fondements profonds d'un théâtre, et l'on taille dans le roc d'immenses colonnes [142], ornements de la scène future. Telles, au retour de l'été, on voit dans les campagnes fleuries les abeilles occupées de leurs travaux au soleil, quand elles élèvent leurs jeunes nourrissons, espoir de la nation, ou épaississent le miel limpide et tapissent d'un doux nectar leurs cellules, ou déchargent de leurs fardeaux les arrivantes, ou bien encore, formées en colonne, repoussent loin des ruches la troupe paresseuse des frelons; on travaille avec feu, et le miel embaumé se parfume de l'odeur du thym [143]. « O fortunés, ceux dont les murs s'élèvent déjà! » dit Enée, en contemplant le faîte des édifices de la ville. A la faveur du nuage qui l'enveloppe, il s'avance (ô prodige!) au milieu des Tyriens et se mêle à la foule sans être vu de personne.

Au milieu de la ville était un bois sacré, très riche en ombrage, où les Phéniciens, battus des flots et des tourbillons, avaient déterré tout d'abord l'emblème que Junon-reine leur avait indiqué, la tête d'un cheval ardent [144], signe qui promettait à la nation la gloire guerrière et une éternelle abondance [145]. Là, Didon la Sidonienne [146] bâtissait à Junon un grand temple, riche de ses offrandes et de sa divine présence. Le seuil, auquel on accédait par des marches, était de bronze; et contre des travées de bronze s'appuyaient et tournaient sur deux gonds des portes de bronze [147]. Le spectacle inattendu qui s'offrit aux regards d'Enée dans ce bois sacré calma pour la première fois ses craintes; là, pour la première fois, il osa espérer le salut des Troyens et mieux augurer de sa mauvaise fortune. En effet, tandis qu'il passe en revue toutes les merveilles de ce vaste temple, en attendant la reine; tandis qu'il admire la fortune de la ville, l'adresse des artistes qui ont travaillé à l'envi à décorer l'édifice, il voit dans une série de tableaux les batailles d'Ilion, et ces guerres que la renommée déjà a portées par tout l'univers, les fils d'Atrée [148], Priam et Achille irrité contre tous deux [149]. Il s'arrête, et versant des larmes : « Quel lieu, dit-il, Achate, quelle contrée sur la terre n'est pas déjà remplie du bruit de nos malheurs ? Voici Priam : ici même il est des récompenses pour le mérite; il est des larmes pour l'infortune, et le cœur est sensible aux misères des mortels.

Bannis tes craintes : cette renommée contribuera à ton salut. » Il dit, et repaît son esprit de cette vaine peinture; il gémit longtemps, et des flots de larmes inondent son visage. Car il voyait les combats livrés autour de Pergame [150] : ici, les Grecs fuyant, pressés par la jeunesse Troyenne; là, les Phrygiens que poursuivait du haut de son char Achille au casque crêté. Non loin de là, il reconnaît en pleurant les tentes de Rhésus [151] aux toiles blanches comme la neige : dans la surprise du premier sommeil, le fils de Tydée [152] les emplissait d'un vaste carnage, se couvrant de sang, et détournait vers son camp les ardents chevaux [153] de Rhésus, avant qu'ils eussent goûté les pâturages de Troie et bu les eaux du Xanthe [154]. D'un autre côté fuyait Troïle [155], ayant perdu ses armes [156], enfant infortuné et qui n'était point de taille à combattre contre Achille : ses chevaux l'emportent et son corps renversé reste suspendu au char vide, dont il tient encore les rênes; sa nuque et sa chevelure traînent par terre, et la pointe de sa lance sillonne la poussière. Cependant les femmes d'Ilion, les cheveux en désordre, allaient au temple de l'impitoyable Pallas, et lui portaient le voile sacré [157], dans l'attitude des suppliantes, tristes et se frappant la poitrine de leurs paumes : mais la déesse, détournant la tête [158], tenait ses yeux fixés au sol. Trois fois Achille avait traîné Hector [159] autour des murs d'Ilion et vendait au poids de l'or son corps privé de vie. Mais Enée pousse du fond de son cœur un long gémissement, quand il aperçoit les dépouilles, le char, le corps même de son ami [160], et Priam tendant au vainqueur des mains désarmées. Il se retrouve lui-même en pleine mêlée avec les chefs Achéens; il reconnaît les phalanges venues du pays de l'Aurore [161] et les armes du nègre Memnon [162], et, à la tête des escadrons des Amazones [163], armées de boucliers en forme de lune, la fougueuse Penthésilée [164]; les seins découverts et soutenus par un baudrier d'or, l'héroïne brille par son ardeur au milieu des combats et ose se mesurer, vierge, avec des guerriers.

Tandis que le Dardanien Enée regarde ces tableaux qu'il admire, immobile d'étonnement et suspendu dans une muette contemplation, la reine Didon, éclatante de beauté, s'avance vers le temple au milieu d'une nombreuse escorte de jeunes gens. Telle, aux bords de l'Eurotas [165] ou sur les cimes du Cynthe [166], Diane conduit des chœurs de danse : mille Oréades [167] s'empressent de partout sur ses pas; la déesse marche le carquois sur l'épaule, dépasse de la tête toutes ces immortelles, et une joie secrète fait palpiter le cœur de Latone [168]. Telle était Didon; telle, le front joyeux, elle se montrait au milieu de ses sujets, pressant les travaux et l'achèvement de son futur empire. Puis, arrivée aux portes du sanctuaire, sous la voûte du temple, elle s'assit, entourée de ses gardes, sur un trône élevé; là, elle rendait la justice et donnait des lois à son peuple, partageait également les travaux ou les tirait au sort, quand tout à coup Enée voit s'approcher, au milieu d'un grand concours de peuple, Anthée,

Sergeste, le courageux Cloanthe [169] et d'autres Teucères, que le noir tourbillon de la tempête avait dispersés sur la plaine liquide, et jetés loin sur d'autres rivages. Énée reste stupéfait, et, comme lui, Achate est bouleversé de joie et de crainte : ils brûlaient du désir de leur serrer la main; mais cette aventure inouïe jette le trouble dans leur cœur. Ils dissimulent leurs sentiments, et, du fond du nuage qui les enveloppe, ils attendent pour savoir quel a été le sort de leurs compagnons, sur quel rivage ils ont laissé leur flotte et dans quel but ils viennent. Car c'était une ambassade choisie parmi tous les vaisseaux, qui venait implorer la protection de la reine, et se rendait au temple en poussant des cris.

Une fois introduits, et lorsqu'ils eurent la faculté de parler devant la reine, Ilionée [170], le plus âgé d'entre eux, commença ainsi avec calme : « O reine, à qui Jupiter a donné de fonder une ville nouvelle et d'imposer à des peuples indomptés le frein des lois, entends la prière des malheureux Troyens, que les vents ont ballottés sur toutes les mers : écarte de nos vaisseaux des feux criminels, épargne une nation pieuse, et examine de près notre cas. Nous ne sommes venus ni pour dévaster par le fer les pénates des Libyens ni pour ravir et embarquer vos richesses; cette violence n'est point dans notre cœur et tant d'audace sied mal à des vaincus. Il est un pays que les Grecs nomment Hespérie [171], terre antique, puissante par les armes et par la fécondité du sol; les Œnotriens [172] jadis l'ont habitée, et l'on dit que leurs descendants l'ont appelée Italie du nom de leur chef [173] : c'est là que se dirigeait notre course, quand l'orageux Orion [174], soulevant tout à coup les flots, nous poussa sur des écueils invisibles, et, déchaînant les Autans [175] furieux, dispersa notre flotte, vaincue par les éléments marins, au milieu des ondes et des rochers inaccessibles; peu d'entre nous ont pu à la nage gagner vos côtes. Mais quelle est cette race d'hommes ? Et quel pays si barbare autorise un pareil usage ? On nous refuse l'hospitalité du rivage! on nous déclare la guerre, et l'on nous interdit de mettre le pied sur le bord! Si vous méprisez la race humaine et les armes des mortels, craignez du moins les dieux qui n'oublient ni la vertu ni le crime. Nous avions pour roi Enée; nul autre ne fut plus juste, ni plus grand par la piété ni par la valeur des armes. Si les destins nous conservent ce trésor, s'il se nourrit encore des brises de l'éther, et n'est point enseveli dans les ombres cruelles [176], sois sans crainte, tu n'auras point à te repentir de l'avoir prévenu par tes bienfaits. Nous avons aussi, dans les contrées Sicules, des villes, des champs, et l'illustre Aceste [177] issu du sang troyen. Qu'il nous soit permis de tirer sur le rivage une flotte endommagée par les vents, de tailler des poutres dans vos forêts et de façonner des rames; et, s'il nous est donné de faire route pour l'Italie, après avoir retrouvé nos compagnons et notre roi, nous voguerons joyeux vers l'Italie et le Latium. Mais si tout salut nous est ravi, si la mer de Libye t'a englouti, généreux père des Teucères, et si Iule, notre espoir, ne nous reste même plus, puissions-nous du moins gagner les mers sicaniennes [178], et les terres hospitalières d'où nous sommes partis, et revoir le roi Aceste. » Ainsi parlait Ilionée, et tous les descendants de Dardanus accueillaient son discours par un murmure flatteur...

Alors Didon, baissant les yeux [179], répond brièvement : « Bannissez la crainte de votre cœur, Teucères; calmez votre inquiétude. Un dur état de choses et la nouveauté de mon empire m'obligent à de telles mesures et à garder au loin mes frontières. Mais qui ne connaît le peuple des compagnons d'Enée ? qui ne connaît la ville de Troie, ses hauts faits, ses héros, et l'incendie qui couronna une si grande guerre ? Nous autres, Phéniciens, nous n'avons point l'esprit si grossier; le Soleil n'attelle point ses chevaux si loin de la ville tyrienne [180], soit que vous soupiriez après la grande Hespérie [181] et les champs de Saturne [182], ou que vous préfériez le pays d'Eryx [183] et du roi Aceste [184], j'assurerai par mon aide votre départ et vous favoriserai de mes ressources. Voulez-vous même vous fixer avec moi dans ce royaume ? La ville que je fonde est la vôtre, tirez vos vaisseaux à sec sur le rivage : le Troyen et le Tyrien seront traités par moi sans aucune différence. Plût au ciel que le même Notus [185] eût poussé ici avec vous Enée lui-même, votre roi! Mais je vais envoyer des hommes sûrs le long des côtes, avec ordre de visiter les extrêmes confins de la Libye, pour voir s'il n'est point dans les forêts ou dans les villes où il a été jeté par la tempête. »

Le cœur rassuré par ces paroles, le vaillant Achate et le vénérable Enée brûlaient depuis longtemps de percer le nuage qui les couvrait. Achate le premier adresse la parole à Enée :

« Fils d'une déesse, quelle pensée maintenant s'élève dans ton âme ? Tout va bien, tu le vois : notre flotte et nos compagnons sont retrouvés; il n'en manque qu'un, que nous avons vu nous-mêmes englouti au sein des flots; tout le reste répond au discours de ta mère. »

A peine avait-il parlé que le nuage qui les enveloppait se fend tout à coup, et se dissipe dans l'étendue de l'éther. Enée apparut resplendissant d'une claire lumière, avec les traits et l'allure d'un dieu : car sa mère elle-même, de son souffle divin, avait donné à son fils une chevelure magnifique et l'éclat vermeil de la jeunesse, et avait rempli ses yeux d'une lumineuse beauté. Tel le charme que prêtent à l'ivoire les mains de l'artiste, ou celui que l'argent ou la pierre de Paros [186] emprunte de l'or jaune qui les entoure.

Alors il adresse la parole à la reine, et, devant la foule étonnée de sa présence inattendue, il lui dit : « Le voici, celui que tu cherches, le Troyen Enée, arraché aux ondes de la Libye. O toi, qui seule as pitié des malheurs indicibles de Troie, toi qui ouvres ta ville et ta demeure aux restes de la fureur des Danaens [187], épuisés par tous les revers subis et sur terre et sur mer, et dénués de tout au monde, non, il n'est pas en notre pouvoir, Didon, de reconnaître dignement tes bienfaits, non plus qu'au pouvoir de ce qui reste de la nation dardanienne, dispersée sur la vaste terre [188]. Que les dieux, s'il est des divinités favorables à la piété, si la justice et l'amour du bien ont quelque part leur prix, te procurent les récompenses dont tu es digne. Quels siècles fortunés t'ont vue naître ? Quels parents considérables ont donné le jour à une princesse telle que toi ? Tant que les fleuves courront à la mer, tant que les ombres des forêts couvriront les flancs des montagnes, tant que le ciel nourrira les constellations [189], sans cesse ta gloire, ton nom et tes louanges demeureront parmi nous [190], en quelque lieu que le destin m'appelle. » Ayant dit, il tend la main droite à Ilionée, son ami, la gauche à Séreste, ensuite aux autres, au vaillant Gyas, au vaillant Cloanthe.

Frappée d'abord de l'aspect, puis des grands revers du héros, la Sidonienne [191] Didon lui parla en ces termes : « Quelle fatalité, fils d'une déesse, te poursuit à travers tant de périls ? Quelle puissance te jette sur ces rivages barbares ? Es-tu donc cet Enée que l'alme Vénus a donné au Dardanien Anchise, sur les bords du Simoïs Phrygien [192] ? Moi-même je me souviens d'avoir vu venir à Sidon Teucer, banni du territoire de sa patrie [193] et cherchant de nouveaux Etats avec le secours de Bélus. Alors Bélus, mon père, ravageait l'opulente Chypre, et, vainqueur, la tenait sous ses lois. Dès ce temps, je connus les malheurs de la ville de Troie, et ton nom, et les rois pélasges [194]. Teucer [195], quoique ennemi des Troyens, faisait d'eux un insigne éloge, et se prétendait sorti de la souche antique des Teucères. Venez donc, jeunes guerriers, entrez dans nos demeures. Moi aussi, la fortune m'a soumise à bien des épreuves avant qu'elle ait voulu enfin me fixer sur cette terre. N'ignorant point le malheur, j'apprends à secourir les malheureux. »

Ce disant, elle conduit Enée dans son palais royal et ordonne en même temps des supplications dans les temples des dieux [196]. Elle ne laisse pas néanmoins d'envoyer aux compagnons du héros, restés sur le rivage, vingt taureaux [197], cent porcs [198] énormes au dos hérissé, cent agneaux gras avec leurs mères [199], présents destinés à fêter cette journée...

Cependant l'intérieur éclatant du palais est décoré avec un luxe royal, et le banquet s'apprête sous de vastes lambris. Ce sont des tapis façonnés avec art et d'une pourpre superbe; sur les tables, de nombreuses pièces d'argenterie et des vases d'or où sont ciselés les hauts faits des ancêtres de la reine, longue série d'exploits dont la tradition s'est perpétuée parmi tant de héros depuis l'origine de cette antique famille.

Enée (car l'amour paternel ne laisse pas de repos à son esprit) envoie le rapide Achate vers les vaisseaux pour annoncer les événements à Ascagne et l'amener lui-même dans les murs de la ville. Ascagne est l'unique souci de ce tendre père. Il ordonne aussi d'apporter en présent les richesses arrachées aux ruines d'Ilion : un manteau rehaussé de figures brochées d'or, un voile bordé d'acanthe [200] couleur de crocus, parure de l'Argienne Hélène [201], don admirable de sa mère Léda [202], et qu'elle avait emporté de Mycènes [203], quand elle courait à Pergame [204] contracter un hymen défendu [205]; de plus, le sceptre qu'avait porté jadis Ilioné [206], l'aînée des filles de Priam, son collier de perles [207] et sa couronne doublement enrichie de gemmes [208] et d'or. Empressé à ces ordres, Achate suivait le chemin conduisant aux navires.

Mais Cythérée [209] roule dans son cœur de nouveaux artifices [210] et de nouveaux projets; elle veut que Cupidon [211], changeant d'air et de visage, vienne à la place du doux Ascagne, et qu'en offrant les présents d'Enée il enflamme la reine d'une ardeur furieuse et pénètre ses moelles du feu de l'amour. Car elle craint le palais ambigu et les Tyriens au double langage [212]; l'atroce Junon la brûle [213], et son souci revient et la parcourt aux approches de la nuit. Elle s'adresse donc en ces termes à l'Amour ailé [214] : « Mon fils, toi qui seul fais ma force et ma grande puissance, mon fils, toi qui méprises les traits dont le Père souverain a foudroyé Typhée [215], c'est à toi que j'ai recours, et c'est en suppliante que j'implore ton pouvoir. Ton frère Enée court les mers, ballotté de rivage en rivage par la haine de l'inique Junon; tu le sais, et tu as compati souvent à notre douleur. Maintenant la Phénicienne Didon le retient et le retarde par de flatteuses paroles, et je crains une hospitalité donnée sous les auspices de Junon [216], qui, dans un tel moment, ne restera pas oisive. Aussi médité-je de prendre la reine dans mes lacs et de l'enflammer, afin qu'elle ne change point au gré de quelque divinité, et qu'un grand amour l'attache, comme moi-même, à Enée. Ecoute maintenant comment tu y peux réussir. Le royal enfant [217] qui fait tout mon souci s'apprête à aller à la ville sidonienne [218], où son père chéri l'a mandé, pour y porter les dons qu'ont épargnés la mer et l'incendie de Troie. Je vais l'endormir d'un profond sommeil et le déposer dans un lieu sacré, sur les hauteurs de Cythère [219] ou d'Idalie [220], afin qu'il ne puisse en aucune façon connaître nos desseins ni les traverser par sa venue. Toi, pour une nuit seulement, emprunte son image : enfant, prends les traits de cet enfant que tu connais si bien; et, quand Didon, transportée d'allégresse, t'accueillera dans son giron, au milieu du banquet royal et des libations offertes à Lyée [221], quand elle te serrera dans son étreinte et te couvrira de doux baisers, souffle en elle un feu secret et un poison qui l'abuse. »

L'Amour obéit aux ordres de sa mère chérie; il se dépouille de ses ailes et se plaît à imiter la démarche d'Iule. Cependant Vénus fait couler dans les membres d'Ascagne un doux repos [222], et l'emporte, sur son giron divin, vers les profonds bocages d'Idalie [223], où la souple marjolaine [224] l'enveloppe de ses fleurs odorantes et de son doux ombrage.

Et déjà le docile Cupidon portait aux Tyriens les dons royaux, marchant joyeux sous la conduite d'Achate; à son arrivée, déjà la reine s'est assise sur un lit d'or recouvert de superbes brocarts, et a pris place au centre de la table [225]; déjà le vénérable Enée et la jeunesse troyenne s'assemblent et s'étendent sur les lits de pourpre. Des serviteurs leur versent de l'eau sur les mains, tirent des corbeilles les présents de Cérès [226] et apportent des tissus d'un grain lisse [227]. A l'intérieur [228], cinquante femmes préparent la longue ordonnance du festin [229] et brûlent de l'encens sur les Pénates; cent autres, et autant de serviteurs du même âge [230], chargent les tables de mets et y placent les coupes. De leur côté, les Tyriens entrent en foule dans la salle joyeuse du banquet et sont invités à s'étendre sur des lits couverts de broderies. Ils admirent les présents d'Enée; ils admirent Iule, et le regard enflammé du dieu [231], et la feinte douceur de ses paroles, et le manteau, et le voile rehaussé d'une acanthe couleur de crocus. L'infortunée Phénicienne surtout, dévouée à une peste [232] prochaine, ne peut rassasier son esprit; elle s'enflamme à la vue du faux Iule, également émue par l'enfant et par les dons qu'il apporte. Pour lui, quand il s'est suspendu au cou d'Enée, quand il a par ses baisers contenté la vive tendresse d'un père abusé, il s'avance vers la reine : elle attache sur lui ses yeux et toute son âme, quelquefois le presse sur son sein, et ne sait pas, la malheureuse! quel dieu puissant est assis sur ses genoux. Mais lui, se souvenant de sa mère Acidalienne [233], efface par degrés le souvenir de Sychée [234] et cherche à glisser un vivant amour dans cet être depuis longtemps paisible et ce cœur tout déshabitué.

Aussitôt le repas fini et les plateaux enlevés [235], on apporte de larges cratères [236] et l'on couronne le vin [237]. Un grand bruit se fait entendre dans le palais, et la voix des convives se déploie sous les vastes lambris; aux plafonds dorés [238] sont suspendus des lustres brillants, et les flammes des torches vainquent la nuit. Alors la reine demande et remplit de vin une patère enrichie de gemmes et d'or, que Bélus et tous les descendants de Bélus [239] avaient coutume de remplir. Puis, le silence s'étant fait dans le palais : « Jupiter (car c'est toi, dit-on, qui présides à l'hospitalité [240]), fais que ce jour soit heureux pour les Tyriens et pour les guerriers partis de Troie, et que nos descendants en gardent la mémoire. Que Bacchus, créateur d'allégresse [241], et que Junon favorable nous assistent! Et vous, Tyriens, célébrez avec faveur ce banquet! »

Elle dit, et versa sur la table les prémices de la liqueur; et, la libation faite, la première, elle effleura le breuvage de ses lèvres [242], puis le donna à Bitias [243] en l'excitant à boire [244] : lui, sans perdre un instant, vida la coupe écumante et s'abreuva dans l'or à longs traits. Puis c'est le tour des principaux convives. Iopas [245], à la longue chevelure [246], répète sur une cithare [247] dorée les chants que lui enseigna le géant Atlas [248]. Il chante la Lune vagabonde et les éclipses du Soleil [249], l'origine de la race humaine et des bêtes, la cause de la pluie et des feux de l'éther, l'Arcture [250], et les Hyades pluvieuses [251], et les deux Bœufs [252]; pourquoi les soleils d'hiver se hâtent tellement de se plonger dans l'Océan, et quel obstacle, l'été, retarde l'arrivée des nuits [253]. Les Tyriens font entendre des applaudissements redoublés, et les Troyens font de même.

Cependant l'infortunée Didon prolongeait l'entretien sur toutes sortes de détails fort avant dans la nuit, et buvait le poison d'un long amour. Elle adressait à Enée mille questions sur Priam, sur Hector, tantôt lui demandait avec quelles armes était venu le fils de l'Aurore [254], tantôt, de quelle sorte étaient les chevaux de Diomède [255], tantôt, combien grand était Achille. « Mais plutôt, raconte-nous, dit-elle, ô mon hôte, dès leur origine première, les embûches des Danaens [256] et les revers de tes compatriotes [257], et tes courses errantes [258] : car voilà déjà la septième saison [258 bis] qui te porte errant sur toutes les terres et sur toutes les mers. »

LIVRE DEUXIÈME

LE SAC ET LA RUINE DE TROIE

Tous firent silence, tenant leurs yeux attachés sur Enée. Alors, de son lit élevé [259], le héros vénérable commença en ces termes :

« Il est impossible d'exprimer, ô reine, la douleur que tu m'ordonnes de renouveler, en me demandant comment les Danaens [260] ont renversé la puissance de Troie et son lamentable empire : événements bien pénibles que j'ai vus de mes yeux et auxquels j'ai pris une grande part. Qui donc, à ce récit, Myrmidon [261] ou Dolope [262] ou soldat du dur Ulysse [263], se retiendrait de verser des larmes ? Et voici que déjà la nuit humide descend du ciel et que les constellations déclinantes nous invitent au sommeil. Mais, si tel est ton désir de connaître nos malheurs et d'entendre l'abrégé du dernier moment de Troie, quoique mon cœur frémisse à cette évocation et recule devant tant de deuils, je m'en vais commencer. Epuisés par la guerre, repoussés des destins, les chefs des Danaens, après tant d'années [264] déjà écoulées, construisent, avec le divin secours de Pallas, un cheval haut comme une montagne, dont ils recouvrent les flancs d'ais de sapin entrelacés. Ils font croire que c'est un vœu pour leur retour, et le bruit s'en répand au loin. Ils y enferment furtivement des guerriers d'élite désignés par le sort, et les flancs ténébreux du colosse et les cavités profondes que son corps recèle se trouvent remplis de soldats armés.

Il est, vis-à-vis de Troie, une île fameuse [265], Ténédos, riche et opulente tant que dura le royaume de Priam, aujourd'hui simple rade et abri peu sûr pour les carènes : c'est là que les Grecs font voile et se cachent sur le rivage désert. Nous les croyons partis et portés par le vent vers Mycènes [266]. Alors toute la Teucrie [267] s'affranchit d'un long deuil : les portes s'ouvrent; on a plaisir à sortir, à voir le camp des Doriens [268], et leurs provisions abandonnées, et le rivage désert. Ici campait l'armée des Dolopes [269], là le cruel Achille; ici était l'emplacement des vaisseaux, là le théâtre habituel des combats. Plusieurs contemplent avec étonnement le don funeste fait à la vierge Minerve [270], et admirent la masse du cheval; et, le premier, Thymète [271] nous exhorte à l'introduire dans nos murs et à le placer dans la citadelle, soit trahison [272], soit que déjà les destinées de Troie le comportassent ainsi. Mais Capys [273] et ceux dont l'esprit est mieux avisé veulent précipiter dans la mer ou livrer aux flammes le don insidieux et suspect des Danaens, ou du moins en percer les flancs et en sonder les profondeurs. La multitude incertaine se partage en avis contraires.

A ce moment, à la tête d'une foule nombreuse qui l'escorte, Laocoon [274], furieux, accourt du haut de la citadelle, et de loin : « O malheureux citoyens, s'écrie-t-il, quelle folie est la vôtre! Croyez-vous les ennemis éloignés ? Pensez-vous que les dons des Danaens soient jamais exempts d'artifices ? Est-ce ainsi que vous connaissez Ulysse ? Ou dans ce bois sont cachés des Achéens [275]; ou c'est une machine fabriquée pour nos murailles, faite pour observer nos maisons et fondre d'en haut sur notre ville; ou quelque autre piège y est caché : ne croyez pas en ce cheval, Teucères. Quoi que ce soit, je crains les Danaens, même lorsqu'ils apportent des présents. » Il dit, et, de toutes ses forces, lança un énorme javelot dans le ventre et les flancs arrondis de la bête : il s'y fixa en vibrant; le sein du monstre en fut ébranlé, et ses cavités profondes retentirent et exhalèrent un long gémissement. Et sans l'arrêt des dieux, sans l'aveuglement de nos esprits, ce discours nous eût fait détruire le repaire des Argiens [276]; Troie, tu serais encore debout! haute citadelle de Priam [277], tu subsisterais encore!

Mais voici qu'un jeune homme, les mains liées derrière le dos, est traîné à grands cris vers le roi par des bergers dardaniens [278] : l'inconnu s'était livré de lui-même, pour mener à bien son stratagème et ouvrir Troie aux Achéens, le cœur résolu, et également prêt à ourdir ses ruses ou à succomber à une mort certaine. De tous côtés, la jeunesse troyenne, avide de le voir, s'empresse autour de lui, insultant à l'envi le captif. Apprends maintenant les embûches des Danaens et, par le crime d'un seul, connais-les tous...

Dès qu'il fut arrivé au milieu de nous, bouleversé, sans armes, et qu'il eut promené ses regards sur les bataillons phrygiens [279] : « Hélas! dit-il, quelle terre désormais, quelle mer peut m'accueillir ? quel espoir désormais me reste-t-il dans mon malheur, moi qui n'ai plus d'asile chez les Danaens, et dont les Dardaniens irrités réclament eux-mêmes le supplice et le sang! » Sa plainte changea les esprits et arrêta tout élan de colère. Nous l'exhortons à dire de quel sang il est né, ce qu'il a à nous apprendre; à nous fournir des raisons de croire en un captif. Alors, ayant enfin déposé toute crainte, il nous dit : « O roi, quoi qu'il arrive, je m'en vais te dire toute la vérité. Je ne le nierai point : je suis de race argienne, et voilà un premier aveu. Et si la fortune a rendu Sinon malheureux, la cruelle ne le rendra du moins ni fourbe ni menteur. Peut-être la renommée a-t-elle fait parvenir jusqu'à tes oreilles le nom et la gloire illustre de Palamède [280], ce descendant de

Bélus [281], que les Pélasges [282] accusèrent faussement de trahison [283], bien qu'il fût innocent, sur de perfides indices, et envoyèrent à la mort, parce qu'il était contre la guerre [284]. Aujourd'hui qu'il est privé de la lumière du jour, ils le pleurent. Ce fut pour accompagner ce guerrier, auquel m'unissaient les liens du sang [285], que mon père, qui était pauvre, m'envoya combattre ici dès les premières années du siège. Tant que Palamède conserva son rang royal et son autorité dans le conseil des rois, nous obtînmes nous-mêmes quelque nom et quelques honneurs. Mais quand, victime de la jalousie du perfide Ulysse (je ne dis rien qui ne soit connu), il eut à tout jamais quitté les rives d'en haut [286], consterné, je traînais ma vie dans la solitude et dans le deuil, et je m'indignais en moi-même du destin de mon ami innocent. Je ne sus point me taire, insensé que j'étais! et promis que, si le sort m'en fournissait l'occasion et que jamais je retournasse vainqueur en Argos [287] ma patrie, Palamède aurait un vengeur. Ces paroles allumèrent d'âpres haines : ce fut la source première de mon malheur. Depuis lors, sans cesse Ulysse m'a effrayé par des accusations inouïes, a répandu dans l'armée des bruits équivoques et, se sentant coupable, a cherché les armes de ma perte. Il n'eut point de relâche en effet que, par le ministère de Calchas [288]... Mais à quoi bon remémorer ces vains détails qui vous fatiguent ? A quoi bon vous retarder, si vous mettez tous les Achéens au même rang, et s'il vous suffit de savoir que je le suis ? Livrez-moi au supplice sans plus attendre : l'homme d'Ithaque [289] ne souhaite rien de plus, et les Atrides [290] paieraient cher ma mort. »

A ces mots, nous brûlons de le questionner et de savoir les causes de sa fuite, ignorant toute la scélératesse et tous les artifices pélasgiques. Il poursuit tout tremblant, et, d'un cœur faux, nous dit :

« Souvent les Danaens voulurent précipiter leur départ, abandonner Troie, et renoncer à une longue guerre qui les avait épuisés; et plût aux dieux qu'ils l'eussent fait! Souvent la tempête déchaînée leur ferma la mer, et l'Auster [291] terrifiant les arrêta en route. C'est surtout quand s'éleva ce cheval, façonné de poutres d'érable [292], que les nuages grondèrent dans tout l'éther. Inquiets, nous envoyons Eurypyle [293] consulter l'oracle de Phébus, et il nous rapporte du sanctuaire ces sinistres paroles : « Ce fut avec du sang et en immolant une vierge [294] que vous avez apaisé les vents, Danaens, quand pour la première fois vous êtes venus aux rivages d'Ilion; c'est avec du sang qu'il vous faut obtenir votre retour et c'est une vie argienne [295] qu'il vous faut immoler. » Dès que cet arrêt parvint aux oreilles de la foule, les esprits furent frappés de stupeur et un frisson glacé courut au fond des cœurs : à qui les destins réservaient-ils la mort ? quelle victime réclamait Apollon ? Alors l'homme d'Ithaque [296] traîne à grand bruit, au milieu du peuple, le devin Calchas [297], et le somme d'expliquer la volonté des dieux; et déjà beaucoup de Grecs m'annonçaient la cruelle machination du fourbe, et prévoyaient en silence l'avenir. Pendant deux fois cinq jours Calchas se tait : il dissimule et refuse de nommer lui-même la victime et d'envoyer personne à la mort. Enfin, cédant avec peine aux grandes clameurs de l'homme d'Ithaque [298], il rompt le silence d'accord avec lui, et c'est moi qu'il destine à l'autel. Tous applaudirent, trop heureux de voir tomber sur la tête d'un seul malheureux le coup que chacun redoutait pour soi-même. Déjà le jour fatal était arrivé : on préparait pour moi le sacrifice, et les gâteaux de farine mêlée de sel [299], et les bandelettes autour de mes tempes [300]. Je me suis dérobé, je l'avoue, à la mort; j'ai rompu mes liens, et je me suis caché, à la faveur d'une nuit obscure, dans les herbes d'un lac marécageux, où j'ai attendu qu'ils missent à la voile, si par hasard ils prenaient ce parti. Je n'ai donc plus d'espoir de revoir mon antique patrie, ni mes fils chéris et mon père tant regretté. Peut-être feront-ils retomber sur eux la peine de notre fuite et laveront-ils la faute que j'ai commise dans le sang de ces malheureux. C'est pourquoi je t'en conjure, par les dieux Supérieurs et par les divinités qui savent la vérité, par l'inviolable justice, s'il en reste encore quelque trace chez les hommes : aie pitié de tant de misères, aie pitié d'un malheureux, victime d'un indigne sort. »

Emus par ces larmes, nous lui donnons la vie, et allons jusqu'à lui témoigner notre pitié. Priam lui-même est le premier à ordonner qu'on le débarrasse de ses menottes et des liens qui l'enserrent, et lui adresse ces paroles amicales : « Qui que tu sois, oublie désormais les Grecs perdus pour toi : tu seras des nôtres [301]; mais réponds-moi la vérité. Pourquoi ont-ils construit ce cheval monstrueux ? Qui en a eu l'idée ? Quel en est le but ? Est-ce une offrande aux dieux ? Est-ce une machine de guerre ? »

Il avait dit. L'autre, pourvu d'un arsenal de ruses et d'artifices pélasgiques, leva vers les constellations ses paumes [302] libres de chaînes : « O vous, feux éternels, dit-il, ainsi que votre divinité inviolable, je vous prends à témoin; vous aussi, autels et épées homicides, auxquels je me suis soustrait; bandelettes des dieux, que j'ai portées comme victime : je puis sans impiété briser les liens sacrés qui m'attachaient aux Grecs; je puis haïr leurs guerriers et mettre au jour ce qu'ils peuvent cacher; il n'est aucune loi qui m'oblige envers ma patrie. Toi seulement, demeure fidèle à tes promesses, et que, sauvée par moi, Troie me tienne parole, si je dis la vérité, si je paye mon salut par d'importants services. Tout l'espoir des Danaens et leur confiance dans la guerre qu'ils avaient entreprise ont toujours reposé sur l'aide de Pallas. Mais depuis que l'impie Tydide [303] et cet artisan de crimes qu'est Ulysse ont entrepris d'enlever de son temple consacré le fatal Palladium [304] et qu'après avoir massacré les gardes du haut de la citadelle ils eurent saisi l'effigie sacrée de la déesse, et souillé de leurs mains sanglantes [305] ses virginales bandelettes, depuis lors l'espoir des Grecs commença à s'évanouir et à décroître insensiblement, leurs forces s'épuisèrent, l'esprit de la déesse se détourna d'eux. Et ce n'est point par des signes douteux que se manifesta la Tritonienne [306]. A peine la statue fut-elle posée dans le camp que des flammes étincelantes jaillirent de ses yeux fixes [307]; une sueur amère courut le long de ses membres, et trois fois (ô merveille!) on la vit, sur le sol, bondir, en agitant son bouclier et sa lance frémissante. Tout de suite Calchas [308] annonce qu'il faut fuir et repasser les plaines liquides; que Pergame [309] ne peut tomber sous les traits des Argiens [310], si l'on ne retourne prendre les auspices à Argos [311], et si l'on ne ramène la statue, qu'ils ont à travers la mer transportée sur leurs carènes courbes. Maintenant, si, à la faveur du vent, ils ont fait voile pour Mycènes, leur patrie [312], c'est qu'ils vont se procurer des armes et des dieux propices; puis, traversant la mer, ils tomberont sur vous à l'improviste : ainsi Calchas explique les présages. C'est par ses conseils, pour remplacer le Palladium [313], et réparer l'offense faite à la divinité, qu'ils ont construit cette effigie, destinée à expier leur sacrilège néfaste. Toutefois Calchas a donné l'ordre de dresser cette masse énorme à la charpente de rouvre [314] et de l'élever jusqu'au ciel, pour qu'elle ne pût être introduite par vos portes ni être traînée dans vos murs, et redonner au peuple de Troie son antique et sainte sauvegarde. Car si vos mains profanaient le don fait à Minerve, alors un grand malheur (que les dieux détournent ce présage sur Calchas lui-même!) s'ensuivrait pour l'empire de Priam et pour les Phrygiens; mais si par vos mains il était monté dans votre ville, l'Asie, dans une grande guerre, viendrait d'elle-même sous les murs de Pélops [315] : tels étaient les destins qui attendaient nos neveux. »

Ces affirmations insidieuses, ces artifices du parjure Sinon surprirent notre confiance; et l'on vit se laisser prendre à des mots et à des larmes feintes ceux que n'avaient pu dompter ni le Tydide [316] ni le Larisséen [317] Achille ni une guerre de dix ans ni un millier de carènes [318].

Alors un autre spectacle, plus imposant et beaucoup plus terrible, s'offre à la vue des malheureux Troyens, et jette dans leurs cœurs un trouble imprévu. Laocoon [319], tiré au sort prêtre de Neptune [320], immolait un taureau puissant au pied des autels solennels. Or voilà que deux serpents, venus à travers les flots tranquilles de Ténédos (j'en frémis encore d'horreur), allongent sur la mer leurs immenses anneaux et s'avancent de front vers le rivage. Leurs poitrines se dressent au milieu des vagues, et leurs crêtes sanglantes dominent les ondes; le reste de leurs corps effleure à la surface de la mer, et leurs croupes immenses se replient en spirale. On entend clapoter, écumante, l'onde amère. Déjà ils touchaient terre, et, leurs yeux ardents, injectés de sang et de feu, léchaient leurs gueules sifflantes de leurs langues vibrantes. Nous fuyons à cette vue, glacés d'effroi. Eux, d'un élan sûr, vont droit à Laocoon; et d'abord l'un et l'autre serpent, enlaçant les petits corps de ses deux fils, s'enroulent autour de leurs proies et déchirent de morsures leurs misérables membres. Puis, comme Laocoon volait à leur secours, les armes à la main, ils le saisissent lui-même et l'étreignent de leurs replis énormes; deux fois déjà ils ont enlacé son corps par le milieu et deux fois, autour de son cou, enroulé leur croupe écailleuse, le dépassant de leur tête et de leur haute encolure. Lui, s'efforce d'écarter leurs nœuds avec ses mains : leur bave et leur noir venin souillent ses bandelettes, et en même temps il jette vers les cieux des cris épouvantables [321]. Tel mugit un taureau, lorsque, blessé du fer, il s'est enfui de l'autel, en secouant à son cou la hache mal assurée. Cependant les deux serpents s'enfuient en rampant vers les hauteurs du temple, gagnent la citadelle de la Tritonide [322] farouche et se cachent aux pieds de la déesse et sous l'orbe de son bouclier [323].

Alors une frayeur nouvelle saisit tous les cœurs qui frissonnent : on dit que Laocoon a expié justement son crime, lui qui, de la pointe de son fer, a frappé le chêne sacré [324] et lancé dans ses flancs un criminel javelot. On crie de tous les côtés qu'il faut conduire le colosse dans le sanctuaire et implorer la protection de la déesse...

Nous pratiquons une brèche dans nos murs et nous ouvrons les remparts de la ville. Tout le monde se met à la besogne : on glisse des roues sous les pieds du cheval, et on lui met au cou des cordages solides. La fatale machine franchit nos murs, portant dans ses flancs la guerre : des enfants et de jeunes vierges l'escortent, chantant des hymnes, s'amusant de leurs mains à toucher le grand câble. Elle s'avance, et, menaçante, elle glisse jusqu'au centre de la ville. O ma patrie! ô Ilion [325], demeure des dieux! murs, illustres à la guerre, des fils de Dardanus! quatre fois elle s'arrêta au seuil même de la porte, et quatre fois dans ses flancs retentit le bruit des armes. Nous poursuivons cependant, sans rien voir, et en proie à une fureur aveugle, et nous plaçons le monstre néfaste dans la citadelle consacrée. Alors même Cassandre [326] ouvre la bouche pour prédire nos destins, prêtresse que le dieu toujours défendit aux Teucères de croire. Et nous, malheureux, en ce jour qui devait être pour nous le dernier jour, nous allons par la ville orner de feuillages de fête les sanctuaires.

Cependant le ciel tourne [327], et la Nuit s'élance de l'Océan [328] enroulant d'une grande ombre et la terre et le ciel et les ruses des Myrmidons [329] : répandus dans l'enceinte de leurs murs, les Teucères se sont tus; le sommeil envahit leurs membres fatigués.

Et déjà les phalanges argiennes voguaient en bon ordre depuis Ténédos, à la faveur de l'amical silence de la lune silencieuse, se dirigeant vers des rivages familiers : à la vue d'un fanal sur la poupe royale [330], Sinon, que les destins iniques avaient sauvé, libère furtivement les Danaens enfermés dans les flancs du cheval en ouvrant leur prison de bois, le cheval les rend à la lumière, et l'on voit tout joyeux sortir de leur cachette, en glissant le long du câble, les chefs Thessandre [331] et Sthénélus [332], et le cruel Ulysse, et Acamas [333], et Thoas [334], et le Pélide Néoptolème [335], et l'un des premiers, Machaon [336], et Ménélas, et Epéos [337], l'inventeur même du stratagème. Ils envahissent la ville, ensevelie dans le sommeil et dans le vin [338], massacrent les sentinelles, et, ouvrant les portes, reçoivent tous leurs compagnons et se rallient à leurs cohortes conjurées.

C'était l'heure où le premier sommeil commence pour les mortels tourmentés [339], et, par un bienfait des dieux, s'insinue avec tant d'agrément dans leurs sens. Voilà qu'en songe je crus voir Hector m'apparaître, accablé de tristesse et versant des pleurs en abondance, tel qu'il était naguère, quand son bige [340] le traînait noir d'une sanglante poussière et les pieds tout gonflés [341] et liés par des courroies. Hélas! en quel état il s'offrait à ma vue! qu'il était différent de cet Hector qui rentrait, revêtu des dépouilles d'Achille [342] ou qui lançait les brandons phrygiens sur les poupes des Danaens [343]! Il avait une barbe en broussaille, des cheveux agglutinés de sang, et sur le corps les blessures sans nombre qu'il avait reçues autour des murs de sa patrie. Il me semblait que, pleurant moi-même, j'adressais le premier la parole au héros et que j'exhalais ma douleur en ces termes.

« O lumière de la Dardanie [344], ô le plus sûr espoir des Teucères, quels si grands obstacles t'ont retenu ? de quels bords viens-tu, Hector si longtemps attendu ? Après tant de funérailles de tes compatriotes, après les épreuves de toute sorte qu'ont subies ta ville et ses défenseurs, en quel état nous te revoyons! Quel indigne outrage a troublé la sérénité de ton visage ? Que signifient ces blessures que je vois ? » Il ne répond rien et ne s'arrête pas à mes vaines questions, mais tirant du fond de sa poitrine de profonds gémissements : « Ah! fuis, dit-il, fils d'une déesse, et dérobe-toi à ces flammes. L'ennemi occupe nos murs : Troie s'écroule de son faîte altier. Nous avons assez fait pour la patrie et pour Priam. Si Pergame pouvait être défendue par le bras d'un mortel, ce bras l'eût encore défendue. Troie te recommande ses objets sacrés et ses Pénates [345]. Prends-les pour compagnons de tes destins; va chercher pour eux ces murs superbes, que tu élèveras enfin après avoir longtemps erré sur la mer. » Il dit, et, des profondeurs des sanctuaires, m'apporte dans ses mains les bandelettes, la puissante Vesta [346] et le feu éternel [347].

Cependant, à l'intérieur des remparts, se confondent les deuils de toute sorte; et, quoique la maison de mon père Anchise fût à l'écart et abritée par un rideau d'arbres, le bruit devient de plus en plus éclatant et le fracas des armes se rapproche. Je m'éveille en sursaut, monte au faîte du palais et prête au loin une oreille attentive. Ainsi, quand la flamme poussée par les Autans furieux vole sur la moisson, ou qu'un rapide torrent, dévalant des montagnes, ravage les champs, ravage les riants guérets et le travail des bœufs, et entraîne les forêts dans son cours impétueux : immobile, le berger, de la cime d'un rocher, s'étonne du bruit qui frappe ses oreilles. Alors la vérité se manifeste et les embûches des Danaens se découvrent. Déjà s'est écroulé le vaste palais de Déiphobe [348], devenu la proie de Vulcain [349]; déjà brûle notre plus proche voisin, Ucalégon [350]. La lueur de l'incendie éclaire au loin la mer de Sigée [351]. La clameur des guerriers et l'accent des clairons s'élèvent à la fois. Hors de moi, je saisis mes armes, ne sachant pas bien quel usage j'en ferai. Mais je brûle de rassembler une troupe pour combattre et de courir avec nos compagnons à la citadelle : la fureur et la colère précipitent mon courage, et je n'ai plus qu'une pensée, c'est de trouver une belle mort, les armes à la main.

Mais voici qu'apparaît Panthus [352], échappé aux traits des Achéens, Panthus, fils d'Othrys, et prêtre du temple élevé dans la citadelle à Phébus. Il porte ses objets sacrés et ses dieux vaincus, et, tirant par la main son petit-fils, il court éperdu vers la maison. « Où en est la bataille, Panthus? Occupons-nous encore la citadelle? » A peine avais-je ainsi parlé qu'il me répond en gémissant : « Il est arrivé le jour suprême, et l'inéluctable terme de la Dardanie. C'en est fait des Troyens; c'en est fait d'Ilion et de la gloire immense des Teucères; Jupiter, farouche, a mis du côté d'Argos [353] la victoire; les Grecs sont les maîtres dans la cité en feu. Le cheval menaçant, dressé au milieu de nos murailles, vomit des hommes armés, et Sinon vainqueur sème partout l'incendie et l'insulte. Les uns entrent par les portes ouvertes à deux battants, aussi nombreux qu'au jour où ils sont arrivés de la grande Mycènes; les autres occupent en armes les rues étroites : partout s'élève et brille la pointe des glaives, prête à l'œuvre de mort. C'est à peine si les premières sentinelles des portes tentent de résister et se battent sans rien y voir. » Poussé par les paroles du fils d'Othrys et la puissance des dieux, je m'élance à travers les flammes et la bataille, où m'appellent la triste Erinnye [354], et le tumulte, et la chaleur qui monte vers l'éther. A moi se joignent Riphée [355] et le vaillant Epytus [356], que je reconnais à la clarté de la lune [357], et Hypanis [358] et Dymas [359] accourent se grouper à nos côtés, ainsi que le jeune Corèbe, fils de Mygdon [360]. Enflammé d'un fol amour pour Cassandre [361], il était venu par hasard à Troie ces derniers jours, et, agréé comme gendre, il portait secours à Priam et aux Phrygiens. Infortuné, qui n'écouta pas les avis d'une fiancée prophétique!...

Dès que je les vois rassemblés et décidés à se battre, je prends la parole en ces termes : « Jeunes guerriers, cœurs en vain pleins de bravoure, si vous êtes résolus à suivre un chef prêt à tout entreprendre, voyez quelle est la situation : ils ont tous quitté, abandonné leurs sanctuaires et leurs autels [362], ces dieux par qui subsistait cet empire : vous secourez une cité en feu; mourons et précipitons-nous en pleine bataille. Le seul salut pour des vaincus est de n'espérer aucun salut. » Ces mots enflamment de fureur le cœur de ces guerriers. Alors, comme des loups dévorants, qui, pressés par l'aiguillon cruel de la faim, s'élancent de leurs tanières, et qui rôdent au sein des brouillards ténébreux, laissant au gîte à les attendre leurs petits au gosier desséché, — ainsi, à travers les projectiles, à travers les ennemis, nous courons à une mort certaine, en passant par la rue centrale. La nuit obscure [363] nous enveloppe de son ombre creuse.

Qui pourrait exprimer par des mots le désastre et les deuils de cette nuit! où trouver assez de larmes pour de tels malheurs! Une ville antique s'écroule, qui avait été pendant beaucoup d'années la reine de l'Asie. Mille cadavres jonchent de toutes parts les rues, et les maisons, et le seuil sacré des temples. Mais les Teucères ne sont pas les seuls dont le sang coule; parfois aussi le courage renaît dans le cœur des vaincus; et des Danaens vainqueurs succombent. Partout le deuil cruel, partout la terreur, et l'image multiple de la mort.

Le premier qui s'offre à nous est Androgée [364], qu'accompagne une escorte nombreuse de Danaens : ignorant qui nous sommes, il nous prend pour une troupe alliée, et, le premier, nous adresse ces paroles amies : « Hâtez-vous, guerriers; quelle lenteur arrête ainsi vos pas ? Les autres font le sac de Pergame [365] en feu, et vous venez seulement de descendre de vos hauts navires! » Il dit, et sur-le-champ, à l'équivoque réponse qui lui était faite, il s'aperçut qu'il était tombé au milieu d'ennemis. Stupéfait, il retint sa voix et ses pas. De même qu'un voyageur qui a marché sans le voir sur un serpent caché dans les ronces épineuses tremble tout à coup et fuit le reptile qui dresse une tête menaçante et gonfle son cou bleuâtre [366]; de même Androgée, à notre vue, épouvanté reculait. Nous nous ruons sur ceux qui l'escortent et les encerclons d'une barrière de fer; ignorant les lieux et saisis de terreur, ils tombent çà et là sous nos coups : la fortune sourit à notre premier effort. Alors Corèbe [367] que le succès exalte et encourage : « Compagnons, dit-il, la route où dès l'abord la fortune nous montre notre salut se déclare favorable : suivons-la. Changeons de boucliers, mettons sur nous les insignes des Danaens : ruse ou valeur, qu'importe contre l'ennemi ? Eux-mêmes nous fourniront des armes. » Il dit, et le voilà qui prend le casque chevelu d'Androgée, son beau bouclier, et qui suspend à son côté l'épée argienne [368]. Riphée [369], Dymas [370] lui-même, et toute la jeunesse en font autant, joyeux; chacun s'arme de dépouilles toutes fraîches. Nous marchons, mêlés aux Danaens, mais sans l'aveu des dieux, et à la faveur de la nuit obscure nous livrons de nombreux combats et avons de nombreux corps à corps, dépêchant chez Orcus [371] une quantité de Danaens. Les uns s'enfuient vers leurs vaisseaux, et courent chercher sur la côte un sûr refuge; les autres, en proie à une honteuse frayeur, remontent dans le cheval et se cachent dans ses flancs qu'ils connaissent. Hélas! avec des dieux contraires, on ne peut compter sur rien.

En ce moment, on tirait hors du temple et du sanctuaire de Minerve la fille de Priam, la vierge Cassandre, les cheveux en désordre et levant en vain vers le ciel ses yeux enflammés de colère : ses yeux, car des chaînes serraient ses tendres paumes. A ce spectacle insoutenable, Corèbe [372], la fureur dans l'âme, se jeta, prêt à mourir, au beau milieu de la colonne ennemie. Nous le suivons tous et courons en serrant les rangs. Mais alors, voici d'abord que du faîte élevé du sanctuaire [373] les nôtres nous accablent, et que commence un affreux massacre, provoqué par l'aspect fallacieux de nos armes et de nos panaches grecs. Puis les Danaens, pleins de douleur et de colère en se voyant ravir la jeune fille, se rallient et fondent sur nous de toutes parts : le bouillant Ajax [374], les deux Atrides [375] et toute l'armée des Dolopes [376]. Tels, déchaînant leur trombe, des vents contraires s'entrechoquent parfois : le Zéphyre [377], le Notus [378], et l'Eurus [379] joyeux que transportent les chevaux de l'Aurore [380]; les forêts sifflent, et, avec son trident, Nérée [381], couvert d'écume, sévit en bouleversant [382] les profondeurs de la plaine liquide. Ceux mêmes qu'en la nuit obscure, à la faveur de l'ombre, nos ruses ont mis en fuite et chassés par toute la ville, reparaissent : les premiers, ils reconnaissent nos boucliers et nos armes trompeuses, et nous distinguent à l'accent [383] étranger de notre langue. Aussitôt nous voici écrasés par le nombre : et, le premier, Corèbe [384] succombe sous les coups de Pénélée [385], au pied de l'autel de la déesse guerrière; et Riphée [386] tombe aussi, lui, le plus juste parmi les Teucères et le plus strict observateur des lois de l'équité; mais les dieux en ont décidé autrement [387]. Hypanis [388] et Dymas [389] périssent sous les traits de leurs compatriotes; et toi, Panthus [390], ni ton immense piété ni la tiare d'Apollon [391] ne te protégèrent du trépas. Cendres d'Ilion, flamme qui consuma les miens, vous m'êtes témoins qu'en cette occasion je n'ai évité ni les traits des Danaens ni les vicissitudes des combats, et que, si le destin eût voulu que je périsse, je l'eusse mérité par ma bravoure. Nous sommes entraînés hors de la mêlée; Iphitus [392] et Pélias [393] sont avec moi : Iphitus, déjà appesanti par l'âge, et Pélias ralenti par la blessure d'Ulysse.

Aussitôt une clameur nous appelle au palais de Priam.

Là, le combat est formidable; comme si l'on ne se battait nulle part ailleurs, et que nul ne trouvât la mort dans le reste de la ville. Nous voyons Mars se déchaîner, et les Danaens se ruer sur le palais et, faisant la tortue [394], en assiéger le seuil. Des échelles sont dressées le long des murs; et, devant la porte même, ils s'efforcent d'en gravir les degrés; ils tiennent, de la main gauche, les boucliers qu'ils opposent aux traits, et cherchent, de la main droite, à s'agripper au faîte. Les Dardanides, de leur côté, démolissent les tours et les combles du palais : c'est avec ces projectiles que se voyant aux dernières extrémités et sous le coup d'une mort imminente ils tentent de se défendre; ils font rouler sur l'ennemi les poutres dorées, antiques ornements de nos anciens pères. D'autres, l'épée tirée, ont pris position au bas des portes, et leurs rangs serrés en gardent l'entrée. Le désir se ranime en moi de secourir le palais du roi, d'apporter mon aide à ses défenseurs, et d'augmenter l'ardeur des vaincus.

Il y avait une entrée par une porte secrète, et un passage

qui faisait communiquer entre eux les appartements de Priam : c'est par cette porte ménagée derrière le palais que l'infortunée Andromaque [395], du temps où subsistait l'empire, avait souvent coutume de se rendre sans suite près de ses beaux-parents [396] et d'amener à son grand-père le petit Astyanax [397]. Je me glisse par là jusqu'au faîte du palais, d'où les malheureux Teucères lançaient en vain des projectiles. Sur le bord même du comble se dressait une tour dont le sommet s'élevait jusqu'aux astres, et d'où l'on voyait Troie tout entière, et les vaisseaux des Danaens, et le camp achaïque [398]. Nous en sapons les flancs avec le fer, aux endroits où le haut des poutres permettait de l'introduire dans les jointures; nous l'arrachons de ses puissants fondements et nous la poussons en avant : elle tombe soudain et s'écroule avec fracas, recouvrant au loin des colonnes de Danaens. Mais d'autres les remplacent; les pierres et les projectiles de toutes sortes ne cessent pas de pleuvoir sur eux...

Devant la porte, dans le vestibule [399] et sur le seuil même du palais, Pyrrhus [400] exulte, resplendissant de l'éclat que jettent ses armes d'airain [401]. Tel reparaît à la lumière [402], repu d'herbes vénéneuses [403], le serpent que les frimas de l'hiver tenaient engourdi sous la terre; maintenant, ayant fait peau neuve, et tout brillant de jeunesse [404], il déroule, en soulevant sa poitrine, sa croupe luisante, dressé au soleil, et darde dans sa gueule une langue à triple dard. Avec lui le gigantesque Périphas [405], l'écuyer Automédon [406], conducteur des chevaux d'Achille, et toute la jeunesse de Scyros [407] s'avancent aux pieds du palais et lancent des flammes sur le faîte. Lui-même, au premier rang, saisit une solide hache à deux tranchants, brise le seuil et arrache de leurs gonds les battants en airain; et déjà il a entamé la poutre, creusé le rouvre dur [408] et pratiqué une énorme brèche d'une large ouverture : on voit apparaître l'intérieur du palais [409] et se déployer des longs atriums, apparaître les appartements de Priam et des vieux rois, et des guerriers debout sur le seuil même.

Cependant l'intérieur du palais est en proie à la douleur et à un tumulte lamentable, et les pièces les plus retirées retentissent de hurlements de femmes : cette clameur va frapper les constellations d'or [410]. Epouvantées, des mères parcourent l'immense palais, tiennent les portes embrassées et les couvrent de baisers. Pyrrhus, héritier de la violence paternelle, les poursuit; ni les barrières ni les gardes même ne suffisent à l'arrêter : sous les coups répétés du bélier la porte s'écroule et leurs battants tombent, arrachés de leurs gonds. Les Danaens se frayent un chemin par la violence, forcent l'entrée, se ruent sur les gardes qu'ils massacrent, et remplissent tous les lieux de soldats. Le fleuve a moins de fureur [411], qui a rompu ses digues, s'élance écumant, renverse les obstacles qui l'arrêtent dans sa course, roule dans les guérets ses flots amoncelés et entraîne à travers toute la plaine des troupeaux avec leurs étables. J'ai vu [412] moi-même, ivre de carnage,

Néoptolème et les deux Atrides sur le seuil; j'ai vu Hécube et ses cent brus [413], et Priam au milieu des autels souillant de sang les feux qu'il avait consacrés lui-même. Les cinquante chambres nuptiales [414], espoir d'une postérité si nombreuse, les portes, enrichies de l'or et des dépouilles des Barbares, tout s'est écroulé [415] : les Danaens occupent ce qui est épargné du feu.

Peut-être aussi voudras-tu savoir ce que fut le destin de Priam. Quand il vit le désastre de sa ville envahie, le seuil de son palais arraché, l'ennemi au milieu de ses foyers, en vain le vieillard recouvre de ses armes, dont depuis longtemps il avait perdu l'habitude, ses épaules que l'âge fait trembler, ceint un glaive inutile et se jette pour mourir au milieu des ennemis.

Au milieu du palais, il y avait, à ciel ouvert, un immense autel, et, tout à côté, un laurier s'inclinant sur lui et couvrant de son ombre les Pénates [416]. Là, Hécube et ses filles, assises [417] en vain autour de l'autel, comme des colombes qu'une noire tempête a précipitées, se serraient, embrassant les images des dieux. Quand la reine voit Priam revêtu des armes de la jeunesse : « Quelle funeste pensée, ô malheureux époux, t'a poussé à ceindre ces armes ? où cours-tu ? lui dit-elle. Ce n'est ni un tel secours ni des défenseurs de cette sorte que l'instant réclame; non, s'il était vivant, mon Hector même ne pourrait rien faire. Viens donc par ici : cet autel nous sauvera tous ou bien tu mourras avec nous. » Ayant dit ces mots, elle accueillit près d'elle le vieillard et le fit asseoir dans l'enceinte sacrée.

Mais voici qu'échappé au carnage de Pyrrhus Polite [418], l'un des fils de Priam, à travers les traits et les ennemis, fuit par les longs portiques [419], et passe par les atriums vides; il est blessé; l'ardent Pyrrhus le talonne, l'épée haute, et déjà le saisit et le presse de sa lance. Enfin, arrivé en présence et en vue de ses parents, il s'affaissa sur lui-même et exhala sa vie dans un flot de sang. Alors Priam, quoique déjà sous le coup de la mort, ne se posséda plus et ne put retenir sa voix ni sa colère : « Ah! pour prix de ton crime, s'écrie-t-il, pour prix d'une telle audace, que les dieux (s'il est au ciel quelque piété ayant de pareils soucis) te donnent la récompense dont tu es digne et te payent le salaire qui t'est dû, toi qui m'as fait assister à la mort de mon fils, et as souillé de son meurtre les regards de son père! Cet Achille, dont tu prétends faussement être engendré, ne s'est pas comporté de la sorte à l'égard de Priam, son ennemi; mais il a respecté les droits [420] et la sainteté d'un suppliant, il a rendu au sépulcre le corps exsangue d'Hector, il me l'a renvoyé dans mes Etats. » Ainsi parla le vieillard, et de sa main débile il lança un trait sans force, que l'airain aussitôt repoussa avec un bruit rauque, et qui resta suspendu en vain à la bosse du bouclier [421]. Alors Pyrrhus : « Eh bien! tu vas t'en aller, en messager, rapporter ceci à mon père le Pélide [422] : souviens-toi de lui raconter mes tristes exploits et de lui dire que Néoptolème dégénère. En attendant, meurs! » Ce disant, il traîna au pied des autels le vieillard tremblant et qui glissait dans le flot de sang de son fils, il lui saisit la chevelure [423] de la main gauche, et, de la droite, brandissant son épée étincelante, la lui enfonça dans le flanc jusqu'à la garde. Ainsi finirent les destins de Priam [424], ainsi mourut, par l'ordre du sort, à la vue de Troie en feu et de Pergame en ruine, ce dominateur superbe de l'Asie, maître jadis de tant de peuples et de tant de pays : sur le rivage gît un tronc gigantesque, une tête séparée des épaules, un corps sans nom [425].

Alors, pour la première fois, une horreur farouche m'environna. Je demeurai stupide; l'image de mon père chéri m'envahit, quand je vis ce roi de même âge, atteint d'une cruelle blessure, rendre l'âme; et je fus envahi encore par l'image de Créuse [426] délaissée, de mon palais pillé et du danger que courait le petit Iule [427]. Je me retourne et regarde quelle quantité de guerriers il reste autour de moi. Tous m'ont abandonné, n'en pouvant plus : ils se sont suicidés en sautant par terre ou en se jetant dans les flammes.

Je restais donc seul désormais [428], quand, sur le seuil du temple de Vesta et dissimulée en silence dans cet asile écarté, j'aperçois la fille de Tyndare [429] : la lueur de l'incendie éclaire mes pas errants et je promène mes regards çà et là. Elle, appréhendant les Teucères irrités de la chute de Pergame [430], et la vengeance des Danaens [431] et les ressentiments d'un époux délaissé [432], Erinnye [433] également fatale à Troie et à sa patrie, elle s'était cachée là et se tenait, loin des regards, sur les degrés de l'autel [434]. Les feux de la fureur ont embrasé mon cœur : la colère me pousse à venger ma patrie en ruine et à tirer vengeance d'une scélérate. « Ainsi, pensé-je, elle reverra saine et sauve Sparte [435] et sa patrie, Mycènes [436], et elle jouira en reine du triomphe obtenu! Elle verra son époux, sa maison, ses parents [437] et ses fils [438], au milieu d'une suite de femmes d'Ilion et de Phrygiens, ses esclaves! Priam sera tombé sous le fer! Troie aura été la proie des flammes! Le rivage de la Dardanie aura fumé tant de fois de notre sang! Non, il n'en sera pas ainsi : car, quoique le châtiment d'une femme ne soit pas un titre d'honneur et qu'une telle victoire demeure sans gloire, je serai loué pourtant d'avoir exterminé ce monstre et d'en avoir tiré le châtiment qu'il mérite, et il me sera doux d'avoir assouvi mon désir enflammé de vengeance et satisfait aux cendres de mes compatriotes. »

J'éclatais ainsi en imprécations et me laissais emporter par la fureur, quand, plus brillante que mes yeux ne la virent jamais et nimbée dans la nuit d'une éblouissante lumière, ma vénérée mère s'offrit à ma vue [439], révélant sa divinité [440], et aussi belle, aussi majestueuse qu'elle se montre d'ordinaire aux habitants du ciel. Elle m'arrêta en me saisissant le bras, et de sa bouche de rose elle me dit : « Mon fils, quelle douleur si grande excite ta colère indomptable? Pourquoi cette fureur? Qu'est devenue ton attention pour moi? Ne chercheras-tu plutôt où tu as laissé ton père Anchise, accablé par l'âge, et si ta femme Créuse et le petit Ascagne sont encore de ce monde ? Toutes les troupes grecques circulent autour d'eux, et, n'eût été le rempart de mon attention, déjà les flammes les eussent ravis, et une épée ennemie les eût percés. Non, ce n'est ni cette belle Laconienne, fille odieuse de Tyndare, ni Pâris tant incriminé, c'est l'inclémence des dieux [441], oui des dieux, qui renverse ce puissant empire et qui précipite Troie du faîte de sa grandeur. Regarde : je vais écarter le nuage, qui, tendu devant tes regards, obscurcit tes yeux mortels en les couvrant d'une humide vapeur [442]; toi, ne crains pas les ordres de ta mère, ni ne refuse d'obéir à ses conseils. Là où tu vois ces masses éboulées, ces pierres arrachées à des pierres, ces flots de poussière et de fumée mêlés, Neptune ébranle les murs et leurs fondements sous les coups de son grand trident, et déracine toute la ville de ses bases. Ici, la farouche Junon, la première, tient les portes Scées [443], et, furieuse, ceinte du fer, appelle de leurs vaisseaux l'armée de ses alliés... Déjà, regarde, la Tritonienne [444] Pallas occupe le haut de la citadelle, dans son nimbe éblouissant et armée de la Gorgone [445]. Le Père des dieux [446] lui-même anime les Danaens et seconde leurs forces. Prends la fuite, mon fils, et mets un terme à ton effort. Je ne te quitterai jamais et je te conduirai en sûreté jusqu'au palais de ton père. » Elle avait dit, et elle s'enfonça dans les ombres épaisses de la nuit. D'effrayantes figures m'apparaissent : ce sont les grandes puissances divines acharnées contre Troie...

Alors il me sembla voir s'abîmer dans les flammes Ilion tout entière et crouler de fond en comble la Neptunienne Troie [447]. Ainsi, quand au sommet des monts des paysans s'efforcent à l'envi d'abattre un orme antique [448] sous les coups redoublés de la hache, l'arbre longtemps menace et, tremblant sous les secousses, balance sa chevelure, jusqu'à ce que, peu à peu vaincu par ses blessures, il ait poussé un gémissement suprême, et qu'arraché du faîte il se soit écroulé de son long. Je descends [449], et, conduit par la déesse, je me glisse à travers les flammes et les ennemis : les traits me laissent un passage, et les flammes, devant moi, reculent.

Et dès que me voici parvenu au seuil de la demeure paternelle et à l'antique maison, mon père, que je désirais emporter d'abord au haut de la montagne, et vers lequel d'abord je dirigeais mes pas, refuse de survivre à la chute de Troie et de supporter un cruel exil : « Vous, dit-il, dont le sang n'a point subi les atteintes de l'âge et dont les forces intactes se suffisent à elles-mêmes, fuyez vite... Pour moi, si les habitants du ciel avaient voulu prolonger ma vie, ils m'auraient conservé ces demeures. C'est assez, et plus qu'assez, d'avoir vu cette seule chute et d'avoir survécu à la prise de ma ville. Voici, voici mon lit funèbre : dites-moi adieu et quittez-moi. Moi-même en combattant je trouverai la mort : l'ennemi me la donnera par pitié ou pour avoir ma dépouille : il est facile de se passer de tombeau [450]. Dès longtemps en butte à la haine des dieux [451] et inutile, je prolonge mes années, depuis que le père des dieux et le roi des hommes [452] m'a effleuré du vent de sa foudre [453] et touché de son feu. »

Il persistait en de tels propos et demeurait inébranlable. Nous fondons en larmes devant lui, moi, mon épouse Créuse, Ascagne et toute la maison, suppliant le père de ne point tout perdre avec lui et de ne pas aggraver le sort qui nous accable [454]. Il refuse, et reste dans les mêmes dispositions et à la même place. De nouveau, je veux courir aux combats, et, dans ma grande douleur, je souhaite la mort! Car quel parti prendre? et quel sort me restait? « Moi, m'en aller d'ici et te laisser, mon père, l'as-tu pu croire? Une parole si impie a-t-elle pu tomber de la bouche d'un père? Si c'est l'arrêt des dieux que rien ne reste d'une ville si grande, si telle est ton intention bien assise, et qu'il te plaise de te réunir, toi et les tiens, à la mort de Troie, le chemin qui conduit à cette mort est droit ouvert. Bientôt Pyrrhus sera là couvert du sang de Priam [455], lui qui égorge le fils sous les yeux du père et le père au pied des autels. O ma vénérée mère, quand tu me sauvais d'entre les traits et les flammes, était-ce donc pour me faire voir l'ennemi au milieu de nos foyers, et Ascagne et mon père et, à côté, Créuse, immolés dans le sang l'un de l'autre? Des armes, guerriers; apportez-moi des armes! L'instant suprême appelle les vaincus. Rendez-moi aux Danaens [456], laissez-moi reprendre le combat. Jamais nous ne mourrons tous aujourd'hui sans vengeance. »

Alors je ceins le fer de nouveau; et je passais ma main gauche dans la poignée de mon bouclier et j'allais m'élancer hors du palais, lorsque voilà ma femme, embrassant mes pieds, qui m'arrête sur le seuil et qui me tend mon fils, le petit Iule : « Si tu pars pour mourir, entraîne-nous partout avec toi; ou si ton expérience met quelque espoir dans les armes que tu as revêtues, commence par défendre cet asile [457]. A qui nous abandonnes-tu donc, le petit Iule, ton père, et moi que tu nommais autrefois ton épouse! »

En disant ces mots, elle remplissait tout le palais de ses plaintes quand tout à coup éclate un merveilleux prodige. Car voici qu'au milieu des caresses et des baisers de ses parents en pleurs, un léger feu sembla jaillir du sommet de la tête d'Iule [458], répandant sa lumière, et lui léchant d'une flamme innocente sa chevelure bouclée, et se nourrissant à l'entour de ses tempes. Nous, effrayés, nous tremblons de peur, nous secouons sa chevelure embrasée, et nous éteignons à une fontaine ce feu sacré. Mais mon père Anchise leva avec joie ses yeux vers les constellations et tendit vers le ciel ses paumes en s'écriant : « Jupiter tout-puissant, si tu te laisses fléchir par des prières, jette seulement un regard sur nous; et, si par notre piété nous le méritons, donne-nous enfin ton aide, Père, et confirme ce présage [459]. »

A peine le vieillard avait-il parlé, que subitement le fracas du tonnerre se fit entendre à gauche [460], et que, glissant du ciel à travers les ombres, une étoile entraînant une torche [461] répandit en courant une abondante lumière. Nous la voyons, infléchissant sa course sur le faîte des palais, se perdre, lumineuse, dans la forêt de l'Ida [462], en nous montrant les routes; puis elle laisse derrière elle un long sillon de lumière, et les lieux d'alentour répandent au loin une fumée de soufre [463]. Alors, vaincu, mon père se lève [464] vers les brises et il invoque les dieux et adore la constellation sainte : « Désormais plus de retard; je vous suis et vous accompagne où vous me conduisez. Dieux de mes pères, sauvez ma maison, sauvez mon petit-fils. Ce présage vient de vous, et Troie est encore sous votre protection [465]. Je cède donc, et ne refuse plus, ô mon fils, de t'accompagner. »

Il avait dit et déjà le long des remparts on entend le bruit plus clair du feu, et l'incendie roule ses tourbillons plus près de nous. « Eh bien! allons, cher père, place-toi sur notre cou : je te porterai sur mes épaules, et ce fardeau ne me pèsera pas. De quelque façon que tournent les choses, il y aura pour nous deux un seul et commun péril, un seul salut : que le petit Iule m'accompagne, et que ma femme suive de loin mes pas [466]. Vous, les serviteurs, prêtez votre attention à ce que je m'en vais dire. Au sortir de la ville il y a un tertre et un vieux temple de Cérès à l'abandon [467], et, tout à côté, un antique cyprès [468], préservé depuis bien des années par la piété de nos pères. C'est à ce rendez-vous que nous irons par des chemins différents. Toi, mon père, prends dans ta main ces objets sacrés et les Pénates de la patrie; moi, qui sors d'une si grande guerre et d'un carnage récent, je commettrais une impiété en les touchant [469], jusqu'au moment où, dans une eau vive, j'aurai lavé mes mains... »

Ce disant, j'étends sur mes larges épaules et sur mon cou que j'abaisse les plis de mon vêtement et la peau fauve d'un lion et je me courbe sous mon fardeau : le petit Iule s'est cramponné à ma main droite, et suit son père à pas inégaux; derrière marche mon épouse. Nous nous lançons à travers des ténèbres opaques; et moi, que n'émouvaient naguère ni les traits qu'on me lançait, ni les bataillons grecs rangés en face de moi, maintenant chaque souffle m'épouvante, chaque bruit me tient en suspens, et me fait trembler à la fois pour mon compagnon et mon fardeau.

Déjà j'approchais des portes et je croyais avoir échappé à tous les dangers de la route, quand soudain un bruit de pas précipités m'arriva, sembla-t-il, aux oreilles, et mon père plongeant ses regards dans l'ombre : « Mon fils, s'écrie-t-il, fuis, mon fils : ils approchent; je vois des boucliers flamboyants et des armes brillantes. » Alors je ne sais quelle divinité malveillante égare mon esprit troublé : car, tandis qu'en courant je m'engage en des chemins détournés et m'écarte du sens habituel, hélas! ma femme Créuse me fut ravie. S'arrêta-t-elle par suite d'un malheureux destin, ou se trompa-t-elle de route, ou succomba-t-elle à la fatigue ? Je l'ignore; mais depuis elle ne reparut plus à mes yeux. Je ne m'aperçus de sa perte et ne songeai à elle qu'au moment où nous fûmes arrivés sur le tertre, à la demeure sacrée de l'antique Cérès [470].

C'est là seulement, quand nous fûmes tous réunis, que je vis qu'elle seule manquait et avait disparu [471] à l'insu de ses compagnons, d'un fils et d'un époux. Qui, dans mon égarement, n'accusai-je point et des hommes et des dieux ? et que vis-je de plus cruel dans les ruines de la ville ? Je recommande à mes compagnons Ascagne, et mon père Anchise, et les Pénates teucères, et je les cache au creux d'un vallon. Moi, je retourne vers la ville et me ceins de mes armes étincelantes. Je suis décidé à affronter de nouveau tous les hasards, à revenir sur mes pas à travers Troie tout entière et à exposer de nouveau ma vie aux dangers.

D'abord je regagne les murs et le seuil obscur de la porte, par où j'étais sorti; je suis avec soin les traces de mes pas à travers la nuit et je jette un regard de tous les côtés [472]. Partout l'horreur remplit mon âme, en même temps que le silence même m'épouvante. Puis je me rends à la maison pour voir si par hasard, — par hasard, — elle y avait porté ses pas. Les Danaens s'y étaient rués et ils occupaient le palais tout entier. Déjà le feu dévorant, attisé par le vent, tourbillonne jusqu'au faîte, les flammes dépassent le toit, l'incendie roule ses vagues furieuses dans les airs. J'avance, et je revois la demeure et la citadelle de Priam. Et déjà, sous les portiques solitaires de l'asile de Junon [473], Phénix [474] et le cruel Ulysse, choisis pour cet emploi [475], veillaient à la garde du butin : là sont entassés tous les trésors de Troie ravis aux temples en flammes, et les tables des dieux [476] et les cratères d'or massif [477], et les vêtements [478] des vaincus : des enfants et des mères tremblantes [479], en longue file, se tiennent à l'entour... Osant même faire retentir ma voix dans l'ombre, je remplis les rues de mes cris, et, dans ma douleur, répétant vainement le nom de Créuse, je l'appelai et la rappelai encore. Tandis qu'éperdu je cherche sans fin par les maisons de la ville un fantôme misérable, l'ombre de Créuse elle-même apparut à mes yeux, mais sa taille est plus grande que d'ordinaire [480]. Je demeurai stupide, mes cheveux se dressèrent sur ma tête, et ma voix resta dans ma gorge [481]. Alors elle m'adressa ainsi la parole et ôta mes soucis par ces mots [482] : « Pourquoi te laisses-tu tant aller à une folle douleur, ô mon tendre époux ? Ces événements n'arrivent pas sans la volonté des dieux; et ils ne permettent pas que tu emmènes Créuse comme compagne : celui qui règne sur le haut Olympe [483] le défend. Un long exil t'attend, et il te faudra sillonner la vaste plaine liquide de la mer, et tu viendras sur la terre d'Hespérie [484], où, fleuve lydien parmi les guérets opulents [485], coule d'une eau calme le Tibre [486]. Là une fortune florissante, un royaume, une royale épouse [487] te sont réservés; cesse de verser des larmes sur ta Créuse chérie. Non, je ne verrai pas les demeures superbes des Myrmidons [488] et des Dolopes [489]; je n'irai pas, esclave, servir des femmes grecques [490], moi, Dardanide [491] et bru de la divine Vénus [492]. La puissante mère des dieux [493] me retient sur ces bords [494]. Adieu, et aime toujours notre commun fils. »

Quand elle eut prononcé ces mots, elle me quitta pleurant et ayant mille choses à lui dire, et disparut dans les brises ténues. Trois fois j'essayai de la serrer dans mes bras, trois fois son image s'échappa de mes mains qui l'avaient saisie, pareille aux vents légers et semblable au songe qui s'envole [495]. Alors seulement, la nuit écoulée, je rejoins mes compagnons.

Et là, je trouve, étonné, qu'un nombre considérable de compagnons nouveaux, mères et hommes, se sont joints à eux, peuple rassemblé pour l'exil, foule lamentable. Ils sont venus de toutes parts, prêts à m'aider de leurs ressources [496], et à me suivre sur mer en quelque contrée que je veuille les conduire. Déjà, sur les hautes cimes de l'Ida [497], Lucifer [498] se levait et ramenait le jour [499]; les Danaens tenaient bloquées les portes de la ville, et aucun espoir de la secourir ne nous était laissé. Je m'en allai, et, mon père sur les épaules [500], je gagnai les montagnes [501].

LIVRE TROISIÈME

LES VOYAGES D'ÉNÉE

Quand l'empire de l'Asie [502] et le peuple de Priam [503] eurent été anéantis par l'injuste [504] arrêt des dieux d'en haut; quand fut tombée la superbe Ilion [505] et que la Neptunienne Troie [506] tout entière couvrit le sol de ses ruines fumantes [507], poussés par les augures des dieux [508] à chercher de lointains exils et des terres désertes [509], nous construisons une flotte [510] sous les murs mêmes d'Antandros [511], au pied des monts de l'Ida phrygien [512], sans savoir où les destins nous portent [513] ni où il nous est permis de nous fixer; et nous rassemblons nos guerriers. A peine le printemps était-il commencé que mon père Anchise m'ordonnait d'abandonner les voiles aux destins : je quitte en pleurant les rivages de ma patrie, le port et les champs où fut Troie. Je me lance, exilé, sur la mer, avec mes compagnons, mon fils et les grands dieux Pénates [514].

Il est une terre au loin, consacrée à Mavors [515], dont les vastes campagnes sont cultivées par des laboureurs Thraces [516] et où régna jadis le cruel Lycurgue [517]. Une hospitalité antique unissait ses Pénates à ceux de Troie [518], tant que dura notre fortune [519]. C'est là que j'aborde et jette en une courbe du rivage les premiers murs d'une ville, poussé par les destins iniques, et lui forge de mon nom le nom d'Enéades [520].

J'offrais un sacrifice à ma mère Dionéenne [521] et aux dieux protecteurs de ces remparts naissants, et j'immolais sur le rivage un gras taureau [522] au roi des habitants du ciel [523]. Il y avait par hasard tout à côté un tertre, au sommet couronné d'un cornouiller [524] et d'un myrte [525] hérissé d'épais rameaux. J'approchai; j'essayai d'arracher du sol ces verts arbustes, pour couvrir les autels de leurs rameaux feuillus; mais je vois un horrible et étonnant prodige. Le premier arbrisseau que j'arrache du sol en brisant ses racines distille goutte à goutte un sang noir, qui souille la terre de taches. Un frisson d'horreur secoue mes membres et mon sang glacé se fige d'épouvante. Je continue, j'arrache la tige flexible du second arbuste, pour pénétrer les causes de ce mystère : un sang noir coule encore de l'écorce du second. Agitant mille pensées, je suppliais les Nymphes champêtres [526], et le Père Gradivus [527], qui protège les guérets des Gètes [528], de rendre ce prodige favorable et de conjurer ce mauvais présage [529]. Mais tandis qu'avec plus d'effort je m'en prends à un troisième rameau, et qu'à genoux je lutte contre le sable qui résiste — dois-je parler ou me taire ? — un gémissement plaintif se fait entendre au fond du tertre, et une voix qui en sort vient frapper mes oreilles : « Pourquoi donc, Enée, déchirer un malheureux ? épargne désormais ma tombe [530], épargne un crime à tes mains pieuses. Je ne te suis pas étranger, étant natif de Troie, et ce sang ne coule pas d'une souche. Ah! fuis ces terres cruelles, fuis ce rivage avide. Car je suis Polydore [531] : ici mon corps a été couvert d'une moisson de traits d'airain, et ces javelots pointus ont pris en lui racine [532]. » Alors, accablé d'une trouble épouvante [533], je demeurai stupide [534], mes cheveux se dressèrent sur ma tête et ma voix resta dans ma gorge.

Ce Polydore était un fils de l'infortuné Priam, qui, se défiant déjà des armes de la Dardanie et voyant le blocus de sa ville investie, l'avait envoyé jadis secrètement au roi de Thrace [535] avec un lourd poids d'or, pour qu'on prît soin de l'élever. Celui-là, dès que la puissance des Teucères [536] eut été brisée et que la fortune se fut retirée de nous, suit le parti et les armes victorieuses d'Agamemnon, et, au mépris de toutes les lois saintes [537], égorge Polydore et s'empare de son or. A quoi ne pousses-tu pas le cœur des mortels, exécrable soif de l'or! Quand l'épouvante eut laissé mon être, je rapporte aux principaux chefs du peuple [538] et à mon père le premier ce prodige émané des dieux, et leur demande quel est leur avis [539]. Tous, à l'unanimité, proposent de fuir cette terre criminelle, de quitter un asile pollué [540] et de livrer nos voiles aux Autans [541]. Nous célébrons donc les funérailles de Polydore; on lui élève pour tombeau un énorme amas de terre [542], on dresse aux Mânes [543] des autels endeuillés de sombres bandelettes [544] et de noirs cyprès [545], et les femmes d'Ilion se rangent à l'entour, les cheveux épars [546], selon le rite. Nous versons des coupes [547] écumantes d'un lait tiède encore [548], et des patères [549] pleines du sang des sacrifices, nous enfermons l'âme dans son sépulcre [550], et lui disons à haute voix l'adieu suprême [551].

Puis, dès qu'on peut se confier à la mer, que les vents laissent les flots tranquilles, et que l'Auster [552] au doux murmure nous appelle sur les ondes, mes compagnons poussent les navires et remplissent le rivage. Nous nous éloignons du port, et les terres et les villes disparaissent.

Une terre sacrée est au milieu de la mer, chère entre toutes à la mère des Néréides [553] et à Neptune Egéen [554] : elle errait d'une côte et d'un rivage à l'autre [555], quand Celui qui tient l'arc [556] la fixa, par piété filiale [557], entre la haute Mycone [558] et Gyare [559], et voulut qu'immobile et peuplée elle méprisât les vents. C'est vers elle que je vogue; et c'est elle qui, dans sa grande paix, nous reçoit, fatigués, dans le sûr abri de son port. Descendus à terre, nous saluons avec respect la ville d'Apollon [560]. Le roi Anius [561], à la fois roi des hommes et prêtre de Phébus, les tempes ceintes de bandelettes et du laurier sacré [562], accourt au-devant de nous; il reconnaît son vieil ami [563] Anchise. Nous nous serrons les mains en signe d'hospitalité et nous entrons dans son palais. J'implorai le dieu en son temple bâti de pierre antique : « Donne-nous, ô Thymbréen [564], une résidence propre; donne-nous, après tant de fatigue, des remparts et une descendance et une ville durable; conserve une seconde Pergame, sœur de Troie, restes échappés aux fureurs des Danaens et de l'impitoyable Achille. Qui suivons-nous comme guide ? Où nous ordonnes-tu d'aller ? de fixer notre séjour ? Donne-nous, ô Père, un présage, et descends en nos âmes [565]. »

A peine avais-je parlé que tout parut soudain s'ébranler; les portes, et le laurier du dieu [566], et toute la montagne alentour [567] parurent se mouvoir, et le trépied [568] mugir dans le sanctuaire ouvert [569]. Nous nous prosternons, la tête à terre, et une voix vient frapper nos oreilles : « Dardanides [570] infatigables, la terre qui, la première [571], a porté vos parents, vous verra revenir sur son sol fertile et vous fera accueil. Cherchez votre antique mère. Là domineront sur tous les rivages la maison d'Enée, et les fils de ses fils, et ceux qui naîtront d'eux [572]. » Telles furent les paroles de Phébus : elles firent naître une joie énorme au milieu du tumulte, et tous se demandent quels sont ces remparts, où Phébus appelle les voyageurs errants et leur ordonne de retourner.

Alors mon père, roulant dans son esprit les souvenirs des vieux guerriers : « Ecoutez, ô chefs, dit-il, et connaissez vos espérances. Au milieu de la mer est la Crète [573], île du grand Jupiter [574], où se trouvent le mont Ida [575] et le berceau de notre race. Cent grandes villes [576] peuplent ce royaume très fertile, d'où, le premier, notre aïeul Teucer [577], si je me rappelle bien ce que j'ai ouï dire, aborda aux rives de Rhétée [578] et y choisit l'emplacement de l'empire [579]. Ilion et les citadelles de Pergame [580] ne s'élevaient pas encore; on habitait au fond des vallées [581]. C'est de là [582] que nous est venue la mère divine du Cybèle [583], et les cymbales d'airain des Corybantes [584], et le bois de l'Ida [585]; de là le silence observé dans les mystères [586] et les lions attelés au char de la souveraine [587]. Courage donc, et suivons la route où nous mènent les ordres des dieux. Apaisons les vents et gagnons le royaume de Gnosse [588]. La distance qui nous en sépare ne demande pas une longue course; avec l'assistance de Jupiter, la troisième aurore verra notre flotte jeter l'ancre aux rivages de Crète. » Ayant ainsi parlé, il immola sur les autels les victimes consacrées, un taureau à Neptune [589], un taureau à toi, bel Apollon [590], une brebis noire à la Tempête [591], une blanche aux Zéphyrs heureux [592].

Le bruit court que le chef Idoménée [593], détrôné, a fui du royaume de ses pères; que les rivages de Crète sont déserts, que leurs demeures ont été évacuées par nos ennemis [594], et que leurs villes restent à l'abandon. Nous quittons le port d'Ortygie [595] et volons sur la mer; nous longeons Naxos aux cimes retentissantes du cri des Bacchantes [596], la verte Donysa [597], Oléare [598], la neigeuse Paros [599] et les Cyclades éparses sur la plaine liquide, et les détroits semés de terres nombreuses [600]. On entend s'élever la clameur des matelots [601] rivalisant d'efforts; ils s'encouragent mutuellement : « Voguons, disent-ils, vers la Crète et vers nos aïeux! » Le vent, se levant en poupe, favorise notre course, et nous mouillons enfin aux antiques rivages des Curètes [602]. Alors, en grande hâte, je bâtis les murs de la ville désirée; je la nomme Pergamée [603], et j'exhorte mon peuple, que ce nom remplit de joie, à aimer ses foyers et à élever les murs de la citadelle. Déjà presque toutes les poupes étaient à sec sur la côte; déjà la jeunesse s'occupait d'alliances et de ses terres nouvelles; je lui donnais des lois et des champs, quand tout à coup une affreuse contagion, provoquée par l'infection de l'air, vint attaquer les corps, les arbres et les moissons, et détruire l'espoir de l'année. Les hommes abandonnaient la douce existence ou traînaient des corps languissants. C'était l'époque où Sirius [604] brûle les campagnes stériles; les herbes étaient desséchées, et les épis malades refusaient le grain qui nourrit. Mon père nous exhorte à repasser la mer, à recourir encore à l'oracle d'Ortygie [605] et à Phébus, et à lui demander quel terme il met à nos souffrances, où il nous ordonne de chercher le remède à nos maux et de diriger notre course.

Il était nuit, et tout ce qui vit sur terre était plongé dans le sommeil. Les images sacrées des dieux et les Pénates phrygiens, que j'avais emportés de Troie et ravis aux flammes de la ville, m'apparurent en songe, éclairés de l'abondante lumière que la lune dans son plein versait par les ouvertures pratiquées dans la muraille. Alors ils m'adressèrent ainsi la parole et m'ôtèrent mes soucis par ces mots : « Ce que te dirait Apollon, si tu retournais à Ortygie, il te l'annonce ici, et c'est lui qui, spontanément, nous envoie à ta demeure. Nous qui, après l'embrasement de la Dardanie, t'avons suivi, toi et tes armes; nous qui avec toi avons parcouru sur ta flotte la plaine gonflée de la mer, nous aussi, nous élèverons jusqu'aux astres tes futurs descendants, et nous donnerons à leur ville l'empire. Toi, prépare pour ce grand peuple de grands remparts, et n'abandonne point le long effort de la fuite. Il faut changer de demeure : le dieu de Délos [606] ne t'a point conseillé ces rivages, et Apollon ne t'a point ordonné de t'établir en Crète [607]. Il est une contrée que les Grecs nomment Hespérie, terre antique, puissante par les armes et la fécondité du sol; les Œnotriens furent ses habitants; on dit que leurs descendants actuels la nommèrent Italie, du nom d'un de leurs chefs [608]. Voilà notre véritable demeure; c'est de là que sortirent Dardanus [609] et le vénérable Iasius [610], premier auteur de notre race. Lève-toi donc, et va rapporter avec joie à ton vieux père cet oracle qu'on ne peut mettre en doute : qu'il cherche Corythe [611] et les terres d'Ausonie [612]. Jupiter te refuse les champs de Dicté [613]. »

Étonné d'une telle vision et de cette voix des dieux (car ce n'était pas un songe, mais je croyais bien les avoir devant moi, reconnaître leur visage, leurs cheveux voilés [614], leurs traits bien accusés; et une sueur glacée me coulait tout le long du corps), je m'élance de ma couche, j'élève vers le ciel ma voix et mes mains suppliantes, et je verse sur le foyer des libations de vin pur. Joyeux d'avoir fait cette offrande, je mets Anchise au courant et lui raconte mon histoire en détail. Il reconnaît notre race ambiguë, nos doubles ancêtres [615], et l'erreur qui l'a abusé concernant notre antique berceau. Puis il me dit : « O mon fils, qu'éprouvent les destins d'Ilion, seule Cassandre [616] m'annonçait de pareils événements. Je me rappelle maintenant qu'elle prédisait cet avenir à notre race, et qu'elle parlait souvent de l'Hespérie [617], souvent du royaume d'Italie. Mais qui eût cru que les Teucères viendraient aux rivages d'Hespérie ? qui eût fait alors attention à la prophétesse Cassandre ? Cédons à Phébus, et, avertis par lui, suivons une meilleure route. » Il dit, et tous, avec enthousiasme, nous obéissons à ses ordres. Nous abandonnons encore ce séjour [618], et, après y avoir laissé un petit nombre de nos compagnons, nous mettons à la voile, et sur nos poutres creuses nous courons par la vaste plaine de la mer.

Quand nos embarcations eurent gagné la pleine mer [619], et qu'aucune terre n'apparaît plus, mais le ciel de toutes parts et de toutes parts la mer, alors s'arrête au-dessus de ma tête un sombre nuage, qui portait la nuit et la tempête, et l'onde se hérissa dans les ténèbres. Aussitôt les vents font bouillonner la mer, et les grandes plaines liquides se soulèvent; nous sommes dispersés, ballottés sur le vaste gouffre. Les nuées ont enveloppé le jour, et une nuit humide nous a dérobé le ciel; des feux redoublés déchirent les nuages. Nous sommes jetés hors de notre route, et nous errons sur les ondes aveugles. Palinure [620] lui-même déclare qu'il ne distingue dans le ciel ni le jour ni la nuit, et qu'il ne reconnaît plus sa route au milieu de l'eau. Pendant trois jours nous errons ainsi à l'aventure dans une obscurité aveugle, et pendant autant de nuits sans étoiles. Le quatrième jour, la terre enfin commença à se dresser à nos yeux, à nous montrer au loin des montagnes et l'ondoiement d'une fumée. Les voiles tombent, nous faisons force de rames : sans perdre un instant, les matelots courbés tourmentent les flots écumants et soulèvent la mer azurée.

Sauvé des ondes, les rivages des Strophades [621] m'accueillent d'abord; les Strophades, ainsi nommées par les Grecs [622], sont des îles de la grande mer Ionienne, qu'habitent la farouche Céléno [623] et les autres Harpyes [624], depuis que le palais de Phinée leur a été fermé et que la crainte leur a fait quitter les tables qu'elles fréquentaient auparavant. Jamais monstre plus funeste, jamais plus terrible fléau, dû à la colère des dieux, ne s'élança des ondes du Styx : ce sont des oiseaux qui ont les traits d'une jeune fille; les déjections qui coulent de leur ventre sont immondes, leurs mains crochues, et leur visage toujours pâle de faim...

Portés là par l'orage et à peine entrés dans le port, nous voyons de gras troupeaux de bœufs paissant çà et là dans la plaine et des chèvres sans gardiens qui broutent parmi l'herbe. Nous nous élançons, le fer à la main, et nous invitons les dieux et Jupiter lui-même à partager notre butin; puis, dans une courbe du rivage, nous dressons des lits de gazon et mangeons ces mets délicieux. Mais soudain, en un vol effrayant, les Harpyes fondent du haut des montagnes; elles battent des ailes avec un grand bruit, enlèvent nos viandes et salissent tout de leur contact immonde; puis, parmi une abominable odeur, ce sont des cris sinistres. Nous nous réfugions alors dans une gorge profonde, sous la voûte d'un rocher qu'enfermaient alentour des arbres et leurs ombrages touffus, et, une seconde fois, nous y dressons nos tables et replaçons le feu sur les autels. Une seconde fois, fondant sur nous d'un point opposé du ciel et de ses retraites invisibles, la troupe [625] bruyante vole avec ses pieds crochus autour de notre butin et souille les mets de son haleine. Je crie alors à mes compagnons de prendre leurs armes et de faire la guerre à cette cruelle engeance. Ils font comme j'ai dit, placent à leurs côtés leurs épées recouvertes d'herbe et cachent en les dissimulant leurs boucliers. Dès que les Harpyes s'abattent en faisant retentir les sinuosités du rivage, Misène [626], monté sur un haut observatoire, donne le signal avec une trompette d'airain : mes compagnons s'élancent, et, dans ce combat nouveau, tentent d'atteindre de leur fer ces impurs oiseaux de la mer [627]. Mais leurs plumes sont impénétrables, leurs flancs invulnérables; et, d'un vol rapide, elles s'enfuient sous les constellations, nous laissant une proie à demi rongée et des traces dégoûtantes.

Seule, s'arrêtant sur la pointe d'un rocher, Céléno, sinistre prophétesse, fit entendre ces paroles : « C'est donc la guerre, pour prix de nos bœufs égorgés et de nos génisses immolées, la guerre, Laomédontiades [628], que vous nous déclarez! et vous vous préparez à chasser sans raison les Harpyes de l'empire paternel [629]. Ecoutez donc et fixez bien ces paroles dans vos esprits. Ce que le Père tout-puissant [630] a prédit à Phébus, ce que Phébus-Apollon m'a prédit à moi-même, moi, l'aînée des Furies [631], je vais vous le révéler. Vous cherchez l'Italie; grâce aux vents que vos vœux appellent, vous irez en Italie, et vous pourrez entrer dans ses ports. Mais vous ne ceindrez point de murailles la ville qui vous est destinée, avant que la faim cruelle, châtiment de l'injuste massacre tenté contre nous, ne vous force à briser à coups de dent et dévorer vos tables. » Elle dit, et à tire-d'aile s'enfuit dans la forêt.

Cependant, une subite épouvante a glacé le sang de mes compagnons; leur courage s'est abattu : ce n'est plus par des armes, mais par des vœux et des prières qu'ils veulent obtenir la paix, que ce soient des déesses ou des oiseaux funestes et impurs. Et mon père Anchise, tendant du rivage ses paumes, invoque les grandes divinités et prescrit les sacrifices nécessaires : « Dieux, écartez ces menaces! Dieux, détournez un tel malheur, et, propices, sauvez un peuple pieux! » Puis il ordonne de détacher le câble du rivage et de déployer les cordages. Les Notus [632] tendent les voiles; nous fuyons sur des ondes écumantes, du côté où le vent et le pilote dirigeaient notre course.

Déjà apparaissent au milieu des flots Zacynthe [633] couverte de bois [634], et Dulichium [635], et Samé [636], et Néritos [637] aux rocs escarpés [638]. Nous fuyons les écueils d'Ithaque [639], royaume de Laerte [640], et maudissons la terre qui a nourri le cruel Ulysse. Bientôt nous découvrons et les cimes nuageuses de Leucate [641] et le temple d'Apollon redouté des marins [642]. Nous allons vers lui, fatigués, et nous entrons dans la petite ville. L'ancre est jetée de la proue; nos poupes se dressent sur la côte.

Alors, ayant pris terre enfin contre toute espérance, nous nous purifions [643] en l'honneur de Jupiter, nous nous acquittons de nos vœux en brûlant de l'encens sur nos autels, et nous célébrons par des jeux Iliaques les rivages d'Actium [644]. Mes compagnons, nus et arrosés d'huile, s'exercent aux luttes de leur pays [645], heureux d'avoir échappé à tant de villes argoliques [646] et d'avoir bien dirigé leur fuite au milieu de leurs ennemis.

Cependant le soleil parcourt le grand cercle de l'année, et l'hiver glacé hérisse les ondes de ses Aquilons [647]. Je fixe aux portes du temple le bouclier d'airain que portait le grand Abas [648], et je consigne le fait dans cette inscription :

ÉNÉE AYANT RAVI AUX DANAENS VAINQUEURS
CETTE ARME L'A CONSACRÉE [649]

Je donne l'ordre alors de quitter le port et de prendre place sur les bancs des rameurs : mes compagnons battent à l'envi la mer [650] et soulèvent la plaine liquide. Bientôt nous perdons de vue les citadelles élancées des Phéaciens [651], nous longeons les côtes de l'Epire [652], nous entrons dans le port de la Chaonie [653], et nous montons à la ville élevée de Buthrote [654].

Là, un bruit incroyable vient frapper mes oreilles : on dit que le fils de Priam, Hélénus [655], règne sur des villes grecques; qu'il possède l'épouse et le sceptre de l'Eacide Pyrrhus [656], et qu'Andromaque est passée de nouveau à un mari troyen [657]. Je suis frappé de stupeur, et je brûle d'un étrange désir d'interroger ce prince et de connaître ces grands événements. Je m'éloigne du port, abandonnant ma flotte et le rivage. En ce moment, par hasard, dans un bois sacré à l'entrée de la ville, aux bords d'un faux Simoïs [658], Andromaque offrait aux cendres d'Hector un sacrifice solennel et des libations funéraires; elle invoquait les Mânes près d'un tombeau vide de vert gazon qu'elle avait consacré à son ancien époux, avec deux autels [659], source de larmes. Quand elle m'aperçut qui venais, et qu'elle vit autour de moi les armes troyennes, éperdue, effrayée de cette apparition formidable, elle demeura figée à ma vue; son sang se glaça dans ses veines; elle tombe évanouie, et c'est avec peine qu'après un long silence elle me dit : « Est-ce bien toi que je vois ? es-tu celui que ton visage m'annonce, fils d'une déesse ? vis-tu ? ou, si la lumière sacrée t'a été ravie, où est Hector ? » Elle dit, et versa des larmes, et remplit tout le lieu de ses cris. Devant son désespoir, je lui réponds à peine, et, troublé, lui adresse ces quelques mots entrecoupés : « Oui, je vis, et je traîne ma vie au milieu de tous les malheurs. N'en doute pas : ce que tu vois est réel... Hélas! tombée d'un si grand époux [660], à quelle condition es-tu réduite ? ou quel sort digne de toi t'a accueillie ? Est-ce bien toi, l'Andromaque d'Hector, qui partages la couche de Pyrrhus ? »

Elle baissa les yeux et répondit à voix basse : « O heureuse entre toutes la fille de Priam [661], condamnée à mourir près du tombeau d'un ennemi, au pied des hautes murailles de Troie! elle, qui n'eut point à subir les chances du sort [662], et ne foula point, captive, le lit d'un maître vainqueur! Nous, après l'embrasement de notre patrie, emportées à travers des mers lointaines, nous avons essuyé les dédains du rejeton d'Achille [663] et supporté ce superbe jeune homme, devenues mères dans la servitude [664]. Bientôt, il suivit la Lédéenne Hermione [665] et les hyménées lacédémoniens [666], et me mit, esclave, en la possession de son esclave Hélénus [667]. Mais, enflammé d'un grand amour pour sa fiancée ravie [668] et en proie aux Furies vengeresses [669], Oreste surprend son rival sans défense et l'égorge au pied des autels de son père [670]. Par la mort de Néoptolème une partie de ce royaume [671] revint à Hélénus [672], qui donna le nom de Chaonie aux campagnes et à tout le pays en souvenir du Troyen Chaon [673], et qui bâtit sur ces hauteurs une Pergame, citadelle d'Ilion. Mais toi, quels vents, quels destins ont conduit ta course ? Quel dieu t'a fait aborder, l'ignorant, sur nos côtes ? Que devient le petit Ascagne ? vous reste-t-il ? la brise le nourrit-elle encore ? Quand il naquit, Troie déjà... Regrette-t-il, tout enfant qu'il est, la perte de sa mère [674] ? L'exemple de son père Énée et de son oncle Hector [675] l'excite-t-il à montrer l'antique vertu et le mâle courage de ses ancêtres ? »

Ainsi parlait-elle en pleurant, et elle poussait en vain de longs gémissements, quand s'avance des remparts le héros, fils de Priam [676], avec une nombreuse suite : il reconnaît ses compatriotes, les conduit avec joie à son palais, et fond en larmes à chacune de ses paroles. Je m'approche, et je reconnais une petite Troie, une Pergame qui imite la grande, un ruisseau à sec du nom de Xanthe [677], et j'embrasse le seuil de la porte Scée [678]. Les Teucères jouissent eux aussi, en même temps que moi, de cette ville amie : le roi les recevait sous de vastes portiques; au milieu de la cour intérieure [679] ils faisaient des libations avec les dons de Bacchus [680], offrant les mets sur des plats d'or, et tenaient à la main leurs patères.

Déjà un jour, puis un autre se sont écoulés; les brises appellent nos voiles, et le lin s'enfle au souffle de l'Auster [681]. Je vais trouver le roi-devin et lui pose les questions suivantes : « Enfant de Troie, interprète les dieux [682], toi qu'inspirent la divine puissance de Phébus, les trépieds [683], les lauriers de Claros [684], qui lis dans les constellations et dans le chant des oiseaux et dans leur vol rapide [685], réponds-moi, car des oracles favorables m'ont prédit toute une course, et tous les dieux m'ont persuadé de gagner l'Italie et de chercher ces terres écartées; seule, la Harpye Céléno m'annonce un prodige inouï, horrible à dire, et me fait part de funestes ressentiments et d'une affreuse famine. Quels périls à éviter d'abord et quelle voie suivre pour surmonter de si grands obstacles ? »

Alors Hélénus, après avoir immolé d'abord, selon l'usage, de jeunes taureaux, implore la faveur des dieux, détache des bandelettes de sa tête sacrée [686] et me conduit par la main à ton seuil, ô Phébus, où, interdit par ta majesté, j'entends bientôt le prêtre m'annoncer de sa bouche divine : « Fils de déesse (car j'ai la certitude manifeste que tu vas par la mer sous de puissants auspices : ainsi le roi des dieux règle les destinées, en déroule les vicissitudes, en fixe l'ordre), je vais pour mieux assurer ta route sur des mers hospitalières et t'arrêter dans un port d'Ausonie [687], te dévoiler un petit nombre de secrets nombreux de l'avenir : car les Parques [688] empêchent Hélénus de connaître les autres, et la Saturnienne Junon [689] me défend de parler. D'abord, cette Italie, que tu crois déjà proche [690], ces ports où dans ton ignorance tu te prépares à entrer, un long trajet t'en sépare, par des contrées lointaines et difficiles d'accès. Tes rames devront ployer sous l'effort dans l'onde trinacrienne [691], tes navires sillonner la plaine liquide et salée d'Ausonie [692], et les lacs des Enfers [693], et l'île de Circé d'Ea [694], avant que tu puisses, sur une terre sûre, jeter les fondements d'une ville. Je vais te dire des signes : garde-les profondément gravés dans ta mémoire. Lorsque, plein d'inquiétude, tu trouveras aux bords d'un fleuve écarté [695], sous les yeuses [696] du rivage [697], une énorme laie blanche [698] étendue sur le sol, avec trente nourrissons, blancs comme leur mère, pressés autour de ses mamelles, ce sera l'emplacement de ta ville et le terme fixé à tes travaux. Ne t'effraie point de devoir mordre un jour dans des tables [699] : les destins trouveront leur voie, et Apollon [700] exaucera tes vœux. Mais ces terres, cette partie de la côte italienne, voisine de nous [701], que baignent les flots de notre mer, fuis-les : tous les murs en sont peuplés de Grecs dangereux [702]. Ici les Locriens de Narycie [703] ont élevé leurs murs et le Lyctien Idoménée [704] couvre de ses soldats les campagnes de Salente [705]; là, le chef de Mélibée, Philoctête [706], a fortifié d'un mur la petite Pétilie [707]. Lorsqu'au terme de sa course ta flotte se reposera au-delà des mers, et qu'aux autels dressés par toi sur le rivage tu acquitteras des vœux, n'omets pas de couvrir tes cheveux d'un voile de pourpre [708], de peur qu'au milieu des feux sacrés allumés en l'honneur des dieux aucune figure ne se présente et ne trouble les présages; que tes compagnons observent ce religieux usage, observe-le toi-même; que tes neveux demeurent chastement fidèles à ce rite. Mais lorsqu'après ton départ le vent t'aura poussé vers la côte de Sicile et que l'entrée de l'étroit Pélore [709] s'élargira devant toi [710], cherche, par un long circuit, la terre à gauche et la mer à gauche [711] : fuis la rive droite et ses ondes. Ces lieux, arrachés jadis à leur base par un violent et vaste éboulement (tant le long cours des âges peut provoquer de changements!), ces lieux, dit-on, se séparèrent, alors que l'une et l'autre terre n'en faisaient qu'une : la mer se fraya un passage de force au milieu d'elles, détacha l'Hespérie de la Sicile [712], et battit de ses flots les campagnes et les villes qu'un étroit canal sépara. A droite se tient Scylla [713], à gauche l'implacable Charybde [714], qui, trois fois, au fond de son gouffre, dans les profondeurs abruptes de son abîme, engloutit de vastes flots, qu'elle relance ensuite tour à tour dans les airs, frappant de son onde les constellations. Scylla, elle, se tient cachée dans une caverne aveugle, d'où elle avance la tête et attire les vaisseaux sur ses rochers; ayant le haut du corps de forme humaine, c'est jusqu'à la ceinture une jeune fille au beau buste; pour le reste, monstrueux poisson, elle joint une queue de dauphin à un ventre de loup. Il vaut mieux côtoyer lentement le promontoire de Pachynum [715] trinacrien [716] et faire un long détour, que d'avoir vu une seule fois dans son antre l'informe Scylla et les rochers qui retentissent de l'aboiement de ses chiens d'azur [717]. En outre, si Hélénus a quelque prescience de l'avenir, si c'est un devin qui mérite qu'on lui fasse crédit, si Apollon remplit son âme de vérités, il est surtout un avis, fils de déesse, un avis plus important que tous les autres, et que je te répéterai encore et encore : adore avant tout en tes prières la divinité de la grande Junon, offre avec empressement tes vœux à Junon, et fléchis la puissante souveraine [718] par tes suppliantes offrandes : c'est ainsi qu'enfin victorieux, laissant la Trinacrie, tu arriveras aux terres d'Italie. Lorsqu'y étant descendu tu approcheras de la ville de Cumes [719], et de son divin lac [720], et de l'Averne [721] aux forêts bruissantes [722], tu verras une prêtresse en délire [723], qui, au fond d'un rocher, annonce les destins et trace sur des feuilles des lettres et des noms. Tous les oracles que la vierge a écrits sur des feuilles, elle les dispose selon un ordre et les tient enfermés dans son antre. Ils y restent immobiles sans que leur ordre varie. Mais quand la porte tourne sur ses gonds et qu'un léger vent souffle et bouleverse ces frondaisons tendres, elle ne se dérange pas pour les arrêter au vol dans le fond de son antre, ni pour les remettre en ordre, ni pour rétablir la suite des vers. On se retire alors sans réponse et l'on maudit la demeure de la Sibylle [724]. Ne crains point de perdre un peu de temps en ce lieu, quoique tes compagnons murmurent, que le vent appelle avec force tes voiles sur la haute mer, et promette de l'enfler d'un souffle favorable; va trouver la prêtresse, et supplie-la de rendre ses oracles. Qu'elle parle, qu'elle veuille bien ouvrir la bouche et te répondre. Elle te dira les peuples d'Italie, et les guerres à venir, et comment tu pourras éviter ou surmonter chaque obstacle, et, pour récompenser ta piété envers elle, elle t'accordera une course favorable. Tels sont les avis qu'il nous est permis de te donner. Va donc, et par des hauts faits porte aux nues la puissance d'Ilion. »

Après m'avoir parlé en ces termes amicaux, le devin fait porter à mes vaisseaux de lourds présents d'or et d'ivoire découpé, et charge sur nos carènes une argenterie énorme et des vases de Dodone [725], ainsi qu'une cuirasse de mailles entrelacées et formées par trois crochets d'or, un casque au cimier remarquable et des aigrettes chevelues, armes de Néoptolème. Mon père a aussi ses présents. Hélénus nous donne encore des chevaux, nous donne des pilotes, complète nos rameurs et munit d'armes nos compagnons.

Cependant Anchise faisait appareiller la flotte, pour profiter sans retard du vent qui nous portait. L'interprète de Phébus [726] lui adresse la parole avec beaucoup de respect : « Anchise, ô toi que Vénus a trouvé digne de son alliance glorieuse, mortel chéri des dieux, deux fois sauvé des ruines de Pergame [727], tu as devant toi la terre d'Ausonie : cours la saisir à pleines voiles. Et cependant il te faut d'abord la côtoyer sans t'y arrêter [728]. La partie de l'Ausonie que t'assigne Apollon est encore loin [729]. Pars, dit-il, ô heureux père d'un fils plein de piété! Pourquoi te parler plus longtemps et retarder, par mes discours, les Autans [730] qui s'élèvent ? »

Andromaque, affligée de ce départ suprême, apporte aussi à Ascagne des habits ornés de broderies d'or, et une chlamyde phrygienne [731], et, ne le cédant pas à Hélénus par la beauté de ses cadeaux, elle le comble de tissus précieux et lui dit : « Reçois aussi, enfant, ces présents, ouvrage de nos mains; qu'ils te soient un souvenir et un témoignage durable de l'amour d'Andromaque, femme d'Hector [732]. Prends ces derniers dons que te fassent les tiens, ô toi, seule image qui me reste de mon petit Astyanax! Il avait ainsi les yeux [733], et les mains, et les traits de ton visage. Et maintenant il aurait ton âge et entrerait dans l'adolescence. »

Pour moi, en les quittant, je leur disais, les yeux pleins de larmes : « Vivez heureux, vous dont la fortune est déjà accomplie; nous, nous sommes entraînés de vicissitudes en vicissitudes; vous, votre repos est acquis; vous n'aurez à sillonner aucune plaine liquide, ni à chercher ces campagnes d'Ausonie qui se dérobent sans cesse. Vous voyez l'image du Xanthe, et une Troie que vos mains ont faite, faite sous de meilleurs auspices [734], je le souhaite, et moins exposée aux coups des Grecs [735] ! Si jamais j'entre dans le Tibre et dans les champs voisins du Tibre, et que j'aperçoive les remparts promis à ma race, je veux que ces villes alliées [736] et ces peuples parents, Epire et Hespérie, qui ont le même auteur Dardanus [737] et les mêmes malheurs [738], ne fassent l'une et l'autre qu'une seule Troie par le cœur, et que ce sentiment se transmette à nos neveux. »

Nous voguons sur la mer et approchons des monts Cérauniens [739], d'où la route vers l'Italie est directe et le trajet le plus court sur les ondes. Cependant le soleil se précipite, et les montagnes se couvrent d'une ombre opaque. Nous nous étendons au bord de la mer, sur le sein de cette terre tant désirée, après avoir tiré au sort les rames [740]; répandus çà et là sur le sable du rivage, nous réparons nos forces; le sommeil coule dans nos membres las. Et la Nuit, conduite par les Heures [741], n'atteignait pas le milieu du ciel, que le vigilant Palinure [742] se lève, interroge tous les vents et prête l'oreille aux moindres brises. Il observe toutes les constellations qui glissent en silence dans le ciel, l'Arcture, les Hyades pluvieuses, les deux Ourses [743], et il contemple Orion en son armure d'or [744]. Quand il voit que tout est calme dans le ciel serein, il donne du haut de la poupe le signal éclatant : nous levons le camp, poursuivons notre route et déployons les ailes de nos voiles.

Déjà les étoiles en fuite faisaient place aux rougeurs de l'Aurore, quand nous voyons des collines obscures [745] et, à l'horizon, l'Italie. « Italie », crie le premier Achate, et nos compagnons saluent l'Italie de leur clameur joyeuse. Alors mon père Anchise revêtit d'une couronne un grand cratère, le remplit de vin pur et invoqua les dieux, debout sur la poupe élevée [746] : « Dieux puissants de la mer, de la terre et des tempêtes [747], donnez-nous une route que le vent rende facile, et que vos souffles nous soient favorables. » Les brises désirées redoublent, le port [748] s'entrouvre déjà à notre approche et le temple de Minerve [749] apparaît sur la hauteur. Nos compagnons carguent les voiles et tournent les proues vers le rivage. Le port se courbe en arc du côté de la mer aurorale; les promontoires rocheux écument sous l'onde salée; le port lui-même se cache; des rochers, semblables à des tours, l'embrassent de leur double mur, et le temple s'éloigne du rivage [750].

Là, pour premier présage, je vis quatre chevaux dans l'herbe, qui paissaient au loin la plaine, et qui avaient la blancheur de la neige. Mon père Anchise s'écrie : « C'est la guerre, ô terre hospitalière, que tu nous apportes; c'est pour la guerre qu'on arme les chevaux; c'est de la guerre que ce troupeau nous menace. Mais pourtant les mêmes quadrupèdes s'attellent parfois à des chars et portent avec ensemble et le joug et le frein. Il est encore un espoir de paix. » Alors nous prions la divinité sainte de Pallas aux armes sonores [751], qui la première nous reçut triomphants; devant les autels, nous nous couvrons la tête d'un voile phrygien [752], et, suivant les importants avis que nous avait donnés Hélénus, nous offrons rituellement à Junon Argienne [753] les sacrifices prescrits.

Aussitôt après avoir accompli, suivant l'ordre accoutumé, ces pieux devoirs, nous tournons les cornes des antennes [754] chargées de voiles, et quittons les demeures et la campagne suspectes de ces descendants des Grecs [755]. De là on aperçoit le golfe de Tarente [756], ville bâtie par Hercule, si la renommée est vraie : vis-à-vis s'élèvent le temple de la déesse Lacinienne [757], et les bastions de Caulon [758], et la naufrageuse Scylacée [759]. Puis, au loin, surgissant du flot, on aperçoit l'Etna [760] trinacrien [761]; et nous entendons dans le lointain le gémissement énorme de la mer et ses voix qui viennent se briser sur les côtes; les bas-fonds bouillonnent et les sables se mêlent à la marée. « La voilà sans doute cette fameuse Charybde [762], s'écrie mon père Anchise; les voilà, ces écueils, ces horribles rochers que nous annonçait Hélénus. Sauvez-nous, ô mes compagnons, et courbez-vous du même front sur vos rames. » Ses ordres sont exécutés : le premier, Palinure, tourna à gauche sa proue frémissante, et toute la flotte prit la gauche à force de rames et toutes voiles aux vents. Nous sommes soulevés du fond du gouffre jusqu'au ciel et puis nous descendons jusqu'au séjour profond des Mânes quand l'onde s'affaisse. Trois fois les écueils firent entendre une clameur parmi les creux de leurs rocs; trois fois nous vîmes l'écume jaillir et arroser les astres.

Cependant le vent nous laissa fatigués avec le soleil, et, ne sachant pas la route, nous abordons aux rives des Cyclopes [763]. Le port, abrité des vents, est tranquille et vaste; mais, tout près, l'Etna tonne avec des éruptions horribles. Tantôt la montagne lance vers l'éther un nuage noir, où tourbillonnent des fumées sombres et des cendres incandescentes, et élève des globes de flammes qui effleurent les constellations; tantôt elle projette en hoquetant des rochers arrachés de ses entrailles, amoncelle en mugissant dans les airs des pierres liquéfiées et bouillonne en ses profondeurs. La légende raconte que le corps à demi foudroyé d'Encelade [764] est accablé sous cette masse, et que l'énorme Etna, qui l'écrase de son poids, exhale la flamme de ses fournaises béantes, et que chaque fois qu'il retourne son flanc fatigué la Trinacrie entière tremble d'un long murmure et le ciel se couvre de fumée. Pendant la nuit, sous le couvert des bois, nous assistons à ce monstrueux prodige, sans voir quelle est la cause d'un tel bruit : car il n'y avait point de feux aux astres, ni de constellations dans l'éther voilé, mais des vapeurs couvraient le ciel obscur et une nuit profonde enfermait la lune dans un nimbe.

Le lendemain le jour se levait à peine à l'orient, et l'Aurore avait écarté à peine du ciel l'ombre humide, quand tout à coup sort des bois un inconnu, d'une maigreur extrême, à la figure étrange et à l'aspect lamentable : il s'avance et tend en suppliant les mains vers le rivage. Nous regardons : il est d'une saleté repoussante, sa barbe descend sur sa poitrine, des épines rattachent son vêtement déchiré; le reste [765] annonce un Grec, autrefois envoyé devant Troie revêtu des armes de sa patrie. Quand il aperçut de loin le costume dardanien et les armées troyennes, effrayé à cette vue, il hésita un peu et s'arrêta; mais bientôt, précipitant ses pas vers le rivage, il se répandit en larmes et en prières : « Par les constellations que j'atteste, par les dieux Supérieurs et par cet air lumineux que nous respirons, tirez-moi de ces lieux, ô Teucères! emmenez-moi sur une terre quelconque : cela me suffira. Oui, je le reconnais, j'ai fait partie de la flotte des Danaens; oui, je l'avoue, j'ai porté la guerre aux pénates d'Ilion; si c'est à vos yeux un crime tellement abominable, dispersez mon corps dans les flots, plongez-moi dans la vaste mer. Si je dois périr il me sera doux de périr de la main des hommes [766]. » Il avait dit, et, embrassant nos genoux et se roulant à nos pieds, il les tenait étroitement serrés. Nous l'invitons à dire qui il est, et de quel sang il est né, et à nous raconter quel est son triste sort. Mon père Anchise lui-même, sans plus tarder, tend la main à l'homme, et rassure son esprit par ce gage tutélaire. Déposant enfin toute crainte, il parle ainsi :

« Je suis originaire d'Ithaque, et l'un des compagnons de l'infortuné Ulysse [767]; mon nom est Achéménide [768]; la pauvreté de mon père Adamaste [769] (plût au ciel que son humble fortune fût restée mon partage) me fit partir pour Troie. Mes compagnons [770] m'ont oublié ici, en quittant éperdus ce cruel séjour, et m'ont abandonné dans la vaste caverne du Cyclope. Sa demeure, pleine de sang corrompu et de chairs sanglantes, est à l'intérieur obscure et spacieuse. Lui-même est un géant, qui heurte du front les hautes constellations (dieux, détournez de la terre un tel fléau!). Nul n'ose le voir ni lui adresser la parole [771]. Il se repaît des entrailles des malheureux et de sang noir. Moi-même je l'ai vu, couché sur le dos au milieu de son antre, saisir de sa grande main deux d'entre nous, briser leurs corps contre une pierre, et inonder de leur sang qui giclait le seuil de sa demeure; je l'ai vu dévorer leurs membres dégouttant d'un liquide noir et broyer sous sa dent leurs jointures tièdes et palpitantes. Ce ne fut pas impunément; Ulysse ne souffrit pas de telles atrocités, et dans un si grand péril l'Ithacien ne s'oublia pas [772]. Car, aussitôt que le Cyclope, gorgé de nourriture et enseveli dans le vin, eut laissé tomber sa nuque fléchissante et allongé dans l'antre son corps immense [773], vomissant pendant son sommeil du sang et des morceaux de chair mêlés de vin sanglant, nous supplions les grandes divinités, nous nous répartissons les rôles [774], et, fondant sur lui de toutes parts, tous ensemble, nous lui crevons avec un pieu pointu son œil énorme, l'œil unique qui était caché [775] sous son front torve, et qui ressemblait au bouclier rond d'Argos [776] ou à la lampe de Phébus [777] : heureux de venger enfin les ombres de nos compagnons. Mais fuyez, ô malheureux, fuyez, et coupez le câble qui vous retient au rivage!... Car tel qu'on voit l'horrible et l'énorme Polyphème enfermer ses bêtes porte-laine dans son antre profond et presser leurs mamelles, tels cent autres Cyclopes, aussi affreux, habitent çà et là sur ces sinueux rivages et errent sur les hautes montagnes. Trois fois déjà les cornes de la lune se sont remplies de lumière, depuis que je traîne ma vie dans les bois, parmi les repaires déserts et les demeures des bêtes fauves, et que je vois de loin les immenses Cyclopes gravir la roche, et que je tremble au bruit de leurs pas et de leurs voix. Pour chétive subsistance, j'ai les baies et les cornouilles pierreuses [778] que me donnent les rameaux des arbres, et les herbes que je déracine pour m'en repaître. En promenant mes regards de tous côtés, j'ai tout d'abord aperçu votre flotte qui venait à la côte : quelle qu'elle pût être, je me suis livré à elle. C'est assez d'avoir échappé à cette race abominable. Disposez de ma vie : toute autre mort est pour moi préférable. »

A peine avait-il parlé que, sur le sommet de la montagne, nous voyons une vaste masse se mouvoir parmi un troupeau : c'était le pâtre Polyphème [779] lui-même, qui s'avançait vers ses rivages familiers, monstre horrible, informe, immense, à qui la lumière est ravie. Un pin ébranché guide sa main et soutient ses pas. Ses brebis porte-laine l'accompagnent : c'est le seul plaisir qui lui reste [780] et la consolation de son malheur... Dès qu'il fut arrivé à la plaine liquide, et qu'il eut mis le pied dans les flots profonds, il lava avec de l'eau le sang qui coulait de son œil crevé, en grinçant des dents et en gémissant; et déjà il s'avance au milieu de la plaine liquide, sans que le flot mouille ses flancs élevés. Pour nous, tremblants de frayeur, nous fuyons à la hâte, après avoir recueilli le suppliant, qui méritait bien cette récompense, et nous coupons en silence le câble; puis, courbés, nous fendons les flots, en faisant à l'envi force de rames. Polyphème s'en aperçut et tourna ses pas du côté dont le bruit partait. Mais, voyant qu'il n'y a pas moyen de saisir le vaisseau et que les flots ioniens nous dérobent à sa poursuite, il poussa une immense clameur [781], qui ébranla la mer et toutes les ondes, pénétra d'épouvante la terre d'Italie et fit mugir l'Etna dans ses profondes cavernes. Cependant le peuple des Cyclopes, sortant des bois et des hautes montagnes, se rue vers le port et emplit le rivage. Nous voyons ces frères etnéens [782] debout, tournant en vain vers nous leur œil torve, et portant jusqu'au ciel leurs têtes altières. Assemblée horrible! tels sur une cime élevée se dressent des chênes aériens et des cyprès conifères, haute forêt de Jupiter [783] ou bois sacré de Diane [784].

En proie à une violente terreur, nous déroulons au hasard nos cordages et tendons vite nos voiles à des vents favorables. Hélénus nous avait avertis qu'entre Scylla et Charybde la mort, des deux côtés, est presque inévitable, et qu'il n'y fallait point diriger notre course; nous décidons de rebrousser chemin. Mais voici que, soufflant du détroit de Pélore [785],

Borée [786] nous assiste : je franchis l'embouchure du Pantagias bordée de roc vif [787], et le golfe de Mégare [788], et Thapsus qui s'étend à fleur d'eau [789]. C'était Achéménide qui nous signalait ces rivages, qu'il avait parcourus jadis [790], compagnon de l'infortuné Ulysse [791].

A l'entrée du golfe sicanien [792], en face de Plemmyre [793] assaillie par les ondes [794], s'étend une île que ses premiers habitants nommèrent Ortygie [795]. La légende veut que s'y rende l'Alphée, fleuve d'Elide [796], qui, se frayant sous la mer une route secrète, mêle, Aréthuse [797], ses eaux aux tiennes dans les ondes siciliennes. Exécutant les ordres reçus, nous adorons les grandes divinités du lieu [798]. De là, je côtoie les champs très fertiles de l'Hélore stagnant [799]. Puis nous rasons les hauts bastions et les rochers saillants du Pachynum [800]. Camarine [801] apparaît au loin, que les destins enchaînent pour toujours [802], et les champs géloiens [803], et l'immense Géla [804] à qui le fleuve a donné son nom. Puis l'escarpée Agrigente [805] nous montre au loin ses très grands remparts [806], ville autrefois féconde en chevaux généreux [807]. Les vents qui soufflent m'éloignent de toi, Sélinonte [808], couverte de palmiers [809], et je passe devant les bas-fonds impitoyables de Lilybée [810], pleins de rochers invisibles. Enfin Drépane [811] m'accueille dans son port et sur sa côte stérile [812]. C'est là qu'après avoir été battu sur mer par tant de tempêtes je perds, hélas! mon père Anchise, consolation de toutes mes peines et de tous mes malheurs; c'est là, ô le meilleur des pères, que tu m'abandonnes à ma fatigue, après avoir en vain, hélas! échappé à de si grands périls! Ni le devin Hélénus, malgré tant d'horribles prophéties, ni la farouche Céléno ne m'avaient prédit un tel deuil. Ce fut là ma dernière épreuve et le terme de mes longs voyages. Au sortir de ces lieux, un dieu m'a conduit sur vos bords. »

C'est ainsi que le vénérable Enée, au milieu de l'attention de tous, retraçait les destins envoyés par les dieux et racontait ses courses. Il se tut enfin et termina là son récit.

LIVRE QUATRIÈME

DIDON

Cependant la reine, atteinte depuis longtemps [813] d'une blessure profonde [814], nourrit une plaie dans ses veines et languit d'un invisible feu. La valeur éclatante du héros et la gloire éclatante de sa race reviennent à sa pensée; ses traits et ses paroles demeurent fixés dans son cœur, et le trouble où elle est ne laisse pas à ses membres un repos qui les calme [815].

Le lendemain, l'Aurore éclairait les terres de la lampe de Phébus [816] et elle avait écarté du ciel l'ombre humide, quand Didon égarée parle ainsi à sa sœur qui est sa confidente [817] : « Anne [818], ma sœur, quelles visions m'épouvantent et me tiennent en suspens [819]! Quel est cet hôte étrange entré dans nos demeures! Quelle noblesse empreint son visage! quelle âme vaillante et quels exploits! Oui, je le crois, et ce n'est pas une vaine illusion, il est de la race des dieux. La crainte décèle des âmes viles. Hélas! par quels destins il fut traversé! quelles guerres il nous racontait, dont il a affronté tous les périls! Si je ne gardais au fond du cœur la volonté ferme et inébranlable de ne m'unir à personne par le lien conjugal, depuis qu'un premier amour m'a laissée déçue par la mort [820]; si je n'étais pas dégoûtée de la chambre nuptiale et de la torche [821], c'est la seule faute [822] peut-être à laquelle j'eusse pu succomber. Anne, je te l'avouerai, depuis le trépas du malheureux Sychée [823], mon époux, depuis le jour où le crime d'un frère [824] a éclaboussé nos pénates, lui seul a fléchi mes sens et fait chanceler ma volonté : je reconnais les traces de la flamme ancienne [825]. Mais, que le fond de la terre s'entrouvre sous mes pas, ou que le Père tout-puissant [826] me précipite d'un coup de foudre chez les ombres, les pâles ombres de l'Erèbe [827], et dans la nuit profonde, avant que je te viole, Pudeur [828], et que je m'affranchisse de tes lois. Celui qui le premier m'unit à son destin a emporté mes amours : qu'il les garde avec lui et qu'il les conserve dans son sépulcre! » Elle dit et des larmes jaillissantes inondèrent son sein.

Anne répond : « O toi, qui es plus chère à ta sœur que la

vie, vas-tu donc passer toute ta jeunesse dans la solitude de l'ennui ? Ne connaîtras-tu ni la douceur d'avoir des enfants ni les plaisirs de Vénus ? Crois-tu que des cendres ou que des Mânes dans leur sépulcre aient cure de cette fidélité ? J'admets que nul mari n'ait fléchi jadis ta douleur, ni ceux de Libye, ni ceux qui étaient venus de Tyr auparavant; qu'Iarbas [829] ait été repoussé ainsi que des autres chefs que nourrit la terre d'Afrique, riche en triomphes : mais vas-tu donc combattre un amour qui te plaît ? Ne songes-tu pas au pays où tu as fixé ta demeure ? D'un côté t'entourent les villes de Gétulie [830], race indomptable à la guerre, et les Numides [831] qui ignorent le frein [832], et la Syrte [833] inhospitalière; de l'autre, une brûlante région désertique [834] et les Barcéens [835] qui exercent au loin leurs fureurs. Parlerai-je des guerres qui s'élèvent de Tyr et des menaces de ton frère [836]!... Oui, c'est, je pense, sous les auspices des dieux et par la faveur de Junon [837], que le vent a conduit ici les carènes d'Ilion. Quelle ville, ô ma sœur, quel empire tu verras surgir d'une telle union! Associée aux armes des Teucères [838], par combien de hauts faits s'élèvera la gloire punique! Implore seulement la faveur des dieux, et, s'ils accueillent tes sacrifices, prodigue ton hospitalité et invente des causes de retard, tandis que la tempête et l'humide Orion [839] se déchaînent sur la mer et que les vaisseaux sont brisés, tandis que le ciel est intraitable. » Par ces paroles elle enflamma un cœur déjà brûlant d'amour, fit naître l'espérance dans une âme incertaine, et rompit les liens de la pudeur.

Elles commencent par visiter les sanctuaires et par implorer la paix d'autel en autel; elles immolent, selon l'usage, des brebis choisies à Cérès législatrice [840], à Phébus [841], au vénérable Lyée [842], et avant tout à Junon, qui a souci du nœud conjugal [843]. Elle-même, tenant une patère dans sa main droite, la belle Didon verse la liqueur entre les cornes d'une vache blanche [844], ou, devant des images des dieux, s'avance vers les gras autels [845]; elle instaure la journée par des présents, et, penchée sur les flancs ouverts des victimes, elle consulte leurs palpitantes entrailles [846]. Hélas! esprits ignares des haruspices! que servent à une femme en délire les vœux et les sanctuaires ? Une flamme subtile dévore cependant ses moelles, et une plaie silencieuse vit au fond de son cœur. Elle brûle, l'infortunée Didon, et erre dans son délire par toute la ville; telle une biche imprudente, atteinte d'une flèche dont l'a percée de loin dans les bois de la Crète [847] un berger lancé à sa poursuite, emporte à l'insu du chasseur le trait rapide avec elle; dans sa fuite elle parcourt les bois et les bocages de Dicté [848] : le roseau mortel demeure attaché à son flanc. Tantôt Didon emmène Enée au milieu de ses remparts, lui montre et les richesses de Sidon [849] et sa ville prête à le recevoir; elle commence à parler et s'arrête au milieu de son discours; tantôt, au déclin du jour, elle recommence le même festin, lui demande, l'insensée, à entendre encore une fois le récit des malheurs d'Ilion et reste encore une fois suspendue aux lèvres du narrateur. Puis, quand ils se sont séparés, quand la lune, obscure à son tour, voile sa lumière, et que les constellations à leur déclin invitent au sommeil, seule, dans son palais désert [850], elle cède à la tristesse et se couche sur les couvertures [851] qu'il a quittées. Elle est loin de lui et il est loin d'elle, et elle l'entend et le voit; ou bien, charmée de la ressemblance paternelle, elle retient sur son sein Ascagne, pour tromper, s'il se peut, son indicible amour. Les tours commencées ne s'élèvent plus; la jeunesse ne s'exerce plus aux armes; le port et les remparts de défense militaire restent en plan; les travaux interrompus demeurent en suspens : murs qui dressaient leurs puissantes menaces, machines [852] qui allaient toucher le ciel.

Dès que l'épouse chérie [853] de Jupiter la vit en proie à une telle peste, sans que sa renommée refrénât sa fureur, la fille de Saturne s'adresse à Vénus en ces termes : « L'éclatante victoire, en vérité, et le beau trophée que vous remportez là, toi et ton fils [854]! Le grand et mémorable effet de votre puissance, qu'une femme seule soit vaincue par la ruse de deux divinités! Non, je ne m'abuse pas : tu as craint nos murs [855], et le séjour de l'altière Carthage a éveillé tes soupçons. Mais quel sera le terme de nos inimitiés ? Et où nous mènent de si grands débats ? Que ne cimentons-nous plutôt par l'hymen une paix éternelle ? Tu as tout ce que tu as voulu : Didon brûle, amoureuse, et sa fureur l'a pénétrée jusqu'aux moelles. Régnons donc en commun sur ce peuple avec les mêmes auspices [856] : laisse-la servir un mari phrygien et remettre en ta droite [857] les Tyriens comme dot. »

A quoi, comprenant que ce langage artificieux avait pour but de dérober à l'Italie l'empire pour le fixer sur les côtes libyennes, Vénus lui répondit : « Qui serait assez insensé pour refuser de telles offres et préférer la guerre avec toi, si toutefois le projet dont tu parles est favorisé par le sort. Mais je suis en butte à l'incertitude des destins; j'ignore si Jupiter veut qu'une même ville rassemble les Tyriens et les exilés de Troie, s'il approuve ce mélange de peuples et ces traités d'alliance. Tu es son épouse : c'est à toi qu'il appartiendra de fléchir son âme par tes prières. Marche, je te suivrai. » Alors la reine Junon reprit : « Je me chargerai de ce soin; mais attention : je m'en vais t'apprendre en peu de mots comment peut réussir l'entreprise. Enée et, avec lui, la malheureuse Didon se préparent à aller chasser demain dans les bois, aussitôt que le Titan [858] aura levé son front et recouvert le globe de ses rayons. Tandis que les chasseurs agiteront leurs ailes [859] et entoureront le défilé d'un cordon [860], moi je ferai crever sur leurs têtes un nuage noircissant chargé de grêle, et j'ébranlerai tout le ciel avec le tonnerre. Les compagnons d'Enée se disperseront, enveloppés par une nuit opaque : Didon et le chef troyen se réfugieront dans la même grotte; j'y serai et, si telle est ta ferme volonté, je les joindrai par un nœud durable et ferai qu'elle lui appartienne. Là, sera Hyménée [861]. » Loin de s'opposer à ce dessein, Cythérée [862] l'approuva et sourit de la ruse trouvée.

Cependant la surgissante Aurore [863] a abandonné l'océan. Aux premiers rayons du jour, une jeunesse choisie sort des portes. Armés de filets à grandes mailles, de toiles, d'épieux au large fer, les cavaliers massyles [864] s'élancent, suivis d'une meute à l'odorat subtil. Les chefs puniques attendent sur le seuil du palais la reine qui s'attarde dans sa chambre; éclatant de pourpre et d'or, son cheval au pied sonore est là qui mord fièrement son frein écumant. Enfin elle s'avance accompagnée d'une grande escorte; sa chlamyde [865] de Sidon [866] est bordée d'une bande de broderie; son carquois est d'or; sa chevelure est nouée par une agrafe d'or [867]; une boucle d'or relève son manteau de pourpre. Avec elle s'avancent les Phrygiens et le joyeux Iule; lui-même, et le plus beau parmi tous, Enée se place à côté d'elle, et réunit les deux troupes [868]. Tel, lorsqu'il quitte l'hivernale Lycie [869] et les bords du Xanthe [870], et lorsqu'il va voir la maternelle Délos [871], Apollon : il y instaure les chœurs, et, mêlés autour des autels [872], se pressent en frémissant les Crétois, les Dryopes [873] et les Agathyrses [874] peints [875]; lui-même s'avance sur les cimes du Cynthe [876] : un souple feuillage rassemble et presse sa chevelure flottante, où s'entrelace de l'or, et ses traits sonnent sur ses épaules [877]. Non moins agile marchait Enée; une aussi grande beauté brille sur son noble visage.

A peine fut-on arrivé sur les hautes montagnes et dans d'inaccessibles repaires que des chèvres sauvages, délogées [878] d'un sommet rocheux, descendent en courant des hauteurs; d'un autre côté, lancés par les vastes plaines, où leurs bandes serrées soulèvent la poussière, des cerfs quittent les montagnes. Et le petit Ascagne, au milieu des vallées, pressant son cheval fougueux avec joie, devance à la course tantôt les uns et tantôt les autres; et appelle de tous ses vœux la rencontre, parmi ces troupeaux sans défense, d'un sanglier écumant ou d'un lion fauve descendu de la montagne.

Cependant un grand murmure commence à emplir le ciel; un orage le suit accompagné de grêle. Egaillés çà et là, les Tyriens, et la jeunesse troyenne, et le petit-fils dardanien de Vénus [879], pris de peur, ont cherché par les champs des abris dispersés : des torrents roulent du haut des monts. Didon et le chef troyen arrivent à la même grotte : la Terre [880] et Junon-qui-favorise-les-noces donnent le premier signal; des feux brillèrent dans l'éther complice de ces nœuds, et les Nymphes hurlèrent [881] au sommet d'un pic. Ce jour fut pour Didon la première cause de sa mort et de ses malheurs : insensible aux apparences et à sa renommée, ce n'est plus un amour furtif qu'elle nourrit; elle l'appelle une alliance; elle couvre sa faute de ce nom.

Sur-le-champ la Renommée s'en va par les grandes villes de la Libye, la Renommée, de tous les fléaux le plus rapide [882]. Elle vit de mouvement et acquiert des forces en marchant, Petite d'abord par crainte, bientôt elle s'élève dans les airs.

elle foule du pied le sol et elle cache sa tête dans les nues. Elle a pour mère la Terre [883], qui, irritée de la colère des dieux, enfanta, dit-on, cette dernière sœur de Céus [884] et d'Encelade [885], pourvue de pieds agiles et d'ailes rapides. Monstre horrible, énorme, qui a autant d'yeux vigilants sous ses plumes (ô prodige!) que de plumes au corps, autant de langues, autant de bouches sonores, autant d'oreilles dressées. La nuit, elle vole à mi-distance du ciel et de la terre, sifflant dans l'ombre, et le doux sommeil ne ferme pas ses yeux; le jour, elle monte la garde ou sur le faîte d'un édifice ou sur de hautes tours, et sème la terreur parmi les grandes villes, messagère aussi opiniâtre du mensonge et de l'erreur que de la vérité. Elle se plaisait alors à inonder les peuples de mille rumeurs diverses et, joignant le vrai et le faux, elle annonçait qu'Enée, issue du sang troyen, était arrivé à Carthage; que la belle Didon daignait s'unir à ce héros; que tous deux à présent passaient l'hiver [886] entier au sein de la mollesse, oublieux de leurs royaumes [887] et captifs d'un honteux désir. Tels sont les bruits que la hideuse déesse fait circuler çà et là de bouche en bouche.

Puis, sans discontinuer, elle dirige sa course vers le roi Iarbas [888], et, par ses paroles, enflamme son cœur et amoncelle ses ressentiments! Fruit des amours d'Hammon [889] avec une Nymphe enlevée au pays des Garamantes [890], celui-ci avait élevé à Jupiter, dans ses vastes Etats, cent temples immenses et cent autels, et lui avait consacré un feu vigilant, entretenu éternellement par les serviteurs des dieux; le sol s'engraissait du sang des bêtes et les seuils étaient fleuris de toute sorte de guirlandes. Hors de lui, enflammé par la rumeur atroce, on dit qu'au pied des autels, au milieu des images des dieux, suppliant les mains étendues, il implora longtemps Jupiter [891] : « Jupiter tout-puissant, toi que, maintenant [892], sur des lits brodés le peuple maure [893] honore au cours de ses festins par des libations lénéennes [894], vois-tu ce qui se passe? Ou bien est-ce à tort, mon père, que, quand tu lances la foudre, nous frissonnons, et sont-ils impuissants, ces feux qui, cachés dans des nues, épouvantent nos âmes, et ne font-ils entendre qu'un vain murmure? Une femme, qui errait sur nos frontières, bâtit à prix d'argent une ville chétive; elle tient de nous un rivage aride et les conditions de son établissement; et, repoussant notre alliance, elle a reçu Enée pour maître dans son royaume! Et maintenant ce nouveau Pâris [895], avec sa suite efféminée [896], la mitre [897] méonienne [898] nouée sous le menton, et les cheveux inondés de parfums, jouit de sa conquête; est-ce parce que nous portons des offrandes dans tes temples et que nous honorons ta vaine renommée? »

Telles étaient les paroles qu'il prononçait, embrassant les autels. Le Tout-Puissant l'entendit, et tourna les yeux vers les murs de la reine et vers les deux amants qui oubliaient d'entretenir leur gloire. Alors il s'adresse à Mercure [899] et lui donne les ordres que voici : « Va donc, mon fils [900], appelle les Zéphyrs [901] et prends ton essor. Le chef dardanien, qui s'attarde maintenant dans la tyrienne Carthage, ne songe plus aux villes promises par les destins : parle-lui et porte-lui mes propos en t'élançant par les brises rapides. Ce n'est point là le héros que sa mère si belle [902] nous promit, et ce n'est point pour cela qu'elle le sauva deux fois des armes des Grecs [903]; il devait, à l'en croire, régner sur l'Italie, grosse de puissants empires et frémissante de guerre, perpétuer la race issue du sang noble de Teucer [904], et ranger tout l'univers sous ses lois. Si l'éclat de ces hauts faits n'a rien qui l'enflamme et s'il n'entreprend rien en vue de sa propre gloire, pourquoi envier à son fils Ascagne la citadelle de Rome [905] ? Que projette-t-il ? Et quel espoir l'arrête chez un peuple ennemi ? Ne songe-t-il point à sa postérité d'Ausonie [906] et aux champs de Lavinium [907] ? Qu'il navigue : telle est ma conclusion, sois près de lui notre messager. »

Il avait dit; et Mercure s'apprêtait à obéir à l'ordre de son souverain père; il attache d'abord à ses pieds ses talonnières [908] d'or, dont les ailes le soutiennent dans les airs et l'emportent, soit au-dessus des plaines liquides, soit au-dessus de la terre, aussi vite qu'un souffle rapide; puis il prend sa baguette : c'est avec elle qu'il évoque du fond de l'Orcus [909] les âmes pâles [910], en plonge d'autres au fond du triste Tartare, donne ou ravit le sommeil et rouvre les yeux fermés par la mort [911]; armé de cette baguette, il pousse les vents devant lui [912] et traverse les nues tumultueuses. Déjà dans son vol, il voit le sommet sourcilleux et les flancs escarpés de l'infatigable Atlas [913], qui soutient le ciel sur ses épaules; d'Atlas, dont la tête, couronnée de pins et ceinte incessamment de nuages noirs, est battue du vent et de la pluie : une couche de neige couvre ses épaules; de son menton de vieillard, coulent des fleuves torrentiels, et sa barbe hérissée est toute raide de glaçons. C'est là que s'arrêta d'abord, en planant de ses ailes égales, le dieu du Cyllène [914]; puis, de tout le poids de son corps, il s'élança sur les ondes, semblable à l'oiseau [915] qui vole autour des côtes et des rocs poissonneux, et rase la surface de la plaine liquide. Tel, entre ciel et terre, le dieu du Cyllène volait vers la côte sablonneuse de la Libye et fendait les vents en s'éloignant de son aïeul maternel [916].

A peine a-t-il de ses plantes ailées touché les baraquements de Carthage [917] qu'il aperçoit Enée jetant les fondements des bastions et construisant de nouveaux édifices. Son épée était constellée de jaspe fauve, et de ses épaules tombait un manteau [918] resplendissant de pourpre tyrienne; c'étaient là des cadeaux que lui avait faits la riche Didon, et c'est elle qui avait entrelacé le tissu d'un mince filet d'or. Aussitôt le dieu l'aborde : « C'est toi maintenant qui jettes les fondements de l'altière Carthage, toi qui, esclave d'une femme, lui élèves une si belle ville, oubliant, hélas! ton royaume et ton destin propre! Le souverain des dieux lui-même, dont la puissance fait tourner le ciel et la terre, m'envoie vers toi du haut de l'Olympe brillant; lui-même me fait porter les ordres que voici à travers les brises rapides : — Que projettes-tu ? Et quel espoir consume tes jours oisifs dans les terres de Libye ? Si l'éclat de hauts faits n'a rien qui t'enflamme et si tu n'entreprends rien en vue de ta propre gloire, vois Ascagne qui grandit et les espoirs de ton héritier Iule, à qui sont dus le royaume d'Italie et la terre romaine. » Ainsi parla [919] le dieu du Cyllène, et, au milieu de son discours, il se déroba aux regards des mortels et s'évanouit au loin dans une brise légère.

Cependant, à cet aspect, Enée, éperdu, resta muet; ses cheveux se dressèrent d'horreur et sa voix resta dans sa gorge [920]. Il brûle de prendre la fuite et d'abandonner ces douces terres, tant il est frappé d'un tel avis et d'un tel ordre des dieux. Hélas! que faire ? quel langage maintenant oser tenir à la reine en délire ? par où commencer l'entretien ? Et il arrête sa pensée rapide tantôt ici, tantôt là, l'égare en projets divers, la tourne en tous les sens. Dans cette alternative, voici le parti qu'il juge le meilleur : il appelle Mnesthée [921], et Sergeste [922], et le vaillant Cloanthe [923] : qu'ils appareillent sans mot dire et rassemblent leurs compagnons sur le rivage; qu'ils préparent leurs agrès et cachent la cause de ces mesures imprévues; lui, pendant que la généreuse Didon ignore tout et ne s'attend pas à la rupture de si grandes amours, il tentera de l'aborder au moment le plus favorable pour parler et par le moyen le plus adroit pour ses fins. Tous s'empressent d'obéir avec joie à ses ordres et de faire ce qu'il ordonne.

Mais la reine (qui pourrait tromper quelqu'un qui aime ?) a pressenti la ruse et compris la première les mouvements qui se préparent, ayant peur de tout, même du calme. La même Renommée impie a dénoncé à son délire l'armement de la flotte et les préparatifs du départ. Elle se laisse aller sans recours à la fureur, et court par toute la ville comme une Bacchante qui brûle : telle, au signal des transports sacrés [924], une Thyade [925], alors que les triennales orgies [926] font retentir à ses oreilles le nom, qui l'aiguillonne, de Bacchus [927], et que le Cithéron [928] nocturne [929] l'appelle de sa clameur. Enfin, prenant les devants, elle interpelle Enée en ces termes : « As-tu donc espéré, perfide, pouvoir dissimuler un tel forfait et quitter ma terre sans mot dire ? Quoi! ni notre amour, ni cette main que jadis nous nous sommes donnée, ni Didon prête à mourir d'un cruel trépas ne peuvent te retenir ? Pis encore : tu équipes ta flotte sous les signes orageux de l'hiver [930], et c'est au beau milieu des Aquilons [931] que tu cours affronter la mer! Cruel! Et pourquoi ? si tu ne cherchais pas des champs étrangers et des demeures inconnues, et que l'antique Troie subsistât, irais-tu, avec ta flotte, chercher Troie par la mer houleuse ? Est-ce moi que tu fuis ? Par ces larmes que je répands, par ta main que je presse (puisque dans mon malheur il n'est rien d'autre qui me reste), par notre union, par notre hyménée commencé [932], si j'ai bien mérité de toi, si quelque chose de moi te fut doux, aie pitié d'une maison croulante, et s'il y a place encore en toi pour mes prières, je t'en supplie, renonce à ce projet funeste. Pour toi, j'ai encouru la haine des peuples de Libye et des tyrans nomades [933], le courroux des Tyriens [934], pour toi encore, ma pudeur s'est éteinte, et ma renommée antérieure, qui, à elle seule, m'élevait jusqu'aux astres. A qui m'abandonnes-tu mourante, ô mon hôte, puisque ce seul nom est ce qui me reste d'un époux. Qu'attendre ? que Pygmalion, mon frère, détruise nos remparts [935], ou que le Gétule [936] Iarbas m'emmène prisonnière [937]. Du moins, si, avant de fuir, tu m'avais laissé un fruit de notre amour, si un petit Enée jouait dans ma cour, dont les traits me rappelassent les tiens, je ne me croirais pas tout à fait trahie et délaissée.»

Elle avait dit. Lui, selon les instructions de Jupiter, tenait les yeux immobiles et comprimait avec effort le trouble de son cœur. Enfin il répond en peu de mots : « Les bienfaits sans nombre dont tu m'as comblé, ta bouche peut les énumérer sans crainte : jamais, reine, je ne les nierai, et je ne me lasserai point de me souvenir d'Elise [938], tant que je me souviendrai de moi-même, tant qu'un souffle de vie animera ces membres que tu vois. En une telle conjoncture, je n'ai que peu de mots à dire. Non, je n'ai pas compté, ne le suppose pas, te cacher une fuite clandestine; non plus que je n'ai promis d'allumer les torches nuptiales, ni que je ne suis venu pour conclure cette alliance. Si les destins me laissaient conduire ma vie selon mes auspices, et régler mes soucis à mon gré, je m'occuperais avant tout de la ville de Troie et des doux restes des miens; le haut palais de Priam demeurerait, car j'aurais de mes mains bâti pour les vaincus une nouvelle Pergame. Mais aujourd'hui c'est dans la grande Italie qu'Apollon de Gryna [939], c'est dans l'Italie que les oracles de Lycie [940] m'ont ordonné de m'établir : voilà mon amour, voilà ma patrie. Si les bastions de Carthage, si l'aspect d'une ville de Libye ont des charmes pour la Phénicienne que tu es, pourquoi donc envier à des Teucères de s'établir en terre d'Ausonie ? Nous aussi, nous avons le droit de chercher un empire à l'étranger. Toutes les fois que la nuit couvre la terre de ses ombres humides, et que les astres en feu se lèvent, l'ombre irritée de mon père Anchise m'envahit et me terrifie dans mon sommeil, sans compter mon petit Ascagne et l'injure que je fais à une tête si chère, en le frustrant du royaume de l'Hespérie et des champs que lui promettent les destins. Tout à l'heure encore, l'interprète des dieux [941], envoyé par Jupiter lui-même (j'en atteste nos deux têtes), est descendu à travers les brises rapides pour m'apporter ses ordres : j'ai vu moi-même le dieu, dans une lumière resplendissante, entrer dans tes murs, et j'ai de mes oreilles recueilli ses paroles. Cesse donc d'enflammer ta douleur et la mienne par tes plaintes : ce n'est pas de mon propre élan que je poursuis l'Italie... »

Tandis qu'il prononce ces mots, Didon depuis longtemps le regarde furieuse, roulant çà et là ses yeux, et le parcourt tout entier de ses regards muets; puis son courroux éclate en ces mots : « Non, tu n'as point une déesse pour mère, ni

Dardanus pour auteur de ta race, perfide! mais c'est le Caucase, hérissé de durs rochers, qui t'a engendré; ce sont les tigresses de l'Hyrcanie [942] qui t'ont allaité de leurs mamelles. Car à quoi bon dissimuler ? et quels plus grands outrages me réserves-tu encore ? A-t-il gémi de nos pleurs ? a-t-il tourné ses regards vers moi ? a-t-il cédé aux larmes ? a-t-il eu pitié de son amante ? Que puis-je imaginer de plus cruel ? Ni la très grande Junon [943], ni le père des dieux fils de Saturne [944] ne voient ces perfidies d'un œil équitable. Il n'est de bonne foi nulle part. Jeté à la côte, manquant de tout, je l'ai recueilli, et, insensée que j'étais, je lui ai fait une place sur mon trône. J'ai sauvé sa flotte perdue, soustrait ses compagnons à la mort. Hélas! les Furies me brûlent et me transportent! Maintenant, c'est l'augure Apollon [945], ce sont les oracles de Lycie [946], c'est l'interprète des dieux [947], envoyé par Jupiter lui-même, qui porte à travers les brises ces ordres horribles! Ainsi voilà le travail des dieux d'en haut, voilà le souci qui trouble leur quiétude! Je ne te retiens pas ni ne réfute tes dires. Non, va, poursuis l'Italie à la merci des vents, cherche des royaumes à travers les ondes. J'espère bien, quant à moi, si les justes divinités ont quelque pouvoir, que tu trouveras ton supplice au milieu des écueils et que tu invoqueras souvent le nom de Didon. Je te suivrai, absente, avec de sombres torches [948], et, lorsque la froide mort aura séparé mes membres de mon âme, mon ombre t'assiégera en tous lieux. Tu seras puni, misérable! je l'apprendrai, et le bruit en viendra jusqu'à moi au séjour souterrain des Mânes [949]. » Au milieu de ce discours, elle rompt brusquement l'entretien, fuit les souffles de l'air qui l'importunent, se dérobe et se soustrait aux yeux d'Enée, le laissant tremblant, irrésolu et se disposant à lui répondre longuement. Ses femmes la soutiennent, la reportent défaillante dans sa chambre de marbre et la déposent sur sa couche.

Cependant le pieux Enée, tout désireux qu'il soit de calmer sa douleur en la consolant et de chasser ses tourments par de bonnes paroles, tout en gémissant beaucoup et quoique son grand amour lui ébranle l'âme, obéit néanmoins aux ordres des dieux et va rejoindre sa flotte. Alors les Teucères s'empressent à la tâche et tirent les hauts navires tout le long du rivage. La carène, enduite de poix, flotte sur les ondes, et l'on apporte des forêts des rames garnies de feuilles et des troncs non façonnés : tant est grande l'ardeur du départ... On les voit qui sortent et se précipitent de tous les points de la ville. Ainsi quand les fourmis, prévoyant l'hiver, ravagent un énorme tas de blé et le portent dans leur abri, leur noire colonne chemine par la plaine [950] et voiture son butin par un étroit sentier à travers l'herbe : les unes, forçant des épaules, poussent d'énormes grains de blé, les autres ferment la marche et châtient les retardataires : tout le sentier est en effervescence par leur travail.

Quel était alors ton sentiment, ô Didon, devant un tel spectacle ? Quels gémissements poussais-tu quand, du haut de ton palais, tu découvrais au loin le rivage en effervescence, et voyais, sous tes yeux, la plaine liquide tout entière retentir de toutes ces clameurs ? Maudit amour, à quoi ne réduis-tu pas le cœur des mortels ? Elle est donc réduite à recourir encore aux larmes, à tenter encore la prière, et à se soumettre suppliante à l'amour, car elle ne veut pas mourir sans avoir tout essayé. « Anne, vois-tu comme ils s'empressent sur tout le rivage ? Ils s'y sont rassemblés de toutes parts; déjà la voilure appelle les vents et les matelots joyeux ont mis sur les poupes les couronnes [951]. Quant à moi, si j'ai pu prévoir cette douleur si cruelle, je pourrai également, ma sœur, la supporter. Cependant accorde, ma chère Anne, à la malheureuse que je suis une seule grâce : car pour toi seule le perfide avait des égards, allant jusqu'à te confier ses sentiments secrets [952]; seule, tu connaissais le chemin facile et le moment de l'aborder. Va, ma sœur, et parle en suppliante à mon ennemi superbe. Je n'ai pas, moi, à Aulis [953], juré avec les Danaens [954] d'exterminer la nation troyenne; je n'ai pas envoyé de flotte à Pergame, ni outragé les cendres et les mânes de son père Anchise [955]. Pourquoi refuse-t-il, implacable, de prêter l'oreille à mes discours ? Où se précipite-t-il ? Qu'il accorde pour faveur dernière à sa malheureuse amante d'attendre une fuite facile et des vents favorables. Je n'invoque plus l'ancienne alliance qu'il a trahie, ni sa promesse de renoncer pour moi au beau Latium et d'abandonner son royaume; je lui demande un vain délai, une trêve, un répit à sa fureur; je lui demande d'attendre que la fortune m'apprenne à souffrir ma défaite. C'est la grâce extrême que j'implore (aie pitié de ta sœur), et, quand il me l'aura accordée, je te la rendrai au centuple en mourant [956]. »

Telles étaient ses prières, et tels les pleurs que sa malheureuse sœur porte et reporte à Enée; mais il est insensible à tous les pleurs et demeure intraitable devant tout ce qu'il entend. Les destins s'y opposent, et un dieu ferme les calmes oreilles du héros. Ainsi, lorsque les Borées [957] des Alpes [958], soufflant de tous côtés, s'efforcent à l'envi de renverser un chêne robuste au cœur durci par les ans, l'air siffle, et, sous les coups qui ébranlent le tronc, les frondaisons jonchent le sol au loin; l'arbre, lui, s'attache aux rochers, et son front s'élève autant vers les brises de l'éther que ses racines s'enfoncent dans le Tartare [959]; de même le héros est assailli de plaintes incessantes, et son grand cœur est envahi de douleur, mais sa volonté demeure inébranlable, et ses larmes [960] coulent vainement.

Alors l'infortunée Didon, épouvantée devant son destin, appelle la mort : elle est décidément lasse de voir la voûte du ciel. Pour l'affermir encore dans son projet d'abandonner la vie, elle a vu, quand elle chargeait d'offrandes les autels où brûlait l'encens, elle a vu (horreur indicible [961]) se noircir l'onde sacrée et se changer en un sang impur [962] le vin du sacrifice. Elle n'a dit ce prodige à personne, pas même à sa sœur. En outre, il y avait dans son palais un temple de marbre, consacré à son ancien époux, qu'elle honorait d'un culte particulier et qui était décoré de toisons neigeuses [963] et de frondaisons sacrées [964]; là elle crut entendre la voix et les cris d'appel de son mari, à l'heure où la nuit obscure couvrait la terre, et souvent il lui sembla ouïr au haut des terrasses le hibou solitaire pousser en gémissant son chant funeste et traîner sa voix en une plainte prolongée. De plus mille prédictions anciennes l'épouvantent par leur avertissement terrible. Le farouche Enée lui-même excite son délire lorsqu'elle se livre au sommeil : elle se voit toujours seule, abandonnée, toujours accomplissant sans suite un long trajet et cherchant les Tyriens sur une terre déserte. De même Penthée [965], dans sa folie, voit des troupes d'Euménides [966], un double soleil et deux Thèbes lui apparaître; ou le fils d'Agamemnon, Oreste [967], en un rôle tant de fois porté sur la scène [968], quand il fuit sa mère [969] armée de torches et de noirs serpents [970], et que les farouches déesses de la Vengeance sont assises sur le seuil du temple [971].

Lors donc que, vaincue par la douleur, Didon s'est abandonnée à ses furies et a résolu de mourir, elle a fixé en elle-même et le moment et le mode de sa mort; et, s'adressant à sa sœur que ses propos accablent, elle recouvre d'un air calme son projet et fait briller l'espérance sur son front : « Félicite-moi, ma sœur, j'ai trouvé le moyen de me le [972] rendre ou de m'affranchir de mon amour. Tout près des bords de l'Océan, aux lieux où le soleil se couche, il est, aux confins de l'Ethiopie [973], une contrée où le géant Atlas [974] fait tourner sur son épaule l'axe du ciel semé d'étoiles étincelantes. On m'a indiqué une prêtresse de là-bas, femme de race massyle [975], qui gardait le temple des Hespérides [976], donnait ses repas au dragon et surveillait les rameaux sacrés dans leur arbre, en répandant le miel liquide et le pavot somnifère. Elle prétend pouvoir par ses charmes apaiser les cœurs qu'il lui plaît et verser dans d'autres cœurs les durs soucis, arrêter l'eau des fleuves et rebrousser le cours des constellations [977]; elle suscite aussi les Mânes nocturnes : tu verras mugir la terre sous ses pieds et descendre des montagnes les frênes. J'en atteste, sœur chérie, et les dieux, et toi-même, et ta tête qui m'est douce, c'est malgré moi [978] que j'ai recours aux pratiques magiques. Toi, élève en secret un bûcher dans la cour en plein air qui est au milieu du palais, et veuille y placer les armes de guerrier que l'impie [979] a laissées accrochées dans ma chambre, et tous ses effets, et le lit conjugal où j'ai trouvé ma perte : il faut détruire tous les souvenirs de cet homme parjure, comme me l'ordonne et me l'indique la prêtresse. » Ayant dit, elle se tait, tandis qu'une pâleur envahit son visage. Anna, cependant, ne croit pas que sa sœur cache sous cet étrange sacrifice les apprêts de sa mort; son esprit ne peut concevoir de si grandes fureurs; elle ne craint rien de plus grave qu'à la mort de Sychée. Elle prépare donc ce que sa sœur a ordonné...

Cependant la reine, après qu'au fond du palais, en plein air, a été dressé l'énorme bûcher, fait de morceaux de pin et d'yeuse, y tend des guirlandes et le couronne de feuillage funèbre [980]; elle place au-dessus du lit les effets, l'épée, l'image du parjure [981], car elle n'ignore pas ce qui l'attend [982]. Des autels sont dressés à l'entour; et, les cheveux épars, la prêtresse appelle d'une voix tonnante les trois cents dieux [983], et l'Erèbe [984], et le Chaos [985], et la triple Hécate, la vierge aux trois visages, Diane [986]. Elle avait répandu aussi des ondes qui simulent la source de l'Averne [987]. On cherche des herbes duvetées, ayant pour lait un poison noir, que des faux d'airain ont moissonnées au clair de lune [988]; on cherche aussi la caroncule [989] arrachée du front d'un cheval naissant et ravie à l'avidité de sa mère... Didon elle-même, ayant la pieuse farine [990] dans ses mains pieuses [991], s'approche des autels, un pied dépouillé de ses bandelettes [992], la robe dénouée [993]; elle atteste, avant de mourir, les dieux et les constellations qui sont au courant de son destin; et, s'il est quelque divinité qui ait cure de ceux qui aiment sans qu'on les paye de retour, elle implore sa justice et sa vengeance.

Il était nuit, et les mortels fatigués goûtaient sur la terre un doux sommeil; les forêts et les mers farouches s'étaient calmées : c'était l'heure où les constellations ont accompli la moitié de leur course, où tout se tait dans la campagne : troupeaux, oiseaux de toutes les couleurs, habitants des grands lacs limpides ou des champs hérissés de buissons, plongés dans le sommeil sous la nuit taciturne [qui adoucit les peines et fait oublier aux cœurs leurs fatigues]. Mais l'infortunée Phénicienne ne connaît à aucun moment la détente qu'apporte le sommeil; ni ses yeux, ni son cœur ne reçoivent le bienfait de la nuit : ses tourments redoublent, son amour se réveille plus furieux et flotte sur la grande houle de ses ressentiments. Telles sont les réflexions, telles sont les pensées qu'elle roule en elle-même dans son cœur : « Eh bien! que fais-je ? Irai-je encore m'exposer à la risée de mes prétendants anciens [994] ? et mendier, suppliante, l'alliance de ces Nomades, que j'ai tant de fois déjà dédaignés comme maris ? Ou bien suivrai-je la flotte d'Ilion et la loi humiliante des Teucères ? Sans doute je m'applaudis de les avoir secourus naguère, et le souvenir du bienfait ancien est encore vivant dans leurs cœurs. Mais, en admettant que je veuille, qui me laissera faire ? qui recevra dans leurs vaisseaux superbes une créature odieuse ? Hélas! malheureuse, tu ne connais donc pas la race de Laomédon [995] ? tu ne sais donc pas ses perfidies ? Quoi alors ? Aller seule fugitive, accompagner des matelots triomphants ? ou, suivie des Tyriens, escortée de tous les miens, me lancer à leur poursuite ? Ces gens que j'ai eu tant de peine à arracher de la ville de Sidon [996], oserai-je les entraîner de nouveau sur la mer et leur faire mettre les voiles aux vents ? Non, meurs plutôt, comme tu l'as mérité, et supprime par le fer ta douleur. C'est toi, ma sœur, qui, vaincue par mes larmes, toi, la première, qui es cause des maux qui m'accablent, délirante et qui me livres à mon ennemi. Que n'ai-je pu, comme une bête sauvage, mener loin de l'hymen une vie sans reproche, et ne pas connaître de pareils tourments! Que n'ai-je gardé la foi promise à la cendre de Sychée! » Telles étaient les plaintes que laissait éclater son cœur.

Enée, résolu désormais à partir, goûtait le sommeil sur sa poupe élevée après avoir fait tous les préparatifs. L'image du dieu qu'il avait déjà vu [997] lui réapparut en songe, sous les mêmes traits, et lui renouvela ses avertissements : semblable en tout à Mercure, il avait sa voix, son teint, ses cheveux blonds, ses membres beaux de jeunesse : « Fils d'une déesse, peux-tu en une pareille conjoncture t'abandonner au sommeil ? et ne vois-tu pas les dangers qui t'entourent dans l'avenir ? Insensé, n'entends-tu pas le souffle favorable des zéphyrs [998] ? Elle, décidée à mourir, ne roule dans sa poitrine que ruses et crime farouche, et flotte sur la houle diverse de ses ressentiments. Que ne t'enfuis-tu en hâte, tant que tu peux te hâter encore ? Bientôt tu verras des vaisseaux sillonner la mer, des torches menaçantes luire de toutes parts, et des flammes briller sur les côtes, si l'Aurore te trouve attardé sur ces terres. Va donc, pars sans tarder. La femme incessamment varie et change [999]. » Ayant dit, il se mêla à la nuit sombre.

Alors Enée, épouvanté de cette subite apparition, s'arrache au sommeil et gourmande ses compagnons : « Eveillez-vous vite, guerriers; asseyez-vous aux bancs, et hâtez-vous de déployer les voiles. Voici qu'un dieu, envoyé du haut de l'éther [1000], me presse pour la seconde fois d'accélérer ma fuite et de couper les câbles [1001]. Nous te suivons, dieu saint entre tous, qui que tu sois [1002], et pour la seconde fois nous obéissons avec joie à ton ordre. Oh! viens nous assister et nous être propice, et fais briller au ciel des constellations favorables! » Il dit, tire du fourreau son épée flamboyante, et coupe avec le fer les amarres. La même ardeur anime tous les Troyens ensemble, ils saisissent les rames et se ruent; les voilà déjà loin de la côte; la mer disparaît sous leur flotte; ils battent de toutes leurs forces les flots écumants et fendent l'azur liquide.

Et déjà les terres étaient inondées de la lumière nouvelle de l'Aurore, quittant le lit crocéen de Tithon [1003], quand la reine, du haut du palais, voyant la blancheur du jour qui commençait à poindre et la flotte qui s'éloignait à pleines voiles, s'aperçut que le rivage était désert et le port sans rameurs. Trois et quatre fois, de sa main, elle meurtrit sa belle gorge et arracha ses blonds cheveux : « Hélas! Jupiter, il partira, dit-elle; cet étranger se sera joué de notre empire! Et l'on ne courra point aux armes ? Et la ville tout entière ne se mettra pas à sa poursuite ? Et mes vaisseaux ne s'élanceront pas du port ? Allez, volez, la flamme à la main, mettez les voiles, poussez les rames!... Que dis-je ? où suis-je ? quel délire égare mon esprit ? Infortunée Didon! sa perfidie te touche maintenant ? Elle eût dû te toucher, quand tu lui donnais le sceptre!... Voilà donc son serment et sa foi! voilà celui qui a, dit-on, emporté avec lui les Pénates de ses pères, celui qui a chargé sur ses épaules son père accablé de vieillesse!... Et je n'ai pu déchirer son corps en lambeaux [1004] et le disperser dans les ondes ? je n'ai pu massacrer ses compagnons, et son Ascagne lui-même, pour en faire à son père un festin [1005] ?... Mais la fortune du combat aurait été douteuse. — Tant pis! qu'avais-je à craindre, résolue à mourir ? J'aurais porté des torches enflammées dans son camp, embrasé ses vaisseaux [1006], anéanti le fils et le père avec leur race, et je me serais tuée moi-même... Soleil [1007], qui éclaires de ta flamme toutes les œuvres du monde; toi, Junon, interprète et témoin de mes chagrins; Hécate [1008], qu'on invoque par les villes en hurlant la nuit aux carrefours [1009]; divinités farouches de la vengeance [1010], et vous, dieux d'Elise mourante, entendez nos paroles, tournez votre juste puissance vers nos malheurs, et exaucez nos prières. S'il faut que le maudit touche le port et aborde au rivage; si telle est la volonté de Jupiter et tel le terme fixé par les destins, que du moins attaqué et harcelé par les armes d'un peuple audacieux [1011], chassé de ses Etats, arraché aux embrassements d'Iule, il crie au secours [1012] et voie l'indigne trépas des siens [1013]; qu'après avoir subi les lois d'une paix honteuse [1014] il ne jouisse ni du trône ni de la douce lumière; mais qu'il meure avant le temps [1015] et gise sans sépulture au milieu de l'arène. Voilà ma prière, voilà le cri suprême qu'avec mon sang j'exhale. Pour vous, ô Tyriens, poursuivez de votre haine sa race et toute sa descendance à venir : point d'amitié, ni d'alliance entre les deux peuples. Que de nos ossements il sorte un vengeur [1016], qui poursuive par la torche et le fer [1017] les colons dardaniens, maintenant, plus tard, toujours, tant qu'il y aura des forces pour la lutte. Rivages contre rivages, flots contre flots, armes contre armes, puissent les deux peuples combattre, eux et leurs descendants! »

Elle dit, et toutes sortes de pensées agitaient son âme, impatiente de briser au plus tôt une vie odieuse. Alors elle adresse quelques mots à Barcé, nourrice de Sychée [1018] (car elle avait laissé dans son antique patrie [1019] les noires cendres de la sienne) : « Chère nourrice, appelle ici ma sœur Anne; dis-lui de répandre en hâte une eau vive sur son corps, et d'amener avec elle les victimes et les offrandes expiatoires; qu'ainsi seulement elle vienne; et toi-même ceins tes tempes de la bandelette sacrée! Le sacrifice en l'honneur de Jupiter Stygien [1020], dont j'ai commencé les apprêts rituels, il est dans mon intention de l'accomplir, de mettre fin à mes soucis et de livrer à la flamme du bûcher l'image du Dardanien [1021]. » Elle dit; l'empressement hâtait les pas de la vieille.

Mais, frémissante, exaspérée par son monstrueux dessein, Didon, roulant des yeux ensanglantés, les joues tremblantes et semées de taches livides, pâle de sa mort prochaine, s'élance dans l'intérieur du palais, gravit furieuse les degrés du haut bûcher, et tire l'épée dardanienne, présent [1022] qui n'était point acquis à cet usage. Alors, quand elle aperçut les étoffes d'Ilion [1023] et ce lit si connu [1024], elle s'abandonna un peu à ses larmes et à ses pensées, puis se jeta sur le lit [1025] et prononça ces dernières paroles : « Dépouilles qui m'étaient douces, tant que le permettaient les destins et le dieu [1026], recevez mon âme et délivrez-moi de mes tourments. J'ai vécu et accompli la course que m'avait assignée la fortune; et maintenant une grande image de moi s'en ira sous la terre. J'ai fondé une ville illustre; j'ai vu mes remparts; j'ai, vengeant mon époux, puni le crime d'un frère inhumain : heureuse, hélas! trop heureuse, si seulement les carènes dardaniennes n'avaient jamais touché nos rivages! » Elle dit, et collant sa bouche aux coussins : « Quoi! mourir sans vengeance! Oui, mourons, dit-elle. Même ainsi, même ainsi il m'est doux de descendre chez les ombres. Que le cruel Dardanien [1027] repaisse sa vue, de la haute mer, à contempler ce bûcher, et emporte avec lui les présages [1028] de notre mort. »

Elle avait dit; et, tandis qu'elle parlait encore, ses compagnes la voient s'affaisser sous le fer; elles voient l'épée écumante de sang et ses mains défaillantes. Une clameur monte vers les voûtes de l'atrium; le bruit de cette mort se déchaîne par la ville bouleversée; des lamentations, des gémissements, des hurlements de femmes font retentir les maisons; l'éther résonne de cris éperdus : on dirait qu'envahie par l'ennemi Carthage ou l'antique Tyr s'écroule, et que les flammes roulent, furieuses, sur les demeures des hommes et des dieux.

A cette nouvelle, éperdue, épouvantée, en une course tremblante, se meurtrissant le visage à coups d'ongle et la gorge à coups de poing, la sœur de la reine s'élance parmi la foule et appelle par son nom la mourante : « Voilà donc, ma sœur, ton projet! tu cherchais à me tromper? Voilà ce que me préparaient ton bûcher, tes feux et tes autels! De quoi me plaindre d'abord en cet abandon? As-tu dédaigné ta sœur pour compagne de ta mort? Que ne m'as-tu appelée à partager ton sort? Le même fer nous eût infligé la même douleur à toutes deux, la même heure nous eût emportées. Ai-je donc dressé de mes mains ce bûcher et appelé à haute voix les dieux de mes pères, pour qu'ainsi tu mourusses, cruelle, en mon absence? Tu as tout anéanti, ô ma sœur, toi, moi, ton peuple, et les sénateurs [1029] de Sidon [1030], et la ville que tu as fondée. Donnez, que je lave sa plaie avec une onde pure, et que ma bouche recueille le dernier souffle [1031] qui erre peut-être sur ses lèvres. » En disant ces mots, elle était arrivée au haut des marches, et, serrant sur son sein sa sœur à demi morte, elle la réchauffait en gémissant, et séchait avec sa robe le sang noir. Didon essaie de soulever des yeux appesantis, et retombe inanimée : le sang s'échappe en sifflant de la blessure qu'elle s'est faite sous le cœur. Trois fois, en s'appuyant sur le coude, elle eut encore la force de se soulever; trois fois, elle retomba sur les coussins, et, de ses yeux égarés, elle chercha au ciel la lumière et gémit de l'avoir trouvée.

Alors Junon toute-puissante, ayant pitié de ses longues douleurs et de sa mort pénible, envoya Iris [1032] du haut de l'Olympe pour dégager cette âme en lutte avec les liens du corps. Car, comme elle succombait à une mort non prescrite par le destin ni méritée, mais qu'elle périssait, malheureuse, avant le temps et en proie à une fureur subite, Proserpine n'avait pas encore enlevé de sa tête le cheveu blond [1033] ni dévoué sa tête à l'Orcus [1034] stygien. Iris, donc, déployant par le ciel ses ailes crocéennes [1035] et couvertes de rosée [1036], qui reflètent au soleil les nuances de mille couleurs, Iris vole et s'est arrêtée au-dessus de la tête de Didon : « Je porte, comme j'en ai l'ordre, ce gage sacré à Dis [1037] et je t'affranchis de ton corps. » Elle dit, et sa droite coupe le cheveu : d'un seul coup toute la chaleur s'est dissipée, et la vie s'en est allée dans les vents.

LIVRE CINQUIÈME

LES JEUX FUNÈBRES

Cependant Énée, décidé à poursuivre sa route, atteignait déjà avec sa flotte [1038] la pleine mer, et fendait les flots, noirs du souffle de l'Aquilon [1039], se retournant pour voir les murailles qu'éclairent déjà les flammes allumées par l'infortunée Élise [1040]. Quelle peut être la cause de ce vaste embrasement ? On l'ignore; mais on sait la douleur d'un grand amour profané [1041], et ce que peut faire une femme en fureur; et les Teucères [1042] en conçoivent dans leurs cœurs un sinistre augure.

Dès que leurs vaisseaux eurent atteint le large [1043] et qu'il ne s'offrit plus à la vue aucune terre, mais la mer de partout et de partout le ciel, un nuage d'un bleu noirâtre s'arrêta sur leur tête, portant avec lui la nuit et l'orage, et l'onde se hérissa dans les ténèbres. Le pilote lui-même, Palinure [1044], du haut de sa poupe, s'écria : « Hélas! pourquoi l'éther s'est-il enveloppé de nuages si lourds ? Que nous prépares-tu, Père Neptune ? » Ayant dit, il ordonne aussitôt de serrer la voilure et de faire force de rames, présente obliquement les plis des voiles aux vents et parle ainsi : « Magnanime Énée, non, même si Jupiter s'en portait garant, je n'espérerais pas toucher l'Italie avec ce ciel. Les vents, qui ont changé, frémissent sur nos flancs, et se lèvent du noir côté de Vesper [1045] : l'air se condense en nuage. Nous ne sommes pas de force à résister et à lutter suffisamment. Puisque la Fortune l'emporte, cédons, et prenons la route où elle nous appelle. Je suppute que nous ne sommes pas loin des rivages sûrs et fraternels d'Éryx [1046] et des ports des Sicanes [1047], si je me rappelle bien la position des astres que j'ai minutieusement relevée. » Alors le pieux Enée : « Oui, je vois bien en effet que c'est ce que veulent les vents et que depuis longtemps tu luttes en vain contre eux. Change la direction de tes voiles. Aucune terre peut-elle m'être plus chère et puis-je souhaiter un meilleur refuge à mes navires fatigués que la terre qui me garde le Dardanien Aceste [1048] et qui renferme en son giron les ossements de mon père Anchise [1049] ? » A ces mots, ils cinglent vers les ports et les Zéphyrs favorables [1050] gonflent leurs voiles : la flotte est emportée, rapide, sur le gouffre; et ils touchent enfin avec joie à ce rivage qui leur est connu.

Cependant, d'une cime élevée de la montagne [1051], étonné de l'arrivée de ces vaisseaux amis, Aceste accourt, hérissé sous ses javelots et sous la peau d'une ourse libyenne [1052]. Il était le fils d'une Troyenne, qui l'avait conçu du fleuve Crinisus [1053]. N'ayant point perdu la mémoire de ses ancêtres, il félicite les Troyens de leur retour, leur offre avec joie son agreste trésor [1054], et les console avec joie par ses ressources amicales.

Le lendemain, dès qu'au seuil de l'Orient la clarté du jour eut mis en fuite les étoiles, Énée rassemble ses compagnons de tous les points du rivage et du haut d'un tertre [1055] il leur dit : « Dardanides magnanimes, race du noble sang des dieux [1056], l'année a parcouru le cercle de ses mois depuis que nous avons enseveli sous terre les restes et les ossements de mon divin [1057] père et que nous lui avons consacré de funèbres autels [1058]. Et voici déjà revenu, si je ne me trompe, le jour qui me sera douloureux à jamais et que j'honorerai à jamais (ainsi, dieux, vous l'avez voulu!). Même vivant en exil dans les Syrtes gétules [1059], ou surpris [1060] sur la mer d'Argos [1061] et captif à Mycènes [1062], chaque année cependant j'accomplirais mes vœux et les processions rituelles et solennelles, et je chargerais ses autels des dons qui leur sont dus. Maintenant, ce n'est pas sans l'intention, je pense, ni sans la volonté des dieux que nous sommes près des cendres et des ossements de mon père, et que, portés par les flots, nous sommes entrés dans un port ami. Venez donc et rendons-lui tous ensemble de riches honneurs : demandons-lui des vents, et puissé-je, avec son aveu, quand j'aurai fondé ma ville, lui renouveler chaque année ces mêmes sacrifices dans des temples qui lui seront dédiés. Aceste, fils de Troie, vous donne deux têtes de bœufs pour chaque navire; appelez à ce banquet et les pénates de notre patrie et ceux qu'honore notre hôte Aceste. En outre, si la neuvième aurore [1063] montre aux hommes une alme lumière et, de ses rayons, dissipe l'ombre du monde, je proposerai d'abord pour les Teucères une joute de navires; puis, que les champions de course à pied, que ceux qui, confiants dans leur force, excellent à lancer le javelot et les flèches légères ou ne craignent pas de lutter avec le ceste cru, se présentent tous et aspirent aux récompenses d'une palme méritée! Gardez tous un religieux silence [1064] et ceignez vos tempes de rameaux [1065]! »

Ayant ainsi parlé, il se voile les tempes du myrte maternel [1066]. Hélymus [1067] fait de même, et le vieil Aceste, et le petit Ascagne, qu'imite toute la jeunesse. Du lieu de l'assemblée, avec ses milliers d'hommes, il se rend au tombeau, au milieu d'un immense cortège. Là, suivant le rite des libations, il épanche à terre deux coupes d'un pur Bacchus [1068], deux autres de lait frais, deux autres [1069] de sang sacré; puis il jette des fleurs vermeilles, en disant : « Salut, mon vénéré père, pour la seconde fois, [1070]; salut, cendres qui vainement me sont rendues, âme et ombre paternelles[1071] ! Il ne m'a pas été permis de chercher avec toi les rivages d'Italie, les champs promis par les destins, et, quel qu'il soit, le Tibre d'Ausonie ! »

Il avait dit ces mots, lorsque, des profondeurs du sanctuaire, un serpent luisant qui traînait, immense, sept anneaux, sept replis[1072], embrassa tranquillement la tombe et se glissa parmi les autels. Son dos était marqué de taches bleues, et ses écailles flamboyaient d'un éclat d'or. Tel, dans les nues, l'arc-en-ciel jette mille reflets divers sous les feux directs du soleil. A cette vue, Énée fut frappé de stupeur. Le serpent, en un long déroulement, circula parmi les patères et les coupes brillantes, goûta aux mets sacrés et rentra, inoffensif, au fond du tombeau, abandonnant les autels où s'étaient consumées les offrandes. Énée n'en reprend que de plus belle les honneurs commencés, ne sachant pas s'il vient de voir le génie du lieu[1073] ou le serviteur de son père[1074]. Il immole, selon l'usage, deux brebis de deux ans, autant de porcs, autant de jeunes taureaux[1075] au dos noir[1076] ; et il répandait le vin de la patère, et il évoquait l'âme du grand Anchise[1077] et ses mânes remontés de l'Achéron[1078]. Et ses compagnons, chacun selon ses moyens, apportent avec joie des présents, en chargent les autels et immolent de jeunes taureaux. D'autres disposent en ordre les vases d'airain et, agenouillés dans l'herbe, attisent sous les broches les braises incandescentes et font rôtir les chairs.

Le jour attendu[1079] était arrivé, et les chevaux de Phaéthon[1080] ramenaient déjà la neuvième Aurore dans sa lumière sereine, et la nouvelle des jeux et le renom du célèbre Aceste[1081] avaient attiré les voisins ; ils emplissaient le rivage de leur joyeux rassemblement, pour voir les compagnons d'Énée, et certains étaient prêts aussi à concourir. On commence par placer bien en vue au milieu de l'enceinte les trépieds sacrés[1082], les vertes couronnes et les palmes, récompense des vainqueurs, ainsi que les vêtements de pourpre, un talent d'argent et un talent d'or[1083]. Puis, du plateau d'un tertre, la trompette sonne le commencement des jeux[1084].

D'abord, armés de pesantes rames, quatre vaisseaux pareils[1085], choisis dans toute la flotte, commencent le concours : Mnesthée[1086] conduit la rapide *Baleine*[1087] au rémige ardent, Mnesthée, bientôt Italien, et d'où tirera son nom la famille de Memmius[1088] ; Gyas[1089], l'énorme *Chimère*[1090] à l'énorme masse, espèce de ville flottante que poussent sur les eaux trois rangs de jeunes Dardaniens dont les rames se lèvent sur trois étages[1091] ; Sergeste[1092], de qui la maison Sergia tient son nom[1093], s'avance sur le grand *Centaure*[1094] ; et sur la *Scylle*[1095] d'azur, Cloanthe[1096], de qui tu prends ton origine, ô Romain Cluentius[1097].

Il est au loin dans la mer, en face du rivage écumant, un rocher que les flots soulevés battent et submergent parfois, quand les Corus[1098] hivernaux cachent les constellations ; par temps calme il fait silence, et dresse parmi l'onde immobile une plate-forme, qui offre, aux jours de soleil, une agréable station aux plongeons. Le vénérable Énée y fait dresser, comme une borne, une yeuse verte et feuillue, but d'où les matelots devront revenir après l'avoir tourné par un long circuit. Puis les rangs sont tirés au sort, et, debout sur les poupes, les capitaines resplendissent au loin d'or et de pourpre éclatante; les jeunes rameurs, eux, se sont couronnés de branches de peuplier [1099], et leurs épaules nues, toutes baignées d'huile, reluisent. Ils s'assoient à leurs bancs, tendent leurs bras sur les rames, et, attentifs, attendent le signal. Leurs cœurs tressautent, sous les coups de la peur qui les étreint et sous l'ardent désir de la gloire. Dès qu'a résonné la trompette éclatante, tous se sont élancés, sans retard, de leurs lignes, et leur clameur nautique frappe l'éther; en remuant leurs bras, ils retournent les eaux qui écument. Ils creusent sur la plaine liquide des sillons égaux, la fendent et la déchirent toute de leurs rames et de leurs rostres à trois dents [1100]. Les chars à deux chevaux ne sont pas si rapides, aux combats du cirque, quand, s'étant élancés de la barrière, ils dévorent la lice et se ruent, et les cochers ne sont pas si ardents, quand, ayant lancé leurs attelages, ils secouent leurs rênes flottantes, et se penchent, tout le corps en avant, pour les fouetter. Toute la forêt [1101] retentit des applaudissements, du frémissement des spectateurs, des excitations partisanes, et le rivage roule leurs cris dans son enceinte, et les collines renvoient l'écho de leur clameur.

Devançant tous les autres et glissant sur les ondes, Gyas passe, le premier, au milieu de la foule frémissante; Cloanthe le suit de très près, supérieur par les rames, mais retardé par le poids de son navire. Derrière eux, à une égale distance, la *Baleine* et le *Centaure* s'efforcent de gagner le premier rang l'un sur l'autre : tantôt la *Baleine* le tient, tantôt l'énorme *Centaure* le dépasse, tantôt ils courent de front tous les deux, et leur longue carène sillonne les eaux salées.

Déjà ils approchaient du rocher et touchaient au but, quand Gyas, qui est en tête et vainqueur à mi-course, interpelle de toute sa voix le pilote de son navire, Ménètès : « Où me mènes-tu si loin à droite ? Coupe par ici, rase le bord [1102] et laisse à gauche la rame effleurer le récif. Laisse la haute mer aux autres! » Il dit, mais Ménètès, craignant des écueils invisibles, tourne sa proue vers les ondes du large. « Où vas-tu ? Pourquoi ce détour ? Droit sur le rocher, Ménètès! » répétait à grands cris Gyas, lorsqu'en se retournant il aperçoit Cloanthe qui le presse à son arrière et qui déjà l'atteint. Prenant à gauche, Cloanthe file entre le navire de Gyas et les rochers sonores, passe tout à coup en tête, laisse la borne derrière lui et a maintenant le champ libre... Mais alors une violente douleur s'est allumée dans les veines du jeune homme, et des larmes ont coulé sur ses joues; et, oublieux de sa propre dignité et du salut de ses compagnons, il empoigne l'indolent Ménètès et, du haut de sa poupe, il le précipite dans la mer. Il se met lui-même au gouvernail, se fait lui-même son pilote, encourage ses hommes et tourne la barre vers le rivage. Cependant, remonté non sans peine du fond de l'abîme, appesanti par l'âge et par ses vêtements mouillés d'où l'eau ruisselle, Ménètès gravit le sommet du rocher et s'assied sur la pierre sèche. Les Teucères ont ri en le voyant tomber et nager; ils rient en le voyant revomir l'eau salée.

Alors un joyeux espoir enflamme les deux derniers, Sergeste et Mnesthée : ils veulent dépasser Gyas, retardé. Sergeste prend la tête et s'approche du rocher; il ne dépasse pas encore son rival de toute sa carène, mais d'une partie seulement : le rostre de la *Baleine* presse son flanc d'arrière. Cependant Mnesthée marche au milieu de son navire, parmi ses compagnons qu'il exhorte : « Allons, allons, forcez sur les rames, compagnons d'Hector [1103], vous qu'au jour suprême de Troie j'ai choisis pour les miens. C'est le moment de déployer vos forces, le moment d'affirmer ce courage dont vous avez usé dans les Syrtes gétules [1104], et dans la mer Ionienne [1105], et dans les ondes tourbillonnantes de Malée [1106]! Mnesthée ne demande plus le premier rang; je ne lutte plus pour vaincre... Si pourtant!... Mais qu'ils l'emportent, ô Neptune, ceux à qui tu as donné la victoire : évitons, nous, la honte d'arriver les derniers; remportez du moins cette victoire, camarades, et épargnez-nous un tel opprobre! » Les rameurs, dans un effort suprême, se courbent sur les rames : sous leurs vastes coups, la poupe d'airain tremble, et la surface [1107] liquide se dérobe; leur souffle haletant secoue leurs membres, sèche leurs bouches; leur sueur coule en ruisseaux de toutes parts. Le hasard leur apporta précisément l'honneur qu'ils désiraient. En effet, tandis qu'entraîné par son ardeur furieuse Sergeste poussait peu à peu sa proue vers le rocher et s'engageait dans l'étroit passage, le malheureux vint se piquer sur les proéminences du roc. Le récif en fut ébranlé; les rames, heurtant ses arêtes, volèrent en éclats; la proue brisée y demeura suspendue. Les marins se lèvent, poussent une grande clameur et s'arrêtent; ils saisissent des crocs ferrés, des gaffes aux pointes aiguës, et recueillent sur le gouffre leurs rames en morceaux. Cependant Mnesthée, avec une joie que le succès même redouble, secondé par l'agile équipe de ses rameurs et par les vents qu'il a invoqués, gagne la mer libre et court sur le plan incliné des eaux. Telle la colombe [1108], chassée soudain de la grotte où dans les cachettes de la pierre ponce elle a fait sa demeure et son doux nid, prend son vol vers les champs, et, terrifiée, s'enfuit à tire-d'aile de son toit, puis bientôt, glissant dans l'air calme, fend sa route lumineuse sans remuer ses ailes rapides. Ainsi Mnesthée, ainsi la *Baleine* elle-même fend les dernières eaux de sa course; ainsi, emportée par son élan, elle accomplit son vol. Et d'abord elle laisse derrière elle Sergeste aux prises avec le haut rocher et les bas-fonds, criant en vain au secours et apprenant à courir, les rames brisées. Puis elle atteint Gyas et la *Chimère* à la masse énorme, qui, privée de son pilote, est devancée.

Seul reste à vaincre Cloanthe, qui touche presque au but; Mnesthée foncc, et, donnant toutes ses forces, il le presse. Alors la clameur redouble; tous les spectateurs enthousiastes excitent le poursuivant, et l'éther retentit du fracas de leurs cris. Les uns s'indignent à l'idée de perdre une gloire qui est déjà la leur et un honneur qui leur est acquis, et ils sont prêts à l'acheter de leur vie. Les autres, que le succès anime, peuvent parce qu'ils croient pouvoir. Et peut-être de leurs rostres égaux eussent-ils conquis tous deux la victoire si Cloanthe, étendant ses deux paumes sur la mer, ne se fût répandu en prières et n'eût invoqué les dieux en leur promettant des offrandes : « Dieux, qui avez l'empire de cette mer, dont je parcours les plaines liquides, je sacrifierai avec joie sur vos autels un taureau blanc sur le rivage, si vous exaucez mon vœu : j'en jetterai les entrailles dans les flots salés et je ferai des libations de vin! » Il dit, et, sous les flots profonds, tout le chœur des Néréides [1109] et de Phorcus [1110] et la vierge Panopée [1111] l'entendirent, et le vénérable Portunus [1112] lui-même poussa de sa grande main le navire qui, plus rapide que le Notus [1113] et que la flèche qui vole, fuit vers la terre et s'arrêta au fond même du port.

Alors le fils d'Anchise, ayant selon la coutume appelé tous les concurrents, proclame, par la grande voix du héraut, Cloanthe vainqueur, et couronne ses tempes d'un vert laurier. Pour récompense, il fait donner à chaque navire trois jeunes taureaux à choisir, du vin et un grand talent d'argent [1114]. Il ajoute comme présents spéciaux aux capitaines : au vainqueur, une chlamyde dorée [1115] autour de laquelle la pourpre abondante de Mélibée [1116] court en double méandre [1117]. On y avait tissé l'image de l'enfant royal [1118] qui, sous les frondaisons de l'Ida [1119], de son javelot et de sa course fatigue les cerfs rapides : impétueux, il semble hors d'haleine, quand du haut de l'Ida fond sur lui l'oiseau armigère de Jupiter [1120], qui l'enlève au milieu des airs entre ses serres crochues; ses vieux gardiens, en vain, tendent leurs paumes vers les constellations, et l'aboiement des chiens furieusement s'élève vers les airs. Puis celui qui par sa valeur a obtenu le second rang reçoit une cuirasse de mailles polies à triple fil d'or [1121], et qu'Énée vainqueur avait arrachée lui-même à Démoléus [1122], près du rapide Simoïs [1123], sous la haute Ilion : elle lui servira de parure et de défense dans les combats. C'est à peine si, joignant leurs forces, les serviteurs Phégée et Sagaris [1124] pouvaient porter sur leurs épaules cette cotte de mailles multiples; mais Démoléus en était revêtu, quand il chassait devant lui les Troyens dispersés. Le troisième prix consiste en deux bassins d'airain [1125] et en des coupes d'argent rehaussées de ciselures en relief.

Déjà tous s'en allaient, couverts de prix, et glorieux de leurs trophées, les tempes couronnées de rubans couleur de pourpre [1126], lorsque, arraché après d'adroits efforts à son rocher cruel, ayant perdu des rames, dépouillé de tout un rang de rameurs, le navire de Sergeste est ramené par lui, sans honneur, parmi les risées. Tel, souvent un serpent, surpris sur le bord de la route, et sur lequel, dans sa marche oblique, a passé une roue d'airain ou qu'un passant a laissé déchiré d'un violent coup de pierre et à demi mort, s'efforce de fuir en vain, se tord, veut s'allonger : d'un côté, féroce, les yeux en flamme, il se hérisse et dresse son cou qui siffle; de l'autre, arrêté par sa blessure, il se retire en contractant ses nœuds [1127] et en se repliant sur lui-même. Telle, ralentie par son banc de rames, se traînait la galère. Pourtant elle hisse ses voiles, et à pleines voiles elle se glisse dans le port. Énée donne à Sergeste la récompense promise, dans sa joie de voir son navire sauvé et ses compagnons ramenés. Il lui donne une esclave habile aux travaux de Minerve [1128], une femme de race crétoise, Pholoé [1129], ainsi que les deux jumeaux qu'elle nourrit de son lait.

Ce concours terminé, le pieux Énée se dirige vers une plaine de gazon, que, sur un cercle de collines, des forêts entouraient de toutes parts; au milieu du vallon était un cirque en amphithéâtre, au centre duquel, escorté de nombreux milliers de spectateurs, le héros prend place et s'assied sur une estrade. Là, il excite l'ardeur de ceux qui voudraient prendre part au concours de la course de vitesse par les prix qu'il expose aux regards. De tous côtés accourent, confondus, Teucères et Sicanes [1130]. Nisus et Euryale [1131] sont les premiers... Euryale, remarquable par sa beauté et sa verte jeunesse, Nisus par son pieux amour [1132] pour le jeune garçon [1133]. Derrière eux viennent le royal Diorès [1134], de la race illustre de Priam, puis Salius [1135] à la fois et Patron [1136], l'un Acarnanien [1137], l'autre du sang arcadien d'une famille de Tégée [1138]; puis deux jeunes Trinacriens [1139], Helymus [1140] et Panopès [1141], habitués aux forêts et compagnons du vieil Aceste; beaucoup d'autres encore, dont le renom obscur est enfoui dans l'oubli.

Énée, au milieu d'eux, leur parle ainsi : « Écoutez mes paroles et prêtez-moi votre attention avec joie. Nul d'entre vous ne partira sans avoir reçu un présent. Je donnerai à chacun deux javelots de Gnosse [1142] brillants d'un fer poli, et une hache à deux tranchants, garnie d'argent ciselé. Cette récompense sera commune à tous. Les trois premiers recevront des prix spéciaux et couronneront leur tête d'olivier blond [1143]. Le premier aura un cheval orné de magnifiques phalères [1144]; le second, un carquois d'Amazone [1145], plein de flèches thraces [1146], avec le large baudrier d'or qui l'entoure et que fixe par-dessous une agrafe de gemme éclatante; le troisième partira content avec ce casque venu d'Argos [1147]. »

Dès qu'il a parlé, les concurrents prennent place; le signal est donné, et soudain tous quittent la barrière et dévorent l'espace se répandant comme un nuage, l'œil fixé sur le but. Le premier, et les laissant bientôt tous loin derrière lui, Nisus se détache, étincelle, plus rapide que les vents et les ailes de la foudre [1148]. Le plus près de lui, mais le plus près à un long intervalle, suit Salius; puis, à une certaine distance, le troisième est Euryale... Hélymus suit Euryale; ensuite sur les talons d'Hélymus court Diorès, qui se penche sur son épaule : s'il restait plus d'espace à parcourir, il le dépasserait d'un bond ou rendrait la victoire incertaine. Déjà presque au bout de la carrière, fatigués, ils arrivaient au but, quand Nisus glisse, — l'infortuné! — dans une flaque de sang [1149], là où les jeunes taureaux égorgés avaient trempé le sol et l'herbe verte. Le jeune homme, déjà vainqueur et triomphant, ne put affermir sur le sol qu'il foulait ses pas chancelants, et, la tête en avant, s'affaissa au milieu de la fange immonde et du sang des sacrifices. Pourtant il n'a pas oublié Euryale, il n'a pas oublié ses amours; car, se dressant parmi les flaques glissantes, il s'est mis devant Salius [1150], qui a roulé et gît sur le sable gluant. Euryale fonce, et, vainqueur grâce à son ami, passe premier le but, volant parmi les applaudissements et les acclamations. Hélymus arrive après lui, et la troisième palme appartient maintenant à Diorès. Alors Salius remplit tout l'immense amphithéâtre de ses clameurs; il interpelle les chefs assis aux premiers rangs, et réclame que lui soit rendu un honneur qui lui a été enlevé par la ruse. Euryale a pour lui la faveur de la foule, la parure de ses larmes, et le charme qu'un beau corps ajoute à la valeur. Diorès l'aide et réclame pour lui à grands cris, lui qui n'a fait qu'approcher de la palme et qui prétendrait en vain au dernier prix [1151], si l'on rendait à Salius l'honneur du premier rang. Alors le vénérable Énée : « Vos prix, dit-il, vous demeurent assurés, garçons, et l'on ne change pas l'ordre des récompenses. Mais qu'il me soit permis de consoler un ami qui n'a point mérité sa disgrâce. » Ayant dit, il donne à Salius la monstrueuse dépouille d'un lion gétule [1152], chargée de longs poils et de griffes d'or. Alors Nisus : « Si telles sont, dit-il, les récompenses des vaincus, et si tu as pitié de ceux qui sont tombés, quels présents dignes de lui feras-tu à Nisus, à moi qui méritais la première couronne, si la fortune adverse ne m'eût, comme Salius, trahi ? » Et, ce disant, il montrait son visage et ses membres souillés d'une boue sale. Le vénérable Énée eut la bonté de sourire et fit apporter un bouclier, chef-d'œuvre de Dydimaon [1153], décloué par les Danaens des portes sacrées de Neptune [1154]. Tel est le magnifique cadeau qu'il donna au noble jeune homme.

Puis, quand, la course faite, les prix furent distribués : « Maintenant, si quelqu'un se sent dans la poitrine de la vaillance et du cœur, qu'il avance et qu'il lève ses bras aux mains bandées [1155]. » Ainsi dit-il, et il propose pour ce combat un double prix : pour le vainqueur, un jeune taureau voilé d'or [1156] et de bandelettes; une épée et un casque magnifique, à titre de consolation, pour le vaincu. Point de retard. Immédiatement Darès [1157] se montre, faisant étalage de sa vaste force, et se lève au milieu d'un grand murmure flatteur. C'était le seul qui avait l'habitude de lutter contre Pâris [1158]; c'était lui encore qui, près du tombeau où repose le grand Hector, renversa l'énorme Butès [1159], toujours vainqueur, et qui se vantait de descendre de la maison du Bébryce [1160] Amycus [1161], et l'étendit mourant sur l'arène fauve. Tel le premier, Darès, dressant sa tête altière, se présente pour combattre. Il étale ses larges épaules, tend et déploie ses bras l'un après l'autre, et frappe l'air de ses coups. On lui cherche un adversaire; mais personne, dans une assemblée si grande, n'ose affronter le champion et revêtir ses mains du ceste. Alors, plein d'allégresse et pensant que tous les autres lui cèdent la palme, il s'est arrêté aux pieds d'Énée, et, sans plus attendre, il saisit de sa main gauche le taureau par la corne, et parle en ces termes : « Fils de déesse, si personne n'ose se risquer au combat, qu'ai-je à attendre ici ? Jusques à quand sied-il qu'on me retienne ? Ordonne que j'emmène mon présent. » En même temps tous les Dardaniens faisaient entendre un murmure d'approbation et voulaient qu'on lui remît la récompense promise.

Alors Aceste gourmande vivement Entelle [1162], qui se trouvait par hasard assis tout près de lui sur un lit verdoyant d'herbes : « Entelle, est-ce donc en vain que tu étais jadis le plus vaillant des héros, et souffriras-tu donc qu'un prix si important soit enlevé sans combat ? Où est maintenant ce dieu, le maître que tu nous vantais en vain, cet Éryx [1163] ? Où est cette renommée qui s'étendait par toute la Trinacrie, et ces dépouilles qui pendent sous ton toit ? » Entelle lui répond : « Non, l'amour des louanges ni la gloire n'ont point été chassés de mon cœur par la peur; mais il est vrai que les glaces de la pesante vieillesse engourdissent mon sang, et que mes forces languissantes se refroidissent dans mon corps. Si j'avais aujourd'hui ma jeunesse de jadis [1164], cette jeunesse qui donne à cet insolent tant d'exultante confiance et d'orgueil, certes ce ne serait pas le prix proposé, ce ne serait pas ce superbe taureau qui m'eût fait descendre dans l'arène : je ne m'attarde pas à des prix. » Ayant dit, il lança alors au milieu du cirque deux cestes d'un poids monstrueux, dont l'impétueux Éryx avait coutume d'armer sa main pour les combats, et qu'il liait par une dure courroie à ses bras. Tous demeurèrent frappés de stupeur à l'aspect de ces énormes lanières de sept cuirs, hérissées de lames de plomb et de fer. Stupéfait plus que tous les autres, Darès lui-même repousse vivement ces gants. Le magnanime fils d'Anchise en tourne et en retourne la masse pesante et en déroule les immenses liens. Alors le vieil Entelle reprit : « Que serait-ce donc si quelqu'un de vous eût vu les cestes et les armes d'Hercule lui-même, et l'affreux combat [1165] qui eut lieu sur ce rivage même ? Ce sont ces armes que ton frère Éryx [1166] portait autrefois; tu vois : elles sont encore souillées de sang et de morceaux de cervelle. Ce fut avec elles qu'il tint contre le grand Alcide [1167] : c'est avec elles que j'avais moi-même accoutumé de combattre, quand un sang meilleur m'en donnait la force, et que la vieillesse jalouse n'avait pas encore parsemé mes tempes de cheveux blancs. Mais si le Troyen Darès refuse ces armes qui sont les nôtres, si c'est la volonté du pieux Énée, et qu'Aceste l'approuve, qui m'invite au combat, égalisons le combat. Je te fais grâce des cestes d'Éryx; bannis la crainte; et toi, dépouille-toi de tes cestes troyens. » Ayant dit, il rejeta de ses épaules son double manteau, découvrit les grandes articulations de ses membres, sa grande ossature, ses grands bras, et se dressa, énorme, au milieu de l'arène. Alors le vénérable fils d'Anchise prit des cestes égaux et les passa aux mains des deux rivaux pareillement armés.

L'un et l'autre s'immobilisèrent, se dressèrent sur-le-champ sur la pointe des pieds, et levèrent sans peur leurs bras vers les brises du ciel; ils ont rejeté loin en arrière leur tête haute pour esquiver les coups; ils entremêlent leurs mains et engagent le combat. L'un a pour lui l'agilité des pieds et la confiance que donne la jeunesse, l'autre est fort de ses muscles et de sa masse, mais ses genoux lents et tremblants fléchissent, et une haleine pénible secoue ses vastes membres. Les champions, de part et d'autre, se portent mille coups en vain; mille coups tombent sur leurs flancs creux et résonnent à grand bruit sur leur poitrine; leur main erre incessamment autour de leurs oreilles et de leurs tempes; leurs mâchoires craquent sous un coup dur. Droit, lourd et immobilisé dans la même attitude, Entelle esquive d'un simple mouvement du corps et d'un œil vigilant. L'autre, tel un guerrier qui attaque avec des machines une ville aux hauts remparts, ou qui investit les redoutes d'une montagne, tente un accès, puis un autre, tourne étroitement autour de toute la place, et la presse sans effet de toutes sortes d'assauts. Entelle se dressant a déployé son droit et l'a levé de toute sa hauteur; mais son adversaire rapide a vu venir le coup suspendu sur sa tête et d'un prompt effacement du corps l'a évité. La force d'Entelle s'est perdue dans l'air, et, entraîné de tout son vaste poids, le lourd champion s'abat lourdement sur le sol : ainsi parfois s'abat sur l'Érymanthe [1168] ou le grand Ida [1169], arraché de ses racines, le pin creux [1170]. On voit se dresser, passionnés, les Teucères et la jeunesse de Trinacrie; une clameur monte vers le ciel, et, le premier, accourt Aceste, qui relève de terre en le plaignant son ami et compagnon d'âge. Mais, sans que sa chute ne l'ait ralenti ni effrayé, le héros revient plus impétueux encore au combat, et la colère excite sa violence. La honte alors et la conscience de sa valeur enflamment ses forces; Darès rompt; il le pousse ardemment dans toute l'étendue de l'arène, redoublant ses coups, tantôt du droit et tantôt du gauche. Point de cesse, point de relâche : comme des nuages chargés de grêle qui crépitent sur les toits, ainsi, à coups pressés, le héros, de ses deux poings incessamment martèle et retourne Darès.

Mais le vénérable Enée ne laissa pas la colère aller plus loin ni Entelle s'emporter jusqu'à une rage cruelle; il mit fin au combat, et, en ayant sauvé Darès épuisé, il le consola par ces mots : « Infortuné! quel accès de démence s'est emparé de ton âme? Ne sens-tu pas que tes forces sont changées et que les divinités ont tourné ? Cède à un dieu [1171]. » Il dit, et sa voix sépara les combattants. Des compagnons fidèles ramènent aux vaisseaux Darès [1172] qui se traîne, les genoux endoloris, la tête ballottant d'un côté et de l'autre, et qui vomit un sang noirâtre où des dents sont mêlées au sang; on les rappelle : ils reçoivent le casque et l'épée, et laissent à Entelle la palme et le taureau. Alors le vainqueur, enorgueilli de son avantage et fier de son taureau : « Fils d'une déesse, et vous, Teucères, dit-il, connaissez quelle fut ma force dans ma jeunesse, et à quelle mort, grâce à vous, a échappé Darès! » Il dit et se planta en face du jeune taureau, qui était le prix de sa victoire; et, ramenant son droit en arrière, de toute sa hauteur, il lui assena entre les cornes un dur coup de ceste, et fit jaillir la cervelle des os brisés. Abattu et sans vie, palpitant, le bœuf tombe à terre. Entelle ajoute ces mots : « Voici, Eryx, au lieu de Darès, la victime que je t'offre; elle te plaira mieux [1173]; vainqueur, ici je dépose mon ceste ainsi que mon art. »

Aussitôt Enée invite à concourir ceux qui veulent lancer la flèche rapide et il fait connaître les prix du concours. Il dresse de sa main puissante le mât du navire de Séreste [1174], et suspend au sommet, à un nœud, une colombe battant des ailes, qui doit servir de cible aux projectiles. Les rivaux se sont rassemblés, et un casque d'airain a reçu leurs noms : le premier qui sort, accueilli d'une clameur favorable, est celui de l'Hyrtacide Hippocoon [1175]; le suivant est Mnesthée [1176], qui vient d'être vainqueur au concours naval, Mnesthée, couronné d'olivier vert. Le troisième est Eurytion [1177], ton frère, ô très illustre Pandare [1178], toi qui, sommé jadis de rompre la paix conclue [1179], lanças le premier un trait au milieu des Achéens [1180]. Le dernier resté au fond du casque est Aceste, qui a osé aussi tenter lui-même cet exercice de jeunes. Alors, de toutes ses forces, chacun bande l'arc flexible, et tire un trait de son carquois. La première flèche que lance à travers le ciel le nerf strident et qui fend les airs de son vol, celle du jeune Hyrtacide, arrive au but et s'enfonce dans l'arbre du mât. Le mât a tremblé; l'oiseau épouvanté a battu des ailes, et tout le ciel a résonné de la violence de ses plumes qui claquent. A son tour l'impétueux Mnesthée s'est planté, l'arc tendu, visant haut, l'œil et le trait tendus pareillement vers la cible. Mais le malheureux n'a pas réussi à atteindre l'oiseau lui-même; son fer a seulement coupé le nœud et l'attache de lin, qui le tenait suspendu par la patte au haut du mât. L'oiseau s'envole et fuit vers les Notus [1181] et les sombres nuées. Alors, rapide, depuis longtemps déjà tenant sa flèche tendue sur son arc préparé, Eurytion fit un vœu en invoquant son frère [1182], et, suivant de l'œil, dans le ciel libre, la colombe joyeuse et qui battait des ailes, il l'atteignit sous la nuée noire. Elle tomba inanimée; elle a laissé la vie dans les astres éthérés, et rapporte en tombant la flèche qui l'a atteinte [1183].

Aceste restait seul, ayant perdu la palme. Cependant,

pour montrer son adresse et son arc retentissant, il lança un trait vers les brises aériennes. Alors s'offre aux regards un prodige subit et destiné à être d'un grave augure : un événement considérable l'a prouvé par la suite [1184], et les devins terrifiants en ont annoncé un peu tard [1185] les présages. Le roseau volant s'embrasa dans les nuages limpides, signala sa route par des flammes et, consumé, s'évanouit parmi les vents ténus : comme souvent ces constellations volantes qui, détachées du ciel, parcourent l'espace et traînent une chevelure. Trinacriens et Teucères, étonnés, restèrent interdits et adressèrent des prières aux dieux d'en haut, mais, loin de repousser ce présage, le grand Enée, embrassant le joyeux Aceste, le comble de magnifiques cadeaux et lui dit : « Prends, mon père; car le grand roi de l'Olympe [1186] a voulu, par de tels auspices, te voir honoré en dépit du sort. Tu auras ce présent du vieil Anchise lui-même : c'est un cratère orné de figures en relief, que le Thrace Cissée [1187] avait jadis donné à mon père Anchise, par grande faveur, en souvenir de lui et en gage de son amour. » Ayant dit, il lui ceint les tempes d'un verdoyant laurier, et, avant tous les autres, proclame vainqueur le premier, Aceste. Et le bon Eurytion ne se montra point jaloux de cette préférence, quoique seul il eût abattu l'oiseau du haut du ciel. Puis s'avance pour les prix celui qui a coupé la corde; le dernier est celui qui a percé le mât de son volant roseau.

Cependant le vénérable Enée, avant la fin du concours, appelle près de lui Epytide [1188], gouverneur et compagnon du jeune Iule, et lui confie à l'oreille : « Va vite dire à Ascagne que, s'il a avec lui sa troupe d'enfants toute prête, et s'il a pris ses dispositions pour les courses de chevaux, il amène ses turmes [1189] à son aïeul et se montre lui-même sous les armes. » Il donne lui-même à toute la population, qui s'était répandue le long du cirque, l'ordre de s'écarter et de laisser le champ libre. Les enfants s'avancent [1190], et, défilant en bon ordre sous les yeux de leurs parents, resplendissent sur leurs chevaux dociles au frein. Toute la jeunesse de Trinacrie et de Troie frémit d'admiration devant leur marche. Tous, selon l'usage, ont la chevelure ceinte d'une couronne taillée [1191]; ils portent deux javelots de cornouiller [1192], à la pointe de fer; certains ont sur l'épaule un brillant carquois; sur le haut de leur poitrine tombe un souple collier d'or tordu. Ils forment en tout trois turmes [1193] de cavaliers, et trois chefs les commandent; chacun d'eux est suivi de deux fois six enfants, qui étincellent sur une double colonne avec un nombre égal d'écuyers. Le premier peloton marche avec orgueil sous le jeune Priam [1194], qui fait revivre le nom de son aïeul, — ta progéniture illustre, ô Politès [1195], destinée à accroître les Italiens : il monte un cheval thrace [1196], dont la robe bicolore est parsemée de taches blanches, et qui montre avec fierté la pointe blanche de ses pieds et un front blanc superbe. Le second est Atys [1197], dont les Atius latins [1198] tirent leur origine, le petit Atys, enfant chéri de l'enfant Iule.

Le dernier, et qui l'emporte sur tous les autres par la beauté, est Iule; il s'avance sur le cheval sidonien [1199], que l'éblouissante Didon lui avait donné en souvenir d'elle et en témoignage de son amour. Le reste des jeunes cavaliers monte les chevaux trinacriens du vieil Aceste... Les Dardanides accueillent par des applaudissements les enfants intimidés, les contemplent avec joie, et reconnaissent en eux les traits de leurs ancêtres. Dès qu'ils ont fait à cheval le tour de l'assemblée et qu'ils se sont montrés aux yeux des leurs, ils se tiennent prêts : Epytide de loin leur donne le signal par un cri suivi d'un claquement de fouet. Les trois pelotons se dédoublent en courant et forment des troupes distinctes; à un nouveau commandement, ils font une conversion et courent les uns sur les autres la lance en avant. Puis ils commencent d'autres évolutions en avant et en arrière, se faisant face mais à distance, décrivant des cercles qui s'enlacent les uns dans les autres, et, sous les armes, font un simulacre de combat. Tantôt, fuyant, ils découvrent leur dos; tantôt, chargeant, brandissent leurs javelots; tantôt, faisant la paix, marchent en files parallèles. Tel, autrefois, dans la haute Crète [1200], le Labyrinthe [1201], dit-on, offrait entre ses parois obscures l'entrelacs de son chemin et la ruse ambiguë de ses mille détours, où l'égaré ne pouvait réparer son erreur ni retrouver la trace de ses pas. Ainsi les fils des Teucères entremêlent leurs pas en courant, et confondent dans le jeu les fuites et les batailles, semblables aux dauphins qui fendent en nageant les flots des mers de Carpathos [1202] et de Libye [1203], et se jouent parmi les ondes. C'est la tradition de cette course et ces concours qu'Ascagne, le premier, fit renaître, lorsqu'il ceignit de murs Albe-la-Longue [1204], et qu'il enseigna aux anciens Latins à célébrer ces jeux, comme il faisait lui-même, étant enfant, et comme le faisait avec lui la jeunesse troyenne; les Albains les enseignèrent à leurs descendants, et c'est d'eux que, dans la suite des temps, les reçut la grande Rome, qui conserva la tradition ancestrale. Le jeu porte aujourd'hui le nom de Troie [1205], et les enfants celui de troupe troyenne [1206]. Ainsi se terminèrent les concours en l'honneur d'un père sacré.

Alors la Fortune changée commença à n'être plus fidèle. Pendant que les Troyens, par ces jeux de toute sorte, rendent au tombeau des honneurs solennels, la Saturnienne Junon [1207] a envoyé du haut du ciel Iris [1208] vers la flotte d'Ilion, et fait souffler des vents favorables à la messagère : elle agite mille projets et n'a pas assouvi encore son antique ressentiment [1209]. La vierge se hâte sur l'arc aux mille couleurs [1210], et, sans être vue de personne, descend par ce chemin rapide. Elle aperçoit l'immense assemblée, parcourt la côte, voit le port désert et la flotte délaissée.

Cependant, au loin, retirées à l'écart [1211] en un coin solitaire du rivage, les Troyennes déploraient la perte d'Anchise, et toutes regardaient la mer profonde en pleurant. « Hélas! fatiguées comme nous sommes, il nous reste encore à traverser tant d'écueils et tant d'eau! » Elles n'ont toutes que ces mots à la bouche. Elles demandent une ville, sont lasses de supporter les fatigues de la mer. Aussi, n'ignorant pas l'art de nuire, la vierge se jette-t-elle au milieu d'elles; elle dépouille son visage et ses vêtements de déesse. Elle devient Béroé [1212], la vieille épouse du Tmarien Doryclus [1213], qui eut jadis un rang, un nom et des enfants. C'est ainsi qu'elle se présente au milieu des femmes des Dardanides : « O malheureuses, dit-elle, celles que la main des Achéens [1214] n'a pas traînées à la mort dans la guerre qui eut lieu sous les murs de notre patrie! ô peuple infortuné, à quelle fin misérable la fortune te réserve-t-elle ? Voici le septième été [1215] qui s'achève depuis la chute de Troie. Depuis lors, nous avons parcouru tous les flots, toutes les terres, une quantité de rochers inhospitaliers et d'orageux climats, et, ballottées sur les ondes, nous poursuivons à travers la mer immense une Italie qui se dérobe sans cesse [1216]. Ici nous sommes sur le territoire de notre frère Eryx [1217] et nous avons pour hôte Aceste : qui nous empêche de dresser des murs et de donner une ville à nos concitoyens ? O patrie, ô Pénates arrachés en vain [1218] à l'ennemi! N'y aura-t-il plus de remparts portant le nom de Troie ? ne verrai-je nulle part les fleuves d'Hector [1219] : le Xanthe [1220] et le Simoïs [1221] ? Allons, venez brûler avec moi ces poupes maudites : car l'image de la prophétesse Cassandre [1222] m'est apparue en songe; elle m'a donné des torches ardentes : « C'est ici qu'il faut chercher Troie, m'a-t-elle dit, c'est ici qu'est votre demeure. » Le temps d'agir est venu : un tel prodige n'admet point de retard. Voici quatre autels dédiés à Neptune [1223], le dieu lui-même nous offre des torches et du courage. »

A ces mots, la première, elle empoigne avec violence un funeste brandon, et, la main droite levée, l'agite de toutes ses forces et le lance. L'esprit saisi, le cœur stupéfait, les femmes d'Ilion la regardent. Alors l'une d'entre elles, la plus vieille, Pyrgo [1224], la nourrice royale de tant d'enfants de Priam : « Non, dit-elle, ce n'est point Béroé que vous voyez, ce n'est point la Rhétéienne épouse [1225], ô femmes, de Doryclus : reconnaissez les signes de la beauté divine [1226] et ses yeux étincelants; voyez cette fierté, ces traits, le son de cette voix, et cette allure! Moi-même, il n'y a qu'un moment, j'ai quitté Béroé en la laissant malade et désolée d'être seule exclue d'une telle cérémonie, et de ne pouvoir rendre à Anchise les honneurs qu'il mérite. » Elle dit, et les femmes, d'abord irrésolues, regardent les vaisseaux avec des yeux méchants : elles sont partagées entre leur amour misérable de la terre où elles sont et le royaume où les destins les appellent, quand la déesse, les ailes déployées, s'éleva parmi le ciel, et découpa dans sa fuite un arc énorme [1227] sous les nues. Alors, étonnées de ce prodige et en proie à la fureur, elles unissent leurs clameurs et pillent le feu des foyers sacrés [1228]; une partie d'entre elles dépouille les autels et lance pêle-mêle les feuilles, les rameaux et les torches : Vulcain [1229] déchaîné fait fureur à travers les bancs, et les rames, et les poupes de sapins où des figures sont peintes [1230].

La nouvelle que les vaisseaux brûlent est apportée au tombeau d'Anchise et à l'amphithéâtre [1231] par Eumélus [1232]; les Troyens, en tournant les yeux, voient voltiger dans un nuage une cendre noire. Le premier, Ascagne, tel qu'il était, en train de conduire avec joie les courses de chevaux, lança au galop son cheval vers le camp bouleversé; ses écuyers hors d'haleine ne peuvent le retenir. « Quelle étrange fureur est la vôtre ? s'écrie-t-il; où courez-vous ? que prétendez-vous ? Hélas! malheureuses concitoyennes! Ce n'est pas l'ennemi, ce n'est pas le camp détesté des Argiens [1233], ce sont vos espérances que vous brûlez! Me voici, moi, votre Ascagne! » Il lança à leurs pieds le casque [1234] de parade, à l'abri duquel dans les jeux il menait le simulacre de la guerre. Enée accourt en même temps, ainsi que la troupe des Teucères. Mais elles, apeurées, s'enfuient de tous côtés sur le rivage, se cachent dans les bois et dans les creux de rochers qu'elles rencontrent. Elles ne veulent plus voir leur œuvre ni la lumière; revenues à elles-mêmes, elles reconnaissent les leurs : Junon est chassée de leur poitrine [1235].

Mais les flammes, l'incendie, n'ont point pour cela perdu leur force indomptable. Sous le bois mouillé, l'étoupe [1236] vit, vomissant une fumée lourde, et la vapeur consume les carènes; le fléau descend dans tout le corps. Ni les efforts des héros [1237], ni l'eau répandue à flots n'y font rien. Alors le pieux Enée enlève de ses épaules ses vêtements qu'il déchire [1238], appelle les dieux à l'aide et tend vers eux ses paumes : « Jupiter tout-puissant, si tu ne hais pas encore les Troyens jusqu'au dernier, si ton antique pitié jette encore un regard sur les misères humaines, donne à notre flotte d'échapper maintenant à la flamme, ô Père, et sauve de la destruction les minces ressources des Teucères! Ou, pour achever ton œuvre, lance ta foudre sur moi, si je l'ai mérité, et écrase-moi de ta droite! » A peine avait-il proféré ces mots que les nuages s'amoncellent et qu'une noire tempête se déchaîne [1239] avec une violence sans pareille; les hauteurs et les plaines tremblent sous les coups de tonnerre; une pluie torrentielle, rendue toute noire par les Autans [1240] épais, tombe, de tout l'éther; les poupes sont submergées et le rouvre à demi brûlé s'imbibe d'eau. Le feu est enfin éteint partout, et tous les vaisseaux, sauf quatre [1241], sont sauvés du fléau.

Cependant le vénérable Enée, tout secoué par ce cruel incident, flottait irrésolu entre les graves soucis qui agitaient son cœur : devait-il, oublieux des destins, se fixer dans les champs sicules [1242], ou essayer d'atteindre les côtes de l'Italie ? Alors le vieux Nautès [1243], que la Tritonienne Pallas [1244] instruisit avec un soin unique et rendit fameux par son grand art (c'est elle qui lui dictait ses réponses, lui disant ce que présageait la grande colère des dieux et ce que réclamait l'ordre des destins), console Enée dans les termes que voici :

« Fils d'une déesse, suivons la route où les destins nous traînent et nous retraînent. Quoi qu'il arrive, on peut toujours, à force de constance, triompher de la fortune. Tu as près de toi le Dardanien Aceste, qui est de souche divine [1245], associe-le à tes projets, et conclus avec lui une alliance qu'il accepte. Remets-lui ceux qui sont en surnombre par la perte de tes vaisseaux, et ceux que rebutent ta grande entreprise et ta fortune. Choisis les vieillards accablés d'années, et les femmes fatiguées par la mer, et tout ce qui autour de toi est sans forces et craint le danger. Laisse-les, puisqu'ils sont fatigués, élever des murs sur cette terre; avec ta permission, ils appelleront leur ville Acesta [1246]. »

Ranimé par de telles paroles de son vieil ami, c'est alors que mille soins divers se partagent le cœur d'Enée. Et la Nuit noire, traînée sur son bige [1247], parcourait l'axe du ciel, lorsque Enée crut voir l'ombre de son père Anchise descendre soudain du ciel [1248] et lui adresser de telles paroles : « O mon fils, qui me fus autrefois plus cher que la vie, aussi longtemps que je restais en vie, mon fils, toi que poursuivent les destinées d'Ilion; je viens ici sur l'ordre de Jupiter, qui a chassé l'incendie de ta flotte, et qui du haut du ciel t'a enfin pris en pitié. Suis les conseils, les excellents conseils, que te donne à présent le vieux Nautès : transporte en Italie l'élite de ta jeunesse, les cœurs les plus vaillants. C'est une race dure et de mœurs sauvages que tu auras à vaincre dans le Latium. Cependant aborde auparavant les demeures infernales de Dis [1249], et, par les profondeurs de l'Averne [1250], viens, mon fils, t'entretenir avec moi : car ce n'est pas le Tartare impie [1251], séjour des tristes ombres, qui me possède, mais j'habite, en la douce société des hommes pieux, l'Elysée [1252]. C'est là que te conduira la chaste Sibylle [1253], si tu verses à grands flots le sang de noires [1254] victimes. Alors tu connaîtras toute ta postérité et les remparts qui te sont assignés. Adieu : la Nuit humide atteint la moitié de sa course, et le farouche Orient m'a fait sentir le souffle de ses chevaux haletants. » Il avait dit, et il s'enfuit [1255], comme une fumée, dans les brises ténues. « Où cours-tu donc ? Où t'élances-tu ? s'écrie Enée. Qui fuis-tu ? Ou qui t'arrache à nos embrassements ? » A ces mots, il ranime les cendres et les feux assoupis, adore à genoux le Lare de Pergame [1256] et le sanctuaire de Vesta chenue [1257] et les honore avec la farine sacrée [1258] et sa boîte pleine d'encens [1259].

Sur-le-champ il fait venir ses compagnons, et, le premier de tous, Aceste, et il les instruit de l'ordre de Jupiter, des conseils d'un père chéri, et de la résolution où son esprit présentement s'arrête. Nul retard à ses projets; Aceste ne refuse pas d'y souscrire. On inscrit les femmes pour la ville, on laisse la population qui le désire, les cœurs qui n'ont aucun besoin d'une grande gloire. Les autres mettent les bancs à neuf, remplacent le rouvre des navires rongé par les flammes, et disposent les rames et les cordages; leur nombre est petit, mais ils respirent la vertu guerrière. Pendant ce temps, Enée trace avec la charrue [1260] l'enceinte de la ville, et tire au sort l'emplacement des demeures; il veut que ce soit là Ilion et que ces lieux soient Troie [1261]. Le Troyen Aceste se réjouit de son royaume, indique le forum [1262] et donne les règles du droit aux sénateurs convoqués. Puis, sur le sommet de l'Eryx, on fonde pour Vénus d'Idalie [1263] un sanctuaire voisin des astres, et l'on donne un prêtre et un vaste bois sacré au tombeau d'Anchise [1264].

Déjà, neuf jours durant, tout le peuple avait célébré les repas funèbres, et les sacrifices avaient été accomplis sur les autels; les vents tranquilles ont aplani l'étendue liquide, et, soufflant de nouveau sans relâche, l'Auster [1265] appelle au large. Un énorme gémissement s'élève tout le long du sinueux rivage; on s'attarde à s'embrasser nuit et jour. Les femmes elles-mêmes, et ceux-là même à qui la mer jadis avait montré son visage farouche et qui en trouvaient le nom intolérable [1266], veulent maintenant partir et affronter toutes les fatigues de la fuite. Le bon Enée les console avec des paroles amicales et les recommande en pleurant à son parent Aceste. Il ordonne ensuite d'immoler trois veaux à Eryx [1267], une agnelle aux Tempêtes [1268], et de détacher les câbles l'un après l'autre. Lui-même, la tête ceinte de feuilles d'olivier taillées [1269], debout au loin sur la proue, tient une patère, jette les entrailles dans les flots salés et répand des flots de vin. Le vent qui s'élève de la poupe accompagne leur marche; les compagnons frappent à l'envi la mer et balaient les eaux.

Mais, pendant ce temps Vénus, que les soucis tourmentent, s'adresse à Neptune et exhale de son cœur les plaintes suivantes : « La profonde colère de Junon et son cœur insatiable m'obligent, ô Neptune, à en venir à toutes les prières. Ni la longueur des jours ni aucune marque de piété [1270] ne l'adoucissent; ni la volonté de Jupiter ni les destins ne la brisent : elle ne prend point de repos. Ce n'est pas assez pour sa haine indicible d'avoir, du milieu de la nation des Phrygiens, effacé la capitale consumée, et d'en avoir traîné les restes de supplice en supplice; elle poursuit encore les cendres et les ossements de Troie anéantie. Elle sait, je l'espère bien [1271], les causes d'une telle fureur ? Toi-même m'en es témoin : tu as vu naguère quelle tempête formidable elle déchaîna dans les ondes libyques [1272], elle confondit toutes les mers avec le ciel, secondée, mais en vain [1273], par les tempêtes d'Eole : voilà ce qu'elle a osé dans ton empire! Et voici encore que, poussant au crime les femmes troyennes, elle a honteusement brûlé nos poupes, et nous a obligés, par la perte de la flotte [1274], à laisser des compagnons sur une terre inconnue [1275]. Puisse, je t'en supplie, ce qui reste des Troyens déployer ses voiles à travers les ondes, et atteindre le Tibre des Laurentes [1276], si ma demande est légitime et si les Parques [1277] nous assignent ces remparts! »

Alors le Saturnien [1278], dompteur de la mer profonde, prononça ces paroles : « Tu as tous les droits, Cythérée [1279], de te fier à mon royaume, d'où tu tires ton origine [1280]. J'ai d'ailleurs mérité ta confiance; souvent [1281] j'ai réprimé les fureurs et la rage formidable du ciel et de la mer. Sur terre j'en atteste le Xanthe [1282] et le Simoïs [1283], je n'ai pas montré moins de sollicitude pour ton Enée. Quand Achille, pourchassant les bandes troyennes éperdues, les refoulait sous leurs murs, et les livrait par milliers à la mort, quand gémissaient les fleuves pleins de cadavres, et que le Xanthe ne pouvait retrouver sa route et rouler vers la mer [1284], j'ai enlevé au sein d'un nuage Enée [1285] que les dieux [1286] et ses forces rendaient inégal dans son combat contre le vaillant Pélide [1287]; et pourtant je désirais renverser de fond en comble les remparts de cette Troie parjure [1288], ouvrage de mes mains [1289]. Aujourd'hui encore je demeure dans les mêmes sentiments; bannis ta peur. Il abordera sans danger aux ports de l'Averne [1290] que tu souhaites; il n'y aura qu'un seul homme, dont tu auras à regretter la perte au fond du gouffre; un seul qui paiera de sa tête le salut de beaucoup d'autres [1291]. »

Dès qu'il a par ces mots apaisé et ouvert à la joie le cœur de la déesse, le Père des eaux [1292] attelle ses chevaux à son joug d'or [1293], met à leurs bouches farouches des freins écumants, et leur lâche toutes les rênes. Avec son char d'azur, il parcourt d'un vol léger la surface de la plaine liquide. Les ondes s'affaissent et l'étendue gonflée s'aplanit sous l'essieu tonnant; les nuages s'enfuient du vaste éther. Alors des figures variées accompagnent le dieu : de monstrueuses baleines, les vieillards qui composent le chœur de Glaucus [1294], Palémon, fils d'Ino [1295], les Tritons rapides [1296] et toute l'armée de Phorcus [1297]; à sa gauche se trouvent Thétis [1298], Mélité [1299], la vierge Panopée [1300], Nésée [1301], Spio [1302], Thalie [1303] et Cymodocé [1304].

Alors une joie caressante pénètre à son tour l'âme incertaine du vénérable Enée : il fait dresser au plus tôt tous les mâts et tendre les voiles sur les bras des antennes. Tous à la fois ont allongé les écoutes; ils larguent les ris tantôt à droite, tantôt à gauche, tournent et retournent à la fois les cornes des antennes. Des souffles propices emportent la flotte. Le premier avant tous, Palinure dirigeait la file serrée des vaisseaux; c'est sur lui que les autres ont ordre de régler leur marche.

Déjà la Nuit humide avait presque touché la borne médiane du ciel [1305]; les matelots, couchés à la dure sous leurs rames [1306], le long des bancs, délassaient leurs membres en un repos tranquille, quand le Sommeil [1307] léger, descendu des astres de l'éther, écarta les ténèbres de l'air et repoussa les ombres, pour aller droit à toi, ô Palinure, et t'apporter, innocente victime, de funestes visions [1308]. Le dieu s'est assis sur la poupe élevée, sous les traits de Phorbas [1309], et laisse tomber ces mots : « Fils d'Iasius, Palinure, la plaine liquide porte d'elle-même la flotte; des brises égales soufflent; l'heure est au repos. Laisse tomber ta tête et dérobe à la tâche tes yeux las. Je m'en vais faire moi-même ton office à ta place. » Palinure, levant à peine les yeux [1310], lui dit : « Est-ce à moi que tu veux faire oublier ce que cachent le visage d'une mer paisible et le calme des flots ? Est-ce moi que tu veux voir se fier à ce prodige ? Quoi ! je confierais Enée aux Autans fallacieux [1311], moi qui tant de fois fus dupe d'un ciel serein ? » Telles étaient les paroles que prononçait Palinure, attaché et cramponné à la barre qu'il ne lâchait pas un instant, et les yeux fixés sur les astres. Mais voici que le dieu lui secoue au-dessus de l'une et l'autre tempe un rameau humide des eaux du Léthé [1312] et somnifère par la vertu du Styx [1313]; c'est en vain qu'il résiste : ses yeux noyés s'éteignent. A peine ce repos imprévu avait-il commencé à délasser ses membres que le dieu, tombant sur lui, le lança dans les ondes limpides avec une partie de la poupe arrachée et avec le gouvernail [1314]. Précipité, c'est en vain qu'il appelle souvent ses compagnons. Quant au dieu, oiseau volant [1315], il s'élève dans les brises ténues.

La flotte n'en poursuit pas moins sur la mer une route sûre, et, conformément aux promesses du Père Neptune, vogue sans effroi. Déjà même elle approchait des écueils des Sirènes [1316], jadis difficultueux et tout blancs d'ossements; déjà ces rocs, assidûment battus de la mer salée, retentissaient au loin, quand le vénérable Enée s'aperçut que son navire flottait à l'aventure, ayant perdu son pilote, et le dirigea lui-même sur les ondes ténébreuses. Poussant de nombreux gémissements et le cœur tout secoué du malheur de son ami : « Pour t'être trop fié à la sérénité du ciel et de la mer, tu vas, ô Palinure, gésir nu [1317] sur une plage ignorée. »

LIVRE SIXIÈME

LA DESCENTE D'ÉNÉE AUX ENFERS

Ainsi parle-t-il en pleurant, et, lâchant les rênes à sa flotte [1318], il aborde enfin aux rivages euboïques de Cumes [1319]. On tourne les proues du côté de la mer [1320], et l'ancre, avec sa dent tenace, assujettissait les vaisseaux [1321], et les poupes recourbées bordent le littoral. Une troupe ardente de jeunes gens bondit sur la terre d'Hespérie [1322] : les uns cherchent les semences de la flamme cachées dans les veines du silex [1323]; les autres traversent les bois, opaques repaires des bêtes sauvages, et indiquent les eaux courantes qu'ils ont découvertes.

Cependant le pieux Enée gagne les contreforts où règne la haute statue d'Apollon [1324] et la retraite écartée de la Sibylle hérissée [1325], antre monstrueux, où le prophète de Délos [1326] lui souffle sa grande âme et sa grande volonté, et lui découvre l'avenir. Déjà ils pénètrent dans les sous-bois sacrés de Trivie [1327] et sous ses lambris d'or.

Dédale, d'après la légende [1328], fuyant le royaume de Minos [1329] et ayant osé se confier au ciel sur ses ailes rapides, cingla par une route inaccoutumée vers les Ourses glaciales [1330], et atterrit enfin, avec légèreté, sur le bastion de Chalcis [1331]. A peine arrivé sur cette terre, il te consacra, Phébus, la rémige de ses ailes [1332] et te dressa un énorme temple [1333]. Sur les battants de la porte, la mort d'Androgée [1334]; puis, les Cécropides [1335], condamnés (ô misère!), en expiation de leur crime, à livrer chaque année les corps de sept de leurs fils [1336]; l'urne du tirage au sort [1337] est là. Vis-à-vis et faisant pendant [1338], s'élève au-dessus de la mer la terre de Gnosse [1339]. On y voit le cruel amour du taureau, l'accouplement furtif de Pasiphaé [1340], leur progéniture de sang mêlé, ce fils à double forme, le Minotaure [1341], monument d'une abominable Vénus; on y voit le fameux et difficultueux édifice et ses inextricables détours; mais, dans sa pitié pour le grand amour d'une reine [1342], Dédale débrouille lui-même les ruses et les enchevêtrements du palais, dirigeant par un fil des pas aveugles. Toi aussi, tu aurais une grande place en une si belle œuvre, Icare [1343], si la douleur l'avait permis. Deux fois il avait essayé dans l'or de retracer ta chute; deux fois ses mains de père tombèrent... Ils auraient continué à parcourir des yeux toutes ces merveilles si Achate [1344], envoyé en avant, ne se fût présenté, et, avec lui, la prêtresse de Phébus et de Trivie, Déiphobé [1345], fille de Glaucus [1346], qui s'adresse au roi en ces termes : « Ce n'est pas le moment de s'arrêter à ces spectacles. Mieux vaudrait pour l'instant immoler sept jeunes taureaux d'un troupeau indompté et autant de brebis choisies selon l'usage. » Après avoir ainsi parlé à Enée (et les guerriers accomplissent ses ordres sans retard), la prêtresse appelle les Teucères [1347] dans les profondeurs du temple.

L'énorme flanc de la roche euboïque [1348] est taillé [1349] en forme d'antre, où cent larges avenues conduisent [1350] à cent portes, et d'où sortent autant de voix, réponses de la Sibylle. On était arrivé sur le seuil, lorsque la vierge dit : « C'est le moment d'interroger les destins : le dieu! voici le dieu! » Comme elle prononçait ces mots devant les portes [1351], tout à coup son visage, son teint se sont altérés, sa chevelure s'est répandue en désordre [1352]; puis sa poitrine halète, son cœur farouche se gonfle de rage; elle paraît plus grande [1353], sa voix n'a plus un son humain : car elle a déjà senti le souffle et l'approche du dieu. « Tu tardes à offrir tes vœux et tes prières, Troyen Enée, dit-elle; tu tardes! Et pourtant les grandes portes de cette demeure étonnée [1354] ne s'ouvriront pas auparavant. » Et, à ces mots, elle se tut. Un frisson glacial parcourut les dures moelles des Teucères, et leur roi, du fond de son cœur, fit cette prière : « Phébus, toi qui pris toujours en pitié les lourdes épreuves de Troie [1355], toi qui dirigeas la main et la flèche dardanienne [1356] de Pâris contre le corps de l'Eacide [1357], c'est sous ta conduite que j'ai pénétré dans tant de mers baignant des terres immenses, et jusqu'au fond des terres reculées qu'habitent les peuplades des Massyles [1358], et jusqu'aux champs bordés par les Syrtes [1359]. Maintenant enfin nous touchons aux bords de l'Italie fuyante. Que la fortune de Troie [1360] ne nous suive pas plus loin! Vous aussi, vous pouvez maintenant épargner le peuple de Pergame, vous tous, dieux et déesses, auxquels Ilion et la gloire énorme de la Dardanie ont fait ombrage [1361]. Et toi, très sainte prophétesse qui sais d'avance l'avenir (je ne te demande pas un royaume qui ne m'est pas assigné par les destins), laisse les Teucères s'établir dans le Latium, ainsi que leurs dieux errants, et les divinités de Troie si longtemps ballottées. Alors j'élèverai à Phébus et à Trivie un temple de marbre massif [1362], et j'instituerai des jours de fête au nom de Phébus [1363]. A toi aussi est réservé dans notre empire un grand sanctuaire; j'y placerai tes oracles [1364] et les secrets destins prédits à mon peuple, et te consacrerai, alme vierge, des mortels choisis [1365]. Seulement ne confie pas tes prophéties à des feuilles [1366], de peur qu'elles ne s'envolent en désordre, jouets des vents rapides. Veuille les chanter toi-même [1367], je t'en prie. » Il termina ici son discours.

Cependant, rebelle encore à l'obsession de Phébus, la prêtresse se débat monstrueusement dans son antre [1368], comme une Bacchante, et tâche de secouer de sa poitrine le dieu puissant; lui n'en fatigue que plus sa bouche enragée, domptant son cœur sauvage, et la façonne à sa volonté qui l'oppresse. Déjà les cent portes énormes de la demeure se sont ouvertes d'elles-mêmes et portent par les airs les réponses de la prophétesse : « O toi qui es enfin quitte des grands périls de la mer, — mais la terre t'en réserve de plus pénibles encore, — les Dardanides viendront dans le royaume de Lavinium [1369] : bannis ce souci de ton cœur; mais ils souhaiteront de n'y être pas venus. Je vois des guerres, d'horribles guerres, et le Tibre couvert d'une écume sanglante. Ni le Simoïs [1370] ni le Xanthe [1371] ni les camps doriens [1372] ne te manqueront : un autre Achille [1373] a déjà été enfanté pour le Latium, né, lui aussi, d'une déesse [1374], et Junon, acharnée contre les Teucères, ne les lâchera jamais. Alors, au sein de ta détresse, quels peuples d'Italie ou quelles villes n'imploreras-tu pas en suppliant ? La cause d'un si grand malheur pour les Teucères sera encore une épouse étrangère [1375], et encore un hymen étranger... Pour toi, ne cède pas à l'adversité, mais affronte-la avec plus d'audace que ta fortune ne te le permettra. La première voie de salut — ce que tu es bien loin d'escompter — te sera ouverte par une ville grecque [1376]. »

C'est en de pareils termes que, du fond de son sanctuaire, la Sibylle de Cumes annonce ses horribles ambiguïtés [1377] et mugit dans son antre où elle enveloppe de ténèbres la vérité : tels sont les freins dont Apollon secoue sa fureur et les aiguillons qu'il retourne dans son cœur. Dès que sa fureur est tombée, et que sa bouche enragée s'est calmée, le héros Enée commence : « Il n'est point d'épreuve, ô vierge, qui dresse devant moi une face nouvelle ou inattendue. J'ai tout prévu [1378], et j'ai tout imaginé par avance en moi-même. Je ne te demande qu'une chose : puisque c'est ici, dit-on, la porte du roi des Enfers et le ténébreux marais où reflue l'Achéron [1379], qu'on m'accorde le bonheur d'aller voir et d'entretenir mon père chéri; veuille me montrer la route et m'ouvrir les portes sacrées. C'est lui qu'à travers les flammes et mille traits crépitants j'enlevai sur mes épaules et retirai du milieu des ennemis; c'est lui qui, suivant ma route, s'exposait avec moi sur toutes les mers et à toutes les menaces de l'eau et du ciel, infirme et allant au-delà des forces et de la condition de la vieillesse; c'est lui encore qui me recommandait et me priait de t'aborder en suppliant et de franchir ton seuil. Alme vierge, je t'en conjure, aie pitié du fils et du père : car tu peux tout, et ce n'est pas en vain qu'Hécate t'a préposée aux bois sacrés de l'Averne; si Orphée a pu ramener les Mânes de sa femme [1380], grâce à la cithare thrace [1381] et à ses cordes harmonieuses; si Pollux a racheté son frère [1382] de la mort en mourant à son tour, et si tant de fois il fait et refait cette route [1382]. A quoi bon citer Thésée [1384], et le grand Alcide [1385] ? Moi aussi [1386], je descends du très haut Jupiter [1387]. »

C'est ainsi qu'il priait, tenant l'autel [1388], et la prêtresse alors lui répondit en ces termes : « Fils du sang des dieux, ô

Troyen Anchisiade, la descente à l'Averne [1389] est facile : nuit et jour est ouverte la porte du sombre Dis [1390]. Mais revenir sur ses pas et sortir vers les brises d'en haut, c'est là la difficulté et l'épreuve. Peu de mortels l'ont pu, engendrés par les dieux, qui furent aimés de Jupiter propice, ou que leur ardente vertu éleva jusqu'à l'éther. Des forêts tiennent tout l'espace intermédiaire [1391], et le Cocyte [1392] en son cours l'entoure d'un noir repli. Si tu as un si grand désir, une si grande avidité de traverser deux fois [1393] les eaux du Styx et de voir deux fois le noir Tartare [1394], et qu'il te plaise de tenter cette folle entreprise, apprends d'abord ce que tu as à faire. Il y a, caché dans un arbre opaque, un rameau dont les feuilles et la tige flexible sont d'or [1395], consacré à la Junon infernale [1396]; tout un bosquet sacré le protège et les ombres d'un obscur vallon l'emprisonnent. Mais il n'est point donné de pénétrer dans les profondeurs de la terre, avant d'avoir détaché ce rameau à la chevelure d'or de l'arbre qui l'a produit : c'est le présent dont la belle Proserpine veut qu'on lui fasse hommage. Ce premier rameau arraché, il en pousse un autre, également d'or, et dont la tige se couvre de feuilles du même métal. Cherche-le donc des yeux au fond des bois, et, quand tu l'auras découvert, cueille-le, selon le rite, avec la main [1397] : car il viendra de lui-même, volontiers et facilement, si les destins t'appellent; autrement, il n'est point de force par laquelle tu le puisses vaincre, ni de fer, si dur qu'il soit, par lequel tu le puisses arracher. En outre, le corps d'un de tes amis [1398] gît inanimé (tu ne le sais pas, hélas!), et son cadavre souille la flotte tout entière, tandis que tu nous poses des questions et que tu restes en suspens sur notre seuil. Avant tout rends-le à l'asile qui lui est dû [1399], et enferme-le dans un sépulcre. Conduis à l'autel des brebis noires : que ce soit là tes premières expiations. Alors seulement tu verras les bois sacrés du Styx et le royaume qui n'a pas de chemin pour les vivants. » Elle dit, et, fermant la bouche, elle se tut.

Enée, le visage affligé, les yeux baissés, quitte l'antre et s'éloigne, roulant au fond de lui-même dans son cœur ces événements obscurs. Le fidèle Achate l'accompagne et marche près de lui, en proie aux mêmes soucis. Tous deux échangeaient mille conjectures de toute sorte : quel était ce compagnon inanimé, ce cadavre à enterrer dont parlait la prêtresse ? Et voici qu'à peine arrivés ils voient sur le rivage à sec Misène, frappé d'une mort qu'il ne méritait pas, — Misène, fils d'Éole [1400], qui n'avait pas son égal pour appeler les guerriers aux sons de la trompette et pour enflammer Mars par ses accents [1401]. Il avait été le compagnon du grand Hector; aux côtés d'Hector, il affrontait des combats, fameux par son clairon [1402] et par sa lance. Lorsque Achille victorieux eut ôté la vie à son rival, le héros, plein de bravoure, s'était attaché au Dardanien Enée, ne voulant pas déchoir. Mais juste au moment où sa conque sonore [1403] faisait retentir les plaines liquides — fou qu'il était, — et où ses accents convoquaient les dieux au combat, Triton [1404] jaloux, s'il est permis de le croire, l'avait surpris et plongé au milieu des rochers sous l'onde écumante. Tous donc se lamentaient autour de lui, avec de grands cris, surtout le pieux Enée. Puis ils se hâtent, en pleurant, d'accomplir sans retard les ordres de la Sibylle, et s'empressent à l'envi d'élever avec ses arbres un autel funéraire [1405] et de le dresser vers le ciel. On va dans l'antique forêt, gîte profond des bêtes sauvages; les picéas [1406] tombent; l'yeuse résonne sous les coups de hache; les troncs des hêtres et des rouvres sont fendus et déchirés par des coins; on fait rouler sur la pente des montagnes des ornes [1407] énormes. Enée, prenant part à de tels travaux, est le premier à exhorter ses compagnons, et à s'armer des mêmes instruments qu'eux; et, en lui-même, dans son triste cœur, voici les pensées qu'il roule, à la vue de la forêt immense, et la prière qu'il fait : « Oh! si le rameau d'or sur son arbre se montrait à nous dans ces grands bois! car tout ce qu'a dit la prophétesse n'était, hélas! que trop vrai pour toi, Misène. »

A peine avait-il parlé que deux colombes, justement, descendirent en volant du ciel sous les yeux mêmes du guerrier, et se posèrent sur le sol vert. Alors le grand héros reconnaît les oiseaux de sa mère [1408] et leur adresse avec joie cette prière : « Oh! soyez mes guides, et, parmi les airs, dirigez ma course, si quelque route y mène, vers le bois sacré [1409] où un précieux rameau ombrage la terre grasse. Et toi, ô déesse ma mère, ne me laisse pas dans l'embarras. » Ayant ainsi parlé, il s'arrêta, observant les indications que lui fournissent les oiseaux et la route qu'ils s'apprêtent à suivre. Il les voit picorer et ne s'avancer en volant qu'autant que l'œil peut suivre leur essor. Puis, arrivées aux gorges infectes [1410] de l'Averne, elles s'élèvent, rapides, et, glissant parmi l'air limpide, se posent toutes deux à l'endroit souhaité, au haut d'un arbre, d'où l'éclat de l'or, tranchant sur les rameaux, resplendit à la vue. De même qu'on voit dans les bois, au froid solstice, verdir avec ses nouvelles feuilles le gui [1411] qui pousse sur un arbre étranger [1412], et dont les fruits safranés s'enroulent autour des troncs arrondis, tel était sur une yeuse [1413] opaque l'aspect de la frondaison d'or, ainsi crépitaient au vent léger ses feuilles brillantes. Enée la saisit sur-le-champ, l'arrache avidement malgré sa résistance, et la porte à la demeure de la prophétesse Sibylle.

Pendant ce temps les Teucères ne laissaient pas de pleurer Misène sur le rivage et de rendre les suprêmes honneurs à sa cendre insensible. Ils ont commencé par dresser un énorme bûcher composé de bois résineux et de morceaux de chênes; ils en tapissent les côtés de sombres frondaisons [1414]; ils dressent, par-devant, des cyprès funèbres [1415] et en décorent le faîte d'armes étincelantes [1416]. Les uns préparent l'eau chaude [1417] et font bouillir les vases d'airain sur la flamme; ils lavent le corps glacé et le parfument [1418]. Un gémissement [1419] se fait entendre. Puis, lorsqu'on a pleuré sur le cadavre, on le dépose sur un lit funèbre, et l'on jette sur lui ses vêtements de pourpre, son costume familier. D'autres ont soulevé l'énorme civière, — triste ministère —, et, détournant la tête, ont tenu leur torche baissée, selon l'usage des ancêtres. Tout ce qu'on a entassé est brûlé : offrandes d'encens, chairs des victimes [1420], cratères dont l'huile a été répandue. Quand les cendres se furent affaissées et que la flamme fut éteinte, on lava dans le vin ces restes et cette cendre qui boit le liquide, et Corynée [1421], recueillant les os, les enferma dans une urne d'airain [1422]. Trois fois il promena l'eau lustrale autour de ses compagnons, les aspergeant avec une branche légère de romarin et un rameau d'olivier [1423] fertile [1424], puis il les purifia et prononça les dernières paroles [1425]. Cependant le pieux Enée élève à son compagnon un énorme tombeau, que décorent les armes du guerrier [1426], sa rame et sa trompette : c'est au pied d'un mont aérien, qui s'appelle aujourd'hui Misène en son honneur et qui, à travers les siècles, gardera son nom éternel [1427].

Cela fait, il se hâte d'exécuter les prescriptions de la Sibylle. Il y avait une caverne profonde, monstrueusement taillée dans le roc en une vaste ouverture, défendue par un lac noir [1428] et par les ténèbres des bois. Nul oiseau ne pouvait impunément se frayer un chemin dans les airs au-dessus d'elle, tant étaient impures les exhalaisons qui, sortant de ces gorges noirâtres, s'élevaient vers la voûte du ciel. [Aussi les Grecs ont-ils nommé ce lieu Aornos [1429].] La prêtresse y fait d'abord conduire quatre jeunes taureaux noirs et verse du vin sur leur front [1430]; puis, leur coupant entre leurs cornes l'extrémité des poils [1431], elle jette dans le feu sacré cette première offrande, en invoquant à voix haute Hécate, puissante au ciel [1432] et dans l'Erèbe [1433]. D'autres enfoncent les couteaux et recueillent dans les patères [1434] le sang tiède. Enée frappe lui-même de son épée une agnelle à la noire toison pour la mère des Euménides [1435] et pour sa grande sœur [1436], et pour toi, Proserpine, une vache stérile [1437]. Puis il élève des autels nocturnes [1438] au roi du Styx [1439] et livre aux flammes les viscères entiers des [1440] taureaux, répandant une huile grasse sur les entrailles ardentes.

Mais voici qu'aux premiers feux du soleil levant [1441] le sol commença de mugir sous ses pieds, et la cime des forêts de bouger, et il semble que des chiennes hurlaient dans l'ombre [1442], à l'approche de la déesse. « Loin d'ici, loin d'ici, profanes! crie la prêtresse : retirez-vous de tout ce bois sacré! Et toi, ouvre la marche et tire ton épée du fourreau [1443] : c'est maintenant qu'il faut du courage, Enée, c'est maintenant qu'il faut un cœur ferme. » Bornant là ses paroles, transportée de fureur, elle s'est élancée dans l'antre béant; lui règle sur les pas de son guide ses pas intrépides.

Dieux qui avez l'empire des âmes, Ombres silencieuses, Chaos [1444] et Phlégéthon [1445], muets parages qui vous étendez dans la nuit, qu'il me soit permis de dire ce que j'ai entendu [1446], et, avec votre assentiment, de dévoiler les choses ensevelies dans les profondeurs ténébreuses de la terre!

Ils allaient obscurs, dans la nuit solitaire, à travers l'ombre et à travers les demeures vides et le vain royaume de Dis : tel, le chemin qu'on fait dans les bois, par une lune incertaine[1447], sous une méchante lumière, quand Jupiter a enfoui le ciel dans l'ombre et que la sombre nuit a enlevé aux choses leur couleur.

Dans le vestibule même, à l'entrée des gorges de l'Orcus[1448], le Deuil et les Remords vengeurs ont fait leur lit; là habitent les pâles Maladies, et la triste Vieillesse, et la Crainte, et la Faim mauvaise conseillère, et la hideuse Pauvreté, formes terribles à voir, et la Mort, et la Souffrance; puis, le Sommeil, frère de la Mort[1449], et les Joies mauvaises de l'esprit, et, sur le seuil en face[1450], la Guerre meurtrière, et les chambres de fer[1451] des Euménides, et la Discorde insensée, avec sa chevelure de vipères[1452] nouée de bandelettes sanglantes.

Au milieu[1453], un ormeau opaque, énorme, déploie ses rameaux et ses branches séculaires, demeure, dit-on, que hantent communément les vains Songes[1454], fixés sous toutes les feuilles. En outre, mille fantômes monstrueux de bêtes sauvages variées s'y rencontrent : les Centaures[1455], à l'écurie devant les portes, et les Scylles[1456] biformes[1457], et Briarée au cent bras[1458], et le monstre de Lerne[1459] poussant des sifflements horribles, et la Chimère[1460] armée de flammes, et les Gorgones[1461], et les Harpyes[1462], et la forme de l'Ombre au triple corps[1463]. Tremblant alors d'une subite épouvante, Enée saisit son glaive et en présente la pointe acérée aux monstres qui l'obsèdent; et, si sa docte compagne ne l'avertissait que ce sont des âmes ténues, sans corps, qui volettent sous une enveloppe sans consistance, il se ruerait sur elles et pourfendrait vainement des ombres avec son glaive.

De là part la route qui mène aux ondes de l'Achéron du Tartare[1464] : c'est un gouffre bourbeux, vaste abîme de boue qui bouillonne et qui vomit tout son limon dans le Cocyte[1465]. Un nocher terrible garde ces eaux et ce fleuve; il est d'une épouvantable saleté; c'est Charon[1466] : une abondante barbe blanche, mal soignée, lui tombe du menton; ses yeux pleins de flammes sont fixes; un sordide manteau est noué à ses épaules. Il pousse lui-même son radeau avec la gaffe, le gouverne avec les voiles, et passe les corps dans la barque couleur de fer. Il est déjà assez vieux, mais sa vieillesse est solide et verte comme celle d'un dieu. Là toute une foule se ruait à flots pressés sur la rive : mères, époux[1467], héros magnanimes dont le corps a fourni la carrière de la vie, enfants, jeunes filles qui ne connurent point les noces, jeunes gens qui furent placés sur le bûcher devant les yeux de leurs parents; aussi nombreux que les feuilles qui tournoient et tombent dans les bois au premier froid de l'automne; aussi nombreux que les oiseaux qui se rassemblent, venant de la haute mer, sur le continent, quand la froide saison les fait fuir à travers l'océan et les chasse vers les terres de soleil. Dressés, ils demandaient tous à passer les premiers, et tendaient les mains dans leur avidité d'atteindre l'autre rive. Mais le triste nocher prend tantôt ceux-ci, tantôt ceux-là, et repousse loin du rivage ceux qu'il a écartés.

Énée, que ce tumulte étonne et émeut, interpelle la Sibylle :

« Dis-moi, ô vierge, que veut dire ce concours aux bords du fleuve ? » Que demandent ces âmes ? Par quelle discrimination les unes sont-elles éloignées de la rive, tandis que les autres balaient avec les rames ces flots livides ? La vieille [1468] prêtresse lui répondit brièvement : « Fils d'Anchise, race très certaine des dieux, tu vois les étangs profonds du Cocyte et le marais du Styx dont les dieux craignent de parjurer la puissance [1469]. Toute cette foule, que tu vois, est sans assistance et sans sépulture; ce passeur là-bas, c'est Charon; ceux que l'onde porte ont été ensevelis. Il ne lui est point permis de faire passer aux morts ces rives horribles et ces flots rauques [1470] avant que leurs ossements n'aient trouvé la paix du tombeau. Pendant cent ans ils errent et volettent autour de ces bords. Alors seulement, ayant été admis, ils voient à leur tour ces étangs si désirés. » Le fils d'Anchise s'est arrêté dans sa marche, tout pensif, et déplorant dans son cœur le sort inique de ces ombres. Il voit là, affligés et privés des honneurs de la mort, Leucaspis [1471] et le chef de la flotte lycienne [1472], Oronte [1473] qui, partis de Troie avec lui et ballottés sur les plaines orageuses de la mer, furent assaillis par l'Auster [1474] et engloutis dans l'eau avec leur navire et leurs hommes.

Voici que s'avançait le pilote Palinure, qui naguère, dans la traversée de la mer de Libye, était tombé de la poupe en observant les constellations, et avait disparu au sein des ondes. A peine eut-il reconnu dans l'ombre épaisse son ami affligé qu'il lui adresse le premier la parole : « Lequel d'entre les dieux, Palinure, t'a ravi à nous et plongé au sein de la plaine liquide ? Dis-le, réponds. Car Apollon, qui jamais ne s'était trouvé me tromper auparavant, s'est joué, cette fois seulement, de ma crédulité en me répondant [1475] et en me prédisant que tu n'avais rien à craindre de la mer et que tu parviendrais aux confins de l'Ausonie. Est-ce ainsi qu'il tient sa promesse ? » Palinure répond : « Non, le trépied de Phébus [1476] ne t'a point trompé, fils d'Anchise, mon chef, et un dieu ne m'a pas plongé dans la plaine liquide [1477]. Car le gouvernail, dont tu m'avais confié la garde et auquel je me cramponnais pour diriger votre marche, se rompit par hasard sous une violente secousse; précipité, je l'entraînai avec moi. Je jure par les mers houleuses que je n'ai pas eu si peur pour moi que pour ton navire, qui, dépouillé de ses armes et privé de son pilote, pouvait ne pas résister à un tel soulèvement des ondes. Durant trois nuits de tempête, le Notus [1478] déchaîné parmi l'immensité de la plaine liquide me porta sur l'eau; à peine le quatrième jour naissait-il que, soulevé dans l'air, au sommet d'une vague, j'aperçus devant moi l'Italie. Je nageais, m'approchant peu à peu de la terre; déjà j'étais en sûreté, si des gens barbares, me voyant, avec mes vêtements humides, alourdi, essayer de saisir avec mes mains crispées les aspérités saillantes d'un promontoire, n'avaient fondu sur moi le fer à la main, dans l'espoir trompeur d'un butin. Maintenant je suis la proie du flot et les vents me tournent et retournent sur le rivage. C'est pourquoi, je t'en prie, par la douce lumière et par les brises du ciel, par ton père, par l'espoir que te donne Iule en grandissant, tire-moi, ô héros invaincu, de cette misère : ou bien jette de la terre sur moi [1479], tu le peux, et cherche le port de Vélia [1480], ou bien, s'il y a quelque moyen, si la déesse ta mère t'en indique un (car ce n'est pas, je crois, sans la volonté des dieux que tu te prépares à traverser un si grand fleuve et le marais du Styx), tends la main à un malheureux et emporte-moi avec toi à travers ces ondes, pour qu'au moins dans la mort je repose en une demeure paisible. »

Tels étaient les mots qu'il avait prononcés, quand la prêtresse commença : « D'où te vient, ô Palinure, un aussi farouche désir ? Toi qui n'as pas été inhumé, tu verrais les eaux du Styx et le fleuve sévère des Euménides, et, sans en avoir reçu l'ordre, tu aborderais sur la rive! Cesse d'espérer fléchir par tes prières les arrêts des dieux. Mais écoute et retiens ces paroles, consolations de ton dur malheur : émus des prodiges célestes qui éclateront au loin et au large par les villes, les peuples voisins apaiseront tes ossements, t'élèveront un tombeau et rendront à ce tombeau des honneurs solennels; et l'endroit aura éternellement le nom de Palinure [1481]. » Ces mots bannissent les soucis de Palinure et chassent pour un temps la douleur de son triste cœur : il se réjouit qu'une terre porte son nom.

Ils poursuivent donc la route commencée et s'approchent du fleuve. Dès que, de l'onde du Styx, le nocher les a vus s'engager par la forêt silencieuse et tourner leurs pas vers la rive, il prend le premier la parole et les gourmande de lui-même : « Qui que tu sois, qui te diriges, armé, vers notre fleuve, dis-moi ce qui t'amène, et réponds d'où tu es, sans aller plus avant. C'est ici le séjour des Ombres, du Sommeil et de la Nuit assoupissante : il m'est défendu de passer des vivants dans la carène du Styx. D'ailleurs je n'ai pas eu à me réjouir [1482] d'avoir accueilli sur ce lac, à leur arrivée aux Enfers, Alcide [1483], ni Thésée et Pirithoüs [1484], quoiqu'ils fussent engendrés des dieux [1485] et d'une force invaincue; le premier enchaîna de sa main le gardien du Tartare et l'arracha tremblant du trône du roi [1486] lui-même; les deux autres essayèrent d'enlever la souveraine de la chambre de Dis. »

La prêtresse amphrysienne [1487] lui répondit brièvement : « Nous n'avons point de tels desseins perfides : cesse de t'émouvoir. Ces armes n'apportent point la violence. L'énorme janissaire [1488] peut bien pousser du fond de son antre ces éternels aboiements qui terrifient les Ombres exsangues; la chaste Proserpine peut hanter le seuil de son oncle [1489]. Le Troyen Énée, remarquable par sa piété et par ses exploits, descend voir son père aux ombres profondes de l'Érèbe. Si l'exemple d'une telle piété ne te touche pas, veuille du moins reconnaître ce rameau [1490] »; et elle découvre le rameau qui était caché sous sa robe. Le cœur de Charon, gonflé de colère, s'apaise alors. Elle n'en dit pas davantage : lui, admirant le vénérable don de la branche fatale, qu'il n'a pas vu depuis longtemps, tourne vers eux sa poupe sombre et s'approche de la rive. Puis il repousse les autres âmes, qui étaient assises le long des bancs, vide le tillac, et reçoit dans sa coque l'énorme Énée. La barque frêle [1491] a gémi sous le poids, et, par ses fissures, a laissé entrer en abondance l'eau du marais. Enfin, elle dépose sains et saufs au-delà du fleuve la prêtresse et le guerrier, sur un informe limon et parmi l'ulve [1492] glauque.

Là sont les royaumes que l'énorme Cerbère [1493] fait retentir de sa triple gorge aboyante; le monstre est couché dans un antre, face à la rive. La prêtresse, voyant déjà son cou se hérisser de couleuvres [1494], lui jette un gâteau soporifique, composé de miel et de graines préparées [1495]; l'animal, dans sa faim enragée, ouvre ses trois gueules, engloutit ce qu'on lui jette, détend et allonge à terre sa croupe monstrueuse, dont l'énormité emplit tout l'antre. Énée se hâte de franchir l'entrée, tandis que le gardien est enseveli dans le sommeil, et il s'éloigne rapidement du bord de l'onde qu'on ne repasse pas.

Tout de suite se firent entendre des voix, et un énorme vagissement : âmes pleurantes des enfants, qu'au seuil même de l'existence un jour sombre arracha sans qu'ils eussent connu la douceur de la vie, dérobés au sein maternel pour être plongés dans la mort cruelle. Près d'eux, les innocents, qui furent condamnés à mort par erreur. Ces places n'ont point été assignées sans tribunal tiré au sort [1496] ni sans juge : Minos [1497] préside et agite son urne [1498]; c'est lui qui convoque l'assemblée des Silencieux et qui s'enquiert de leurs vies et de leurs crimes. Puis, tout à côté, se tiennent, accablés de tristesse, ceux qui, sans avoir fait aucun mal, se sont donné la mort [1499], de leur propre main, et qui, haïssant la lumière, ont rejeté la vie. Comme ils voudraient maintenant, sous l'éther élevé, endurer la pauvreté et les durs travaux! Le destin s'y oppose, et le marais odieux à l'onde triste les enchaîne, et le Styx aux neuf replis les emprisonne.

Non loin de là s'étendent de tous côtés les Champs des Pleurs : c'est ainsi qu'on les nomme. Là, ceux qu'un dur amour a dévorés d'une consomption cruelle trouvent, à l'écart, des sentiers qui les cachent et une forêt de myrtes [1500] qui les abrite : leurs tourments ne les abandonnent pas, même dans la mort. Il voit en ces lieux Phèdre [1501], et Procris [1502], et la triste Ériphyle [1503] montrant les coups que lui porta un fils cruel, et Évadné [1504] et Pasiphaé [1505]; Laodamie [1506] les accompagne, et Cénée [1507], jeune homme jadis, maintenant femme rendue par le destin à sa forme première.

Parmi elles, la Phénicienne Didon, saignant encore de sa blessure, errait dans la grande forêt; dès que le héros troyen fut près d'elle et la reconnut, obscure, parmi les ombres, comme au début du mois l'on voit ou l'on croit avoir vu la lune entre les nuages [1508], il laissa couler ses larmes et lui dit avec un doux amour : « Infortunée Didon! Il était donc vrai que tu ne vivais plus et que, le fer à la main, tu avais pris un parti extrême! De ton trépas, hélas! je fus la cause. Je le jure par les constellations, par les dieux d'en haut, et par tout ce qu'il y a de sacré dans ces profondeurs de la terre, c'est malgré moi, ô reine, que j'ai quitté ton rivage. Je n'ai fait qu'obéir aux dieux, dont les ordres impérieux me forcent aujourd'hui à aller parmi ces ombres, parmi ces lieux couverts d'affreuses broussailles et cette nuit profonde. Et je n'ai pu croire que mon départ te causerait une si grande douleur... Arrête; ne te dérobe point à nos regards. Qui fuis-tu ? C'est la dernière fois que le destin me permet de te parler. »

Par de telles paroles, Énée essayait d'adoucir cette âme ardente, aux regards farouches, et de lui tirer des larmes. Elle, détournant la tête, tenait ses yeux fixés au sol; elle n'a pas l'air plus émue de cet essai de conversation que si elle était un dur caillou ou un haut contrefort du Marpésus [1509]. Enfin elle s'élança et s'enfuit, hostile, dans la forêt ombreuse, où son premier époux, Sychée, répond à ses soins [1510] et partage son amour. Néanmoins Énée, tout secoué par ce malheur inique, la suit au loin des yeux en pleurant et, tandis qu'elle s'éloigne, il la prend en pitié.

Puis il reprend avec peine la route qui lui fut assignée. Déjà ils atteignaient les champs les plus reculés, que hantent à l'écart les guerriers illustres. Là se présentent à lui Tydée [1511], Parthénopée [1512] célèbre par ses armes, et l'image du pâle Adraste [1513]. Là sont les Dardanides tombés à la guerre et tant pleurés dans le monde d'en haut. En les voyant tous défiler en longue file il gémit : il reconnaît Glaucus [1514], Médon [1515], Thersiloque [1516], les trois fils d'Anténor [1517], Polybétès consacré à Cérès [1518], et Idée [1519] tenant encore ses rênes, encore ses armes. Ces âmes l'entourent, à droite et à gauche, en grand nombre : il ne leur suffit pas de l'avoir vu une fois; elles ont plaisir à s'attarder, à suivre ses pas, à s'informer des causes de sa visite. Mais les chefs des Danaens [1520] et les phalanges d'Agamemnon ont à peine aperçu le héros et ses armes resplendissant dans l'ombre qu'ils tremblent en proie à une peur énorme : les uns tournent le dos, comme jadis quand ils fuyaient [1521] vers leurs vaisseaux; les autres poussent un faible cri; la clameur commencée expire dans leur bouche en vain grande ouverte.

Là aussi, il vit le fils de Priam, Déiphobe [1522], le corps tout en lambeaux, le visage cruellement déchiré, le visage et les deux mains, les oreilles arrachées et ses tempes ravagées, et le nez mutilé par une hideuse blessure. Il l'a reconnu à peine, tremblant et cachant ses horribles plaies, et il lui parle le premier d'une voix familière : « Déiphobe puissant par les armes [1523], issu du noble sang de Teucer [1524], qui donc osa t'infliger un si cruel supplice ? Qui a pu te traiter de la sorte ? J'ai ouï dire, dans la dernière nuit de Troie, que, las d'un vaste carnage, tu étais tombé sur un amas de cadavres confus [1525]. Alors je t'ai élevé moi-même un tombeau vide sur le rivage du Rhétée [1526], et trois fois, à haute voix, j'ai invoqué tes Mânes [1527]. Ton nom et tes armes [1528] consacrent le lieu; mais toi, ami, je n'ai pu te découvrir ni te déposer, en partant dans la terre de ta patrie. » Le fils de Priam lui répond : « Tu n'as rien oublié, ô mon ami; tu es entièrement quitte envers Déiphobe et envers l'ombre de son cadavre. Mais c'est mon destin et le crime funeste de la Laconienne [1529] qui m'ont plongé dans cet abîme de maux; voilà les souvenirs qu'elle m'a laissés [1530]. Dans quelles joies trompeuses nous passâmes la nuit suprême, tu le sais, et nous ne sommes que trop forcés de nous le rappeler. Quand le fatal cheval escalada la haute Pergame [1531] et y porta l'infanterie armée que contenaient ses flancs lourds, elle, simulant un chœur, menait à la ronde orgiaque des bacchantes phrygiennes; tenant au milieu d'elles une énorme torche, elle appelait les Danaens du sommet de la citadelle. J'étais alors, accablé de soucis et appesanti par le sommeil [1532], étendu sur ma couche infortunée, et j'y dormais, envahi d'un doux et profond repos, tout pareil à la calme mort. Pendant ce temps mon excellente épouse enlève toutes les armes du palais, après avoir soustrait à mon chevet ma fidèle épée. Elle appelle Ménélas dans le palais, et lui en ouvre les portes, espérant sans doute que cette belle avance séduirait l'homme qui l'aimait et que la flamme de ses anciens méfaits pourrait ainsi être éteinte. Que te dirai-je ? Ils se ruent dans ma chambre, et un compagnon s'est joint à eux, l'instigateur des crimes, l'Éolide [1533]. Dieux, renouvelez de telles horreurs contre les Grecs, si c'est d'une bouche pieuse que je réclame vengeance! Mais toi, dis-moi donc à ton tour quels hasards t'ont conduit vivant en ces lieux. Y viens-tu poussé par tes courses errantes sur la mer [1534], ou par une prescription des dieux ? Ou quel autre malheur te poursuit, pour affronter ces tristes demeures sans soleil, ces lieux troubles ? »

Pendant cet échange de propos, l'Aurore au quadrige [1535] de rose avait déjà dans sa course éthérée traversé la moitié du ciel, et ils eussent peut-être passé tout le temps donné à prolonger un tel entretien, si la Sibylle, sa compagne, n'eût averti le héros et ne lui eût dit brièvement : « La nuit vient, Énée; et nous, nous passons les heures à pleurer. Voici l'endroit, où la route bifurque : celle de droite conduit sous les murs du grand Dis : c'est le chemin de l'Élysée, le nôtre; celle de gauche est le théâtre des supplices réservés aux méchants et mène au Tartare impie. » Déiphobe reprend : « Ne te fâche pas, grande prêtresse; je vais m'en aller, je vais compléter la foule des ombres et rentrer dans les ténèbres. Va, notre gloire, va; jouis d'un destin meilleur. » Il n'en dit pas davantage et se détourna sur ces mots.

Tout à coup Énée regarde derrière lui et voit à gauche, au pied d'un rocher, de larges remparts, entourés d'un triple mur. Un fleuve rapide, le Phlégéthon [1536] du Tartare, les enveloppe de ses flammes torrentielles et roule des rocs retentissants. En face, une énorme porte et des colonnes d'acier [1537] massif, tels qu'aucune force humaine ni les habitants du ciel eux-mêmes s'aidant du fer ne pourraient les enfoncer. Une tour de fer se dresse dans les airs, et Tisiphone [1538] y siège, sa robe sanglante retroussée, gardant le vestibule nuit et jour sans dormir. On entend sortir de là des gémissements, des coups de fouet terribles, puis le bruit strident du fer et des traînements de chaînes. Énée s'est arrêté, et, terrifié, a écouté ce fracas : « Quelle sorte de crimes punit-on ici ? ô vierge, dis-le-moi; quels sont les châtiments qu'on y inflige ? Quelle est cette grande lamentation qui monte à mes oreilles ? » Alors la prophétesse lui répondit : « Chef illustre des Teucères, il n'est permis à aucun homme pur de franchir le seuil du crime; mais Hécate, en me confiant la garde des bois sacrés de l'Averne, m'instruisit elle-même des peines établies par les dieux et me conduisit partout. Le gnossien Rhadamanthe [1539] exerce en ces lieux son très dur pouvoir; il met les fourbes à la torture et à la question et les contraint d'avouer les forfaits qu'ils se flattaient en vain d'avoir cachés chez les gens d'en haut, et dont ils différaient l'expiation jusqu'à l'heure tardive de la mort. Tout de suite, armée d'un fouet, la vengeresse Tisiphone, sautant sur les coupables, les flagelle, et, de sa main gauche, brandissant vers eux ses reptiles torves, appelle la troupe farouche de ses sœurs. Alors seulement, en grinçant sur leurs gonds avec un bruit horrible, les portes sacrées s'ouvrent. Tu vois quelle est la garde [1540] assise dans le vestibule ? quelle forme garde le seuil ? Au-dedans, plus farouche encore, se tient une Hydre monstrueuse aux cinquante gueules noires et béantes. Puis le Tartare lui-même s'ouvre en profondeur et s'étend sous l'empire des ombres deux fois autant [1541] que le regard mesure d'espace dans le ciel jusqu'à l'Olympe éthéré. Là, race antique de la Terre [1542], les Titans, renversés par la foudre, roulent au fond de l'abîme. Là, j'ai vu aussi les deux fils d'Aloée [1543], monstrueux géants qui essayèrent de forcer avec leurs mains le grand ciel et de chasser Jupiter de son royaume d'en haut. J'ai vu encore Salmonée [1544] subir de cruels châtiments; imitant les flammes de Jupiter et le fracas de l'Olympe, traîné par quatre chevaux et agitant sa torche, il traversait en triomphateur les peuples des Grecs et sa ville du milieu de l'Élide [1545] et réclamait pour lui les honneurs des dieux, fou! qui croyait en poussant sur un pont d'airain des chevaux au sabot retentissant contrefaire les orages et la foudre inimitable! Mais le Père tout-puissant [1546] lança du sein des nuages épais, non des torches, non des brandons aux fumeuses flammèches, mais un trait, et le précipita dans un monstrueux tourbillon. Je pouvais voir encore Tityos [1547], ce nourrisson de la terre [1548], mère de toutes choses, dont le corps recouvre neuf arpents entiers [1549] : un monstrueux vautour au bec recourbé, rongeant son foie [1550] immortel et ses entrailles fécondes en supplices, y fouille pour trouver sa pâture, et habite sous sa profonde poitrine, et ne laisse point de relâche à ses fibres toujours renaissantes. A quoi bon te parler des Lapithes [1551], d'Ixion [1552], de Pirithoüs [1553] ? Les uns roulent un énorme rocher ou pendent écartelés aux rayons d'une roue;

l'infortuné Thésée est assis et demeurera assis éternellement [1554]; Phlégyas [1555], le plus malheureux, les avertit tous et les prend à témoin, de sa grande voix, dans l'ombre : « Apprenez par mon exemple à respecter la justice et à ne pas mépriser les dieux. » Au-dessus de sa tête, un noir rocher menace de crouler et semble tout près de tomber. Sur de hauts lits de fête luisent les accoudoirs d'or, et des mets sont disposés sous ses yeux avec un luxe royal; mais l'aînée des Furies [1556] est couchée à côté de lui, l'empêche de porter les mains sur la table, se lève en brandissant sa torche et fait entendre le tonnerre de sa voix. Là sont ceux qui durant leur vie ont haï leurs frères, frappé leur père ou trompé la bonne foi d'un client [1557]; ceux (et le nombre en est considérable) qui ont couvé les richesses pour eux seuls amassées et n'en ont point donné une part à leurs proches; ceux qui ont été tués pour un adultère [1558], et ceux qui, suivant des armes impies, n'ont pas craint de trahir le serment fait à leurs maîtres [1559] : tous, prisonniers ici, attendent le châtiment. Ne cherche pas à savoir quel est ce châtiment ni quelle forme de crime ou quelle fortune y a plongé ces hommes. Celui-ci a vendu sa patrie pour de l'or [1560] et lui a imposé un maître tout-puissant; celui-là, moyennant une certaine somme, a fait graver des lois et les a annulées [1561]; cet autre est entré dans la chambre de sa fille et a consommé l'hyménée interdit. Tous ont osé un monstrueux forfait et ont réalisé leur audace. Non, même si j'avais cent langues [1562] et cent bouches et une voix de fer, je ne pourrais dénombrer toutes les formes de crimes, passer en revue tous les noms des supplices. »

Après avoir prononcé ces paroles, la vieille prêtresse de Phébus continua : « Mais allons, poursuis ta route et achève ce que tu as entrepris avec mon présent; hâtons-nous. J'aperçois les murs sortis des forges des Cyclopes, et, en face de nous, les portes voûtées où nous avons mandat de déposer ces offrandes. »

Elle avait dit, et tous deux, s'avançant du même pas à travers les ténèbres de la route, franchissent rapidement l'espace intermédiaire et approchent des portes. Énée devance la prêtresse à l'entrée, répand sur son corps une eau fraîche, et fixe le rameau au seuil qui lui fait face.

Ces devoirs accomplis et le présent offert à la déesse, ils arrivèrent dans de riants parages, aux délicieuses pelouses des bois fortunés [1563], au bienheureux séjour. Un éther plus large revêt ces lieux d'une lumière de pourpre. Les ombres y ont leur soleil [1564] et leurs constellations. Les unes, sur le gazon, s'exercent à la palestre, mesurent leurs forces au jeu, et luttent sur le sable fauve; les autres frappent la terre en des chœurs cadencés et chantent des vers. Le prêtre de Thrace [1565], en longue robe, fait parler harmonieusement les sept notes du chant et fait vibrer sa lyre tantôt sous ses doigts et tantôt sous son plectre d'ivoire. Là est l'antique descendance de Teucer, magnifique postérité, héros magnanimes nés en des ans meilleurs : Ilus [1566], Assaracus [1567], et Dardanus [1568], fondateur de Troie. Énée admire au loin les armes et les chars sans consistance des guerriers. Leurs lances se dressent, piquées dans la terre, et leurs chevaux dételés paissent çà et là à travers la plaine. Ceux qui aimèrent, vivants, leur char et leurs armes, ceux qui goûtèrent le plaisir de faire paître des chevaux luisants, conservent les mêmes goûts descendus sous la terre. Voici qu'il en aperçoit d'autres, à droite et à gauche, prenant leur repas sur l'herbe et chantant en chœur un joyeux Péan [1569], au milieu d'un bois odorant de lauriers, d'où le fleuve Éridan [1570], qui roule ses eaux abondantes à travers la forêt, sort pour monter à la surface de la terre. Là, une troupe de guerriers, couverts de blessures en combattant pour leur patrie; les prêtres, qui, durant leur vie, observèrent les rites; les poètes pieux, dont les vers furent dignes de Phébus; et ceux qui ont embelli la vie par l'invention des arts; et ceux qui par leurs services ont mérité de vivre dans la mémoire d'autrui. Tous ont leurs tempes ceintes d'une bandelette neigeuse [1571]. La Sibylle s'adresse à ces Ombres répandues autour d'elle, et surtout à Musée [1572], car elle le voyait environné d'une foule abondante, qu'il dépassait de ses hautes épaules : « Dites-nous, âmes heureuses, et toi, le meilleur des poètes, quelle contrée, quel lieu possède Anchise ? C'est pour lui que nous sommes venus et que nous avons traversé les grands fleuves de l'Érèbe. » Et le héros lui répondit ainsi en peu de mots : « Personne n'a de demeure fixe; nous habitons dans les bois sacrés opaques; nous hantons les berges des rives et les fraîches prairies arrosées des ruisseaux. Mais, si telle est la volonté de votre cœur, franchissez cette colline, et je vous mettrai sur un chemin facile. » Il dit, et, marchant devant eux, leur montre d'en haut une plaine brillante; ils descendent aussitôt du sommet de l'éminence.

Cependant le vénérable Anchise, au fond d'un vallon verdoyant, contemplait avec un tendre intérêt les âmes qui y étaient enfermées et qui devaient monter à la lumière d'en haut; il était justement en train de dénombrer la suite de ses chers descendants, leurs destins, leurs fortunes, leur caractère, leurs exploits. Et dès qu'il vit Énée qui s'en venait au-devant de lui à travers le gazon, plein d'allégresse, il lui tendit les deux mains; des larmes baignèrent ses joues et sa bouche laissa tomber ces mots : « Tu es venu enfin, et ta piété, tant attendue de ton père [1573], a triomphé d'un dur voyage! Il m'est donné de voir ton visage, mon fils, d'entendre ta voix familière et de te répondre! En vérité, j'avais cette espérance au cœur, et j'escomptais l'avenir en calculant le temps. Mon attention ne m'a point trompé. Que de terres, quelles mers immenses tu as traversées, avant d'arriver jusqu'à moi! Quels grands dangers, mon fils, t'éprouvèrent! Combien j'ai craint pour toi le royaume de Libye! » Énée alors : « C'est ton image, mon père, c'est ta triste image, qui, s'offrant à moi bien souvent, m'a forcé de franchir le seuil de ces lieux. Ma flotte est à l'ancre dans la mer Tyrrhénienne.

Donne-moi ta main, mon père, donne-la-moi que je la serre, et ne te dérobe pas à nos embrassements. » En parlant ainsi, il laissait couler de larges pleurs sur son visage. Trois fois il s'efforça de lui jeter ses bras autour du cou; trois fois, saisie en vain, l'ombre s'échappa de ses mains, pareille aux vents légers et semblable à un songe ailé.

Sur ces entrefaites, Énée voit dans un vallon retiré un bois solitaire, des halliers bruissants et le fleuve Léthé [1574] qui baigne ce paisible séjour. Autour du fleuve volaient des nations et des peuples innombrables : c'est ainsi que dans les prés, par une sereine journée d'été, les abeilles se posent sur les fleurs diaprées et se répandent autour des lis éblouissants de blancheur; et toute la plaine bourdonne de leur murmure. Énée frissonne à cette vue soudaine, et s'informe des causes de ce mystère : quel est ce fleuve qui s'étend au loin ? quels sont les hommes qui couvrent, de leur longue file, ces rives ? Alors son père Anchise : « Les âmes, auxquelles d'autres corps sont dus par le destin, boivent à l'onde du fleuve Léthé les eaux quiètes et les longs oublis. Depuis longtemps, en vérité, je désire te nommer et te mettre sous les yeux et t'énumérer cette suite des miens, pour que tu te réjouisses davantage avec moi d'avoir trouvé l'Italie. — O mon père, est-il donc croyable que des âmes remontent d'ici à l'air, vers le ciel, et retournent de nouveau à la lourdeur des corps ? Quel est ce désir si insensé de lumière qui s'empare de ces malheureuses ? — Je vais te le dire, mon fils, et je ne te tiendrai pas en suspens », répond Anchise, et il lui dévoile dans l'ordre chaque secret.

« D'abord un souffle vivifie intérieurement le ciel, la terre, les plaines liquides, le globe lumineux de la lune et l'astre titanique [1575], et l'esprit, répandu par les membres du monde, en meut la masse entière et se mêle avec ce grand corps. C'est de lui que naissent la race des hommes, et celle des bêtes, et la gent des oiseaux, et les monstres que porte la mer sous sa surface de marbre [1576]. Il y a dans ces semences de vie une vigueur ignée [1577] et une origine céleste, tant que des corps nocifs ne les ralentissent pas, et que des ressorts terrestres et des membres périssables ne les émoussent pas. De là naissent les craintes et les désirs, les douleurs et les joies, et elles ne distinguent plus les brises du ciel, enfermées dans leurs ténèbres et leur prison aveugle. Plus encore : lorsqu'au jour suprême la vie les a quittées, les malheureuses ne sont pourtant pas débarrassées complètement de tout le mal et de toutes les souillures corporelles, et le mal qui s'est longtemps amoncelé au fond d'elles-mêmes y a nécessairement des racines d'une longueur étonnante. Elles sont donc soumises à des châtiments et expient dans les supplices leurs maux invétérés : les unes, suspendues en l'air, sont déployées au souffle des vents légers; les autres lavent au fond d'un vaste gouffre le crime dont elles sont souillées, ou s'épurent dans le feu. Chacun de nous subit ses Mânes; ensuite on nous envoie dans l'ample Élysée, dont nous occupons en petit nombre les riantes campagnes. Enfin, lorsqu'un long jour, au cercle révolu des temps, a effacé la souillure profonde, et purifié le sens éthéré, étincelle du souffle primitif; quand toutes ces âmes ont vu tourner la roue pendant mille ans [1578], un dieu les appelle en longue file aux bords du fleuve Léthé, afin qu'oublieuses du passé elles aillent revoir la voûte de là-haut, et commencent à vouloir retourner dans des corps. »

Anchise avait dit; il entraîne son fils ainsi que la Sibylle au milieu des groupes et de la foule bruissante, et il se place sur une éminence, d'où le héros puisse les voir toutes passer en longue file sous ses yeux et apprendre à connaître leurs visages au passage.

« Maintenant je vais te dire quelle gloire attend dans l'avenir la race de Dardanus, quels neveux de race italique te sont réservés, âmes illustres et qui doivent revêtir notre nom; et je vais t'apprendre tes destins.

« Tu vois ce jeune homme là-bas, qui s'appuie sur une lance sans fer : le sort lui a donné la place la plus voisine de la lumière; il surgira le premier aux souffles de l'éther, de sang italien mêlé au nôtre : c'est Silvius [1579], nom albain [1580], ton dernier fils; ta femme Lavinie te le donnera tardivement à la fin de ton long âge; elle élèvera dans les bois ce roi, père de rois, dont notre famille descendra qui dominera dans Albe-la-Longue.

« Celui qui est tout près de lui est Procas [1581], honneur de la nation troyenne, et voici Capys [1582], et Numitor [1583], et celui qui fera revivre ton nom, Silvius Énée [1584], également remarquable par sa piété et par ses armes, si jamais il obtient de devoir régner sur Albe. Quels jeunes gens! quelles forces ils déploient! regarde, et comme leurs tempes sont ombragées du chêne civique [1585] ! Ceux-ci te fonderont Nomentum [1586], et Gabies [1587], et la ville de Fidène [1588]; ceux-là élèveront sur des montagnes la citadelle de Collatie [1589], la cité des Pométiens [1590], et Castrum Inui [1591], et Bola [1592], et Cora [1593] : tels seront alors les noms de ces terres [1594] aujourd'hui sans nom.

« Et puis à son aïeul se joindra Romulus [1595], fils de Mavors [1596], que mettra au monde sa mère Ilia [1597], du sang d'Assaracus [1598]. Vois-tu comme deux aigrettes se dressent sur sa tête, et comme le Père lui-même des dieux Supérieurs le consacre déjà par son propre insigne [1599] ? C'est sous ses auspices, mon fils, que cette illustre Rome égalera son empire à la terre, son âme à l'Olympe, et d'un seul mur entourera sept collines [1600]. Ville en héros féconde! Telle la Mère du Bérécynte [1601], montée sur un char et couronnée de tours [1602], traverse les villes phrygiennes, joyeuse d'avoir enfanté des dieux, et embrassant cent petits-fils, tous habitants du ciel, tous occupant les hauteurs supérieures.

« Tourne maintenant tes yeux par ici : regarde cette nation; ce sont tes Romains. Voici César [1603] et toute la descendance d'Iule [1604], destinée à venir sous la grande voûte du ciel. Voici le héros, voici celui que si souvent tu entends qu'on te promet, Auguste César, fils d'un dieu [1605]; il recréera l'âge d'or dans le Latium, parmi les campagnes où régna jadis Saturne; il étendra son empire plus loin que le pays des Garamantes [1606] et des Indiens [1607], sur les terres qui s'étendent au delà des constellations [1608], au delà des routes du soleil [1609] et de l'année, et où Atlas [1610] qui porte le ciel fait tourner sur son épaule l'axe du monde semé d'étoiles étincelantes. Dès maintenant, au bruit de son arrivée, les royaumes caspiens [1611] frissonnent des réponses des dieux [1612], et la terre méotide [1613] et les bouches du Nil aux sept branches tremblent confusément. Non, Alcide [1614] n'a point parcouru autant de pays, quoiqu'il ait percé la biche aux pieds d'airain [1615], rendu la paix aux forêts d'Erymanthe [1616] et fait trembler Lerne [1617] de son arc; ni Liber [1618], qui conduit, vainqueur, son attelage avec des rênes de pampres [1619], menant ses tigres du haut sommet de Nysa [1620]. Et nous hésitons encore à étendre notre gloire par des hauts faits ? et la crainte nous empêche de nous installer sur la terre d'Ausonie ?

« Quel est au loin cet homme que signalent des rameaux d'olivier et qui porte des objets sacrés ? Je reconnais la chevelure et la barbe chenue du roi romain [1621], qui assiéra la Rome primitive sur des lois, envoyé de la petite Cures [1622] et d'une pauvre terre pour gouverner un grand empire. Celui qui lui succédera, Tullus [1623], interrompra le repos de sa patrie et appellera aux armes des soldats engourdis dans la paix et des troupes déjà déshabituées des triomphes. Voici, tout à côté, son successeur plein de jactance, Ancus [1624], trop sensible, déjà même maintenant, à la faveur populaire [1625]. Veux-tu voir les rois Tarquins [1626], et l'âme superbe du vengeur Brutus [1627], et les faisceaux [1628] reconquis ? Il recevra, le premier, le pouvoir du consul et les terribles haches, mais, ses fils fomentant une guerre révolutionnaire [1629], il les dévouera, lui, leur père, au supplice pour la belle cause de la liberté. Infortuné! Quelque jugement que la postérité porte sur ces actes, en toi triompheront l'amour de la patrie et l'immense désir de la gloire.

« Regarde encore au loin les Décius [1630], les Drusus [1631], Torquatus [1632] armé d'une hache terrible, et Camille [1633] rapportant les étendards. Ces deux âmes [1634] que tu vois resplendir sous des armes pareilles, en plein accord maintenant et tant que la nuit pèsera sur elles, hélas! quelle formidable guerre éclatera entre elles, si elles touchent le seuil de la vie! que d'armées rangées en bataille! quelles jonchées de cadavres! le beau-père [1635] descendant des contreforts alpins et de la citadelle de Monœcus [1636], le gendre appuyé sur les forces adverses des pays de l'Aurore [1637]. O mes enfants, n'habituez pas vos cœurs à de telles guerres; ne tournez pas les forces solides de la patrie contre ses entrailles! Et toi, le premier, toi qui tires ton origine de l'Olympe [1638], épargne-la, jette ces projectiles de tes mains, ô mon sang!... Celui-là, vainqueur de Corinthe [1639], conduira son char sur les hauteurs triomphales du Capitole, illustre pour toujours du massacre des Achéens.

Cet autre [1640] renversera Argos et la Mycènes d'Agamemnon et l'Eacide [1641] lui-même, descendant d'Achille puissant par les armes, vengeant ses aïeux de Troie et le temple outragé de Minerve [1642]. Qui pourrait, toi, grand Caton [1643], ou toi, Cossus [1644], vous passer sous silence ? Qui pourrait oublier la famille des Gracques [1645], ou ces deux foudres de guerre que furent les deux Scipions [1646], fléau de la Libye, ou Fabricius [1647], puissant de peu, ou toi, Serranus [1648], ensemençant ton sillon ? Fatigué, où m'entraînez-vous, Fabius [1649] ? Te voilà, fameux Maximus [1650], qui, seul, en temporisant, rétablis notre situation [1651].

« D'autres [1652] sauront, avec plus d'habileté, assouplir et animer l'airain — je le crois volontiers — et tirer du marbre des figures vivantes, mieux faire les plaidoiries, et mieux décrire au compas le mouvement des cieux et dire le cours des constellations. Toi, Romain, souviens-toi de régir les peuples sous ton empire : tes arts à toi seront d'imposer les conditions de la paix [1653], d'épargner les vaincus [1654] et de dompter les superbes. »

Ainsi parlait le vénérable Anchise, et il ajoute ces mots pour ses auditeurs émerveillés : « Regarde comme Marcellus [1655] s'avance, signalé par ses dépouilles opimes [1656], et comme ce vainqueur dépasse tous les héros! C'est lui qui, dans le trouble d'un grand tumulte [1657], maintiendra la puissance romaine, et qui, cavalier, terrassera les Puniques [1658] et le Gaulois [1659] rebelle et qui suspendra chez Quirinus le Père [1660] la troisième armure prise à l'ennemi. »

Et alors Enée l'interrompt, car il voyait venir avec Marcellus un jeune homme [1661] que signalaient sa beauté et l'éclat de ses armes, mais dont le front montrait bien peu de joie et dont les yeux baissaient leur regard : « Quel est, mon père, celui qui accompagne ainsi le héros dans sa marche ? Est-ce son fils ou quelqu'un des neveux qui descendent de sa grande souche ? Quel murmure flatteur font entendre les compagnons qui l'entourent! Quelle majesté en lui! Mais la nuit sombre vole autour de sa tête avec son ombre triste. » Alors le vénérable Anchise, en versant des larmes, commença : « O mon fils, ne cherche pas à connaître l'énorme deuil des tiens. Celui-ci, les destins le montreront seulement à la terre et ne permettront pas qu'il existe davantage. La race romaine vous eût paru trop puissante, dieux d'en haut, si ces dons eussent été durables. Quels gémissements fera entendre ce Champ fameux [1662], voisin de la grande ville de Mars! Et toi, Dieu du Tibre [1663], quelles funérailles tu verras, quand tu couleras devant sa tombe récente! Aucun enfant de la race d'Ilion ne portera si haut l'espoir de ses aïeux latins; jamais la terre de Romulus ne s'enorgueillira tant d'un de ses nourrissons. Hélas, piété! hélas, antique honneur, droite que la guerre n'eût jamais vaincue! Personne n'eût affronté impunément ce guerrier, soit qu'à pied il marchât à l'ennemi, soit qu'il fouaillât de l'éperon les flancs de son cheval écumant! hélas! enfant tant à plaindre, puisses-tu rompre les rigoureux destins! Tu seras Marcellus. Jetez à pleines mains des lis [1664], que je répande des fleurs vermeilles, que je comble au moins de ces offrandes l'âme de mon petit-fils, et que je m'acquitte d'un vain hommage! » C'est ainsi qu'ils errent çà et là par toute la contrée, à travers ces larges plaines nébuleuses, et qu'ils promènent partout leurs regards. Lorsque Anchise eut fait visiter à son fils chaque endroit, et embrasé son cœur de l'amour de sa gloire future, il lui parle alors des guerres qu'il aura à soutenir, lui fait connaître les peuples des Laurente [1665] et la ville de Latinus [1666], et comment il peut éviter ou supporter chaque épreuve.

Il y a deux portes du Sommeil [1667] : l'une, dit-on, est de corne, par laquelle les Ombres vraies trouvent une issue facile; l'autre, brillante, faite d'un ivoire éblouissant de blancheur, mais par où les Mânes n'envoient vers le ciel que des fantômes trompeurs. Anchise, tout en parlant, accompagne son fils ainsi que la Sibylle, et les fait sortir par la porte d'ivoire. Le héros coupe au plus court vers ses vaisseaux et rejoint ses compagnons. Puis, en longeant le rivage, il se rend au port de Caiète [1668]. L'ancre est jetée du haut de la proue; les poupes se dressent sur le rivage.

LIVRE SEPTIÈME

L'ARRIVÉE DANS LE LATIUM

Toi aussi [1669], nourrice d'Énée [1670], tu as légué en mourant, ô Caiète [1671], une éternelle renommée à nos rivages [1672], et aujourd'hui encore l'hommage qui t'est rendu consacre ton séjour; et ton nom, si c'est là une gloire qui a du prix, désigne ta sépulture dans la grande Hespérie [1673].

Cependant le pieux Énée, après avoir célébré les funérailles selon les rites, après avoir dressé le tertre du tombeau, voyant le calme régner sur la profondeur des plaines liquides, fait route à pleines voiles et quitte le port. Des brises favorables soufflent aux approches de la nuit; la lune, d'une blancheur brillante, facilite le voyage; la mer resplendit sous sa tremblante [1674] lumière. On rase les rivages tout proches de la terre de Circé [1675], où la fille opulente du Soleil [1676] fait retentir d'un chant assidu les bois sacrés inaccessibles, et, dans un palais superbe, brûle pour y répandre une lumière nocturne le cèdre odorant [1677], promenant une navette sonore [1678] parmi les trames subtiles. De là, on entend les gémissements et les cris de rage des lions secouant leurs chaînes et rugissant tard dans la nuit; on entend gronder, dans leurs cages, des sangliers porte-soies et des ours, et hurler des loups d'une taille énorme. C'étaient des hommes [1679] auxquels Circé, la farouche déesse, avait par ses herbes magiques donné la tête et la croupe de bêtes fauves. Craignant que les pieux Troyens [1680], poussés dans le port, ne subissent pareilles métamorphoses, et ne descendissent sur cette côte barbare, Neptune [1681] emplit leurs voiles de vents favorables, hâta leur fuite et les transporta au delà des flots bouillonnants [1682].

Déjà la mer rougissait sous les rayons du jour, et, au haut de l'éther, l'Aurore [1683] vermeille [1684] brillait sur son bige [1685] de rose, lorsque tout à coup les vents tombèrent et tout souffle cessa : sur le marbre [1686] immobile de l'onde luttent en vain les rames. Et alors Énée aperçoit de la plaine liquide un bois sacré immense : le Tibre au cours riant [1687], aux tourbillons rapides [1688] et aux bancs de sable blonds, le traverse avant de se jeter dans la mer; à l'entour et au-dessus, des oiseaux de toute sorte, habitants des rives et du lit du fleuve, charmaient l'éther de leur chant et volaient à travers le bois. Il commande à ses compagnons de changer de route et de tourner les proues vers la terre, et, plein de joie [1689], il s'avance dans la vallée ombreuse.

Maintenant, Érato [1690], je vais raconter quels étaient les rois, l'état des choses, la situation de l'antique Latium, lorsqu'une armée étrangère débarqua pour la première fois sur les côtes de l'Ausonie [1691], et je vais rappeler l'origine du premier combat. Toi, Déesse, inspire ton poète. Je vais dire les horribles guerres, je vais dire les mêlées et les rois [1692] poussés par leur ressentiment au carnage, et l'armée tyrrhénienne [1693] et l'Hespérie tout entière [1694] rassemblée sous les armes. Un plus grand ordre de choses prend pour moi naissance; je médite un plus grand ouvrage. Le roi Latinus [1695], déjà vieux, gouvernait au sein d'une longue paix des campagnes et des villes tranquilles. Il était né, d'après ce que nous savons, de Faunus [1696] et d'une nymphe laurentine [1697], Marica [1698]. Faunus avait pour père Picus [1699] et celui-ci reconnaît en toi, ô Saturne [1700], celui qui l'a engendré, et qui est le premier auteur de sa race. Latinus, par la volonté des dieux [1701], n'avait point de fils [1702] et de descendance mâle : le fils qu'il avait eu lui fut enlevé dans sa prime jeunesse [1703]. Une seule fille héritait de sa maison et ses vastes domaines, déjà mûre pour l'hymen et déjà d'âge nubile. Beaucoup de princes du vaste Latium et de l'Ausonie tout entière la recherchaient, entre autres Turnus [1704], le premier de tous pour la beauté, puissant par ses aïeux et par ses ascendants; l'épouse du roi [1705], avec une ardeur étrange, avait hâte de l'unir comme gendre à sa famille, mais par des prodiges effrayants de toute sorte les dieux s'opposent à cette union.

Au milieu du palais, dans une enceinte écartée, il y avait un laurier à la chevelure sacrée [1706], que la crainte avait sauvegardé pendant beaucoup d'années. On racontait que le vénérable Latinus l'avait trouvé au temps où il jetait les premiers fondements de la ville, et l'avait consacré à Phébus : c'était de ce laurier que les colons avaient pris leur nom de Laurentes [1707]. Des abeilles en rangs serrés traversèrent — ô prodige merveilleux à dire! — l'éther limpide avec un bourdonnement énorme et s'en vinrent se poser sur la cime de l'arbre; et les pattes entrelacées, l'essaim se suspendit [1708] tout à coup à un rameau feuillu. Aussitôt le devin déclare : « Nous voyons s'approcher un héros étranger, et une armée partie du même côté [1709] se diriger du même côté [1710] et s'établir en souveraine au haut de la citadelle. » En outre, tandis que la vierge Lavinie, debout à côté de son père [1711], brûle sur les autels de chastes torches [1712], on voit (spectacle indicible!) le feu saisir sa longue chevelure et la flamme crépitante consumer tous ses atours; on voit brûler son bandeau royal, brûler sa couronne éclatante de gemmes, et on la voit alors, enveloppée de fumée et d'une fauve lumière [1713], propager Vulcain [1714] dans tout le palais. On rapportait que c'était là le présage d'événements horribles et merveilleux à voir; on annonçait qu'elle aurait elle-même un renom et un destin brillants, mais qu'une grande guerre menaçait son peuple.

Cependant le roi, alarmé de ces prodiges, va trouver l'oracle de son père prophétique, Faunus [1715], et consulte, au pied de la haute Albunée [1716], la plus grande des sources du bois sacré qui y fait entendre ses ondes sonores, et qui obscurcit l'air de ses exhalaisons méphitiques [1717]. C'est là que les peuples d'Italie et toute la terre d'Œnotrie [1718] vont, dans leurs incertitudes, chercher des réponses; c'est là que le prêtre, quand il a apporté ses offrandes, quand il s'est couché [1719] dans la nuit silencieuse sur les peaux des brebis immolées et qu'il a trouvé le sommeil, voit voltiger mille fantômes aux formes étranges, entend des voix de toute sorte, jouit de l'entretien des dieux, et c'est là que, des profondeurs de l'Averne [1720], il évoque l'Achéron [1721]. C'était là aussi que le vénérable Latinus, cherchant lui-même des réponses, immolait selon les rites cent brebis porte-laines et reposait de tout son long sur leurs toisons qui jonchaient la terre. Soudain, une voix lui répondit des profondeurs du bois : « Ne va pas, mon fils, unir ta fille par un hymen latin ni croire à la chambre nuptiale préparée [1722] : il t'arrive un gendre étranger, dont le sang portera notre nom jusqu'aux astres, et dont les arrière-neveux verront rangés et soumis à leurs lois tous les pays que le Soleil regarde dans son cours, de l'un à l'autre Océan [1723]. » Latinus ne garde pas pour lui cette réponse de son père Faunus, cet avis donné dans la nuit silencieuse; mais déjà, voltigeant au loin alentour, la Renommée en avait porté la nouvelle à travers les villes d'Ausonie, quand les enfants de Laomédon [1724] attachèrent leur flotte à la berge [1725] verdoyante du fleuve.

Énée, les principaux chefs et le bel Iule se reposent sous les rameaux d'un arbre élevé, y dressent leur repas, placent sous les mets, dans l'herbe, des gâteaux de pur froment [1726] (suivant ainsi l'avis de Jupiter [1727]), et chargent de fruits des champs ce sol dédié à Cérès [1728]. Tous les mets épuisés, la faim les poussa à mordre dans ces légers gâteaux [1729], à porter hardiment la main et la dent sur les contours [1730] de la croûte fatale, sans en épargner les larges quartiers [1731] : « Hé! nous mangeons aussi nos tables! » dit Iule, plaisantant sans plus insister [1732]. Entendant cette parole qui lui annonçait la fin de ses épreuves et la recueillant avec empressement de la bouche de son fils, Enée, stupéfait de l'accomplissement de l'oracle, la médita dans son for intérieur. Puis tout à coup : « Salut, dit-il, terre qui m'était due par les destins, et vous aussi, salut, ô fidèles [1733] Pénates de Troie! Voici notre demeure, voici notre patrie : mon père [1734] en effet (je me le rappelle maintenant) m'a confié ces secrets du destin : — Mon fils, quand porté sur des bords inconnus, ayant épuisé tes vivres, la faim te forcera à dévorer tes tables, espère alors un asile après tant de fatigues, et souviens-toi de te fixer en ces lieux et d'y tracer l'enceinte [1735] d'une ville nouvelle. — Oui, voilà bien cette faim, voilà cette épreuve suprême qui devait mettre un terme à nos misères... Allez donc et soyez pleins de joie : aux premières lueurs de l'aurore, il nous faudra reconnaître le pays, les gens qui l'habitent, la situation des villes, et partir du port dans des directions divergentes. Pour le moment faites des libations [1736] à Jupiter, invoquez dans vos prières mon père Anchise, et remettez du vin sur les tables [1737]. »

Après avoir ainsi parlé, il ceint ses tempes d'un rameau feuillu, et prie le Génie du lieu [1738], et la Terre [1739] avant toutes les autres divinités [1740], et les Nymphes [1741], et les Fleuves qui lui sont encore inconnus [1742], puis il invoque tour à tour la Nuit [1743], et les signes de la Nuit naissante, et Jupiter Idéen [1744], et la Mère phrygienne [1745], et les deux auteurs de ses jours [1746], habitants du Ciel et de l'Érèbe. Alors le Père tout-puissant [1747], brillant au haut du ciel [1748], fit gronder trois fois son tonnerre, et, l'agitant de sa propre main, fit voir dans l'éther un nuage enflammé de rayons de lumière et d'or. Le bruit se répand alors tout à coup dans l'armée que le jour est venu de dresser les remparts promis. Tous à l'envi recommencent le festin [1749] et, joyeux de ce présage décisif, ils placent les cratères [1750] et couronnent le vin [1751].

Le lendemain, dès que le jour naissant éclaira la terre de sa lampe, ils s'égaillent pour reconnaître la ville, le territoire, les rivages de ce peuple. Voici les eaux stagnantes de la source du Numicus [1752]; voici le fleuve du Tibre [1753], voici l'endroit qu'habitent les courageux Latins. Alors le fils d'Anchise, après avoir choisi dans tous les rangs de l'armée [1754] cent [1755] porte-parole, leur donne l'ordre de se rendre, portant tous le rameau de Pallas [1756], à l'auguste ville forte du roi, de lui apporter des présents et de lui demander la paix pour les Teucères. Ils ne mettent point de retard, se hâtent d'accomplir les ordres reçus et vont d'un pas rapide. Lui-même trace les remparts en creusant un fossé [1757] dans le sol, établit les premières constructions sur le rivage, entoure la cité, bâtie en forme de camp [1758], de créneaux et de terrassements.

Déjà les guerriers avaient accompli le trajet, et apercevaient les tours et les hauts édifices des Latins [1759], et s'approchaient du mur. Devant la ville, des enfants et une jeunesse dans la fleur première de son âge s'exercent sur des chevaux et domptent des chars dans la poussière, ou tendent des arcs perçants, ou brandissent à leurs bras musclés des javelots flexibles, ou luttent entre eux de vitesse et d'adresse. L'un d'eux, monté sur son cheval, porte aux oreilles du vieux roi la nouvelle que des hommes de haute taille [1760], recouverts d'un costume inconnu, viennent d'arriver. Latinus les fait mander à son palais et s'assied, au milieu de sa cour, sur son trône ancestral.

Un édifice auguste, énorme, soutenu par cent colonnes, se dressait au sommet de la ville : c'était la royale demeure [1761] du Laurente Picus [1762], toute hérissée de bois et d'une antique piété. C'était là que les rois avaient coutume de recevoir le sceptre et de voir devant eux se lever les premiers faisceaux [1763]; c'était le temple de la curie [1764], la salle des festins sacrés [1765]; c'était là qu'après avoir immolé un bélier [1766] les pères de la nation s'asseyaient [1767] à des tables immenses. Des statues de cèdre antique [1768] représentent la suite des aïeux de Latinus : Italus [1769], et le vénérable Sabinus [1770] qui planta la vigne [1771], tenant encore sa faucille recourbée, et le vieux Saturne [1772], et Janus [1773] au double visage [1774] se dressaient dans le vestibule [1775], ainsi que d'autres rois qui, depuis l'origine de la nation [1776], avaient reçu des blessures de guerre en combattant pour leur patrie. Aux portes sacrées [1777] sont suspendus en outre quantité d'armes, des chars pris à l'ennemi [1778], des haches recourbées, des aigrettes de casques, d'énormes verrous [1779] de portes, des dards, des boucliers ronds, des rostres enlevés à des carènes. Picus lui-même, vêtu de la courte trabée [1780], était assis là [1781], le bâton de Quirinus [1782] à la main droite, l'ancile [1783] à la main gauche; Picus, dompteur de chevaux [1784], que Circé, sa concubine [1785], possédée de désir, frappa de sa verge d'or et transforma par ses philtres en un oiseau aux ailes bigarrées [1786]. C'est dans ce temple des dieux et assis sur le trône de ses pères que Latinus fit venir à lui les Teucères [1787], et que prenant la parole le premier il leur adressa ces mots de bienvenue : « Parlez, enfants de Dardanus [1788] (car nous n'ignorons [1789] ni votre ville ni votre origine, et nous avions entendu parler de vous avant votre arrivée par mer en ces lieux). Que demandez-vous ? quel motif, quel besoin pressant vous a conduits à travers tant de flots azurés jusqu'au rivage de l'Ausonie ? Soit qu'égarés dans votre route ou que poussés par la tempête, accidents qui arrivent fréquemment aux marins qui vont par la haute mer, vous ayez pénétré entre les rives de notre fleuve et fait relâche dans notre port, n'évitez pas notre hospitalité, et sachez que les Latins, peuple de Saturne [1790], sont équitables non par contrainte ni pour obéir aux lois, mais de leur propre gré et par fidélité aux mœurs de leur vieux dieu [1791]. Et il me souvient même (c'est une tradition bien obscurcie par les années) avoir ouï dire à des vieillards Auronces [1792] que Dardanus, originaire de nos campagnes [1793], pénétra jusque dans les villes idéennes [1794] de Phrygie et dans Samos de Thrace, qu'on appelle aujourd'hui Samothrace [1795]. Parti de sa demeure tyrrhénienne de Corythe [1796], il siège maintenant sur un trône dans le palais d'or du ciel étoilé [1797] et grossit le nombre des dieux que révèrent nos autels. »

Il avait dit; et Ilionée [1798] lui répondit en ces termes : « O roi, rejeton éminent de Faunus [1799], une noire tempête ne nous a pas ballottés sur les flots et contraints d'aborder sur votre territoire; les constellations et les rivages [1800] ne nous ont point fait commettre une erreur de route; mais c'est à dessein et volontairement que nous venons dans cette ville, chassés du plus grand empire que le Soleil éclairât, jamais en venant des extrémités de l'Olympe [1801]. L'origine de notre race remonte à Jupiter [1802]; la jeunesse dardanienne se félicite d'avoir Jupiter pour aïeul; c'est de la famille suprême de Jupiter que descend notre roi lui-même [1803], le Troyen Enée, qui nous a envoyés vers ton seuil. La force de la tempête [1804] qui, vomie par la cruelle Mycènes [1805], parcourut les campagnes de l'Ida [1806], la lutte qui opposa les destins de l'Europe et de l'Asie, chacun en a entendu parler, fût-il habitant d'une terre lointaine séparée de nous par les flots refoulés de [1807] l'Océan, ou vécût-il, au milieu des quatre zones [1808], sur une plage écartée que consume un soleil inique [1809]. Echappés à ce grand écroulement, nous demandons, après avoir été portés sur tant de vastes plaines liquides, un asile exigu pour les dieux de nos pères, un rivage où nous vivrons sans nuire à personne [1810], l'onde et la brise offertes à tous les hommes. Nous ne serons pas sans gloire pour votre royaume; votre renommée n'en sera pas diminuée, et la reconnaissance d'un si grand bienfait ira en croissant dans nos cœurs; les Ausoniens ne regretteront pas d'avoir accueilli Troie dans leur giron. J'en jure par les destins d'Enée, par sa droite puissante, que chacun a pu mettre à l'épreuve non moins dans les traités que dans la guerre et les armes. Une foule de peuples (ne nous méprise pas de t'aborder avec les bandelettes et les mots des suppliants), une foule de nations ont demandé et voulu nous avoir pour alliés; mais les arrêts des dieux nous ont poussés par leurs commandements à rechercher vos terres. C'est d'ici qu'est sorti Dardanus [1811], c'est ici qu'Apollon le rappelle, nous pressant par ses ordres impérieux [1812] d'arriver sur les bords du Tibre tyrrhénien [1813] et aux eaux sacrées de la source du Numicius [1814]. J'ajoute qu'Enée te donne ces petits cadeaux, débris de sa fortune première, sauvés par lui de l'incendie de Troie. C'est dans cette coupe d'or que son père Anchise faisait des libations devant des autels; ce sceptre, cette tiare [1815] sacrée, Priam les portait, quand il rendait la justice à ses peuples assemblés; ces étoffes sont l'ouvrage des femmes d'Ilion [1816]. »

A ces paroles d'Ilionée, Latinus demeure absorbé dans une contemplation silencieuse, et tient ses regards fixés sur le sol, en roulant des yeux pensifs. Ni la pourpre brodée, ni le sceptre de Priam ne l'émeuvent autant que l'idée du mariage et de l'hymen de sa fille, et c'est l'oracle du vieux Faunus qu'il agite dans son cœur : le voilà, ce gendre parti d'une patrie étrangère, que les destins annoncent et qu'ils appellent à régner avec lui sous des auspices égaux; le voilà, celui dont la race doit s'illustrer par sa valeur et conquérir le monde entier par sa force. Enfin, joyeux, il dit : « Puissent les dieux seconder nos entreprises et leur propre augure [1817]! Il te sera donné, Troyen, ce que tu souhaites, et je ne dédaigne point tes cadeaux. Non, tant que Latinus sera roi, ni la fécondité d'un sol riche, ni l'opulence de Troie ne vous feront défaut.

Quant à Enée, s'il a un tel désir de nous voir, s'il a hâte de contracter avec nous les liens de l'hospitalité et d'être appelé notre allié, qu'il vienne en personne et ne redoute pas la vue d'un ami. La paix sera pour moi en partie faite quand j'aurai touché la main de ton maître. Pour vous, rapportez au roi, pour l'instant, mes mandats : j'ai une fille, que ni les oracles sortis du sanctuaire de mon père ni une foule de prodiges venus du ciel ne me permettent d'unir à un homme de notre nation; les devins annoncent qu'un gendre, venu d'une rive étrangère, est réservé au Latium, et que son sang portera notre nom jusqu'aux astres. Je suppute qu'il est l'homme que les destins appellent et, si mon esprit augure vrai, je le souhaite. »

Ayant dit, le vénérable Latinus choisit parmi tous ses chevaux : il y en avait trois fois cent [1818], reluisant de beauté, dans ses profondes étables. Il fait conduire sur-le-champ, à chacun des Teucères [1819] tour à tour, un de ces chevaux; ils ont les pieds ailés, sont recouverts de housses de pourpre brodées; des colliers [1820] d'or descendent et pendent sur leur poitrail; ils sont harnachés d'or [1821] et, sous leurs dents, ils rongent un frein d'or fauve. Enée absent aura un char attelé de deux coursiers jumeaux nés d'une semence éthérée [1822], et soufflant le feu par leurs naseaux [1823]. Ils sont de la race que créa la Dédalienne Circé [1824], en croisant furtivement ses cavales avec les étalons de son père. Avec ces cadeaux et ces mots de Latinus, les compagnons d'Enée s'en retournent montés sur leurs chevaux, et rapportent les promesses de paix.

Mais voici que la terrible épouse de Jupiter [1825] s'en retournait d'Argos inachienne [1826] et traversait les airs sur son char. Elle a aperçu au loin, depuis Pachynum de Sicile [1827], Enée et la flotte dardanienne transportés de joie; elle voit les Troyens bâtir déjà leurs maisons et se confier déjà à la terre, après avoir abandonné leurs vaisseaux. Elle s'est arrêtée, percée d'une vive douleur; alors, secouant la tête [1828], elle laisse échapper ces paroles de son cœur : « Hélas! race odieuse et destins des Phrygiens contraires à nos destins [1829]! N'ont-ils pu succomber dans des plaines de Sigée [1830]! N'ont-ils pu, captifs, être pris [1831] ? Troie en feu n'a-t-elle pas consumé ces guerriers ? Au milieu des combats et au milieu des flammes, ils ont trouvé un chemin! Ah! je le crois, ma puissance, épuisée enfin, est à bout, ou, assouvie, j'ai calmé mon ressentiment. Bien au contraire, dans ma haine contre eux, j'ai osé [1832], les ayant chassés de leur patrie, les poursuivre sur les ondes et m'opposer à leur fuite sur toute la mer. J'ai épuisé contre ces Teucères les forces du ciel et de la mer. A quoi m'ont servi les Syrtes [1833] ou Scylla [1834], et la vaste Charybde [1835] ? Ils sont là, abrités dans le lit souhaité du Tibre, n'ayant plus peur de la mer et de moi! Mars a bien pu détruire la race monstrueuse des Lapithes [1836]; le père des Dieux lui-même a livré aux colères de Diane l'antique Calydon [1837] : quel crime si grand incombait donc aux Lapithes [1838] et à Calydon [1839]!

Et moi, la puissante épouse de Jupiter, qui ai pu ne laisser de côté aucun moyen de leur nuire, qui ai tout mis en œuvre, infortunée! je suis vaincue par Enée! Que si ma puissance n'est pas suffisante, n'hésitons point à implorer n'importe quel dieu! Si je ne puis fléchir ceux d'en haut, je mettrai en branle l'Achéron [1840]! Il ne me sera pas donné de fermer à Enée le royaume de Latinus, et les destins lui réservent immuablement [1841] Lavinie pour femme ? Soit! mais il m'est permis de faire traîner les choses, et de mettre des retards à l'accomplissement de desseins aussi grands; mais il m'est permis d'exterminer les peuples des deux rois! A ce prix, que le gendre et le beau-père fassent alliance. Le sang troyen et rutule sera ta dot, ô vierge [1842], et Bellone [1843] t'attend pour les noces [1844]. La fille de Cissée [1845], pour fruit de son mariage, n'aura pas seule enfanté une torche fatale; Vénus, comme elle, a dans son fils un second Pâris [1846], et un brandon funeste pour Pergame [1847] renaissante! »

Ayant prononcé ces paroles, la déesse, hérissée de fureur [1848], descendit sur la terre, et du séjour des déesses farouches et des infernales ténèbres, elle suscite la funeste Allecto [1849], qui se plaît aux tristes guerres, au ressentiment, aux embûches et aux accusations calomnieuses. Le vénérable Pluton lui-même abhorre ce monstre, et ses sœurs du Tartare [1850] l'abhorrent : tant il prend d'aspects différents, tant son visage est hideux, tant il pullule de couleuvres sur sa tête sombre [1851]! Junon la stimule en prononçant les paroles suivantes : « Fais pour moi un suprême effort, vierge enfantée de la Nuit, rends-moi le service d'empêcher qu'on ne ravale et qu'on ne brise notre honneur et notre renommée, d'empêcher que les compagnons d'Enée ne circonviennent Latinus par ces épousailles ni qu'ils ne s'établissent sur le territoire italien. Tu es celle qui peut armer pour les combats des frères vivant en parfait accord, et jeter la haine dans les familles; tu es celle qui peut porter sous leurs toits des fouets et des torches funèbres. Tu as mille prétextes, mille moyens de leur nuire : agite ton cœur fécond, romps la paix projetée, sème des griefs de guerre : que tout d'un coup la jeunesse veuille des armes, en réclame et en prenne! »

Tout de suite, infectée des poisons de la Gorgone [1852], Allecto commence par se rendre dans le Latium, au palais du roi laurentin, et assiège le seuil silencieux d'Amata [1853], qui, songeant à l'arrivée des Teucères et à l'hymen de Turnus, abandonnait son âme ardente aux craintes et aux fureurs féminines. La déesse lui jette un des serpents de sa chevelure azurée, et le glisse dans son sein jusqu'au fond de son cœur, pour que les fureurs suscitées par le monstre bouleversent toute la maison. Le serpent, glissant sans la toucher, se déroule entre sa robe et sa gorge lisse, et égare ses transports en lui soufflant son haleine de vipère : l'énorme couleuvre devient la torsade d'or qui lui entoure le cou, devient le ruban de sa longue bandelette, et s'enlace dans ses cheveux et promène ses anneaux visqueux sur ses membres. Et tant que les atteintes de l'humide poison agitent les sens de la reine et insinuent sa brûlure dans ses os, sans qu'elle sente encore la flamme dans tout son cœur, elle parle avec plus de douceur, comme ont coutume de faire les mères, versant beaucoup de larmes sur sa fille et sur son hymen phrygien :

« Est-ce donc à des Teucères exilés que tu donnes Lavinie en mariage, père ? et n'as-tu point pitié de ta fille ni de toi ? n'as-tu point pitié d'une mère que laissera, au premier Aquilon [1854], ce perfide ravisseur, gagnant la haute mer en entraînant la vierge ? Eh! quoi ? n'est-ce pas ainsi que le pâtre phrygien [1855], pénétrant dans Lacédémone [1856], a emporté Hélène, fille de Léda, aux forteresses de Troie ? Qu'est devenue ta parole sacrée ? Qu'est devenu ton antique amour des tiens, et cette main droite tant de fois donnée à ton parent [1857] Turnus ? Si les Latins ont à chercher un gendre d'une nation étrangère, si cette idée est arrêtée en ton esprit, et si les ordres de ton père Faunus t'y contraignent, eh bien! je suppute que toute terre qui est indépendante de notre sceptre est une terre étrangère, et que c'est ainsi que les dieux l'entendent. Turnus, d'ailleurs, si l'on remonte à l'origine première de sa maison, a pour aïeux Inachus [1858] et Acrisius [1859], et pour patrie la centrale Mycènes [1860]. »

Après avoir, par de tels propos, essayé en vain de fléchir Latinus, quand elle le voit inébranlable, et que le maléfice infernal du serpent s'est glissé au fond de ses viscères et la parcourt tout entière, alors l'infortunée, en proie à de puissantes visions, sans pudeur, égarée, fait furie par la ville immense : telle, sous les coups du fouet, voltige une toupie, que des enfants, attentifs à leur jeu, promènent dans la vaste enceinte d'un portique circulaire : chassée par la courroie, elle décrit des courbes; la jeune troupe se penche au-dessus du buis, sans comprendre, en extase devant les mouvements qu'elle admire, et ses coups raniment le jouet. Non moins rapide dans sa course, Amata se démène, allant de ville en ville, au milieu des populations belliqueuses. Bien plus, faisant semblant d'être possédée par Bacchus [1861], osant un plus grand crime et laissant libre cours à une plus grande fureur, elle se précipite dans les bois, et cache sa fille dans les montagnes couvertes de frondaisons, pour ravir aux Teucères leur mariée et retarder le moment des torches [1862] : « Evoé [1863]! Bacchus, crie-t-elle en frémissant : toi seul es digne de cette vierge; c'est pour toi, en effet, qu'elle prend le souple thyrse [1864]; pour toi qu'elle conduit un chœur [1865]; pour toi qu'elle entretient sa chevelure sacrée [1866]. » Ce bruit vole de bouche en bouche; une même ardeur pousse toutes les mères, le cœur enflammé de fureur, à chercher de nouveaux asiles [1867]. Elles ont abandonné leurs demeures; elles livrent aux vents leur cou et leurs cheveux [1868]. D'autres remplissent l'éther de hurlements qui font tout trembler et, recouvertes de peaux [1869], portent des baguettes ornées de pampres [1870]. Au milieu d'elles, Amata elle-même [1871] secoue avec ferveur une branche de pin [1872] en flammes, et entonne le chant d'hyménée de sa fille et de Turnus, roulant des yeux sanglants, et soudain elle s'écrie, farouche : « Io [1873], mères latines, en quelque lieu que vous soyez, écoutez : s'il reste en vos âmes pieuses quelque affection pour l'infortunée Amata, si les droits d'une mère vous tiennent encore à cœur, dénouez les bandelettes de votre chevelure [1874], célébrez avec moi l'orgie. »

C'est ainsi qu'au milieu des forêts, parmi les solitudes où vivent des bêtes sauvages, Allecto, de partout, presse la reine des aiguillons de Bacchus.

Croyant avoir suffisamment excité ces premiers transports et bouleversé le dessein et toute la maison de Latinus, aussitôt la sinistre déesse aux ailes sombres prend son vol vers les murs de l'audacieux Rutule [1875], colonie que fonda, dit-on, l'Acrisionéide Danaé [1876], portée sur ces bords par l'impétueux Notus [1877]. La ville fut nommée jadis Ardée [1878] par nos ancêtres [1879]; aujourd'hui encore le grand nom d'Ardée lui reste, mais sa fortune n'est plus [1880]. Là, dans son palais profond, Turnus déjà goûtait le plein repos d'une nuit noire. Allecto se dépouille de son visage torve et de ses membres de furie; elle revêt les traits d'une vieille femme, sillonne de rides son front hideux, couvre sa tête de cheveux blancs serrés par un bandeau, puis y enlace un rameau d'olivier : elle devient Calybé [1881], la vieille prêtresse de Junon et la gardienne de son temple, et s'offre aux yeux du jeune prince en prononçant les paroles suivantes : « Turnus, souffriras-tu que tant d'efforts aient été répandus pour rien, et que ton sceptre passe à des colons dardaniens ? Le roi te refuse une union et une dot acquises au prix de ton sang [1882], et cherche pour son trône un héritier étranger! Va maintenant, héros dont on se rit, t'offrir à d'ingrats périls; va, écrase les armées tyrrhéniennes [1883], protège de la paix les Latins. Oui, c'est la toute-puissante Saturnienne [1884] en personne qui, tandis que tu reposais au sein d'une nuit tranquille, m'a ordonné de te parler ainsi ouvertement. Va donc, prépare, joyeux, la jeunesse à s'armer et à s'ébranler des portes pour les combats; immole les chefs phrygiens qui se sont installés sur les bords d'un beau fleuve et brûle leurs carènes peintes. La grande puissance des Célestes l'ordonne. Que le roi Latinus lui-même, s'il refuse de te donner sa fille en mariage et de tenir sa parole, sente et éprouve enfin ce qu'est Turnus en armes. »

Alors le jeune homme, se riant de la prêtresse, prend à son tour la parole et lui répond : « Qu'une flotte soit entrée dans l'onde du Tibre, cette nouvelle ne m'a point, comme tu le crois, échappé. Ne me forge pas une telle peur : Junon-reine ne nous oublie pas [1885]... Mais toi, ma mère, la vieillesse décrépite et incapable de savoir la vérité te tourmente d'inutiles soucis, et, parmi les combats des rois, te joue, prêtresse, par une fausse alarme. Ton affaire est de garder les images et les temples de dieux; laisse aux hommes la guerre et la paix, c'est eux que cela concerne [1886]. »

Allecto à ces mots voit sa rage allumée. Le jeune homme parlait encore, qu'un tremblement subit s'empare de ses membres; ses yeux se sont fixés : tant l'Erinnye fait siffler d'hydres, tant sa face se découvre! Alors roulant des yeux enflammés, comme il hésitait et cherchait à répondre, elle le repoussa, dressa deux serpents de sa chevelure [1887], fit sonner son fouet et lui dit, la bouche pleine de rage : « La voilà, cette femme décrépite, que la vieillesse incapable de savoir la vérité, parmi les combats des rois joue par une fausse alarme. Regarde : j'arrive du séjour des sœurs farouches [1888]; je porte dans ma main la guerre et la mort. »

Ayant ainsi parlé, elle lança un brandon au jeune homme, et lui enfonça sous la poitrine une torche fumant d'un noir éclat. Une énorme peur le réveille, et une sueur jaillie de tout son corps inonde ses membres et ses jointures. Perdant la tête, il demande en frémissant des armes, il cherche des armes sur sa couche [1889] et dans son palais : son amour du fer, une criminelle fureur guerrière, et par-dessus tout son ressentiment se déchaînent. Ainsi quand la flamme avec de grands crépitements échauffe les flancs de l'airain bouillonnant, et que la chaleur soulève l'onde, le fluide, dans le récipient, gronde et fume, et monte en écumant, puis bientôt ne se contient plus, et une noire vapeur vole dans les airs [1890]. Donc il indique aux chefs de ses guerriers qu'il marche contre le roi Latinus, qui a manqué à la paix, et leur enjoint de préparer leurs armes, de défendre l'Italie, de chasser l'ennemi du territoire. Il ajoute qu'il est assez fort pour affronter à la fois les Teucères et les Latins. Dès qu'il a prononcé ces mots et invoqué les dieux de réaliser ses vœux, les Rutules à l'envi s'exhortent à prendre les armes. L'un est sensible à la grâce remarquable de sa beauté et de sa jeunesse; l'autre, aux rois ses aïeux; l'autre, à sa droite couronnée d'exploits.

Pendant que Turnus emplit les Rutules d'un audacieux élan, Allecto, déployant ses ailes stygiennes [1891], vole chez les Teucères, et, méditant une nouvelle ruse, découvre le lieu où sur le rivage le bel Iule poursuivait les bêtes sauvages de ses pièges et de sa course. La vierge du Cocyte [1892] souffle alors aux chiens une rage subite, et frappe leurs naseaux d'une odeur qu'ils connaissent, pour les lancer, ardents, sur la piste d'un cerf : telle fut la cause première des malheurs d'Enée et la façon dont l'incendie de la guerre embrase ces cœurs agrestes.

C'était un cerf d'une beauté éclatante, aux énormes cornes, que nourrissaient, l'ayant ravi au sein de sa mère, les enfants de Tyrrhus et leur père Tyrrhus [1893], intendant des troupeaux du roi, qui lui avait confié la garde de ses vastes domaines. Leur sœur Silvie [1894] l'avait habitué à obéir, l'entourait de toute sorte de soins, enlaçait de souples guirlandes autour de ses cornes, peignait son poil sauvage et le lavait dans une onde pure. Lui, docile à la main, accoutumé à la table de son maître, errait par les bois, et rentrait lui-même sous le toit familier, en dépit de l'heure avancée de la nuit. Ce jour-là il errait au loin, quand la meute enragée d'Iule le relança, juste au moment où il se laissait aller au courant du fleuve et cherchait la fraîcheur sur la berge verdoyante. Lui-même, enflammé d'un désir de gloire éclatante, Ascagne lui décocha une flèche de son arc recourbé; un dieu ne manqua pas de diriger sa main; le trait, lancé avec un grand bruit, traversa le flanc et les entrailles du cerf. Le quadrupède blessé chercha un refuge sous le toit familier et rentra en gémissant dans son étable : là, ensanglanté, et pareil à un suppliant, il remplissait tout le palais de ses plaintes. La sœur, Silvie, se meurtrissant les bras avec ses paumes [1895], appelle la première au secours et crie après les rudes campagnards. Eux (car la peste horrible [1896] se tient cachée dans les bois silencieux) surgissent, à l'improviste : l'un est armé d'un tison consumé, l'autre d'une pesante souche toute noueuse : chacun, dans sa colère, se fait une arme de ce qu'il rencontre. Tyrrhus rallie leur troupe — Tyrrhus précisément occupé alors à fendre et à écarteler un chêne en y enfonçant des coins et qui, ayant saisi sa hache, inspirait l'épouvante.

Cependant la terrible déesse, qui de son observatoire guette le moment de nuire, s'élance sur le toit élevé de l'étable, et, du sommet du comble, fait entendre le signal pastoral [1897] : elle souffle sa voix tartaréenne [1898] dans une trompe recourbée [1899], dont les éclats aussitôt ont fait trembler tout le bocage et retentir les profondes forêts. Le lac de Trivie [1900] lui aussi l'a entendu au loin; la blanche rivière du Nar [1901] aux eaux sulfureuses et les sources du Vélinus [1902] l'ont entendu; et les mères tremblantes ont pressé leurs fils contre leur poitrine. Alors à cette voix accourent de partout avec rapidité, au lieu d'où le buccin farouche a donné le signal, les cultivateurs indomptés, leurs javelots à la main; et, de son côté, la jeunesse troyenne se précipite hors du camp au secours d'Ascagne. On s'est rangé en bataille : ce n'est plus un combat rustique où l'on manie de dures souches et des épieux durcis au feu; on brandit des haches à deux tranchants; une noire moisson d'épées nues hérisse au loin la plaine, et les boucliers d'airain, frappés par le soleil, resplendissent et renvoient la lumière sous les nuages : ainsi [1903], quand, au premier souffle du vent, le flot commence à blanchir, peu à peu la mer se soulève, dresse ses vagues de plus en plus haut, puis monte du fond de l'abîme jusqu'à l'éther. À l'avant-garde marchait le jeune Almon [1904], l'aîné des fils de Tyrrhus : une flèche siffle et l'abat : le fer, en effet, s'est enfoncé dans son gosier, a bouché le canal de la voix humide et étouffé dans le sang son filet de souffle. Autour de lui tombent beaucoup de guerriers, entre autres le vieux Galésus [1905], frappé au moment où il s'interposait pour la paix, lui, l'homme le plus juste et le plus riche qui eût jamais été aux champs de l'Ausonie : cinq troupeaux de brebis bêlantes, cinq de bœufs rentraient dans ses étables, et il avait cent chevaux pour retourner sa terre.

Et, tandis qu'à travers la plaine Mars se déchaîne avec des chances égales, la déesse [1906], ayant acquitté sa promesse, voyant qu'elle a versé le sang de la guerre et préludé par ces premières morts au combat, abandonne l'Hespérie et, prenant son vol par les brises du ciel, adresse, victorieuse, ce langage superbe à Junon : « Voilà que la discorde a allumé, selon tes vœux, une guerre funeste ! Dis-leur de s'unir d'amitié et de faire un traité d'alliance, maintenant que j'ai arrosé les Teucères du sang de l'Ausonie. J'irai plus loin encore, si je suis sûre de ton consentement : je pousserai par des faux bruits les villes limitrophes à la guerre, et j'embraserai les cœurs du désir de Mars insensé, de façon que des secours affluent de tous côtés ; je répandrai des armes par les champs. » Junon lui réplique : « C'est trop de terreurs et d'artifice : les causes de guerre sont là ; des deux côtés on est aux prises ; les premières armes que le hasard a données se teignent d'un sang nouveau. Que le fils illustre de Vénus et le roi Latinus lui-même célèbrent de telles noces et de tels hyménées. Pour toi, le Père souverain du haut Olympe ne saurait consentir que tu erres librement au-dessus des brises de l'éther ; retire-toi. Si quelque événement demande encore une intervention de la fortune, j'y pourvoirai moi-même. » Telles avaient été les paroles prononcées par la Saturnienne [1907] : l'autre soulève ses ailes sifflant de serpents et, quittant les hauteurs du ciel, gagne le séjour du Cocyte [1908]. Il est, au milieu de l'Italie, au pied de hautes montagnes, un lieu célèbre et commémoré par la renommée en beaucoup de contrées, la vallée d'Amsanctus [1909] : une sombre forêt la presse des deux côtés de ses épaisses frondaisons, et, au milieu, un torrent aux tourbillons vertigineux roule avec fracas sur des rochers. Là se voit une caverne horrible, soupirail du cruel Dis [1910], gouffre énorme où l'Achéron rompant la terre découvre ses gorges empestées. L'Erinnye, odieuse divinité, se plonge dans cet abîme, soulageant de sa présence et la terre et les cieux.

Pendant ce temps la reine, fille de Saturne, met néanmoins la dernière main à la guerre : toute la foule des bergers se rue du champ de bataille dans la ville ; ils rapportent les cadavres du petit Almon et de Galésus, dont le visage est défiguré ; ils implorent les dieux et conjurent Latinus. Turnus est là, et, au milieu des accusations de meurtre et d'incendie, il redouble la terreur des Latins : « Ce sont les Teucères qu'on appelle au trône ; c'est à la race phrygienne qu'on se mélange ; et lui, on le chasse du palais. » Alors ceux dont les mères, possédées par Bacchus [1911], bondissent en thiases [1912] parmi les bocages impénétrables (car le nom d'Amata n'était pas un vain nom [1913]), se rassemblent et se réunissent de toutes parts et réclament Mars [1914] à grands cris. Tous, à l'encontre des présages, à l'encontre des arrêts des dieux, malgré la volonté du ciel, demandent cette guerre fatale et assiègent à l'envi le palais du roi Latinus. Mais lui, comme un roc immobile dans la mer [1915], leur résiste — comme un roc dans la mer, qui, assailli avec un grand fracas et battu par les vagues innombrables qui l'entourent de leurs aboiements [1916], se soutient par sa masse : c'est en vain que les écueils et les rochers écumants frémissent autour de lui, et que l'algue refoulée se brise contre son flanc. Mais, voyant qu'il n'a aucun moyen de vaincre cet aveugle dessein et que les événements se déroulent au gré de la cruelle Junon, Latinus, après avoir pris plusieurs fois à témoin les dieux et les souffles vains : « Hélas! dit-il, nous sommes brisés par les destins et emportés par la tempête! Vous-mêmes, vous paierez ce forfait de votre sang sacrilège [1917], ô malheureux que vous êtes! Toi, Turnus, tu te verras réservé le funeste supplice qui attend les impies, et tu adresseras aux dieux des vœux trop tardifs. Car pour moi, le repos m'est acquis et je suis près du port : on me dépouille seulement d'une mort paisible. » Et sans dire un mot de plus, il s'enferma dans son palais et abandonna les rênes du pouvoir [1918].

Il y avait un usage [1919] dans le Latium d'Hespérie, que les villes albaines [1920] consacrèrent depuis lors, et qu'aujourd'hui observe Rome, la merveille du monde [1921], lorsqu'elle donne le signal des combats, soit qu'elle se prépare à porter la guerre, source de larmes [1922], chez les Gètes [1923], les Hyrcaniens [1924] ou les Arabes [1925], soit qu'elle veuille marcher contre les Indiens [1926], pénétrer au pays de l'Aurore [1927] et redemander aux Parthes nos enseignes [1928]. Il y a deux portes de la guerre [1929] (c'est ainsi qu'on les nomme), consacrées par la religion et par l'épouvante que sème le cruel Mars; elles sont fermées par cent verrous d'airain et par des barres de fer séculaires, et Janus qui les garde [1930] ne s'éloigne pas du seuil. Quand les sénateurs ont pris l'irrévocable décision de combattre, le consul en personne, paré de la trabée quirinale [1931] et la toge ceinte à la façon des Gabiens [1932], les fait tourner sur leurs gonds qui grincent, et proclame lui-même l'état de guerre [1933] : alors la jeunesse le suit, et les cors d'airain sonnent leur rauque assentiment. C'est conformément à cet usage qu'on invitait alors Latinus à déclarer la guerre aux compagnons d'Enée et à ouvrir les portes funestes. Mais le vénérable roi refusa de les toucher, et, se détournant de ce hideux ministère, il s'enfuit et alla se cacher dans les ombres obscures de son palais. Alors la reine des dieux [1934] poussa de sa propre main les portes rétives, et, les faisant tourner sur leurs gonds, la Saturnienne [1935] enfonça les battants de fer de la guerre [1936].

L'Ausonie, auparavant tranquille et immobile, s'embrase : les uns se préparent à marcher à pied dans les plaines, les autres, montés sur de hauts chevaux, font fureur parmi la poussière; tous cherchent des armes [1937]. Certains nettoient avec de l'huile grasse leurs lisses boucliers ronds et leurs javelots brillants, et aiguisent sur la pierre leurs haches; on se plaît à déployer les enseignes, à écouter le son des trompettes. Cinq grandes villes forgent sur les enclumes des armes neuves; la puissante Atina [1938], la superbe Tibur [1939], Ardée [1940], Crustumérie [1941] et Antemnes [1942] couronnée de tours! Les uns creusent des couvre-chefs protecteurs, et courbent le saule en ronds boucliers; les autres recouvrent de lames d'argent les cuirasses d'airain et les cuissards lisses. Voilà où a abouti leur goût pour le soc et la faux, leur grand amour de la charrue : ils retrempent aux fourneaux les épées de leurs pères. Déjà les clairons sonnent, le mot d'ordre circule [1943]. Celui-ci prend à la hâte son casque à la maison; celui-là contraint au joug ses chevaux frémissants, revêt un bouclier et une cuirasse au triple rang d'or [1944], et se ceint de sa fidèle épée.

Ouvrez-moi maintenant l'Hélicon [1945], ô Déesses [1946], et entonnez vos chants; dites quels rois partirent pour la guerre, quelles armées à leur suite couvrirent les plaines, quels guerriers vit fleurir, dès lors, la terre sacrée d'Italie, quelles armes l'embrasèrent. Car vous vous en souvenez [1947], ô déesses, et vous pouvez le dire. Nous, c'est à peine si un souffle ténu de la renommée glisse jusqu'à nos oreilles.

Le premier à ouvrir la guerre et à armer ses bataillons, c'est le farouche Mézence [1948], le contempteur des dieux [1949], venu des bords tyrrhéniens [1950]. A côté de lui s'avance son fils Lausus que personne ne dépasse pour la beauté, à l'exception du beau Laurente Turnus [1951], Lausus, dompteur de chevaux [1952] et vainqueur de bêtes féroces, conduit mille soldats qui l'ont suivi vainement [1953] de la ville d'Agylla [1954], digne d'exécuter les ordres d'un maître plus doux et d'avoir un autre père que Mézence.

Après eux, montrant sur le pré son char orné d'une palme et ses chevaux vainqueurs, s'avance le puissant Aventin [1955], fils du puissant Hercule [1956]; il porte sur son bouclier l'insigne de son père : cent serpents et l'Hydre ceinte de reptiles [1957]. C'est dans la forêt qui couvre la colline de l'Aventin [1958] que la prêtresse Rhéa [1959], mortelle unie à un dieu, le mit furtivement au monde, après que le Tirynthien [1960] vainqueur, ayant tué Géryon [1961], eut atteint les guérets laurentins et baigné dans le fleuve tyrrhénien [1962] ses vaches d'Ibérie [1963]. Ses soldats portent à la main des javelots, des épieux terribles à la guerre, et combattent avec la courte épée et la lance sabellienne [1964]. Lui-même s'avance à pied, roulant autour de lui la dépouille monstrueuse d'un lion, dont les poils terribles et les dents blanches lui couvrent la tête : c'est ainsi qu'il s'avançait, horrible, vers le palais royal, et le manteau d'Hercule [1965] noué sur ses épaules.

Puis deux jumeaux, venus des remparts de Tibur, pays ainsi nommé du nom de Tiburtus, leur frère : Catillus et l'impétueux Coras [1966], jeunes guerriers argiens [1967], s'élancent au premier rang parmi une grêle de traits. Tels deux Centaures, fils de la Nue [1968], quand ils descendent du haut sommet de la montagne, laissant loin derrière eux dans leur course rapide l'Homolé [1969] et l'Othrys [1970] neigeux : l'énorme forêt leur livre passage et les broussailles s'inclinent sous leurs pas avec un grand craquement.

On voit aussi le fondateur de la ville de Préneste [1971] Céculus, roi issu de Vulcain [1972] au milieu des troupeaux champêtres et trouvé dans un foyer comme l'ont cru tous les âges. Une légion champêtre lui fait une ample escorte : ce sont les habitants de la haute [1973] Préneste et des campagnes consacrées à Junon Gabienne [1974] et de l'Anio glacial [1975] et des rochers Herniques [1976] arrosés de rivières; ceux que tu nourris, riche Anagnie [1977], ceux que tu abreuves, vénérable Amasène [1978]. Ils n'ont pas tous des armes, des boucliers, ni des chars sonores; la plupart lancent des balles de plomb blanc; d'autres portent deux javelots à la main, et ont la tête coiffée d'un fauve bonnet de peau de loup, leur pied gauche laisse des empreintes nues, l'autre est couvert d'un cuir grossier [1979].

Cependant Messape [1980], dompteur de chevaux [1981], fils de Neptune, Messape que ne peuvent abattre ni le feu ni le fer, appelle soudain aux armes ses peuples depuis longtemps au repos et déshabitués de la guerre, et il reprend le fer. Les armées fescennines [1982], les Eques [1983] Falisques [1984], les habitants des hauteurs du Soracte [1985] et des guérets de Flavinie [1986], et du lac Ciminus [1987] avec son mont [1988], et du bois sacré de Capène [1989] sont derrière lui. Ils allaient en rangs égaux et chantaient les louanges de leur roi. Tels parfois, parmi les nuages transparents, les cygnes [1990], neigeux quand ils s'en retournent de la pâture, et qu'ils tirent de leurs longs cous des mesures mélodieuses, qui font résonner le fleuve [1991] et retentir au loin le marais de l'Asia [1992]. On eût pris cette multitude non pour des bataillons d'airain qui marchent au combat, mais pour une nuée aérienne d'oiseaux aux cris rauques qui s'abattent de la haute mer sur le rivage.

Voici, issu du sang antique des Sabins, Clausus [1993] à la tête d'une grande armée et qui vaut à lui seul une grande armée : c'est de lui que s'est répandue dans le Latium la tribu [1994] et la famille Claudia, depuis le jour où Rome fut pour une part donnée aux Sabins [1995]. Avec lui s'avancent l'énorme cohorte d'Amiterne [1996], les vieux Quirites [1997], toute l'armée d'Erétum [1998] et de Mutusca [1999] fertile en oliviers, ceux qui habitent la ville de Nomentum [2000], et les champs Roséans du Vélinus [2001], et les rocs hérissés du Tétricus [2002], et le mont Sévère [2003], et Caspérie [2004] et Forules [2005], et le fleuve de l'Himelle [2006], ceux qui s'abreuvent au Tibre et au Fabaris [2007], ceux qu'a envoyés la froide Nursie [2008], et les contingents d'Horta [2009], et les peuples latins, et ceux que sépare le cours de l'Allia, nom sinistre [2010]. Ils sont aussi nombreux que les flots roulés par la mer marmoréenne de Libye, quand le terrible Orion [2011] s'enfonce dans ses ondes hivernales, aussi nombreux que les épis serrés grillés par le soleil nouveau [2012] dans la plaine de l'Hermus [2013] ou dans les guérets blondissants de la Lycie [2014]. Leurs boucliers résonnent, et la terre tremble sous leurs pas.

Ici l'Agamemnonien [2015], ennemi du nom troyen [2016], Halésus [2017], attelle à un char ses chevaux et amène à Turnus mille peuples farouches : ceux qui retournent avec des hoyaux le Massique fertile en dons de Bacchus [2018], et ceux que leurs pères Auronces [2019] ont dépêchés de leurs hautes collines, et leurs voisins des plaines Sidicines [2020], et ceux qui viennent de Calès [2021], et l'habitant du fleuve sablonneux qu'est le Vulturne [2022], et, avec eux, le Saticule [2023] farouche et la bande des Osques [2024]. Ils ont pour armes de jet des javelots courts et ronds, mais ils les adaptent d'ordinaire à une courroie flexible [2025]; un bouclier de cuir [2026] couvre leur bras gauche; ils combattent corps à corps avec une épée recourbée.

Et toi non plus tu ne seras pas omis dans nos vers, Œbalus [2027], toi que Télon engendra, dit-on, de la nymphe Sébéthis, quand il régnait sur les Téléboens de Caprée [2028], et qu'il était déjà assez vieux : mais, fils non content de son patrimoine, il soumettait dès lors à sa vaste domination les peuples Sarrastes [2029], et les plaines qu'arrose le Sarnus [2030], et les populations de Rufres [2031], de Batule [2032], des guérets de Célenne [2033], et celles que dominent les remparts d'Abella [2034] fertile en pommiers [2035]. Ils ont coutume de lancer le javelot à la façon des Teutons [2036]; leur couvre-chef est de l'écorce de liège; leurs boucliers d'airain brillent, leurs épées d'airain brillent.

Toi aussi, la montueuse Nersa [2037] te dépêcha au combat, Ufens [2038], illustre par ta gloire et par le bonheur de tes armes. Tu as pour principale force un peuple sauvage, accoutumé à chasser dans les bois, les Equicules [2039] qui vivent sur une dure glèbe. Tout armés ils travaillent la terre, se plaisent à transporter un butin toujours frais et à vivre de rapine.

Vint aussi, de la nation marruvienne [2040], un prêtre, au casque recouvert de frondaisons et de rameaux d'olivier fertile, envoyé par son roi Archippus [2041], le très valeureux Umbron [2042]. Il avait coutume, par des chants et des caresses, de provoquer le sommeil de la race des vipères et des hydres au souffle lourd; il apaisait leurs colères et guérissait, par son art, leurs morsures. Mais il ne put remédier au coup que lui porta une lance dardanienne; et ni les chants endormeurs, ni les herbes cueillies sur les montagnes des Marses [2043] n'eurent d'effet sur sa blessure. C'est toi, Umbron, que le bocage d'Angitie [2044], toi que le Fucin [2045] à l'onde transparente, toi que les lacs limpides ont pleuré...

Marchait aussi au combat le magnifique rejeton d'Hippolyte [2046], l'insigne Virbius [2047], qu'envoya sa mère Aricie [2048], et qui avait été élevé près des humides rivages des bois sacrés d'Egérie [2049], où s'élève le riche autel de Diane clémente [2050]. Car on rapporte le bruit qu'Hippolyte, après avoir succombé aux artifices d'une marâtre [2051] et assouvi par son sang la vengeance paternelle [2052], en étant écartelé par des chevaux affolés [2053], revint à la lumière des constellations éthérées et sous les brises célestes d'en haut, rappelé à la vie par les herbes de Péon [2054] et par l'amour de Diane [2055]. Alors le Père tout-puissant [2056], indigné qu'un mortel remontât des ombres infernales à la lumière de la vie, précipita lui-même de sa foudre dans les ondes du Styx le fils de Phébus, inventeur de la médecine [2057] et de ses artifices. Mais l'alme Trivie [2058] dissimula Hippolyte dans un asile écarté, et le relégua au fond du bocage consacré à la nymphe Egérie, où, seul et inconnu, il put passer ses jours dans les bois d'Italie, sous le nom nouveau de Virbius [2059]. De là vient qu'on tient encore les chevaux cornipèdes éloignés du temple de Trivie et des bois qui lui sont consacrés, eux qui, épouvantés à la vue d'un monstre marin, renversèrent sur la côte le char et le jeune guerrier. Nonobstant, le fils d'Hippolyte poussait dans l'étendue de la plaine ses chevaux ardents et se ruait sur un char aux combats.

Turnus lui-même s'avance dans les premiers rangs, magnifique de prestance, tenant ses armes et dépassant les autres de toute la tête [2060]. Son haut casque à la triple aigrette chevelue supporte une Chimère [2061], dont la gorge souffle le feu de l'Etna : le monstre frémit d'autant plus et lance d'autant plus de flammes sinistres que le combat est rude et que coule le sang. L'or de son bouclier lisse représentait (image frappante) Io [2062], les cornes dressées, déjà couverte de poils, déjà vache, et le gardien de la jeune fille, Argus [2063], et son père Inachus [2064] épanchant l'eau du fleuve [2065] de son urne ciselée. Il est suivi d'une nuée de fantassins, et d'escadrons armés de boucliers ronds qui remplissent toute la plaine : c'est la jeunesse argienne, et la troupe des Auronces [2066], et les Rutules, et les vieux Sicanes [2067], et les armées sacranes [2068], et les Labiques [2069] aux boucliers peints, et ceux qui labourent tes vallons, ô Tibre, ou la rive sacrée du Numicius [2070] et ceux qui, avec le soc, travaillent les collines rutules et la montagne de Circé [2071] : guérets auxquels président Jupiter Anxur [2072] et Féronie [2073] heureuse de son vert bocage; lieux où s'étend le noir marais de Satura [2074], et où l'Ufens glacé [2075] se fraye une route à travers les vallées profondes et va se perdre dans la mer.

Après eux arrive, de la nation volsque, la guerrière Camille, à la tête d'une colonne de cavaliers et d'escadrons resplendissants d'airain. Ses mains féminines n'ont point l'habitude de la quenouille et des corbeilles de Minerve, mais c'est une vierge accoutumée à supporter les rudes combats et à devancer les vents à la course. Elle volerait sur la cime verdoyante d'une moisson sans l'effleurer et sans meurtrir sous ses pas les tendres épis; ou elle ferait route au milieu de la mer, glissant sur le flot gonflé, sans mouiller dans la plaine liquide les plantes de ses pieds rapides. Toute la jeunesse sortie des maisons et des champs, et une foule de femmes la regardent marcher avec admiration, béantes d'étonnement à la vue du royal manteau de pourpre qui couvre ses fines épaules, de l'agrafe d'or qui noue ses cheveux et de sa grâce à porter le carquois de Lycie [2076] et le myrte pastoral armé d'un fer pointu [2077].

LIVRE HUITIÈME

ÉVANDRE; LE BOUCLIER D'ÉNÉE

Quand Turnus eut porté l'étendard de la guerre[2078] au haut de la citadelle laurentine, et que les cors[2079] eurent retenti de leurs accents rauques, quand il eut animé ses chevaux impétueux et quand il eut entrechoqué ses armes[2080], sur-le-champ les cœurs palpitèrent; d'un seul coup, tout le Latium s'enrôle[2081] en un trépidant tumulte[2082], et la jeunesse déchaînée fait fureur. Les principaux chefs, Messape[2083] et Ufens[2084] et Mézence, contempteur des dieux[2085], rassemblent des forces de toutes parts et dépeuplent de leurs cultivateurs les vastes campagnes[2086]. Vénulus[2087] est dépêché à la ville du grand Diomède[2088], pour lui demander secours et lui apprendre l'établissement des Teucères[2089] dans le Latium, l'arrivée d'Enée avec sa flotte, apportant ses Pénates vaincus et se disant appelé à régner par les destins, enfin l'alliance de beaucoup de peuples avec le héros dardanien[2090] et la propagation de sa renommée dans tout le Latium : le but de cette entreprise, l'issue qu'Enée souhaite à la guerre, si la fortune le seconde, Diomède lui-même devait l'apercevoir plus clairement[2091] que le roi Turnus ou le roi Latinus.

Tels étaient les événements qui se déroulaient dans le Latium. En les envisageant dans leur ensemble, le héros laomédontien[2092] flotte sur la grande mer bouillonnante des soucis[2093], arrête sa pensée agile tantôt sur un point, tantôt sur un autre, prend toutes sortes de résolutions, s'agite dans tous les sens[2094]. Ainsi lorsqu'en un vase d'airain[2095] la lumière tremblante de l'eau réfléchit le soleil ou l'image de la lune brillante, elle voltige au loin en tous lieux, se projette dans les airs et va frapper les lambris du plafond.

Il était nuit, et un profond sommeil tenait, à travers toute la terre, les vivants fatigués et la race des oiseaux et des bêtes, quand le vénérable Enée, le cœur troublé par cette guerre funeste, se coucha sur la rive[2096] et sous la voûte de l'éther glacé, et laissa un tardif repos s'insinuer à travers ses membres. Alors le dieu de ces parages lui-même, le Tibre au fleuve riant[2097], lui semble lever sa vieille tête[2098] parmi le feuillage des peupliers; le lin mince[2099] d'un manteau glauque[2100] voilait son corps, et un roseau ombreux recouvrait sa chevelure. C'est ainsi qu'il adressa la parole à Enée, et il lui enleva ses soucis par ces mots :

« O rejeton de la race des dieux, toi qui nous ramènes [2101] la ville de Troie sauvée de l'ennemi, et qui maintiens l'éternelle Pergame [2102], voici, sur le sol laurentin et dans les guérets latins qui t'attendaient [2103], la demeure qui t'était fixée; voici — ne t'en détourne pas — les Pénates qui t'étaient fixés. Ne t'effraye pas de menaces de guerre : tout le courroux, toute la colère des dieux sont tombés... Et, pour que tu ne te croies pas en proie aux vaines fantasmagories d'un songe, apprends que tu vas trouver, sous les yeuses du rivage, une laie énorme, avec les trente petits qu'elle a mis au monde, couchée, toute blanche, sur le sol, et ses blancs nourrissons autour de ses mamelles. Ce sera là l'emplacement de ta ville, le terme fixé à tes fatigues [2104], c'est là qu'au bout de trois fois dix ans [2105] Ascagne fondera Albe au nom clair [2106]. Ce que j'annonce n'est point incertain. Maintenant, attention : je m'en vais t'apprendre en peu de mots le moyen de sortir vainqueur des dangers qui te menacent.

« Des Arcadiens, race issue de Pallas, compagnons du roi Evandre [2107] et ralliés sous ses enseignes, ont élu domicile sur ces bords et ont bâti sur la montagne la ville de Pallantée du nom de Pallas, l'ancêtre. Ils sont continuellement en guerre avec le peuple latin. Prends-les pour alliés de guerre et unis-toi à eux par un pacte. Je te conduirai moi-même directement, entre les rives de mon fleuve, et je t'aiderai à remonter mon cours à force de rames. Lève-toi donc, fils de déesse, et, au premier déclin des astres [2108], apporte, selon le rite, tes prières à Junon et fléchis par tes vœux et tes supplications sa colère et ses menaces. Une fois vainqueur, tu t'acquitteras envers moi. Je suis, moi, le Tibre azuré [2109], fleuve chéri du ciel, que tu vois couler à pleins bords, effleurant ses berges et coupant de grasses cultures. Ici [2110] s'élève pour moi une grande demeure [2111], capitale des hautes villes [2112]. »

Le fleuve a dit, puis s'est plongé dans son lit creux, en en gagnant les profondeurs; la nuit et le sommeil ont abandonné Enée. Il se lève, et, les yeux tournés vers les rayons éthérés du soleil levant [2113], après avoir selon le rite puisé de l'eau du fleuve [2114] dans le creux de ses mains, il répand vers l'éther les paroles suivantes : « Nymphes, ô Nymphes des Laurentes, d'où les cours d'eau tirent leur origine, et toi, ô Tibre Père avec ton fleuve saint [2115], accueillez Enée et écartez enfin les dangers de lui. Quelle que soit la source où une nappe d'eau t'abrite, toi qui plains nos infortunes, quel que soit le sol d'où, magnifique, tu sors [2116], tu recevras toujours l'hommage de mon encens et toujours l'hommage de mes dons, fleuve cornigère [2117] qui règnes sur les eaux de l'Hespérie [2118]. Daigne seulement m'assister et me confirmer de plus près [2119] ta divine puissance. » Il dit, choisit deux birèmes de sa flotte, les garnit d'une rémige [2120], et pourvoit en même temps d'armes ses compagnons.

Or voici (prodige subit et merveilleux à voir) qu'à travers la forêt [2121] une laie éblouissante de blancheur, couchée avec sa portée blanche comme elle sur le vert rivage, lui apparaît; alors le pieux Enée te l'immole, à toi, oui, à toi, très grande Junon, et te la consacre avec le troupeau sur ton autel.

Le Tibre, pendant toute la durée de la nuit, a apaisé son cours tumultueux, et, refluant [2122] d'une onde silencieuse, il s'est arrêté, de manière, semblable à un doux étang ou à un marais tranquille, à aplanir la surface de ses eaux, et à supprimer l'effort de la rame. Ils poursuivent donc rapidement leur route, avec un murmure favorable; le sapin huilé [2123] glisse sur les flots : les ondes admirent, le bois étonné admire les boucliers des guerriers resplendissant au loin sur le fleuve et les carènes peintes [2124] qui voguent sur lui. Eux ne cessent nuit et jour [2125] de ramer, triomphent des longs détours de la rivière, passent sous un dais d'arbres de toute sorte, et fendent les vertes forêts réfléchies dans le miroir tranquille de l'onde. Le soleil de feu avait gravi la moitié de la voûte céleste [2126], lorsqu'ils voient au loin des murs, une citadelle, quelques maisons éparses, que la puissance romaine a depuis égalées au ciel : c'était alors le pauvre domaine d'Evandre [2127]. Ils tournent vite les proues [2128] et s'approchent de la ville.

Ce jour-là, par hasard, le roi arcadien [2129] offrait un sacrifice solennel à l'illustre et grand fils d'Amphitryon [2130] et aux autres dieux [2131], devant la ville, dans ces bois sacrés. Avec lui, Pallas, son fils, avec lui tous les principaux chefs de la jeunesse et son pauvre sénat répandaient l'encens, et le sang tiède fumait près des autels. À peine ont-ils vu les hauts navires glissant parmi le bois ombreux et les rameurs courbés sur les rames taciturnes qu'ils sont épouvantés par ce spectacle subit et que tous ensemble quittent la table et se lèvent. Mais l'audacieux [2132] Pallas leur défend d'interrompre le sacrifice [2133]; il vole seul, ayant saisi un trait, au-devant des Teucères, et, les interpellant de loin du haut d'un tertre : « Guerriers, quel motif vous a poussés à tenter des routes inconnues ? où vous dirigez-vous ? leur dit-il. De quelle race êtes-vous ? De quel pays venez-vous ? Est-ce la paix ou la guerre qu'ici vous apportez ? » Alors le vénérable Enée, de sa poupe élevée, lui parle et tend vers lui le rameau d'olivier pacifique qu'il porte dans sa main : « Ce sont des fils de Troie que tu vois, et des armes qui n'en veulent qu'aux Latins, qui ont dédaigneusement déclaré la guerre à des transfuges. Nous venons voir Evandre : portez-lui ce message, et dites-lui que l'élite des chefs de la Dardanie est arrivée ici pour lui demander le secours de ses armes. » Frappé d'un si grand nom [2134] Pallas est demeuré stupéfait : « Descends, ô qui que tu sois, dit-il, viens parler tête à tête avec mon père et entre comme un hôte dans nos Pénates. » Il lui a tendu la main et lui a serré la sienne en l'embrassant. Ils s'avancent dans le sous-bois et laissent le fleuve derrière eux.

Alors Enée adresse au roi ces paroles amicales : « O le meilleur fils des Grecs, toi à qui la fortune a voulu que je portasse mes vœux et que je tendisse ces rameaux décorés d'une bandelette [2135], je ne suis pas effrayé à l'idée que tu étais un chef des Danaens [2136] et un Arcadien et que les liens de la famille t'unissaient aux deux Atrides [2137]. Mais ma valeur, les saints oracles des dieux, nos communs ancêtres [2138] et ta renommée répandue à travers le monde m'ont uni à toi et m'ont poussé à subir volontiers mes destins. Dardanus, le premier père de la ville d'Ilion et son fondateur, fils, à ce que disent les Grecs, de l'Atlantide Electre [2139], aborde chez les Teucères : Electre a dû le jour au très grand Atlas [2140] qui porte la voûte éthérée sur ses épaules. Vous [2141], vous avez pour père Mercure, que la blanche Maia [2142] mit au monde après l'avoir conçu sur le sommet glacé du Cyllène [2143]; or, Maia, si nous en croyons la tradition, est née d'Atlas, de ce même Atlas, qui supporte les constellations du ciel. Ainsi nos deux familles sont deux divisions d'un sang unique [2144]. Fort de ces titres, je n'ai usé ni d'ambassadeur, ni d'artifice pour sonder tes dispositions; c'est moi, c'est moi et ma propre tête que j'ai mis moi-même en avant, et je suis venu en suppliant à ton seuil. La même nation daunienne [2145] qui te poursuit, nous poursuit aussi d'une guerre cruelle; s'ils arrivent à nous chasser, ils se flattent que rien ne les empêchera de soumettre à leur joug l'Hespérie tout entière jusqu'en ses profondeurs et de tenir la mer qui baigne ses rivages en haut [2146], ainsi que celle qui les baigne en bas [2147]. Donne-moi ta foi et reçois la mienne. Nous avons avec nous de braves guerriers, des cœurs vaillants, une jeunesse qui a fait ses preuves dans les combats. »

Enée avait dit; le roi, tandis qu'il parlait, parcourait du regard depuis longtemps son visage, ses yeux et son corps tout entier. Enfin il lui répond en peu de mots : « Comme je suis heureux de t'accueillir et de te reconnaître, ô le plus courageux des Teucères! Comme je retrouve en toi les paroles de ton père, la voix du grand Anchise et son visage! Il me souvient en effet que Priam, fils de Laomédon, se rendant à Salamine pour visiter le royaume de sa sœur Hésione [2148], poussa jusqu'aux confins glacés de l'Arcadie [2149]. Alors la prime jeunesse revêtait mes joues de sa fleur [2150], et j'admirais les chefs teucères, j'admirais le fils de Laomédon lui-même, mais Anchise s'avançait dépassant tous les autres de sa taille [2151]. Mon esprit brûlait d'un désir juvénile d'entretenir le héros et de serrer sa main dans la mienne. Je l'abordai et le conduisis avec empressement dans les murs de Phénée [2152]. Il me donna, en partant, un carquois magnifique, des flèches de Lycie [2153], une chlamyde brodée d'entrelacs d'or [2154] et deux freins d'or que possède maintenant mon Pallas. Ainsi donc cette alliance que vous sollicitez, ma main l'a déjà scellée, et, quand demain luiront sur la terre les premiers rayons de l'aurore, je vous renverrai contents de mon secours et je vous aiderai de ma puissance [2155]. En attendant, puisque vous êtes venus ici en amis, célébrez avec nous d'un cœur favorable ce sacrifice solennel, qu'il est interdit de différer, et venez dès maintenant prendre vos habitudes aux tables de vos alliés. »

Après avoir prononcé ces mots, il fait rapporter les mets et les coupes qu'on avait enlevés, place lui-même les guerriers sur un siège de gazon, et invite Enée en particulier à s'asseoir sur un trône d'érable que recouvre la dépouille velue d'un lion. Alors une jeunesse choisie et le prêtre de l'autel apportent à l'envi les viscères torréfiés des taureaux, entassent dans des corbeilles les dons de Cérès travaillée [2156], et versent la liqueur de Bacchus [2157]. Enée ainsi que la jeunesse troyenne mangent le dos entier [2158] d'un bœuf et ses entrailles lustrales [2159].

Après que leur faim est assouvie et leur appétit calmé [2160], le roi Evandre dit : « Cette solennité, ce festin annuel [2161], cet autel consacré à une si grande divinité [2162], ne nous ont pas été imposés par une vaine superstition, oublieuse des vieux dieux [2163]; c'est pour avoir échappé à de cruels dangers, hôte troyen, que nous agissons ainsi, et que nous instituons des hommages mérités. Et d'abord vois ce roc suspendu à des rochers, ces masses, au loin, dispersées çà et là, cette maison abandonnée qui s'élève dans la montagne, ces pierres qu'a entraînées un écroulement énorme. Là il y avait une grotte, s'ouvrant dans un vaste enfoncement, qu'habitait un monstre effroyable, le demi-homme Cacus [2164]; elle était inaccessible aux rayons du soleil; le sol y était toujours tiède d'un carnage récent, et, clouées aux portes superbes, des têtes d'hommes pendaient, pâles et portant de tristes souillures. Ce monstre avait pour père Vulcain, sa bouche en vomissait les feux sombres, tandis qu'il se déployait en une masse formidable. Un jour vint où le temps accorda aussi à nos vœux [2165] le secours et l'arrivée d'un dieu : en effet, le Vengeur très grand [2166], fier de la mort et des dépouilles du triple Géryon [2167], Alcide [2168] était en ces lieux; vainqueur [2169], il poussait par là devant lui des taureaux énormes : ses bêtes couvraient la vallée et les rives du fleuve [2170]. Mais Cacus, l'âme en proie aux furies, voulant oser et perpétrer tous les crimes et toutes les perfidies, détourna de leurs pacages quatre taureaux d'une puissance remarquable et autant de génisses d'une beauté magnifique, et, pour qu'ils ne laissassent point de traces en marchant droit devant eux, il les traîna par la queue dans sa caverne et, les ayant pris, après avoir ainsi tourné leurs empreintes en sens inverse, il les cacha dans son rocher ténébreux. On pouvait chercher : aucune trace ne conduisait à la caverne. Cependant le fils d'Amphitryon [2171] allait emmener du pacage ses troupeaux rassasiés et préparer son départ, lorsqu'au moment de s'éloigner les bœufs mugirent, remplissant de leurs cris plaintifs tout le bocage et quittant les collines à regret. Une génisse répondit à la voix des bœufs, mugit dans l'antre profond et trompa l'espérance de Cacus, son gardien. Mais les Furies avaient allumé dans l'âme d'Alcide un sombre courroux : il prend à la main ses armes, sa massue chargée de nœuds et gagne à la course les hauteurs du mont aérien. Alors pour la première fois les nôtres virent Cacus tremblant, les yeux hagards. Il fuit aussitôt, plus rapide que l'Eurus [2172], et gagne sa caverne : la peur lui a mis des ailes aux pieds. A peine s'est-il enfermé, a-t-il fait tomber en détachant ses chaînes de fer l'énorme roc, que tenait suspendu l'art de son père [2173], et fortifié de cette barrière les portes de sa retraite, que le Tirynthien [2174] était là, la fureur dans l'âme, et que, cherchant partout un accès, il portait çà et là ses regards en grinçant des dents. Trois fois, bouillant de colère, il fait tout le tour du mont Aventin; trois fois il essaie en vain de forcer le seuil de pierre; trois fois il se rassied, fatigué, dans la vallée. Debout, sur le dos de la caverne, se dressait à perte de vue un roc pointu, qu'entouraient de toutes parts des rochers abrupts, opportune demeure aux nids des oiseaux de proie. Comme son sommet incliné penchait à gauche vers le fleuve, s'étant mis à droite [2175], il l'ébranla en appuyant dans le sens contraire, et rompit les profondes racines qui l'attachaient; puis, il le poussa brusquement : sous cette poussée l'immense éther retentit, les deux rives sursautent, le fleuve épouvanté recule. Alors apparurent à découvert la grotte et l'énorme palais de Cacus, et ses cavernes ombreuses se déployèrent dans leurs profondeurs. De même [2176], si, sous l'effet d'un choc, la terre s'entrouvrant en ses profondeurs mettait à nu les séjours infernaux et ouvrait les pâles royaumes haïs des dieux, on verrait d'en haut le gouffre monstrueux et les Mânes trembleraient sous le jet de la lumière. Ainsi, surpris soudain dans cette lumière inattendue, prisonnier au fond de son rocher, Cacus rugissait étrangement : d'en haut Alcide le presse de traits, se fait des armes de tout et l'accable de branches et de gros blocs de pierre. Lui, voyant qu'il ne peut plus échapper au danger, vomit de son gosier, ô prodige! une fumée énorme, enveloppe sa demeure d'une épaisse obscurité, qui dérobe sa vue aux regards, et amoncelle dans son antre une nuit pleine de fumée, où les ténèbres se mêlent avec le feu. Alcide n'a pu se contenir; d'un saut à pic, il s'est élancé en pleine fournaise, là où la fumée déroule le plus ses tourbillons, et où une nuée noire bouillonne dans la caverne énorme. Là, en dépit de l'incendie que Cacus vomit dans les ténèbres, il l'empoigne, le lie entre ses bras, et l'étrangle en lui faisant sortir ses yeux de leur orbite et en arrêtant le sang dans son gosier à sec. Sur-le-champ, les portes sont arrachées, la noire demeure est ouverte; les vaches dérobées et les autres rapines niées par le parjure sont montrées au grand jour; le hideux cadavre est traîné dehors par les pieds : on ne peut se rassasier de voir les yeux terribles, les traits, le poitrail velu et hérissé du demi-fauve, et, dans son gosier, les feux éteints.

Depuis lors, un sacrifice fut célébré, et la tradition en fut gardée avec joie par la postérité; Potitius en prit l'initiative, et la maison Pinaria [2177], dépositaire du culte d'Hercule. Le héros érigea dans ce bois un autel [2178], qui sera toujours proclamé par nous « le plus grand » [2179] et qui sera toujours le plus grand. Allez donc, ô jeunes guerriers; en commémoration d'un si grand exploit, ceignez votre chevelure de feuillage; invoquez, la coupe à la main, notre dieu commun [2180] et versez le vin [2181] avec empressement. » A peine avait-il dit que le peuplier bicolore [2182], cher à Hercule [2183], voila sa chevelure de son ombrage [2184], et noua ses feuilles autour de sa tête, et que la coupe sacrée [2185] lui emplit la main; tous aussitôt font avec joie des libations sur la table [2186] et adressent des prières aux dieux [2187].

Pendant ce temps Vesper [2188] s'approche dans l'Olympe incliné; déjà les prêtres, et Potitius à leur tête, s'avançaient, ceints de peaux de bêtes selon l'usage [2189], et portant des flambeaux [2190]. Ils reprennent le festin; le second service leur apporte des mets agréables [2191] et couvre les autels de bassins [2192] lourds d'offrandes. Les Saliens [2193] alors, des branches de peupliers [2194] attachées à leurs tempes, se placent, pour chanter [2195], autour des autels allumés; ici un chœur de jeunes gens, là un chœur de vieillards prennent place, qui célèbrent par leur chant les louanges et les hauts faits d'Hercule : comment il étrangla, en les serrant dans sa main, les premiers monstres que lui suscitait sa marâtre [2196], deux serpents; comment aussi il détruisit à la guerre les villes fameuses de Troie [2197] et Œchalie [2198], comment, sous le règne d'Eurysthée [2199], il vint à bout des mille [2200] durs travaux dus à l'arrêt de l'inique [2201] Junon; « c'est toi, disent-ils, héros invaincu [2202], dont la main immole les fils bimembrés de la Nue [2203], Hylée et Pholus [2204], et le monstre de Crète [2205], et l'énorme lion de la caverne de Némée [2206]; c'est toi qui as fait trembler les lacs du Styx [2207], et le portier de l'Orcus [2208], couché dans son antre sanglant sur des os à demi rongés [2209]; nul monstre ne t'effraya, non pas même Typhée [2210], malgré sa haute taille et des armes qu'il tenait. Tu ne perdis pas ton sang-froid lorsque le serpent de Lerne [2211] dressa autour de toi la multitude de ses têtes. Salut, ô véritable rejeton de Jupiter [2212], qui ajoutes à la gloire des dieux. Assiste-nous, assiste d'un pied favorable ce sacrifice qui t'est offert. » Tels sont les hauts faits que leurs chants célèbrent; ils y ajoutent, pour les couronner, la grotte de Cacus et Cacus lui-même soufflant du feu. Tout le bois résonne de leur clameur, et les collines en répètent l'écho.

Puis, la divine cérémonie accomplie, tous ensemble s'en retournent à la ville. Le roi marchait, appesanti par l'âge, s'appuyant dans sa marche sur Enée et sur son fils, et leur faisant paraître la route légère par la variété de ses propos. Enée surpris porte tout à l'entour des regards complaisants, est ravi par le site, demande et écoute avec plaisir l'histoire de chacun de ces anciens monuments. Alors le roi Evandre, fondateur de la cidatelle romaine [2213], lui dit : « Ces bois étaient occupés par des Faunes [2214] et des Nymphes indigènes et par une race d'hommes née du tronc dur des chênes [2215], qui étaient sans police et sans civilisation; ils ne savaient ni atteler les taureaux, ni amasser les biens de la terre, ni épargner leurs provisions; mais les rameaux [2216] et une chasse pénible leur fournissaient de quoi vivre. Le premier, Saturne vint de l'Olympe éthéré [2217], fuyant les armes de Jupiter, exilé et dépossédé de son royaume. C'est lui qui rassemble ce peuple indocile, épars sur de hautes montagnes, qui lui donne des lois et lui choisit le nom de Latium, pour avoir sur ces bords trouvé une sûre cachette [2218]. Les siècles qu'on proclame d'or s'écoulèrent sous son règne : tant il gouvernait ses peuples au sein d'une paix tranquille! Mais un âge s'altérant [2219] et perdant peu à peu [2220] sa couleur première vint ensuite, avec la rage de la guerre et l'amour de la possession [2221]. Alors vinrent les bandes ausoniennes [2222] et les peuples sicanes [2223], et bien souvent la terre de Saturne changea de nom. Alors il y eut des rois, entre autres le farouche Thybris [2224] au corps monstrueux, d'où vient le nom que plus tard, nous, les Italiens, nous avons donné au fleuve du Tibre, et qui a fait perdre à la vieille Albula sa véritable dénomination. Pour moi, chassé de ma patrie [2225] et entraîné au bout de la mer, la Fortune toute-puissante et l'inéluctable Destin me fixèrent en ces lieux, où me poussèrent les instructions terribles de la Nymphe Carmenta [2226], ma mère, et les oracles du dieu Apollon [2227]. »

A peine avait-il dit ces mots que, s'étant avancé, il montre à Enée l'autel et la porte que les Romains ont nommée Carmentale [2228], antique hommage, rendu, dit-on, à la Nymphe Carmentis, la prêtresse prophétique qui annonça, la première, la future grandeur des fils d'Enée et la gloire future de Pallantée. Il lui montre plus loin l'énorme bois sacré que l'impétueux Romulus dénomma Asile [2229], et, sous sa roche glacée, le Lupercal [2230], ainsi appelé selon la parrhasienne coutume [2231] de Pan [2232] Lycéen [2233]. Il lui montre aussi le bois de l'Argilète [2234] sacré, et, prenant le lieu à témoin, il lui raconte la mort d'Argus, son hôte [2235]. De là, il conduit Enée à l'endroit tarpéien [2236] et au Capitole, aujourd'hui d'or, jadis hérissé de buissons sauvages [2237]. Mais déjà alors les paysans craintifs ressentaient pour ce lieu une religieuse et farouche terreur; déjà alors ils tremblaient à la vue du bois et du rocher : « Cette forêt, dit Evandre, cette colline à la cime ombragée, un dieu (j'ignore lequel) mais un dieu les habite : les Arcadiens croient avoir vu Jupiter lui-même secouer souvent son égide qui obscurcit le monde [2238] et lancer, de sa droite, les nuées. Ces deux villes que tu vois plus loin, aux murs renversés, sont les restes des monuments de nos anciens héros : l'une de ces forteresses fut bâtie par Janus Père, l'autre par Saturne; la première portait le nom de Janicule [2239], la seconde de Saturnie [2240]. » Tout en échangeant de tels propos, ils s'avançaient vers le toit du pauvre Evandre et voyaient çà et là des troupeaux mugir sur le Forum romain et sur les élégantes Carènes [2241]. Quand on arriva à la demeure : « Voici, dit Evandre, le seuil où Alcide vainqueur pénétra; voici le palais qui l'a reçu. Ose, mon hôte, mépriser les richesses, montre-toi aussi digne d'un dieu, et accueille sans rudesse notre indigence. » Il dit, et conduisit le grand Enée sous le toit de son étroite demeure, et le plaça sur un lit de feuilles, couvert de la peau d'une ourse de Libye [2242].

La Nuit se rue et enveloppe la terre de ses sombres ailes. Cependant Vénus, dont le cœur de mère n'était point vainement alarmé, effrayée des menaces des Laurentes et d'un dur tumulte, s'adresse à Vulcain, et dans la chambre d'or de son époux [2243] commence par ces mots qui l'animent d'un divin amour : « Tant que les rois argoliques [2244] dévastaient par la guerre Pergame [2245] que les destins leur avaient promise et ses tours [2246] condamnées à tomber sous les flammes de l'ennemi, je n'ai imploré pour ces malheureux ni secours ni armes fabriquées par ton art; je n'ai pas voulu, ô mon très cher époux, que tu t'adonnes en vain à tes travaux, quoique je dusse beaucoup aux fils de Priam [2247] et que j'eusse souvent déploré le dur labeur d'Enée [2248]. Aujourd'hui, par ordre de Jupiter, le voici arrêté aux rives des Rutules; je viens donc cette fois en suppliante, et je suis une mère qui implore de ta sainte puissance des armes pour son fils. La fille de Nérée [2249] et l'épouse de Tithon [2250] ont pu te fléchir par leurs larmes. Vois quels peuples se liguent, quelles villes fortes, ayant clos leurs portes, aiguisent le fer contre moi et pour la ruine des miens. »

Elle avait dit, et lui passant autour du cou ses bras de neige, la déesse, le voyant indécis, l'échauffe d'une douce étreinte : lui, soudain, a senti la flamme accoutumée, une chaleur bien connue est entrée dans ses moelles, et a couru à travers ses membres alanguis. Ainsi, au moment où la foudre éclate, un sillon de feu étincelant parcourt les nuages d'une lumière brillante. L'épouse, contente de sa ruse et sachant le pouvoir de sa beauté, s'en est aperçue. Alors le vénérable Vulcain, enchaîné par un éternel amour, lui dit : « Pourquoi chercher si loin des motifs? Pourquoi, déesse, avoir perdu confiance en moi ? Si tu avais eu jadis semblable sollicitude, il nous eût, même alors, été possible d'armer les Teucères; ni le Père tout-puissant, ni les destins n'empêchaient Troie de subsister, ni Priam de régner pendant dix autres années. Aujourd'hui encore, si tu prépares la guerre, et que telle soit ton intention, je puis te promettre tout ce qui est au pouvoir de mon art, ce qui peut être produit par le fer et l'électrum [2251] liquide, tout ce que réalisent mes feux et mes soufflets : cesse donc, par tes prières, de douter de tes forces. » Ayant dit ces mots, il lui donna les embrassements souhaités, et, mollement couché sur le giron de son épouse, laissa une douce torpeur s'insinuer en ses membres.

Déjà un premier repos — la nuit ayant déjà accompli la moitié de sa carrière — avait chassé le sommeil : c'était le moment où la femme, qui n'a pour soutenir sa vie que son fuseau et la mince Minerve [2252], remue la cendre et le feu assoupi [2253], ajoutant à son travail les heures de la nuit, et, à la lueur d'une lampe, fatigue d'une longue tâche ses servantes, afin de pouvoir garder chaste le lit de son époux [2254] et élever ses petits enfants. Ainsi [2255], et non moins diligent, le Dieu puissant du feu se lève d'une tendre couche pour aller aux travaux de ses forges.

Près de la côte sicanienne [2256] et de l'éolienne Lipara [2257] s'élève une île escarpée aux rocs fumants [2258], sous laquelle tonnent une grotte et des antres etnéens [2259] minés par les feux des Cyclopes; on entend les coups vigoureux frappés sur les enclumes qui exhalent un gémissement et le feu halète dans les fournaises : c'est la demeure de Vulcain, et la terre a nom Vulcanie [2260]. C'est là que le Dieu puissant du feu descend alors des hauteurs du ciel. Dans un antre immense, des Cyclopes, Brontès, Stéropès et Pyracmon [2261], les membres nus, travaillaient le fer. Leurs mains avaient façonné et déjà poli en partie un de ces foudres que le Père lance souvent de tout le ciel sur la terre; l'autre partie restait à faire. Ils avaient combiné trois rayons [2262] d'une grêle épaisse, trois d'un nuage à pluie, trois d'un feu rouge et d'un Auster ailé; maintenant ils mêlaient à leur œuvre les éclairs terrifiants, le bruit, l'épouvante, et les fureurs aux flammes impétueuses. Ailleurs on se hâtait de faire pour Mars ce char et ces roues volantes qui réveillent les guerriers et qui réveillent les villes; on y polissait à l'envi l'horrible Egide, arme de Pallas furieuse [2263], avec ses écailles de reptiles et son or [2264], et les serpents entrelacés [2265], et, pour couvrir la poitrine de la déesse, la Gorgone [2266] elle-même, remuant encore les yeux quoiqu'elle eût le col tranché. « Enlevez tout, dit-il, emportez ces travaux commencés, Cyclopes etnéens [2267], et prêtez l'oreille par ici : il faut faire des armes pour un vaillant guerrier. C'est maintenant qu'il s'agit de montrer votre force, la rapidité de vos mains, tout votre art magistral : hâtez-vous sans retard. » Il n'en a pas dit plus; tous se sont mis vite à l'ouvrage et se sont répartis également le travail. L'airain et le métal d'or coulent à flots, et l'acier meurtrier fond dans une vaste fournaise. Ils façonnent un énorme bouclier, qui suffirait à lui seul contre tous les traits des Latins, et dont l'orbe est formé de sept orbes superposés. Les uns, armés de soufflets en peau de taureau, enferment et déchaînent l'air; les autres plongent dans l'eau l'airain strident; l'antre gémit sous le poids des enclumes. Eux soulèvent avec une grande force leurs bras en cadence, et retournent la masse avec des tenailles mordantes.

Tandis que le Père Lemnien [2268] accélère ainsi les préparatifs sur les rives éoliennes, l'alme lumière du jour et les chants matinaux des oiseaux nichés sous son toit appellent Evandre hors de son humble demeure. Le vieillard se lève, revêt sa tunique et attache à la plante de ses pieds des courroies tyrrhéniennes [2269]. Puis à son côté et à ses épaules il suspend une épée tégéenne [2270], et relève la dépouille d'une panthère qui tombait sur son bras gauche. Deux chiens de garde sortent devant lui du seuil élevé [2271] et accompagnent les pas de leur maître. Le héros se dirigeait vers la demeure écartée d'Enée, se rappelant leur entretien et sa promesse de secours. Non moins matinal, Enée se mettait en route; l'un avait avec lui son fils Pallas, l'autre marchait accompagné d'Achate. Ils se rencontrent, se serrent la main, et, assis au milieu du palais [2272], ils goûtent enfin le plaisir de pouvoir s'entretenir. Le roi prend la parole le premier :

« Très grand chef des Teucères — car, tant que vous serez en vie, je n'avouerai jamais que la puissance de Troie ou son empire soient vaincus — nous n'avons que peu de forces, eu égard à un si grand nom, pour vous assister dans la guerre : d'un côté, nous sommes barrés par le fleuve toscan [2273], de l'autre, le Rutule nous presse et fait retentir ses armes autour de nos murailles. Mais je suis prêt à associer à ta cause un peuple puissant et les opulentes armées d'un royaume : c'est un hasard inattendu qui t'offre le salut; tu viens ici conduit par des destins propices. Non loin d'ici, bâtie sur un antique rocher, s'élève la ville d'Agylla [2274], où jadis le peuple lydien [2275], illustre à la guerre, s'établit sur les monts Etrusques. Cette cité, florissante pendant beaucoup d'années, subit ensuite la domination superbe et les armes cruelles de Mézence [2276]. Dirai-je les abominables massacres, les sauvages forfaits du tyran ? Que les Dieux les fassent retomber sur sa tête et sur sa race! Il allait jusqu'à accoupler les vivants aux morts [2277], les mains appliquées sur les mains, la bouche sur la bouche : torture affreuse! et à les faire périr ainsi d'une mort lente, dégouttants de sanie et de pus, dans un triste embrassement. Mais ses sujets, lassés enfin de ces fureurs abominables, prennent les armes, l'assiègent, lui et sa maison, massacrent ses complices, lancent la flamme jusqu'au faîte du palais. Ayant pu se faufiler au milieu du carnage, il se réfugie sur le territoire des Rutules, et Turnus qui lui donne l'hospitalité le défend par les armes [2278]. Aussi toute l'Etrurie, dressée dans une juste fureur et prête à la guerre, réclame-t-elle son roi pour le supplice. C'est toi, Enée, que je donnerai pour chef à ces milliers de soldats. Car leurs poupes, rassemblées tout le long du rivage, frémissent d'impatience et demandent la levée des étendards; mais un vieil haruspice [2279] les retient, annonçant les destins : « O jeunesse d'élite de la Méonie [2280], fleur et vertu de nos anciens héros [2281], vous qu'un juste ressentiment enchaîne contre l'ennemi et que Mézence enflamme d'une colère légitime, nul Italien ne peut commander à un si grand peuple : choisissez des chefs étrangers. » Alors l'armée étrusque s'est arrêtée dans cette plaine, terrifiée par les avis des dieux. Tarchon [2282] lui-même m'a envoyé des porte-parole et la couronne royale avec le sceptre, et il me remet ses insignes, pour que je me rende au camp et que j'y prenne en main le gouvernement de la Tyrrhénie. Mais, engourdie par la glace de l'âge et accablée d'années, ma vieillesse m'interdit le commandement, et mes forces sont trop lentes pour des exploits guerriers. J'exhorterais mon fils à agir si par sa mère sabine il n'avait partiellement l'Italie pour patrie. Mais toi, dont les ans et l'origine répondent aux vœux des destins, toi, que réclament les puissances divines, marche à la tête de ces troupes, ô vaillant chef des Teucères et des Italiens. Je t'adjoindrai d'ailleurs Pallas que tu vois ici : il est notre espoir et notre consolation; puisse-t-il, à ton école, apprendre à endurer la guerre et les rudes travaux de Mars, à contempler tes hauts faits, à t'admirer dès ses premières années. Je lui donnerai deux cents cavaliers arcadiens, force d'élite de notre jeunesse, et Pallas t'en donnera tout autant en son nom. »

A peine avait-il dit — et Enée, fils d'Anchise, et son fidèle Achate tenaient leurs regards immobiles et roulaient mille dures pensées dans leur cœur attristé — que Cythérée [2283], par un ciel découvert [2284], leur donna un signal. Tout à coup, en effet, un éclair, jaillissant de l'éther, vibra avec fracas, et tout parut soudainement trembler, et les accents tyrrhéniens de la trompette [2285] mugirent parmi l'éther. Ils lèvent les yeux; un énorme coup de tonnerre éclate encore, et encore un autre. Ils voient à travers un nuage, dans une région sereine du ciel, des armes rutiler et s'entrechoquer bruyamment. Tous sont demeurés immobiles d'effroi; mais le héros troyen a reconnu le bruit et les promesses de la déesse, sa mère. Alors il dit : « Ne cherche pas, ô mon hôte, quel événement annonce ces prodiges : c'est moi que réclame l'Olympe. La déesse qui m'a mis au monde m'a annoncé qu'elle m'enverrait ce signal, si la guerre s'allumait, et qu'elle m'apporterait à travers les airs, pour me témoigner son aide, les armes de Vulcain... Hélas! quels grands carnages menacent les malheureux Laurentes! Comme tu vas être puni par moi, ô Turnus! Et que de boucliers et de casques de guerriers, que de corps vaillants tu vas rouler sous tes ondes, ô Père Tibre! Qu'on demande la guerre et qu'on rompe les traités! »

Après avoir prononcé ces mots, il se lève de son trône élevé, commence par réveiller les autels assoupis où sont les feux d'Hercule, puis aborde avec joie le Lare et les petits Pénates de la veille. Avec lui Evandre et la jeunesse troyenne immolent des brebis choisies suivant l'usage. Puis il s'en retourne à ses vaisseaux et y retrouve ses compagnons; il choisit parmi eux, pour le suivre à la guerre, les plus vaillants; les autres se laissent aller au fil de l'eau et descendent, sans ramer, le courant du fleuve, pour porter à Ascagne des nouvelles des événements et de son père. On donne des chevaux aux Teucères qui partent pour les champs tyrrhéniens; on amène à Enée un coursier incomparable, que recouvre tout entier la peau fauve d'un lion, dont les ongles d'or étincellent.

Le bruit court, répandu soudain à travers la petite ville, que des cavaliers marchent rapidement vers les murs du roi tyrrhénien. Les mères alarmées redoublent leurs vœux; leur peur augmente avec le danger, et l'image de Mars leur apparaît déjà plus grande. Alors Evandre, serrant la main de son fils qui s'en va, l'étreint sans pouvoir tarir la source de ses larmes et prononce les paroles suivantes : « Oh! si Jupiter me rendait mes années passées! si j'étais tel qu'au temps où, sous les murs mêmes de Préneste [2286], je terrassai l'avant-garde ennemie et incendiai, vainqueur, des monceaux de boucliers [2287]; où je dépêchai sous le Tartare, de cette droite que voici, le roi Erylus [2288], qui avait reçu en naissant, de

Féronie [2289], sa mère (affreux prodige!), trois âmes et trois armures [2290]; il fallait trois fois le coucher mort : et pourtant cette droite que voici lui enleva alors ses trois âmes et le dépouilla d'autant d'armures. Non, si j'étais jeune, rien ne m'arracherait à tes doux embrassements, mon fils, et jamais mon voisin Mézence, insultant à ma tête, n'eût causé tant de cruelles morts et dépeuplé sa ville de tant de citoyens. Mais vous, ô dieux d'En haut, et toi, très grand roi des dieux, ô Jupiter, ayez pitié, je vous en prie, du roi arcadien et exaucez les prières d'un père : si vos arrêts, si les destins doivent me conserver Pallas sain et sauf, si je vis pour le revoir et pour l'embrasser, je vous demande de vivre; je souffrirais d'endurer n'importe quelle peine. Mais si, ô Fortune, tu me menaces de quelque coup fatal, puisses-tu prendre la liberté de briser maintenant, oui maintenant, une vie cruelle, tandis que mes alarmes balancent, que l'attente de l'avenir est incertaine, que je te sens encore dans mes bras, ô mon enfant chéri, mon unique et tardif plaisir, afin qu'un message trop pénible ne vienne point blesser mes oreilles. » Telles étaient les paroles que le père adressait à son fils au moment suprême du départ : ses serviteurs l'emportaient évanoui dans sa demeure.

Déjà, sur ces entrefaites, la cavalerie était sortie de la ville par les portes ouvertes : Enée et le fidèle Achate marchaient au premier rang; puis, les autres chefs de Troie; au milieu de la colonne était Pallas lui-même, reconnaissable à sa chlamyde [2291] et à ses armes peintes [2292]. Tel lorsque, tout mouillé de l'onde de l'Océan, Lucifer [2293], que Vénus chérit [2294] plus que les autres feux des astres, montre dans le ciel son front sacré et dissipe les ténèbres. Debout sur les murailles, les mères tremblantes suivent des yeux le nuage de poussière et les escadrons resplendissants d'airain. Ils vont, recouverts de leurs armes, au travers des buissons, par le chemin le plus court : une clameur s'élève; la colonne serre les rangs; le sabot sonore des quadrupèdes ébranle la plaine poudreuse [2295].

Il y a, près du fleuve glacé de Céré [2296], un bois énorme, consacré au loin par la piété de nos pères : une ceinture de collines l'enclôt de toutes parts, un pacage aux noirs sapins l'entoure. Le bruit court que les vieux Pélasges [2297], qui jadis occupèrent les premiers les confins du Latium, consacrèrent ce bois et un jour par an à Silvain, dieu des guérets et du bétail [2298]. Non loin de là, Tarchon et ses Tyrrhéniens campaient dans une forte position; et, du haut de la colline, on pouvait déjà voir leur armée tout entière, dont les tentes couvraient au loin les champs. C'est là que le vénérable Enée et son élite de jeunes guerriers font halte : fatigués, ils réparent les forces de leurs chevaux et les leurs.

Cependant Vénus, déesse éblouissante parmi les nuées éthérées, arrivait apportant ses présents; et, à peine a-t-elle vu au loin son fils, retiré dans une vallée écartée, au bord du fleuve glacé, qu'elle lui adressa ces paroles en s'offrant d'elle-même à ses regards : « Voici ces cadeaux promis, que je dois à l'art accompli de mon époux : n'hésite plus, mon fils, à provoquer bientôt au combat les Laurentes superbes ou l'impétueux Turnus. » Cythérée [2299] dit et prit son fils dans ses bras; puis elle déposa, en face de lui, sous un chêne, les armes étincelantes.

Lui, joyeux des présents de la déesse et d'un si grand honneur, ne peut en rassasier ses yeux et promène tour à tour ses regards sur chaque objet; il admire, il tourne entre ses mains et entre ses bras ce casque dont l'aigrette répand la terreur et qui vomit des flammes [2300], cette épée qui apporte la mort, cette rigide cuirasse d'airain, couleur de sang, énorme, pareille à la nuée azurée qui s'embrase aux rayons du soleil et renvoie au loin son éclat; puis il contemple les cuissards lisses faits d'électrum [2301] et d'or retrempé, la lance, les inexprimables ciselures du bouclier [2302].

Là, le Dieu puissant du feu, qui n'est pas sans accointances avec les devins et qui n'ignore pas les secrets de l'avenir, avait gravé l'histoire de l'Italie et les triomphes des Romains, ainsi que toute la suite des futurs descendants d'Ascagne et, dans leur ordre, les guerres qu'ils avaient soutenues. Il y avait gravé une louve, qui venait de mettre bas, couchée dans l'antre vert de Mavors [2303], et, suspendus autour de ses mamelles, deux enfants en train de jouer et de téter leur mère sans avoir peur, tandis qu'elle, tournant la tête [2304] sans effort, les caressait l'un après l'autre et façonnait leurs corps avec sa langue. Non loin de là il avait représenté Rome et les Sabines enlevées [2305] contre le droit des gens, dans l'assemblée du cirque, pendant la célébration des grands Jeux [2306], et tout à coup une guerre nouvelle s'élevait entre les Romulides [2307] et le vieux Tatius [2308] régnant sur les Curètes [2309] sévères [2310]. Puis les mêmes rois, cessant leur lutte, se tenaient debout, en armes, devant l'autel de Jupiter, une patère [2311] à la main, et scellaient leur alliance en immolant une truie [2312]. Non loin de là, de rapides quadriges avaient écartelé Mettus [2313] (mais toi, Albain, ne pouvais-tu rester fidèle à ta parole?) et Tullus traînait à travers la forêt les entrailles du guerrier perfide, et les buissons humides dégouttaient de son sang. Plus loin Porsenna [2314] sommait les Romains de recevoir Tarquin chassé du trône, et accablait la ville d'un siège rigoureux : les descendants d'Enée se ruaient aux armes pour la liberté, on voyait l'Etrusque respirant l'indignation et la menace, parce que Coclès avait rompu un pont [2315], et que Clélie, brisant ses chaînes, passait le fleuve à la nage [2316].

Au haut du bouclier, Manlius [2317], gardien de la citadelle tarpéienne [2318], se tenait debout devant le temple et occupait le sommet du Capitole [2319] : le palais de Romulus se hérissait d'un chaume récent [2320]. Et là, une oie d'argent [2321], voletant sous les portiques dorés, annonçait par ses cris l'arrivée des Gaulois aux portes de la ville. Les Gaulois se glissaient parmi les buissons, et, protégés par les ténèbres, grâce à une nuit opaque, ils allaient occuper la citadelle : leurs chevaux sont d'or, leurs vêtements d'or; leurs sayons [2322] rayés brillent; leurs cous de lait [2323] sont cerclés [2324] d'or; deux javelots des Alpes [2325] étincellent dans leur main, et de longs boucliers couvrent leur corps. Ailleurs il avait ciselé les Saliens [2326] bondissants, les Luperques [2327] nus, les houppettes de laine [2328] et les anciles tombés du ciel [2329]; les chastes matrones, dans des chars souples [2330], conduisaient les images sacrées par la ville. Plus loin il met encore le séjour du Tartare, la profonde porte de Dis [2331], et les châtiments des criminels, et toi, Catilina [2332], suspendu à un rocher menaçant [2333] et tremblant à la vue des Furies [2334]; à part, les justes, et Caton [2335] leur donnant des lois.

Au centre du bouclier s'étendait au loin l'image d'une mer gonflée — d'une mer d'or, mais dont les vagues étaient blanches d'écume; à l'entour, des dauphins d'argent vif, en cercle, balayaient la plaine liquide de leurs queues et fendaient la marée. Au milieu, l'on pouvait apercevoir des flottes d'airain, la guerre d'Actium [2336], et l'on voyait Leucate [2337] tout entière bouillonner sous l'appareil de Mars [2338] et les flots étinceler sous l'or. D'un côté, Auguste César [2339], entraînant aux combats les Italiens, avec les sénateurs, le peuple, les Pénates et les grands dieux, debout sur une haute poupe : ses tempes heureuses vomissent une double flamme [2340], et la constellation paternelle se déploie sur sa tête [2341]. De l'autre côté, Agrippa [2342], secondé par les vents et les dieux, conduisant son armée, tête haute : ses tempes brillent sous les rostres de la couronne navale [2343], insigne superbe de guerre. En face, Antoine, avec ses forces barbares et ses armes de toute sorte [2344], revenu vainqueur de chez les peuples de l'Aurore [2345] et de la côte Rouge [2346] : il transporte avec lui l'Egypte, et les puissances de l'Orient, et la lointaine Bactriane [2347], et il est suivi, ô abomination! d'une épouse égyptienne [2348]. Tous se ruent à la fois, et toute la plaine liquide écume, sous le jeu des rames et sous la triple dent des rostres qui la déchirent. Ils gagnent la haute mer [2349], on croirait voir voguer sur la mer les Cyclades arrachées, ou de hautes montagnes [2350] se heurter aux montagnes : tant est pesante la masse de ces poupes chargées de tours [2351] qui portent des guerriers! La main répand la flamme de l'étoupe, les traits le fer qui vole : les sillons de Neptune [2352] rougissent d'un carnage jusqu'alors inouï. Au centre, la reine entraîne ses troupes avec le sistre natal [2353], et ne voit pas encore les deux serpents qui sont derrière elle [2354]. Des monstres de dieux [2355] de tous les genres, entre autres l'aboyant Anubis [2356], luttent, les armes à la main, contre Neptune et Vénus, contre Minerve [2357]! On voit sévir, au milieu de la mêlée, Mavors [2358] ciselé sur le fer, et, du haut de l'éther, les tristes sœurs Farouches [2359]; la Discorde [2360] va, contente, la robe déchirée; Bellone [2361] la suit avec son fouet sanglant. Apollon d'Actium [2362], en voyant ce spectacle, bandait son arc; en proie à la même terreur, tous les Egyptiens, les Indiens, tous les Arabes, tous les Sabéens [2363], tournaient le dos. On voyait la reine elle-même, invoquant les vents, mettre les voiles [2364] et lâcher de plus en plus les cordages. Le Dieu puissant du feu l'avait représentée au milieu du carnage, pâle de sa mort prochaine, emportée par les ondes et l'Iapyx[2365]; en face, il avait fait le Nil au grand corps, accablé de tristesse, ouvrant le pli de sa robe, la déployant tout entière, et appelant les vaincus dans son giron d'azur et dans les cachettes de ses fleuves.

Cependant César[2366], porté par un triple triomphe[2367] dans les remparts de Rome, acquittait un vœu impérissable aux dieux italiens, en leur consacrant par toute la ville trois cents majestueux sanctuaires[2368]. Les rues frémissaient de joie, de jeux, d'applaudissements. Dans tous les temples il y a un chœur de matrones; tous ont des autels; devant les autels, des taureaux égorgés jonchent la terre. Lui-même[2369], assis en personne sur le seuil de neige de l'éblouissant Phébus[2370], il passe en revue les présents des peuples et les attache aux superbes portes[2371] : en une longue file s'avancent les nations vaincues, aussi diverses par le costume et les armes que par le langage. Là Mulciber[2372] avait représenté la race des Nomades[2373] et les Africains à la robe flottante, là, les Lélèges[2374], les Cariens[2375], les Gélons[2376] porteurs de flèches : l'Euphrate[2377] en ses ondes avait déjà une allure plus molle[2378], ainsi que les Morins[2379] qui habitent au bout du monde, le Rhin à deux cornes[2380], les Dahes[2381] indomptés, et l'Araxe indigné de son pont[2382].

Telles sont les merveilles qu'il admire sur le bouclier de Vulcain, don de sa mère, et, sans connaître ces événements, il se plaît à en voir l'image, chargeant sur son épaule la gloire et les destins de ses arrière-neveux.

LIVRE NEUVIÈME

ATTAQUE DU CAMP TROYEN; NISUS ET EURYALE

Et tandis que ces événements se déroulaient sur un point tout à fait éloigné [2383], la Saturnienne [2384] Junon dépêcha du haut du ciel Iris [2385] vers l'audacieux Turnus. Il se trouvait alors assis par hasard dans le bois de son ancêtre Pilumnus [2386], au fond d'un vallon consacré. La Thaumantiade [2387], de sa bouche de rose, lui parla ainsi : « Turnus, ce qu'aucun des dieux n'eût osé promettre à tes désirs, voici que le déroulement des jours te l'a apporté de lui-même. Enée, laissant sa ville [2388], ses alliés et sa flotte, s'est rendu vers le Palatin [2389] royal, demeure d'Evandre. Il n'en est pas resté là : il a pénétré jusqu'à la ville reculée de Corythus [2390]; et il arme une poignée de Lydiens [2391], un ramas de paysans. Qu'attends-tu ? C'est le moment de réclamer tes chevaux et ton char. Point de délais : empare-toi de son camp en désordre. »

Elle dit, et, les ailes déployées, elle prit son essor vers le ciel, et décrivit dans sa fuite un arc immense sous les nues. Le jeune guerrier la reconnut; il éleva ses deux paumes vers les constellations et lui lança, tandis qu'elle fuyait, les paroles suivantes : « Iris, beauté du ciel, qui t'a fait descendre pour moi des nues sur la terre ? D'où vient cette clarté si soudaine ? Je vois le milieu du ciel se fendre et les étoiles errer dans le firmament. J'obéis à de si grands présages, qui que tu sois, toi qui m'appelles aux armes. » Et, après avoir ainsi parlé, il s'avança vers l'onde, puisa à la surface du gouffre des eaux limpides, en adressant aux dieux de nombreuses prières, et remplit l'éther de ses vœux.

Déjà, par la plaine découverte, s'avançait toute l'armée, riche en chevaux, riche en vêtements brodés et en or. Messape [2392] commande les premières lignes, les jeunes Tyrrhides [2393] l'arrière-garde; le centre de la colonne a pour chef Turnus, qui tient ses armes à la main et dépasse de toute la tête les autres guerriers. Tel, grossi de sept fleuves paisibles, le Gange profond, quand il coule en silence, ou tel le Nil aux grasses alluvions, quand il reflue des plaines et que déjà il s'est cantonné dans son lit. Alors les Teucères voient au loin s'amonceler un nuage subit de noire poussière, et des ténèbres envahir la plaine. Caïcus [2394], le premier, s'écrie du haut d'une tour qui fait face à l'ennemi : « Quelle est cette boule, ô citoyens, qui roule dans une sombre nuée ? Apportez vite des armes, donnez des traits, escaladez les remparts [2395] : voici l'ennemi, alerte! » Poussant une énorme clameur, les Teucères se retranchent derrière toutes les portes et garnissent les remparts. Car, à son départ, Enée, en excellent capitaine, leur avait bien recommandé, quoi qu'il advînt, de ne point risquer une bataille rangée, de ne point se hasarder dans la plaine, mais seulement de défendre, à l'abri des retranchements, et leur camp et leurs murs. Aussi, quoique l'honneur et la colère les pressent d'en venir aux mains, ils opposent cependant leurs portes à l'adversaire, accomplissent les instructions de leur chef et attendent l'ennemi sous les armes au fond de leurs tours.

Turnus, en voltigeur à l'avant, avait précédé la marche trop lente de l'armée; escorté de vingt cavaliers d'élite, il arrive inopinément devant la ville; il monte un cheval thrace [2396], tacheté de blanc, et une aigrette rouge couvre son casque d'or. « Qui de vous, jeunes guerriers, fondra le premier avec moi sur l'ennemi ?... Voyez! » dit-il; et brandissant son javelot, signal du combat [2397], il le lance dans les airs, et s'élance, altier, dans la plaine. Ses compagnons l'acclament et le suivent avec un frémissement horrible; ils s'étonnent de l'inaction des Teucères : des hommes ne pas se produire en plaine, ne pas porter les armes au-devant de l'ennemi, mais rester dans leur camp! Irrité, Turnus promène son cheval çà et là autour des murs, et cherche un accès par des voies détournées. Tel un loup [2398], en embuscade autour d'une bergerie pleine, quand il frémit aux portes, endurant pluies et vents à une heure avancée de la nuit; à l'abri sous leurs mères, les agneaux poussent leur bêlement; l'animal, hérissé et avide, sévit contre la proie absente; sa rage accrue par un long jeûne, son gosier sec de sang l'exaspèrent; ainsi la colère du Rutule s'enflamme à la vue des murs et du camp; la douleur embrase ses durs os : par quel moyen trouver un accès, quel chemin prendre pour faire sortir les Teucères de l'enceinte où ils s'enferment et pour les entraîner dans la plaine ? Leur flotte se dissimulait, adossée à un côté du camp, entourée par des retranchements et par les ondes du fleuve : il y fonce, appelle à l'incendie ses compagnons triomphants, et, plein d'ardeur, emplit sa main d'un brandon de pin enflammé. Alors ils se mettent à la besogne : la présence de Turnus les stimule; toute la jeunesse s'arme de torches sombres. Les foyers sont pillés : la résine fumeuse produit une lumière blafarde, et Vulcain [2399] élève vers les astres une cendre confuse.

Quel dieu, ô Muses, détourna des Teucères un si cruel incendie ? quel dieu repoussa loin de leurs vaisseaux de si grands feux ? Dites : le fait repose sur une antique croyance, mais la renommée en est éternelle.

Au temps où Enée formait sa flotte sur l'Ida phrygien [2400], et se préparait à gagner la haute mer [2401], la Mère des dieux [2402] elle-même, la Bérécyntienne [2403], adressa, dit-on, ces paroles au grand Jupiter : « Exauce, mon fils [2404], le vœu que ta mère chérie t'adresse, à toi qui as dompté l'Olympe [2405]. J'avais une forêt de pins, objet de ma prédilection [2406] pendant de longues années, un bois sacré au sommet de la colline, où l'on m'offrait des sacrifices, obscurci de noirs sapins et d'érables touffus. J'ai donné ces arbres avec joie au jeune Dardanien [2407], lorsqu'il eut besoin d'une flotte : maintenant une crainte anxieuse me bouleverse et m'étreint. Délivre-moi de ma peur et accorde cette faveur aux prières d'une mère : que ces vaisseaux ne succombent pas, brisés par une course ou par un tourbillon de vent; qu'il leur serve d'être nés sur nos montagnes. »

Son fils, qui fait tourner les constellations du monde [2408], lui répondit : « O ma mère, où appelles-tu les destins ? que demandes-tu pour ces vaisseaux ? Des carènes, faites par une main mortelle, auraient le privilège de l'immortalité ? A quel dieu fut-il jamais dévolu un tel pouvoir ? Non; mais quand, parvenus au terme de leur course, ils atteindront les ports de l'Ausonie [2409], j'enlèverai, à tous ceux qui auront échappé aux ondes [2410] et transporté le chef dardanien aux champs laurentins, leur forme mortelle, et j'en ferai des divinités de la grande plaine liquide, telles que la Néréide Doto [2411] et Galatée [2412] qui fendent de leur poitrine l'écumante mer. » Il avait dit, et, prenant à témoin le fleuve de son frère Stygien [2413], les rives où tourbillonnent la poix et un sombre torrent, il fit un signe de tête, et à ce signe tout l'Olympe trembla [2414].

Le jour promis était donc arrivé, et les Parques [2415] avaient rempli les temps dus [2416], quand l'attentat de Turnus avertit la Mère [2417] de repousser les torches loin des vaisseaux sacrés. Alors une lumière inconnue commença par resplendir aux regards, et un énorme nuage, venu de l'Aurore [2418], parut traverser le ciel avec les chœurs de l'Ida [2419], puis une voix terrible éclata dans les airs et remplit d'effroi les bataillons des Troyens et des Rutules : « Ne vous hâtez pas, Teucères, de défendre mes navires, n'armez pas vos mains : il sera donné à Turnus d'embraser les mers plutôt que ces pins sacrés. Vous, allez en liberté, allez, déesses de la mer : la Mère l'ordonne. » Et aussitôt les poupes rompent chacune les liens qui l'attachent à la rive, et, comme des dauphins, plongeant leurs éperons dans la plaine liquide, elles vont au fond des ondes. Puis des figures de vierges [2420], ô prodige merveilleux! reparaissent aussi nombreuses que les proues d'airain qui étaient fixées au rivage, et elles sont portées sur la mer.

L'esprit des Rutules fut frappé de stupeur; Messape, épouvanté lui-même [2421], voit ses chevaux se cabrer; le Tibre aussi s'arrête dans son cours avec un bruit rauque, et remonte vers sa source.

Cependant la confiance n'a pas abandonné l'audacieux Turnus; sans tarder, il relève le courage des Rutules et les gourmande en ces termes : « C'est aux Troyens que ces prodiges s'adressent; c'est à eux que Jupiter lui-même a ravi leur ressource habituelle : les Rutules n'ont besoin ni de traits ni de flammes. Les mers ainsi sont fermées aux Teucères, et il ne leur reste plus aucun espoir de fuite : la moitié du monde leur est ôtée; la terre, au contraire, est en notre pouvoir; les nations italiennes prennent, par milliers, les armes! Je ne m'effraye en rien, quoique les Phrygiens s'en prévalent, des réponses des dieux aux oracles. Il suffit aux destins et à Vénus que les Troyens aient touché les champs de la fertile Ausonie; moi aussi, j'ai mes destins [2422] : c'est d'exterminer par le fer une nation scélérate, qui m'a ravi mon épouse [2423] : les Atrides ne sont pas les seuls qui ressentent pareille douleur [2424], et Mycènes [2425] n'a pas seule le droit de prendre les armes. Mais il doit leur suffire d'avoir péri une fois. Une seule faute aurait dû leur suffire, et ils auraient dû pour toujours prendre en haine le sexe féminin. La confiance que leur inspirent ces retranchements qui s'élèvent entre eux et nous, l'obstacle que mettent ces fossés, faibles remparts contre la mort, leur donnent du courage; mais n'ont-ils pas vu les remparts de Troie, bâtis de la main de Neptune [2426], s'abîmer dans les flammes ? Qui de vous, ô guerriers d'élite, est prêt à enfoncer ce retranchement avec le fer, et s'élance avec moi sur ce camp affolé ? Je n'ai besoin contre les Teucères ni d'armes de Vulcain [2427] ni de mille carènes [2428]. Même si tous les Etrusques s'allient à eux, ils n'ont point à craindre les ténèbres et le vol honteux du Palladium [2429] commis en massacrant les gardes d'une haute citadelle [2430]; nous ne nous cacherons pas dans les flancs ténébreux d'un cheval [2431] : c'est en plein jour, publiquement, que je suis résolu à mettre le feu autour de leurs murs. Je leur ferai voir qu'ils n'ont point affaire à des Danaens [2432], à cette jeunesse pélasgique [2433], dont Hector différa, pendant dix ans, le triomphe. Mais, maintenant que la meilleure partie du jour est passée, employez ce qu'il en reste, guerriers, à réparer vos forces, contents de vos succès, et comptez sur moi pour que l'attaque soit prête. »

Pendant ce temps on charge Messape du soin de garnir les portes de sentinelles et d'entourer les fortifications de feux de bivouac. Deux fois sept [2434] Rutules sont choisis pour monter la garde sur les murs : chacun d'eux a une escorte de cent jeunes guerriers [2435] empourprés d'aigrettes et brillants d'or. Ils vont et viennent, font des relèves alternativement, et, couchés sur l'herbe, savourent le vin et inclinent des cratères d'airain. Les feux brillent de toutes parts; la garde passe dans le jeu une nuit sans sommeil...

Du haut de leur retranchement, les Troyens observent ce manège, et tiennent en armes le haut des murs; en proie à la crainte, ils visitent les portes, joignent par des ponts les tours aux remparts, apportent des traits; Mnesthée [2436] et l'impétueux Séreste [2437] les pressent : c'est eux que le vénérable Enée a choisis pour être, en cas d'événements contraires, les guides de la jeunesse et les chefs du camp. Le long des murs, toute la légion, prenant sa part du péril, veille à tour de rôle, chacun au poste qu'il a à défendre.

L'une des portes avait pour gardien Nisus [2438], fils d'Hyrtacus [2439], guerrier plein d'ardeur, envoyé pour suivre Enée par Ida [2440] la chasseresse, qui lui avait appris l'art de lancer le javelot et les flèches légères; il avait à ses côtés Euryale [2441], son compagnon, d'une beauté sans seconde parmi les Enéades [2442] et parmi ceux qui portaient les armes de Troie, enfant dont le visage imberbe attestait la prime jeunesse. Un amour singulier unissait ces deux êtres, et ils se ruaient ensemble aux combats; cette nuit même, ils montaient la garde ensemble devant une porte. Nisus dit : « Sont-ce les dieux qui me donnent l'ardeur que je ressens, Euryale ? ou d'un violent désir, chacun se fait-il un dieu? Depuis longtemps déjà mon esprit me pousse à combattre ou à tenter une grande entreprise, et un paisible repos ne le satisfait pas. Tu vois à quelle sécurité les Rutules s'abandonnent : leurs feux brillent en petit nombre; plongés dans le sommeil et dans l'ivresse, ils sont couchés sur l'herbe; un vaste silence règne. Apprends donc ce que je médite et quelle pensée se lève pour l'instant dans mon âme. Tout le monde — peuple et anciens [2443] — fait des vœux pour qu'Enée soit rappelé et que des messagers lui portent des nouvelles sûres. Si l'on me promet ce que je demande pour toi (car la gloire d'un tel exploit me suffit), je crois pouvoir trouver au pied de ce tertre, là-bas, un chemin vers les murs et les remparts de Pallantée [2444]. »

Euryale, possédé d'un grand amour de la gloire, est stupéfait, et répond en ces termes à son ardent ami : « Quoi ! tu refuses, Nisus, de m'associer à de si grands projets ? je t'enverrai seul à de pareils dangers ? Ce n'est pas ainsi que m'a élevé mon père Opheltès [2445], endurci aux combats, au milieu de la terreur argolique [2446] et des épreuves de Troie, et je n'ai pas non plus agi de la sorte avec toi, depuis que j'ai suivi le magnanime Enée et ses destins extrêmes. Il y a là, oui, là, un cœur qui méprise la mort et qui croirait bien payer de la vie cet honneur où tu cours. »

Nisus réplique : « Je ne craignais rien de tel de ta part, je n'en avais pas le droit; non, aussi vrai que je te le dis, puisse le grand Jupiter ou le dieu, quel qu'il soit, qui regarde mon projet d'un œil favorable, me ramener triomphant vers toi! Mais si (comme il arrive souvent, tu le sais, en une telle conjoncture), si quelque hasard ou quelque dieu m'entraînait à ma perte, je voudrais que tu me survécusses : ton âge est plus digne de la vie. Qu'il y ait quelqu'un pour me confier à la terre, comme c'est l'usage, après m'avoir enlevé du champ de bataille ou racheté à prix d'argent; ou bien, si la Fortune s'y oppose, pour apporter à mon ombre absente les funèbres offrandes et pour m'honorer d'un sépulcre. Je ne saurais être pour ta malheureuse mère la cause d'une si grande douleur; elle qui, seule de tant de mères [2447], a osé te suivre, sans avoir cure des remparts du grand Aceste [2448]. »

Mais Euryale : « Tu noues pour rien, dit-il, un écheveau de vaines raisons; ma résolution ne peut plus changer. Hâtons-nous. » Aussitôt il réveille les gardes, qui leur succèdent et les relèvent; il quitte son poste, accompagné de Nisus, et tous deux vont trouver le roi [2449].

Les autres créatures qui vivent sur la terre, partout, se délassaient de leurs soucis dans le sommeil, et oubliaient les peines de leurs cœurs; mais les chefs qui étaient à la tête des Teucères et l'élite de la jeunesse tenaient conseil sur les grands intérêts du royaume [2450] : que faire et quel message adresser à Enée ? Ils sont debout, appuyés sur de longues piques et tenant leurs boucliers, au centre du camp et de la plaine [2451]. Alors Nisus et Euryale avec lui demandent avec instance à être admis sur-le-champ : l'affaire est d'importance et vaut qu'on les écoute. Iule le premier a fait bon accueil à leur hâte et a invité Nisus à parler.

Alors le fils d'Hyrtacus leur dit : « Prêtez-moi une oreille favorable, compagnons d'Enée, et ne considérez point nos propositions d'après notre âge. Les Rutules, plongés dans le sommeil et dans l'ivresse, ont fait silence; nous avons découvert par nous-mêmes un endroit propre à une embuscade, près du double sentier qui conduit à la porte la plus proche de la mer. Les feux de l'ennemi sont interrompus et une noire fumée s'élève vers les constellations : si vous nous laissez profiter de l'occasion, pour aller chercher Enée aux murs de Pallantée, bientôt vous le verrez réapparaître ici couvert de dépouilles, après avoir fait un grand carnage. Le chemin n'égare pas notre marche; nous avons vu, dans nos chasses continuelles au fond d'une obscure vallée, le commencement de la ville [2452] et nous avons reconnu le cours entier du fleuve. »

Alors, chargé d'ans et mûr d'expérience, Alétès [2453] s'écrie : « Dieux de ma patrie, dont la puissance s'étend toujours sur Troie, non, vous n'êtes pas près de détruire entièrement les Teucères, puisque vous avez suscité de telles âmes parmi nos jeunes gens et des cœurs aussi résolus. » En parlant ainsi, il les accolait par l'épaule et leur pressait la main, arrosant de ses larmes leur front et leur visage : « Quelles récompenses, oui, quelles récompenses vous offrir, guerriers, qui soient dignes de votre gloire! D'abord les dieux et votre conscience vous donneront la plus belle; puis le pieux Enée achèvera bientôt de s'acquitter envers vous, ainsi que le jeune Ascagne, qui n'oubliera jamais un si grand service. — Bien plus, reprend Ascagne, moi dont le seul salut est dans le retour de mon père, j'en atteste, ô Nisus, les grands Pénates [2454], le Lare d'Assaracus [2455] et le sanctuaire de Vesta chenue [2456], toute la fortune, toute l'espérance que je puis avoir, je les place en votre giron. Rappelez mon père; rendez-moi sa présence; lui de retour, il n'est plus d'alarme. Je vous donnerai deux coupes d'argent, ornées de figures en relief, que mon père a conquises dans la prise d'Arisba [2457], et deux trépieds [2458], deux grands talents [2459] et un cratère antique, cadeau de la Sidonienne Didon [2460]. Mais, s'il m'est donné de prendre l'Italie et de m'emparer en vainqueur du sceptre, et de tirer le butin au sort, tu as vu le cheval que montait Turnus, l'armure d'or qu'il portait : eh bien! ce cheval lui-même, ce bouclier, cette aigrette vermeille, je les exclurai du tirage au sort : dès maintenant, Nisus, ils sont ta récompense. En outre, mon père te donnera deux fois six femmes soigneusement choisies pour la beauté de leur corps, autant de captifs et leurs armes à tous; à ces dons, il ajoutera les domaines que possède personnellement le roi Latinus [2461]. Quant à toi, dont l'âge est plus près du mien, vénérable enfant [2462], dès aujourd'hui je t'accueille de tout mon cœur et je t'adopte pour le compagnon de tous mes travaux; jamais sans toi je ne chercherai la gloire pour mon empire; en paix ou en guerre, pour agir et pour délibérer, je mettrai en toi ma plus grande confiance. » Euryale lui répond en ces termes : « Aucun jour de ma vie ne me verra démentir une si brave entreprise : puisse seulement la fortune favorable ne pas me devenir contraire! Mais, au-dessus de tous les dons, il en est un que je te demande : j'ai une mère, issue de la vieille famille de Priam, une malheureuse mère que n'ont retenue de suivre mes pas ni la terre d'Ilion ni les remparts du roi Aceste. Et moi je la laisse, ignorante du péril que je vais affronter, sans l'avoir saluée : la Nuit [2463] et ta main droite me soient témoins que je ne pourrais supporter les larmes de ma mère. Mais toi, je t'en conjure, console son dénuement et secours-la dans son abandon. Permets que j'emporte de toi cette assurance, je n'en serai que plus hardi à affronter tous les dangers. » Les Dardaniens, bouleversés, ont fondu en larmes, surtout le bel Iule, le cœur serré à l'idée de l'amour de son père. Alors il lui parle ainsi : « Je m'engage à ce que tout soit digne de tes grands desseins : ta mère sera la mienne, et seul le nom de Créuse [2464] lui manquera; ce ne sera pas un faible titre à ma reconnaissance que d'avoir donné le jour à un tel fils, quelle que soit l'issue de l'entreprise. Je le jure par cette tête, que mon père avait coutume d'attester autrefois, ce que je te promets, à ton retour et si la fortune te seconde, demeurera en la possession de ta mère et de ta famille. »

Ainsi dit-il en pleurant, et, en même temps, il détache de son épaule une épée dorée, que Lycaon de Gnosse [2465] avait travaillée avec un art merveilleux et ajustée adroitement à une gaine d'ivoire. Mnesthée donne à Nisus la peau et la dépouille d'un lion hérissé; le fidèle [2466] Alétès échange avec lui son casque. Aussitôt les guerriers s'avancent, accompagnés dans leur marche jusqu'aux portes par les vœux de tous les chefs, jeunes et vieux. De plus, le bel Iule, qui avait avant l'âge le courage et les préoccupations d'un homme, les chargeait de nombreux messages à porter à son père : mais les brises dissipent ces vaines paroles et les jettent aux nues.

Une fois sortis, ils franchissent les fossés, et gagnent, à travers l'ombre de la nuit, le camp qui leur sera funeste, mais où un grand nombre d'ennemis mourront auparavant sous leurs coups. Ils voient des corps étendus çà et là sur l'herbe, sous l'influence du vin et du sommeil, des chars, le timon en l'air, sur le rivage, des hommes couchés entre les harnais et les roues, des armes et des vases de vin pêle-mêle sur le sol. Le fils d'Hyrtacus parla le premier ainsi : « Euryale, il faut oser d'une main ferme : l'occasion elle-même nous y invite; voici notre chemin. Toi, pour qu'une bande ne puisse nous prendre par derrière, tiens-toi sur tes gardes et porte au loin des regards vigilants. Moi je vais dévaster ce coin du camp et te frayer un large sentier. » Ainsi dit-il, et il s'arrête de parler; tout de suite il attaque, l'épée haute, le superbe Rhamnès [2467], qui, couché par hasard sur un haut tas de tapis, dormait en ronflant à pleins poumons — Rhamnès, à la fois roi et augure [2468] favori du roi Turnus, mais que sa science augurale ne put dérober au fléau [2469]. Il massacre à ses côtés trois serviteurs de Rémus [2470], qui gisaient confusément parmi leurs armes, son écuyer, et, trouvant le conducteur de son char étendu sous ses propres chevaux, il lui tranche de son fer le cou qui dépassait. Puis il coupe la tête de leur maître en personne, et laisse son tronc palpiter dans le sang, dont les noirs bouillons baignent la terre attiédie et le lit. Il égorge aussi Lamyrus [2471] et Lamus [2472], et le jeune Serranus [2473], qui avait joué fort avant dans la nuit — Serranus, d'une beauté insigne, qui gisait, les membres vaincus par un dieu abondant [2474] : heureux s'il avait passé au jeu la nuit entière, et s'il avait veillé jusqu'à l'aurore! Tel un lion à jeun [2475], jetant le trouble au sein d'une bergerie pleine (car une faim insensée l'en persuade), dévore et déchire le doux troupeau, muet de terreur, et rugit de sa gueule sanglante.

Le carnage que fait Euryale n'est pas moindre : enflammé lui aussi, il exerce ses fureurs, et surprend en passant une foule de guerriers sans nom, Fadus, Herbésus, Rhétus, Abaris [2476], tous frappés sans le savoir; Rhétus veillait et voyait tout, mais, dans son effroi, il se tenait caché derrière un grand cratère : Euryale s'approchant lui plongea son épée tout entière en pleine poitrine, au moment où il se dressait, et l'en retira toute sanglante. Rhétus vomit son âme vermeille et rend, en expirant, des flots de vin mêlés avec son sang, tandis que le bouillant Euryale poursuit son furtif massacre. Et déjà il se dirigeait vers les compagnons de Messape, où il voyait le dernier feu défaillir et les chevaux, attachés comme d'habitude, brouter le gazon, quand Nisus, trouvant que son ami se laisse trop aller à sa soif de carnage, lui dit en peu de mots : « Cessons, car le jour, notre ennemi, approche. Notre vengeance est suffisamment assouvie : la route est frayée à travers les ennemis. » Ils laissent quantité d'armes de guerriers faites d'argent massif, ainsi que des cratères et de beaux tapis. Euryale prend les phalères [2477] de Rhamnès et son ceinturon orné de bulles d'or [2478] : le richissime Cédicus [2479] l'avait jadis envoyé en don à Rémulus de Tibur [2480], se l'attachant ainsi, quoique absent, par les liens de l'hospitalité; Rémulus en mourant le transmit à son petit-fils; après la mort de celui-ci, les Rutules s'en emparèrent par le droit de la guerre et du combat. Euryale le prend et le suspend, — vainement [2481] — à ses fortes épaules; puis il se coiffe du casque léger de Messape, orné d'une aigrette. Ils sortent du camp et songent à leur sûreté.

Sur ces entrefaites, des cavaliers, partis en avant de la ville de Latinus, tandis que le reste de la légion [2482] stationne en bon ordre dans la plaine, s'en allaient porter au roi Turnus la réponse de leurs chefs. Ils étaient trois cents [2483], tous armés de boucliers, avec Volcens pour « maître [2484] ». Déjà ils approchaient du camp [2485] et en touchaient le mur, quand ils aperçoivent de loin les deux amis qui tournaient par le sentier de gauche. Le casque, dans l'ombre faiblement éclairée [2486] de la nuit, trahit l'imprudent Euryale, en reflétant les rayons de la lune. On ne le vit pas en vain. Volcens, du milieu de sa troupe, s'écrie : « Arrêtez, guerriers! pourquoi prendre ce chemin ? qui êtes-vous ainsi armés ? où dirigez-vous votre course ? » Ils n'essaient aucune résistance, mais hâtent leur fuite vers les bois et se fient à la nuit. Les cavaliers se portent de-ci, de-là, aux sentiers qui leur sont bien connus, et entourent de gardes chaque issue. C'était une forêt hérissée au loin de broussailles et d'yeuses noires, que des ronces épaisses envahissaient de toutes parts : c'est à peine si quelque clairière s'ouvrait à travers ces taillis [2487] obscurs. Les ténèbres qui tombent des rameaux et son pesant butin embarrassaient Euryale, la crainte l'égare et le fait se tromper de direction. Nisus s'éloigne et, sans penser à Euryale, il avait déjà échappé aux ennemis et aux lieux qui depuis furent appelés albains, du nom d'Albe (le roi Latinus y avait alors de profonds pacages), quand il s'arrêta et chercha en vain derrière lui son ami absent : « Infortuné Euryale, en quel endroit t'ai-je laissé ? où te trouver ? » Parcourant de nouveau chaque sentier sinueux de cette forêt trompeuse, il suit les traces de ses pas, et va par les buissons silencieux. Il entend des chevaux, il entend le bruit et les appels des poursuivants. Peu de temps après, un cri parvient à ses oreilles, et il voit Euryale, qui, trahi par les lieux et la nuit, déconcerté par une attaque soudaine, se débat vainement contre toute une bande qui l'accable et l'entraîne. Que faire ? par quels efforts, avec quelles armes, délivrer le jeune guerrier ? Doit-il s'élancer pour y mourir au milieu des ennemis et hâter par des blessures une telle mort ? Il ramène vite son bras en arrière, brandit un javelot, et levant les yeux vers la haute lune [2488], il lui adresse la prière suivante : « O déesse, assiste de ton secours notre entreprise, toi, l'honneur des astres et la protectrice latonienne [2489] des forêts [2490]. Si jamais mon père Hyrtacus a porté pour moi quelques offrandes à tes autels, si moi-même j'ai accru ces offrandes du produit de mes chasses [2491], si j'ai suspendu mes présents à ta voûte [2492] ou si je les ai cloués à ton faîte sacré, permets-moi de jeter le trouble en cet escadron et dirige mes traits à travers les airs. »

Il avait dit, et, déployant toute sa force, il lance son javelot :

le trait volant fend les ombres de la nuit, s'enfonce dans le dos de Sulmon [2493], s'y brise et lui traverse le cœur d'un éclat de bois. Sulmon roule en vomissant un flot chaud de sa poitrine; il est déjà froid, et ses flancs sont secoués de longs râles. Les Rutules regardent dans toutes les directions autour d'eux. Animé par le succès, voici que Nisus balançait un autre trait à la hauteur de son oreille. Pendant que les ennemis s'affolent, le dard traverse de part en part en sifflant les tempes de Tagus [2494], et est demeuré enfoncé dans la tête, tiède encore du cerveau qu'il vient de transpercer. L'affreux Volcens sévit, sans voir nulle part l'auteur du coup, et sans savoir sur qui faire tomber sa fureur : « Toi du moins, en attendant, dit-il, tu me paieras de ton sang chaud [2495] la mort de ces deux guerriers. » En même temps, il allait, l'épée nue, sur Euryale. Alors épouvanté, hors de lui, Nisus pousse un grand cri : il n'a pas pu se cacher davantage dans les ténèbres ni supporter une telle douleur : « C'est moi, moi qui ai tout fait, c'est sur moi qu'il faut porter le fer, ô Rutules! je suis le seul coupable; lui n'a rien osé, ni rien pu : j'en atteste ce ciel et ces constellations qui voient tout; il n'a fait qu'aimer trop son malheureux ami! »

Telles étaient ses paroles, mais l'épée enfoncée avec force a traversé les côtes de son ami; sa poitrine si blanche est rompue. Euryale roule dans la mort; le sang coule le long de ses beaux membres; sa nuque défaillante s'affaisse sur ses épaules. Ainsi, quand une fleur vermeille [2496], tranchée par la charrue, languit et meurt; quand les pavots baissent la tête, sous le poids de la pluie qui vient à tomber. Cependant Nisus se rue au milieu des ennemis : c'est le seul Volcens qu'il cherche entre tous, c'est sur le seul Volcens qu'il s'acharne; les ennemis, serrés en troupe autour de leur chef, repoussent Nisus de côté et d'autre. Il n'en presse pas moins Volcens, et fait tourner son épée foudroyante, jusqu'à ce qu'il l'ait plongée dans la bouche du Rutule criant, et qu'il ait ravi en mourant la vie à son ennemi. Alors, percé de coups, il s'est jeté sur son ami expiré, et, là enfin, a trouvé le repos au sein d'une mort tranquille.

Fortunés tous deux [2497]! si mes vers ont quelque pouvoir, aucun jour ne vous abolira jamais dans la mémoire des âges, tant que la famille d'Enée habitera l'immuable rocher du Capitole et que le patricien romain aura l'empire du monde!

Les Rutules [2498] vainqueurs, maîtres du butin et des dépouilles [2499], rapportaient en pleurant dans leur camp Volcens expiré. Le deuil n'était pas moindre dans le camp, où l'on avait trouvé Rhamnès égorgé et tant d'autres chefs victimes du même massacre, avec Serranus et Numa [2500]; la foule s'empresse auprès des cadavres et des guerriers à demi morts, dans ces lieux tièdes encore d'un carnage récent, sur ces bords pleins d'un sang qui fume. On reconnaît parmi les dépouilles le casque brillant de Messape et les phalères reconquises au prix d'un rude effort.

Et déjà, quittant la couche crocéenne de Tithon, l'Aurore [2501] répandait de nouveaux rayons sur la terre; déjà, le soleil avait lui, déjà, la nature s'était recouverte de lumière, quand Turnus, ceint lui-même de ses armes, appelle aux armes ses guerriers et rassemble pour le combat ses bataillons d'airain. Chaque chef en fait autant et enflamme par des bruits de toute sorte la colère des soldats. Bien plus, au bout de deux piques, lamentable spectacle! on attache les têtes d'Euryale et de Nisus et on les suit en poussant de grands cris...

Les rudes compagnons d'Enée ont déployé leurs lignes sur le côté gauche des murs (car leur droite est bordée par le fleuve [2502]); ils tiennent leurs énormes fossés, et se dressent, affligés [2503], sur les hautes tours : ce qui excitait en même temps leur douleur, c'était de voir au bout des piques ces têtes trop connues et dégouttant d'un noir sang corrompu.

Pendant ce temps, voltigeant d'une aile rapide à travers la ville [2504] effrayée, la Renommée se rue en messagère et arrive aux oreilles de la mère d'Euryale. Soudain la chaleur a quitté les moelles de la malheureuse; la navette lui est tombée des mains et les fils se sont déroulés. L'infortunée s'élance, et, avec des hurlements de femme, en s'arrachant les cheveux, hors d'elle-même, elle court aux murs et arrive aux premiers rangs : elle n'a cure des guerriers ni du danger et des traits; elle remplit alors le ciel de ses plaintes : « Est-ce ainsi, Euryale, que je te revois ? Toi le tardif soutien de ma vieillesse, as-tu pu, cruel, me laisser seule ? Quand tu étais dépêché à de si grands périls, il n'a pas été donné à ta malheureuse mère de te dire un suprême adieu! Hélas, couché sur une terre inconnue, tu es donné en pâture aux chiens et aux oiseaux du Latium! Moi, ta mère, je n'ai même pas conduit tes funérailles [2505], fermé tes yeux [2506], lavé tes blessures [2507], te couvrant de ce tissu que je me hâtais de faire nuit et jour et dont je consolais mes chagrins de vieille! Où te chercher! Quelle terre maintenant possède ton corps, tes membres arrachés, ta dépouille déchiquetée! Voilà donc, mon fils, ce que tu me rapportes de toi! voilà ce que j'ai suivi et sur terre et sur mer! Percez-moi, si vous avez quelque pitié, lancez sur moi tous vos traits, ô Rutules; exterminez-moi la première par le fer; ou toi, grand Père des dieux [2508], prends-moi en pitié, et d'un trait de ta foudre plonge au fond du Tartare ma tête odieuse, puisque je ne puis finir autrement une cruelle vie. » Cette plainte a ébranlé les cœurs; un triste gémissement passe à travers tous les rangs; les forces abattues sont paralysées pour combattre. Voyant qu'elle enflammait la douleur des soldats, Idée et Actor [2509], sur le conseil d'Ilionée et d'Iule qui pleurait beaucoup, la prennent et la transportent entre leurs mains sous son toit.

Cependant la trompette à l'airain sonore a fait retentir au loin ses terribles accents [2510] : une clameur lui répond et le ciel en mugit. Les Volsques [2511] accourent en formant la tortue [2512], et se préparent à combler les fossés et à démolir le retranchement. Les uns cherchent un accès et tentent d'escalader les murs, aux endroits où les lignes sont clairsemées et où la couronne [2513], insuffisamment garnie de soldats, laisse des vides. En face d'eux, les Teucères, habitués par une longue guerre à défendre leurs murailles, déversent sur l'ennemi toute sorte de traits, et le repoussent à coups de pieux durcis. Ils roulaient aussi des pierres d'un poids énorme, pour briser, s'il était possible, cette carapace armée, tandis que, sous leur épaisse tortue, les Rutules supportent facilement tous les chocs. Ils n'y résistent pas jusqu'au bout, car, à l'endroit où l'énorme paquet est le plus menaçant, les Teucères roulent et lancent une monstrueuse masse qui déjà a écrasé au loin les Rutules et désuni leur carapace armée; les Rutules, malgré leur audace, ne songent plus à poursuivre un aveugle combat [2514], mais s'efforcent, à coups de traits, de repousser leurs adversaires du retranchement... Sur un autre point, Mézence, terrible à voir, secouait une branche de pin étrusque [2515] et il lance des brandons fumants. Messape, dompteur de chevaux, rejeton de Neptune [2516], démolit le retranchement et réclame des échelles pour les appliquer aux remparts.

Je vous en prie, déesses, et toi, Calliope [2517], soutenez mon chant; dites les jonchées de cadavres, les funérailles dont le fer de Turnus fut alors l'auteur, les guerriers qu'on précipita chez Orcus [2518], et déroulez avec moi les grands tableaux de cette guerre [2519] : car vous vous en souvenez, déesses, et vous pouvez le raconter [2520].

Une tour de vastes dimensions et garnie de hauts ponts [2521] s'élevait dans une position favorable; tous les Italiens rivalisaient d'efforts pour la prendre d'assaut et déployaient leurs suprêmes ressources pour la renverser [2522]; vis-à-vis, les Troyens la défendaient à coups de pierres et lançaient sans relâche des traits par ses profondes ouvertures. Turnus le premier y a jeté une torche ardente, dont la flamme s'est attachée aux flancs de la tour, et, attisée par le vent, a embrasé les airs et saisi les portes qu'elle consume. Les Troyens à l'intérieur se troublent, s'affolent, veulent échapper en vain au désastre. Tandis qu'ils se groupent et reculent du côté qu'épargne le fléau, la tour alors s'affaisse sous leur poids subit et tout le ciel retentit d'un fracas de tonnerre. Entraînés par la masse monstrueuse, les Troyens tombent par terre à moitié morts, transpercés de leurs propres traits, la poitrine défoncée d'une dure poutre. A peine seuls Hélénor [2523] et Lycus [2524] se sont-ils échappés : Hélénor, le plus âgé des deux, fils du roi de Méonie [2525] et de l'esclave Licymnie [2526] qui l'avait mis au jour furtivement, était parti pour Troie avec des armes interdites [2527], portant sans gloire une simple épée nue et un bouclier blanc [2528]. Quand il se voit au milieu des mille soldats de Turnus, assailli de droite et de gauche par les troupes des Latins, tel qu'une bête fauve [2529], qui, entourée d'un cercle épais de chasseurs, exerce sa fureur contre leurs traits, se jette sans l'ignorer au-devant de la mort, et franchit d'un saut les épieux, ainsi le jeune guerrier se rue pour y mourir au milieu des ennemis et s'élance où il voit pleuvoir les projectiles. Mais Lycus, bien meilleur coureur, fuit au travers des ennemis, au travers des armes, atteint les murs, s'efforce de s'agripper de la main aux hauts créneaux et de saisir les mains de ses compagnons. Turnus le poursuit, le presse de son javelot, l'interpelle vainqueur en ces termes : « As-tu espéré, insensé, pouvoir te soustraire à notre bras ? » En même temps il saisit le guerrier suspendu [2530] et l'arrache avec une grande partie du mur. Tel quand l'oiseau porteur des armes de Jupiter [2531] enlève dans ses serres crochues un lièvre ou un cygne au corps éblouissant pour gagner les hauteurs du ciel — ou quand le loup de Mars [2532] ravit aux étables un agneau que réclament les longs bêlements de sa mère. De tous les côtés une clameur s'élève : on s'avance, on comble les fossés avec des matériaux [2533], ou on lance au faîte des torches ardentes.

Ilionée, avec une pierre, énorme débris d'une montagne, abat Lucétius [2534] qui s'approchait de la porte et portait des brandons ; Liger [2535] abat Emathion [2536], Asilas [2537] Corynée [2538] : l'un, en lançant adroitement le javelot ; l'autre, une flèche dont la longue portée trompe. Cénée [2539] abat Ortygius [2540], Turnus Cénée vainqueur. Turnus abat Itys [2541], Clonius [2542], Dioxippe [2543], Promolus [2544], Sagaris [2545], Idas [2546] dressé à l'avant des hautes tours. Capys [2547] abat Privernus [2548] : effleuré d'abord par la lance légère de Thémillas [2549], l'insensé, jetant son bouclier, a porté la main à sa blessure ; alors une flèche ailée a volé, lui a cloué la main au côté gauche et a rompu d'un coup mortel les organes cachés de la respiration.

Couvert d'une remarquable armure, le fils d'Arcens [2550], vêtu d'une chlamyde brodée à l'aiguille et teinte de la pourpre sombre d'Hibérie [2551], était signalé par sa beauté. Son père, Arcens, qui l'avait envoyé à Enée, l'éleva dans le bois sacré de la Mère [2552], autour du fleuve Symèthe [2553], où se dresse le gras et propitiatoire autel de Palicus [2554]. Mézence, après avoir posé sa javeline, a fait tourner trois fois autour de sa tête, courroie tendue, sa fronde sifflante, et, d'un plomb qui se fond dans l'air [2555], il a fracassé le milieu du front de son adversaire et l'a étendu mort dans un flot de poussière.

Ce fut alors, dit-on, pour la première fois qu'Ascagne, accoutumé jusqu'alors à n'effrayer que le gibier qui fuit, participe à la guerre en décochant une flèche rapide et en terrassant de sa main le brave Numanus, qui portait le surnom de Rémulus [2556] et qui s'était uni récemment par l'hymen à la sœur cadette [2557] de Turnus. Il allait, en avant de la première ligne, vociférant des injures de toute sorte, le cœur enflé de sa royale alliance toute nouvelle, et s'avançait en criant de toutes ses forces : « N'avez-vous pas honte d'être encore assiégés dans vos retranchements, Phrygiens deux fois captifs [2558], et d'opposer vos murs à la mort ? Les voilà ceux qui, par la guerre, veulent épouser nos femmes [2559] ! Quel dieu, quelle démence vous a poussés en Italie ? Ici point d'Atrides, point d'Ulysse aux discours trompeurs ! Race endurcie dès la souche première, nous commençons par plonger nos nouveau-nés au sein des fleuves [2560] et nous les endurcissons aux cruautés du gel et des ondes. Nos enfants passent leurs veilles à la chasse et fatiguent les forêts, se faisant un jeu de dompter des chevaux et de tendre un arc pour lancer des flèches. Notre jeunesse, exercée aux travaux et habituée à peu [2561], dompte la terre avec des herses ou ébranle les places fortes à la guerre. Toute notre vie se passe à manier le fer, et nous fatiguons du revers de nos lances le flanc des jeunes taureaux. La lente vieillesse n'affaiblit pas les forces de notre âme et n'altère pas notre vigueur : nous pressons d'un casque notre tête chenue, et nous avons toujours plaisir à emporter un frais butin et à vivre de rapine. Vous, vous avez des vêtements brodés, teints de safran [2562] et de pourpre [2563] éblouissante; l'inaction vous est chère; vous avez volontiers du goût pour les danses [2564], vos tuniques ont des manches [2565] et vos mitres des rubans [2566]. Allez, Phrygiennes, oh! oui, car vous n'êtes pas des Phrygiens [2567], allez sur le haut Dindyme [2568], où la flûte à deux branches [2569] vous fait entendre son chant familier. Les tambourins [2570] et les fifres [2571] bérécyntiens [2572] de la Mère de l'Ida [2573] vous appellent; laissez les armes à des hommes et renoncez au fer. »

Ascagne ne supporta pas cet arrogant langage et ces cruels sarcasmes; tourné face à son adversaire, il ajusta son trait sur le crin de son arc, puis, tendant les deux bras en sens contraire [2574], il s'arrêta, et, d'abord, en suppliant, implora Jupiter par ces vœux : « Jupiter tout-puissant, seconde mon entreprise audacieuse. Je porterai moi-même des offrandes solennelles à ton temple, et j'immolerai devant ton autel un jeune taureau blanc [2575], au front doré [2576], levant la tête à la même hauteur que sa mère, qui déjà attaque de la corne et fasse voler sous ses pieds la poussière [2577]. » Le Père [2578] l'entendit, et, dans une partie sereine du ciel, tonna à gauche [2579] : tout d'un coup l'arc fatal résonne; la flèche, ramenée en arrière, fuit avec un horrible sifflement, s'en vient frapper la tête de Rémulus, et, de son fer, lui traverse les tempes qu'elle défonce. « Va, raille la valeur par d'arrogants discours! Voilà ce que les Phrygiens, deux fois captifs [2580], envoient comme réponse aux Rutules. » Ascagne ne dit que ces mots : les Teucères poussent ensuite une clameur, frémissent d'allégresse, élèvent jusqu'aux constellations leur orgueil.

Alors par hasard, dans la zone éthérée, Apollon chevelu [2581], assis sur un nuage, contemplait d'en haut les bataillons ausoniens et la ville [2582]; il adresse à Iule vainqueur les paroles suivantes : « Déploie ta vaillance neuve, mon enfant : c'est ainsi que l'on monte aux astres, fils des dieux, qui aura des dieux pour fils [2583]. Le destin veut avec raison que toutes les guerres se terminent sous la race d'Assaracus [2584] : Troie ne te contient plus [2585]. » En même temps qu'il prononce ces mots, il s'élance du haut de l'éther, écarte les brises qui soufflent, va vers Ascagne. Il transforme ses traits en ceux de l'antique Butès [2586]; ce Butès était autrefois l'écuyer du

Dardanien Anchise et le gardien fidèle de son seuil; Enée en avait fait alors le compagnon de son fils. Apollon s'avançait, en tous points semblable au vieillard : voix, teint, cheveux blancs, armes aux sons terribles; il adresse à l'ardent Iule les paroles suivantes : « Qu'il te suffise, enfant d'Enée, d'avoir impunément abattu de ton trait Numanus : le grand Apollon t'accorde cette première palme et ne porte point d'envie [2587] à tes armes qui égalent les siennes. Mais désormais, enfant, abstiens-toi de prendre part à la guerre!... » Ayant ainsi commencé, Apollon se déroba à la vue des mortels au milieu de son discours, et s'évanouit, loin des regards, dans l'air ténu. Les chefs dardanides ont reconnu le dieu et ses flèches divines [2588], ils ont entendu son carquois résonner [2589] dans sa fuite; obéissant aux paroles et à la puissance de Phébus, ils retiennent donc Ascagne, avide de combattre : pour eux, ils retournent à la lutte et exposent leurs vies au milieu des dangers.

Une clameur parcourt les tours tout le long des murs. On bande les arcs perçants, on fait tournoyer les lanières [2590]. Tout le sol est couvert de traits; alors les boucliers et les casques creux s'entrechoquent avec bruit; une âpre mêlée s'engage. Telle venant du couchant, la pluie, sous l'influence des pluvieux Chevreaux [2591], frappe la terre; tels les nuages, faisant pleuvoir la grêle, se précipitent sur les flots, quand Jupiter hérissé fait tournoyer une trombe d'eau sous l'effet des autans et déchire dans le ciel les nuées creuses. Pandarus [2592] et Bitias [2593], fils de l'Idéen Alcanor [2594], que la sauvage Iéra [2595] éleva dans le bois sacré de Jupiter, jeunes guerriers dont la taille égale celle des sapins [2596] et des monts de leur patrie, ouvrent la porte, qu'un ordre du chef leur a commise, et, confiants dans leurs armes, vont jusqu'à inviter l'ennemi sous leurs remparts [2597]. Eux-mêmes se tiennent debout à l'intérieur, à droite et à gauche, comme des tours; ils sont armés de fer, et leur aigrette étincelle sur leur tête altière. Tels, autour d'eaux limpides, soit sur les rives du Pô [2598], soit aux bords riants de l'Adige [2599], se dressent deux chênes aériens, qui portent jusqu'au ciel leurs têtes chevelues et balancent leur haute cime. Les Rutules se précipitent, en voyant le passage ouvert devant eux. Bientôt Quercens [2600], Aquiculus [2601] à la belle armure, l'impétueux Tmarus [2602] et le Mavortien [2603] Hémon [2604], suivis de toutes leurs troupes, ou bien ont dû tourner le dos ou bien ont laissé la vie sur le seuil même de la porte. Alors la rage des adversaires s'accroît encore; déjà les Troyens se pressent en masse du même côté; ils osent en venir aux mains et courir assez loin en avant des remparts.

Tandis que Turnus, sur un point opposé, fait fureur et sème le trouble chez ses adversaires, on lui apporte la nouvelle que l'ennemi, tout chaud d'un récent carnage, laisse ses portes ouvertes. Il abandonne son attaque, et, en proie à une colère monstrueuse, se rue à la porte dardanienne [2605], où sont les frères superbes. Et d'abord il renverse d'un coup de javelot Antiphate [2606] (c'était le premier qui s'offrait à lui), bâtard du grand Sarpédon [2607] et d'une femme thébaine [2608] : le cornouiller d'Italie [2609] vole à travers l'air tendre [2610], et vient s'enfoncer sous la poitrine de l'homme, dans son œsophage : la cavité rend une onde écumante de sang noir et le fer s'attiédit dans le poumon transpercé. Il abat alors d'un coup d'épée Mérops [2611] et Erymante [2612], puis Aphidnus [2613], puis, voyant Bitias, les yeux ardents, le cœur frémissant, il ne s'arme point d'un javelot (car un javelot ne lui eût point ôté la vie), mais une phalarique [2614], lancée avec un grand sifflement, part comme la foudre, et ni les deux peaux de taureau, ni les doubles mailles d'or de la cuirasse n'en ont soutenu le choc : le corps monstrueux du géant chancelle et tombe. La terre fait entendre un gémissement et l'énorme bouclier fait sur elle le bruit du tonnerre. Tel, sur l'euboïque rivage de Baïes [2615], s'abat parfois une digue de pierre [2616], construite jadis avec de gros blocs, que l'on jette dans la mer; ainsi s'écroule la masse penchante, qui s'affaisse, démolie, au fond des flots; la mer se trouble, des sables noirs sont soulevés; alors, au bruit, la haute Prochyta [2617] tremble, ainsi qu'Inarimé, dur lit de rocs posé, par ordre de Jupiter, sur Typhée [2618].

Alors Mars puissant par les armes accroît le courage et les forces des Latins et retourne sous leurs poitrines ses aiguillons pointus. Il a envoyé aux Teucères la Fuite et la noire Frayeur [2619]. Les Latins se rassemblent de toutes parts, car ils ont la faculté de combattre et le dieu guerrier a passé dans leur âme... Pandarus, à la vue du cadavre de son frère, du tour que prend la Fortune et de l'issue hasardeuse de la lutte, fait tourner la porte sur ses gonds d'un vigoureux effort, en pesant sur elle de ses larges épaules, et laisse un grand nombre des siens engagés hors des murs dans un dur combat, tandis qu'il reçoit et enferme avec lui les autres guerriers qui se ruent. L'insensé! qui n'a point vu le roi rutule s'élancer au milieu de la bande et qui l'a enfermé de lui-même dans la ville, comme un tigre monstrueux parmi des troupeaux sans défense. Sur-le-champ une flamme nouvelle a jailli des yeux de Turnus; ses armes résonnent horriblement; son aigrette couleur de sang tremble sur son cimier, et son bouclier lance de fulgurants éclairs. Les compagnons d'Enée reconnaissent soudain, bouleversés, les traits odieux et la monstrueuse membrure du guerrier [2620]. Alors l'énorme Pandarus s'élance, et tout chaud de la colère que lui a inspirée la mort de son frère, il s'écrie : « Ce n'est point ici le palais dotal d'Amata [2621]; ce ne sont point les murs d'Ardée [2622], sa patrie, qui enferment Turnus. Tu vois un camp ennemi; nul pouvoir d'en sortir. » Turnus, d'un cœur apaisé, lui répond en souriant : « Commence, si tu as quelque courage au cœur, et mesure-toi à moi; tu conteras à Priam qu'ici encore tu trouvas Achille [2623]. » Il avait dit : Pandarus, rassemblant toutes ses forces, lui lance un grossier javelot gardant encore ses nœuds et sa rude écorce. Ce sont les brises qui ont reçu le coup; la Saturnienne Junon a détourné la marche du javelot [2624], qui va s'enfoncer dans la porte. « Du moins tu n'échapperas pas à ce trait, que ma main balance avec force : car le lanceur du trait et l'auteur du coup n'est pas de ceux dont on peut éviter l'atteinte. » Ainsi dit-il, et, brandissant son épée levée de toute sa hauteur, d'un coup de fer il lui fend le front entre les deux tempes et, par une monstrueuse blessure, sépare ses joues imberbes. Un bruit éclate; la terre est ébranlée sous l'énorme poids; il jonche le sol, mourant, de ses membres défaillants et de ses armes teintes du sang de la cervelle; coupée en deux parties égales, sa tête est demeurée suspendue sur l'une et l'autre épaule.

Tournant le dos, affolés, épouvantés, les Troyens s'enfuient de tous les côtés, et si, sur le moment, le vainqueur avait eu l'idée de rompre les barrières de sa propre main et d'introduire ses compagnons par les portes, ce jour aurait été le dernier de la guerre ou de la nation troyenne. Mais la fureur et un désir insensé de carnage l'entraînèrent, plein d'ardeur, contre ses adversaires... Il tombe d'abord sur Phaléris [2625] et sur Gygès [2626], à qui il coupe le jarret; il leur ravit leurs javelots, les lance sur le dos des fuyards. Junon seconde sa force et son courage. Il ajoute à ces victimes la compagnie d'Halès [2627] et de Phégée [2628], dont il transperce le bouclier, puis c'est le tour d'Alcandre [2629], d'Halius [2630], de Noémon [2631], de Prytanis [2632], qui ignoraient sa présence sur les murs et qui provoquaient Mars; Lyncée [2633] marchait contre lui et appelait ses compagnons : adossé à droite au rempart et brandissant son glaive, il le devance, et, d'un seul coup assené de près, il a fait voler au loin sa tête et son casque. Puis il tue Amycus [2634], exterminateur de bêtes fauves, d'une habileté sans seconde à imprégner les traits et à armer le fer de poison [2635], il tue Clytius [2636], fils d'Eole [2637], et Créthée [2638], aimé des Muses, Créthée, le compagnon des Muses, qui se plaisait toujours à la poésie et à la cithare, tendant les nerfs de son instrument selon la cadence, et qui chantait toujours les chevaux, les exploits des héros et leurs combats.

Enfin, à la nouvelle du massacre de leurs troupes, les chefs teucères, Mnesthée [2639] et l'impétueux Séreste [2640], accourent; ils voient leurs compagnons dispersés, l'ennemi dans le camp; et Mnesthée dit : « Où prétendez-vous fuir ? où courez-vous ? Quels autres murs [2641], quels remparts avez-vous plus loin ? Un seul homme, ô citoyens [2642] (et vos terrassements l'enferment de toutes parts) aura semé impunément tant de carnage par votre ville ? il aura dépêché chez Orcus [2643] tant de chefs de la jeunesse ? N'avez-vous point pitié et honte, indolents que vous êtes, en songeant à votre infortunée patrie, à vos vieux dieux et au grand Enée ? »

Enflammés par de tels reproches, ils se rassurent, et, les rangs serrés, ils s'arrêtent. Turnus peu à peu se retire [2644] du combat, gagne le fleuve et la partie du camp qu'entoure le cours d'eau. Les Teucères ne l'en poursuivent que plus vivement, en poussant de grands cris, et ralliant leur troupe :

ainsi, quand une bande de chasseurs presse un lion cruel de ses traits acharnés, l'animal terrifié, hérissé, l'œil farouche [2645], recule; sa colère et sa vaillance l'empêchent de tourner le dos, et il ne peut, quelque envie qu'il en ait, se faire jour à travers les traits et les chasseurs; de même Turnus, indécis, recule à pas comptés, et son esprit bouillonne de colère. Deux fois même il avait alors foncé au milieu des ennemis, deux fois il repousse en une fuite confuse leur bande le long des murs. Mais toute l'armée, sortie du camp, se rassemble vite et fait corps; contre de telles forces la Saturnienne Junon n'ose plus le protéger. Car Jupiter, du haut du ciel, a envoyé l'aérienne Iris [2646] porter à sa sœur [2647] des ordres rigoureux, si Turnus ne quitte pas les hauts remparts des Teucères. Alors le jeune guerrier ne peut résister ni du bouclier ni de la main [2648] aux traits qui pleuvent de toutes parts et l'accablent. Sans cesse autour du creux de ses tempes résonne et tinte son casque; l'airain, quoique massif, fléchit sous le choc des pierres; son panache est abattu sur sa tête; l'orbe de son bouclier ne suffit plus aux coups; les Troyens avec leurs lances et Mnesthée lui-même, prompt comme la foudre, redoublent leurs assauts. Alors, sur tout son corps, la sueur ruisselle, et un flot poisseux [2649] coule; il n'a plus la possibilité de respirer; un pénible halètement secoue ses membres las [2650]. Alors seulement, d'un saut, il s'est précipité avec toutes ses armes dans le fleuve qui, avec son gouffre blond [2651], l'a reçu dans sa chute, l'a soulevé au-dessus de ses ondes molles [2652] et rendu à ses compagnons, joyeux et lavé du carnage.

LIVRE DIXIÈME

EXPLOITS ET MORT DE PALLAS, DE LAUSUS ET DE MÉZENCE

Pendant ce temps s'ouvre la demeure de l'Olympe tout-puissant [2653], et le Père des dieux et le Roi des hommes [2654] convoque l'assemblée au séjour constellé [2655], d'où il regarde d'en haut toute la terre, et le camp des Dardanides [2656], et les peuples latins. On s'assoit dans l'enceinte ouverte de deux côtés [2657]. Lui-même commence : « Grands habitants du ciel, pourquoi avez-vous changé d'avis ? et d'où vient l'inimitié qui vous divise ? J'avais refusé à l'Italie d'entrer en guerre contre les Teucères [2658]. Quelle est cette discorde, à l'encontre de ma défense ? Quelle crainte a poussé les uns ou les autres à courir aux armes et à commencer les hostilités ? Le juste temps du combat viendra (ne le hâtez pas), le jour où la farouche Carthage, par l'ouverture [2659] des Alpes, lancera sur les collines [2660] un grand fléau. Alors vous pourrez rivaliser de haine et vous livrer au pillage. Pour le moment, laissez faire, et souscrivez de bonne grâce à l'alliance que je veux. »

Ainsi dit Jupiter en peu de mots, mais Vénus d'or [2661], en un discours moins bref, lui répond : « O mon père ! ô éternelle puissance qui gouverne les hommes et les dieux ! (car quel autre appui pourrions-nous désormais implorer ?), tu vois comme les Rutules nous insultent, comme Turnus lance ses chevaux [2662] remarquables dans la mêlée, et se rue tout gonflé de la faveur de Mars. L'enceinte de leurs remparts ne protège plus les Teucères ; le combat se livre à l'intérieur de leurs portes et sur les terrassements mêmes de leurs murs ; leurs fossés regorgent de sang. Enée absent l'ignore. Ne les soulageras-tu jamais d'un siège ? L'ennemi, une fois de plus, menace les murs de Troie renaissante, et il y a une seconde armée, et le Tydide, venu de l'étolienne Arpi [2663], se dresse une fois de plus [2664] contre les Teucères. Moi-même, sans doute, je me résigne aux blessures qu'il me reste à recevoir [2665] et je suis exposée, moi ta fille, aux armes d'un mortel ! Si les Troyens ont abordé l'Italie sans ton congé et malgré ta puissance, qu'ils expient leurs crimes et qu'ils soient privés de ton appui. Mais s'ils n'ont fait que suivre tant d'oracles que leur rendaient les Dieux d'en haut [2666] et les Mânes [2667], comment se fait-il que l'on [2668] puisse à présent casser tes arrêts et fonder de nouveaux destins ? A quoi bon rappeler notre flotte consumée sur le rivage d'Eryx [2669] ? le roi des tempêtes et les vents furieux d'Eolie [2670] ? ou Iris envoyée des nuages [2671] ? Aujourd'hui même les Mânes [2672] (la seule portion de l'univers qui demeurât inessayée), on les soulève contre nous, et Allecto [2673], déchaînée tout à coup sur la terre, a exercé ses fureurs au milieu des villes des Italiens. Je ne m'émeus point de l'empire promis : nous l'avons espéré, tant que la fortune fut pour nous; que ceux-là soient vainqueurs, que tu préfères voir vaincre! S'il n'est aucune contrée que ta dure épouse donne aux Teucères, je t'en conjure, mon père, par les ruines fumantes de Troie [2674], laisse-moi retirer Ascagne sain et sauf du milieu des combats, laisse-moi garder un petit-fils. Qu'Enée, j'y consens, soit ballotté sur des ondes inconnues, et qu'il suive la route que lui aura tracée la Fortune, mais lui, du moins, que je puisse le protéger et le soustraire à la lutte farouche! Je possède Amathonte [2675], et la haute Paphos [2676], et Cythère [2677], et ma demeure d'Idalie [2678] : que là, déposant les armes, il consume une vie sans gloire! Ordonne que Carthage accable l'Ausonie sous sa grande puissance; rien, de ce côté, ne fera obstacle aux villes tyriennes [2679]. Qu'a-t-il servi aux Teucères d'échapper au fléau de la guerre, de fuir à travers les feux argoliques [2680] et d'épuiser tant de dangers sur la mer et la vaste terre pour chercher le Latium et une nouvelle Pergame [2681] ? N'eût-il pas mieux valu pour eux de fouler les cendres suprêmes de leur patrie, et le sol où fut Troie ? Rends, je t'en prie, le Xanthe et le Simoïs [2682] à ces malheureux, et laisse encore une fois les Teucères, ô mon père, dérouler le cours des malheurs d'Ilion!... »

Alors la royale Junon, en proie à une violente fureur : « Pourquoi me pousses-tu à rompre un profond silence et à traduire par des paroles une douleur que je dissimulais ? Est-il quelqu'un des hommes ou des dieux qui ait contraint Enée de faire la guerre et de se déclarer l'ennemi du roi Latinus ? Il a abordé l'Italie à l'instigation des destins, poussé par les furies de Cassandre [2683], je l'admets : mais lui avons-nous par hasard conseillé d'abandonner son camp, ou de remettre sa vie à la merci des vents [2684] ? de confier à un enfant [2685] la conduite de la guerre et ses murs ? de briguer l'alliance des Tyrrhéniens [2686] et d'agiter des nations tranquilles ? Quel est le dieu, quelle est cette dure puissance prétendue nôtre qui l'a jeté dans le danger ? Où trouver là Junon et Iris envoyée des nuages [2687] ? C'est une indignité de voir les Italiens entourer de flammes Troie renaissante, et Turnus tenir bon sur la terre de ses pères, lui qui a pour aïeul Pilumnus [2688] et pour mère la déesse Vénilie [2689]; mais qu'est-ce alors que de voir les Troyens, un brandon sombre à la main [2690], porter leur violence chez les Latins, opprimer sous leur joug une campagne étrangère et y exercer leurs rapines ? Qu'est-ce que de se choisir des beaux-pères, d'arracher du giron maternel des épouses promises par un pacte [2691], d'implorer la paix, l'olivier à la main [2692], et de couronner d'armes ses poupes [2693] ? Tu peux, toi, soustraire Enée aux mains des Grecs [2694], offrir à la place du guerrier un nuage et des vents inconsistants; tu peux transformer sa flotte en autant de Nymphes [2695], et nous, nous commettons un crime en aidant un peu les Rutules ? Enée absent l'ignore [2696] : eh bien! qu'il soit absent et qu'il l'ignore. Tu possèdes Paphos, et Idalie, et la haute Cythère [2697] : pourquoi provoquer une ville grosse de guerres et des cœurs farouches ? Est-ce nous qui tâchons de ruiner de fond en comble les débris de la Phrygie ? Est-ce nous, ou celui [2698] qui livra aux Achéens les malheureux Troyens ? Quelle cause a fait courir aux armes et l'Europe et l'Asie ? a fait rompre la paix par un rapt [2699] ? Est-ce sous ma conduite que le Dardanien adultère [2700] a pris Sparte d'assaut [2701] ? Est-ce moi qui lui ai donné des armes ou qui ai fomenté la guerre en l'emplissant de désir [2702] ? C'est alors qu'il t'eût convenu de trembler pour les tiens : maintenant il est trop tard pour exhaler d'injustes plaintes et provoquer d'inutiles débats. »

Telles étaient les paroles de Junon; et tous les habitants du ciel frémissaient, témoignant leurs sentiments divers [2703] : ainsi les souffles de l'air, emprisonnés dans les forêts, quand ils commencent par frémir, et que leurs invisibles murmures voltigent de proche en proche, annonçant aux marins l'arrivée des vents.

Alors le Père tout-puissant, dont le souverain pouvoir s'exerce sur le monde, prend la parole : à sa voix, la haute demeure des dieux fait silence, la terre tremble sur sa base, l'éther élevé se tait. Alors les Zéphyrs se sont apaisés, la mer abaisse l'étendue paisible de ses flots : « Ecoutez-moi, et gravez ces miennes paroles dans vos cœurs [2704] : Puisqu'en vérité nul traité n'a pu lier les Ausoniens aux Rutules et que votre désaccord n'a point de fin, quels que soient aujourd'hui la fortune de chaque peuple et l'espoir que chacun poursuit, Troyen ou Rutule, je ne mettrai point de différence entre eux, sans vouloir savoir si le siège du camp est imputable aux destins des Italiens ou à une erreur funeste [2705] et aux sinistres oracles de Troie. Et je n'affranchis pas les Rutules de cette loi. Chacun devra à ses œuvres ses revers ou sa fortune. Le roi Jupiter sera le même pour tous. Les destins trouveront leur voie [2706]. » Par le fleuve de son frère Stygien [2707], par les rives bouillonnantes de poix et d'un noir tourbillon, il fait un signe de tête, et à ce signe tout l'Olympe a tremblé. C'est la fin du discours. Alors Jupiter se lève de son trône d'or, entouré par les habitants du Ciel qui le conduisent à son seuil [2708].

Pendant ce temps les Rutules assaillent à la fois toutes les portes, massacrent et abattent les guerriers, entourent de flammes les remparts. De son côté la légion des Enéades assiégée est enfermée dans ses retranchements sans aucun espoir de fuite. Les malheureux se tiennent debout sur les hautes tours — bien vainement — et ceignent les murs d'une couronne clairsemée. Asius, fils d'Imbrasus [2709], Thymétès, fils d'Hicétaon [2710], les deux Assaracus, le vieux Thymbris avec Castor [2711] sont là au premier rang; à leurs côtés, on voit les deux frères de Sarpédon, Clarus et Thémon [2712], venus de la haute Lycie. Celui-là qui d'un effort de tout son corps soulève une pierre énorme, débris considérable d'une montagne, c'est Acmon de Lyrnesse [2713], non moins grand que Clytius [2714], son père, et que Ménesthée [2715], son frère. Ils se défendent à l'envi, ceux-ci avec des javelots, ceux-là avec des pierres; les uns lancent du feu [2716], les autres décochent des flèches. Et voici qu'au milieu d'eux l'enfant dardanien [2717] lui-même, objet du très juste soin de Vénus, montre à découvert sa belle tête : telle étincelle une gemme, que cerne un filet d'or fauve, parure pour le col ou la tête; tel encore, enchâssé avec art dans le buis ou dans le térébinthe d'Oricus [2718], resplendit l'ivoire; sur sa nuque de lait tombe à flots sa chevelure, que noue un cercle d'or léger. Ces peuples magnanimes [2719] te virent aussi lancer des traits et armer tes flèches de poison, Ismare, noble rejeton d'une maison de Méonie, où l'homme travaille un sol fertile, où le Pactole roule sur l'or [2720]. Là fut aussi Mnesthée, que la gloire d'avoir repoussé naguère Turnus [2721] loin du terrassement des murs éleva jusqu'aux nues; et Capys, dont une ville de Campanie tire son nom [2722].

Tandis qu'ils s'étaient réparti les dangers d'une dure guerre, Enée, au milieu de la nuit [2723], fendait les flots. En effet, dès qu'au sortir de chez Evandre il a pénétré dans le camp étrusque, il aborde leur roi [2724], dit à ce roi son nom et sa naissance, ce qu'il demande, ce qu'il apporte lui-même; il l'instruit des forces qu'arme Mézence [2725] pour sa querelle et des accès de violence de Turnus; il lui rappelle la confiance qu'on peut avoir dans les choses humaines et entremêle ses propos de prières. Sans tarder, Tarchon joint ses forces à celle d'Enée et scelle un pacte avec lui : alors, libérée du destin [2726], la nation lydienne [2727] embarque conformément aux ordres des dieux et s'en remet à son chef étranger. La poupe d'Enée tient la tête : son éperon représente des lions phrygiens, que l'Ida surplombe [2728], emblème très cher aux Teucères transfuges. C'est là que s'assied le grand Enée, roulant dans son esprit les hasards de toute sorte que comporte la guerre, et Pallas [2729], placé à sa gauche [2730], s'enquiert tantôt des constellations, qui leur montrent la route dans la nuit opaque, tantôt des épreuves qu'il a subies et sur terre et sur mer.

Ouvrez maintenant l'Hélicon, déesses [2731], et secondez mes chants : dites quelle armée partant sur ces entrefaites des bords toscans à la suite d'Enée, arme des vaisseaux et s'en va sur la mer.

Massicus, sur le *Tigre* [2732] d'airain, fend le premier la plaine liquide; il a sous ses ordres une troupe de mille guerriers, qui ont quitté les remparts de Clusium [2733], la ville de

Cosa [2734], ayant pour armes des flèches, un carquois léger sur l'épaule et un arc meurtrier. Avec lui est le torve Abas [2735]; toute sa troupe resplendissait d'armes insignes et sa poupe d'un Apollon doré [2736]. Populonie [2737], sa patrie, lui avait donné six cents jeunes gens aguerris, et trois cents autres l'île d'Ilva [2738], riche de ses inépuisables mines d'acier. Le troisième est le fameux interprète des hommes et des dieux, Asilas [2739], à qui obéissent les fibres des bêtes [2740], les constellations du ciel [2741], les langues des oiseaux [2742], les feux prophétiques de la foudre [2743]; il entraîne avec lui mille guerriers, serrés en un bataillon épais, et aux lances hérissées; ils ont été mis sous ses ordres par Pise, alphéenne d'origine, ville bâtie sur le sol étrusque [2744]. Le bel Astyr [2745] les suit — Astyr confiant dans son cheval et dans ses armes de toutes les couleurs; trois cents hommes l'accompagnent, brûlant tous du même désir de le suivre, qui ont quitté pour lui leur demeure de Cère [2746], les guérets du Minion [2747], la vieille Pyrges [2748] et la malsaine Gravisca [2749].

Je ne saurais te passer sous silence, toi, le chef des Ligures [2750], si vaillant à la guerre, ô Cinyre [2751], ni toi, Cupavon [2752], qu'accompagne une petite escorte, et au cimier duquel se dressent des plumes de cygne : l'amour fut votre crime, et ton insigne rappelle la métamorphose de ton père. En effet, tandis que Cyanus, pleurant son bien-aimé Phaéton [2753], chantait sous les frondaisons des peupliers, à l'ombre de ses sœurs [2754], et consolait par sa muse son triste amour, sa vieillesse chenue se couvrit, dit-on, d'un plumage moelleux, en même temps qu'il quittait la terre et s'en allait dans un cri vers les constellations. Son fils, accompagné d'une bande de guerriers de son âge [2755], ébranle sous ses rames le puissant *Centaure* [2756] : celui-ci se dresse sur l'eau, menace fièrement les ondes d'un rocher monstrueux [2757], et sa longue carène sillonne la mer profonde. Ocnus amène aussi une armée des rives paternelles — Ocnus, fils de la prophétesse Manto et du fleuve toscan [2758], qui te donna des remparts et le nom de sa mère Mantoue [2759] — Mantoue riche en ancêtres, mais n'ayant point tous la même race [2760]; elle a trois tribus, chaque tribu est divisée en quatre peuples; elle est la capitale de ces peuples, tirant sa force du sang toscan [2761]. De là aussi Mézence arme contre lui-même [2762] cinq cents guerriers, que le fils de Bénacus, Mincius [2763] voilé de roseaux glauques, conduisait sur la plaine liquide dans un pin menaçant. Le lourd Aulestès [2764] s'avance : dressés sur leurs bancs ses rameurs frappent les flots de leurs cent avirons; le marbre [2765] retourné fait écumer les eaux. Il monte le monstrueux *Triton* [2766], dont la conque terrifie les flots bleus : plongé jusqu'à la ceinture dans l'onde, le monstre offre la figure velue d'un homme; son ventre se termine en baleine; l'onde écumante murmure sous sa poitrine à demi fauve.

Tels étaient les chefs d'élite qui, montés sur trois fois dix navires, allaient au secours de Troie, et qui, de leur airain, fendaient les plaines de sel.

Déjà le jour avait quitté le ciel [2767], et l'alme Phébé [2768], sur son char nocturne, foulait le milieu de l'Olympe. Enée (auquel le souci ne laisse point de repos) se tient lui-même assis au gouvernail, le dirige, et manœuvre les voiles. Or voilà qu'au milieu de sa course le chœur de ses « compagnes » s'offre à sa vue : ces Nymphes, dont l'alme Cybèle [2769] avait fait des divinités de la mer, ces Nymphes qu'elle avait substituées aux navires [2770], elles nageaient de front et fendaient les flots, en nombre égal aux proues d'airain qui s'étaient dressées sur le rivage. Elles reconnaissent de loin leur roi, et l'environnent de leurs chœurs. Cymodocée [2771], la plus habile à parler, suit ses traces, tient la poupe de la main droite, et, levant son dos au-dessus de la mer, écarte de la main gauche les ondes taciturnes. Puis, à Enée qui ignore le prodige, elle adresse ainsi la parole : « Veilles-tu, race des dieux, ô Enée ? Veille [2772], et laisse aller tes voiles. Nous sommes les pins idéens de la cime sacrée [2773], aujourd'hui nymphes de la mer, naguère ta flotte. Comme le perfide Rutule fonçait sur nous, le fer et la flamme à la main, nous avons malgré nous rompu tes câbles et nous te cherchons par la plaine liquide. La Mère [2774], apitoyée, a changé notre forme, nous a donné d'être des déesses et de passer notre vie sous les ondes. Cependant le petit Ascagne est enfermé dans son mur et derrière ses fossés, au milieu des traits et des Latins hérissés de l'appareil de Mars. Déjà le cavalier arcadien mêlé au courageux Etrusque tient les positions qui lui ont été assignées [2775]. Turnus est bien décidé à leur opposer ses escadrons pour les empêcher de faire leur jonction avec le camp. Lève-toi donc, et, à l'arrivée de l'Aurore, fais vite faire l'appel aux armes de tes alliés, prends le bouclier invincible que le Dieu Puissant du feu [2776] t'a donné en personne, et dont il a couronné d'or les bords [2777]. Le jour de demain, si tu ne fais pas fi de mes paroles, verra les tas énormes du massacre rutule. »

Elle avait dit, et, en s'éloignant, d'un geste sûr de la main droite, elle a poussé en avant la haute poupe : le navire fuit parmi les ondes plus rapides que le javelot [2778] et que la flèche rivale des vents. Les autres accélèrent, à leur tour, leur course. Le Troyen fils d'Anchise est stupéfait lui-même, sans comprendre; toutefois ce présage lui donne du courage. Alors, brièvement, les yeux levés sur la voûte d'en haut, il prie : « Alme mère idéenne des dieux [2779], toi qui chéris le Dindyme [2780] et les villes couronnées de tours et l'attelage de de deux lions [2781] dociles au frein, toi qui maintenant me guides au combat, puisses-tu hâter rituellement ton augure et seconder, ô déesse, d'un pied favorable les Phrygiens. » Il ne prononça que ces mots. Et pendant ce temps, le jour révolu se ruait déjà de toute sa lumière et avait mis en fuite la nuit. Enée commence par ordonner à ses compagnons d'obéir aux signaux, d'apprêter leurs armes et de se préparer au combat.

Bientôt il a sous ses regards les Teucères et son camp,

debout sur sa poupe élevée; alors, de la main gauche, il a levé son bouclier enflammé. Les Dardanides, du haut des murs, poussent vers les constellations une clameur; l'espoir qui s'ajoute suscite leur colère; ils lancent des traits à la main : telles, sous les nuées sombres, les grues du Strymon [2782] font éclater leur joie, nagent avec bruit à travers l'éther, et fuient les Notus [2783] avec une clameur propice.

Cependant ces démonstrations semblent étranges au roi rutule et aux chefs ausoniens, jusqu'à ce qu'ils voient, derrière eux, les poupes tournées vers le rivage et toute la plaine liquide qui glisse vers eux avec la flotte. L'aigrette du guerrier étincelle sur sa tête, une flamme jaillit de son cimier, et la bosse d'or de son bouclier vomit de vastes feux : ainsi, quand par une nuit limpide des comètes sanglantes rougeoient lugubrement [2784] ou quand Sirius [2785], en flammes, apportant aux malheureux mortels la soif et les maladies, se lève et attriste le ciel de sa lumière sinistre.

Néanmoins l'audacieux Turnus n'a pas désespéré d'arriver le premier au rivage et de chasser de la côte les arrivants. Mieux encore : il relève les cœurs des Latins et les gourmande en ces mots : « L'objet de vos vœux est là : vous pouvez renverser l'ennemi sous vos coups; Mars lui-même [2786] est entre vos mains. Que chacun songe maintenant à sa femme et à sa maison; se rappelle les hauts faits, la gloire de ses ancêtres. Courons de nous-mêmes à la mer, pendant que, tout tremblants, ils font leurs premiers pas sur le sol : la Fortune favorise ceux qui osent [2787]... » Il dit et examine en lui-même ceux qu'il peut conduire à l'ennemi, ou à qui il peut confier les murs assiégés.

Pendant ce temps, Enée fait débarquer ses alliés par des ponts jetés des hautes poupes. Beaucoup observent le reflux de la mer languissante et sautent avec sûreté sur le sable; d'autres glissent le long des rames [2788]. Tarchon avise un coin du rivage où les flots ne bouillonnent pas et où la vague brisée ne murmure pas en reculant, mais où la mer glisse sans obstacle quand croît le flux. Il y tourne soudain sa proue et prie ses compagnons : « Allons, soldats d'élite, pesez sur vos fortes rames, soulevez, poussez vos navires, fendez de vos éperons cette terre ennemie, et que la carène s'y creuse d'elle-même son sillon. Je ne répugne pas à briser ma poupe en un tel endroit, à la seule condition d'y prendre terre. » Dès que Tarchon a prononcé ces mots, ses compagnons se dressent sur leurs troncs ébranchés, et portent vers les champs latins leurs navires écumants, jusqu'à ce que les éperons s'enfoncent dans la terre sèche, et que toutes les carènes s'y reposent sans dommage. Mais non point ton navire, ô Tarchon, car, ayant heurté un bas-fond et demeurant suspendu sur un « dos [2789] » funeste, il vacille longtemps, incertain, et fatigue les flots, puis se brise et laisse les hommes au milieu des ondes; les débris des rames et les bancs qui flottent embarrassent les guerriers, et la vague qui reflue les repousse en arrière.

Turnus, de son côté, ne perd point de temps; mais entraîne avec impétuosité toute son armée contre les Teucères, et s'établit vis-à-vis d'eux sur le rivage.

Les clairons sonnent : Enée a fondu le premier sur ces escadrons rustiques [2790] : présage de succès! et il a consterné les Latins en tuant Théron [2791], qui, dépassant tous les guerriers par sa taille, ose attaquer Enée; d'un coup d'épée, qui traverse sa cotte de mailles et sa tunique brochée d'or, il lui entrouvre le flanc. Puis il frappe Lichas [2792], arraché aux entrailles de sa mère déjà morte et qui t'avait été consacré, ô Phébus, pour avoir, en naissant, échappé aux atteintes du fer [2793]. Peu après, il a abattu d'un coup mortel le rude Cissée [2794] et l'énorme Gyas [2795], qui terrassaient avec leur massue des bataillons entiers : rien ne les a protégés, ni l'arme d'Hercule [2796], ni leur forte poigne, ni leur père Mélampus [2797], qui demeura le compagnon d'Alcide [2798], tant que la terre lui offrit de pénibles travaux [2799]. Voici Pharus [2800] : tandis qu'il lance d'inutiles menaces, Enée, brandissant un javelot, le lui enfonce dans sa bouche qui crie. Toi aussi, tandis que tu poursuivais Clytius [2801], dont un blond duvet commence à couvrir les joues, toi aussi, infortuné Cydon [2802], tout occupé de ton nouveau caprice, tu aurais jonché la terre sous la droite du Dardanien et, sans te soucier de tes amours et des jeunes gens toujours chers à ton cœur, tu serais couché là, misérable, si la cohorte groupée des frères, fils de Phorcus [2803], ne lui eût barré la route : au nombre de sept, ils lancent sept traits d'un coup : les uns rebondissent, inutiles projectiles, sur le casque et sur le bouclier d'Enée; l'alme Vénus a détourné les autres qui ne font qu'effleurer son corps. Enée s'adresse au fidèle Achate [2804] : « Donne-moi les traits (ma main n'en lancera pas en vain contre les Rutules), qui se fixèrent dans le corps des Grecs aux plaines d'Ilion. » Alors il empoigne une longue javeline et la jette : elle transperce en volant l'airain du bouclier de Méon [2805] et lui défonce la cuirasse en même temps que la poitrine. Son frère Alcanor [2806] s'élance vers lui et le soutient d'une main fraternelle tandis qu'il chancelle; son bras est traversé d'une nouvelle javeline qui, une fois lancée, conserve, sanglante, l'impulsion reçue, et sa main mourante est suspendue à son épaule par les nerfs. Alors Numitor [2807], arrachant le javelot du corps de son frère, a visé Enée; mais il ne lui a pas été possible non plus de l'atteindre, et c'est la cuisse du grand Achate qu'il a effleurée. Puis, confiant dans sa force juvénile, Clausus de Cures [2808] arrive, et, d'une javeline lancée de loin d'un coup roide, il a touché profondément Dryope [2809] sous le menton, et, lui traversant la gorge, l'a privé à la fois de la parole et de la vie : le guerrier heurte du front la terre et sa bouche vomit un sang épais. Trois Thraces, issus de la race suprême de Borée [2810], et trois autres qui sont venus, ayant Idas pour père et pour patrie Ismare [2811], tombent aussi, diversement frappés. Halésus [2812] accourt avec la bande des Auronces [2813]; il est suivi du rejeton de Neptune, Messape [2814], que signalent ses chevaux : ils essaient de se repousser, tantôt d'un côté, tantôt de l'autre; on combat sur le seuil même de l'Ausonie. Ainsi, dans le grand éther, des vents adverses [2815] se heurtent avec une ardeur et une force égales; ni eux-mêmes, ni les nuages, ni la mer ne cèdent : la bataille est longtemps incertaine; tout tient bon et résiste. Pareillement les armées troyennes et les armées latines s'entrechoquent : on s'accroche pied à pied, on se presse homme contre homme [2816].

Cependant, sur un autre point, où un torrent avait roulé au loin des pierres et des arbousiers arrachés à ses rives, les Arcadiens, contrairement à leur habitude [2817], luttaient à pied; Pallas les a vus tourner le dos et fuir devant les Latins (la nature accidentée du lieu les avait amenés à laisser leurs chevaux). Il use du seul moyen qui lui reste en cette extrémité : il enflamme leur courage tantôt par la prière, tantôt par d'amers reproches : « Où fuyez-vous, compagnons ? Par vous et par vos exploits valeureux, par le nom d'Evandre, votre chef, et par les guerres où il a vaincu, par l'espoir que j'ai de me montrer l'émule en gloire de mon père, ne vous fiez pas à vos pieds. C'est avec le fer qu'il faut vous ouvrir un chemin à travers les ennemis, à l'endroit où vous presse le plus épais bataillon de guerriers; c'est là que votre altière patrie vous réclame, vous et Pallas à votre tête. Ce ne sont point des divinités qui nous pressent; mortels, nous sommes aux prises avec un mortel adversaire; nous avons autant de cœur et autant de bras que lui. Voici la mer qui nous enferme dans sa grande barrière d'eau; la terre déjà manque à notre fuite : allons-nous nous jeter dans les flots ou dans Troie [2818] ? » Il dit et s'élance au milieu des rangs épais de l'ennemi.

Celui qu'il rencontre d'abord sur son chemin, conduit par un destin inique, se trouve être Lagus [2819] : tandis qu'il arrache un rocher d'un poids considérable, Pallas, ayant brandi un trait, le perce à l'endroit où l'épine sépare en deux les côtes, et recueille la javeline enfoncée dans les os. Hisbon [2820] ne le surprend pas, comme il l'espérait, car au moment où il se ruait sur lui sans prendre garde, furieux de la mort cruelle de son compagnon d'armes, Pallas le devance et lui plonge son épée dans le poumon gonflé de colère. Il frappe ensuite Sthénélus [2821] et Anchémolus, issu de la vieille race de Rhétus [2822], qui osa souiller d'un inceste la couche de sa belle-mère [2823]. Vous aussi, vous tombâtes tous deux dans les guérets rutules, Laride [2824] et Thymber [2825], fils jumeaux de Daucus [2826], vous dont la parfaite ressemblance trompait vos parents et leur causait une agréable erreur [2827]; aujourd'hui Pallas a mis entre vous une dure différence : toi, Thymber, l'épée d'Evandre [2828] t'a coupé la tête; et toi, Laride, ta main droite tranchée cherche son maître [2829], tes doigts à demi morts tressaillent [2830] et essaient de ressaisir le fer.

Les Arcadiens sont enflammés par l'admonestation de leur chef et par la vue de ses brillants exploits : un mélange de ressentiment et de honte les arme contre l'ennemi. Alors Pallas transperce Rhétée [2831], qui passait devant lui en fuyant sur son bige. Cet instant retarda seul la mort d'Ilus [2832] : car c'était contre Ilus qu'il avait dirigé de loin la forte javeline; mais Rhétée, qui passe, reçoit le coup, fuyant devant toi, excellent Teuthras [2833], et devant ton frère Tyrès [2834]; roulant de son char, il frappe de ses talons, à demi mort, les guérets des Rutules. Et de même que, quand les vents se lèvent en été selon ses vœux, le berger lance et disperse l'incendie [2835] dans les bois; tout à coup l'espace intermédiaire s'embrase, et l'armée hérissée de Vulcain [2836] étend à la fois ses ravages parmi les vastes plaines; lui, assis sur une hauteur, contemple, vainqueur, les flammes triomphantes. De même il te plaît, ô Pallas, de voir toute la vaillance de tes compagnons ne faire qu'un bloc. Mais l'impétueux Halésus s'avance à leur rencontre, ramassé sous son bouclier; il immole Ladon, Phérès, Démodocus [2837]; il tranche de son épée étincelante la main droite de Strymonius [2838] levée contre sa gorge; il frappe d'une pierre le visage de Thoas [2839], et éparpille ses os mêlés à sa cervelle sanglante. Son père, qui annonçait l'avenir, avait caché Halésus [2840] dans les forêts; quand le vieillard ferma pour mourir ses yeux aux sourcils chenus [2841], les Parques jetèrent la main sur son fils [2842] et le dévouèrent aux traits d'Evandre. Pallas l'attaque, après avoir fait cette prière : « Favorise maintenant, ô Père Tibre, la fortune de ce fer que je m'en vais lancer et sa route à travers la poitrine du dur Halésus; ton chêne [2843] aura les armes et les dépouilles de ce guerrier. » Le dieu l'a exaucé : au moment où Halésus a couvert Imaon [2844], l'infortuné offre au trait arcadien une poitrine désarmée.

Cependant Lausus, puissant rempart de l'armée [2845], ne permet pas que le massacre d'un si grand guerrier jette l'épouvante parmi les bataillons; il commence par exterminer Abas [2846] placé sur sa route, et qui empêchait et retardait l'issue du combat. La race d'Arcadie jonche le sol, les Etrusques jonchent le sol, et vous aussi, ô Teucères, que les Grecs ne firent pas périr. Les armées s'entrechoquent, sous des chefs égaux, avec des forces égales; les dernières lignes se pressent contre les premières; leur foule ne leur permet de mouvoir armes ni mains. Par ici Pallas, par là Lausus poursuivent et pressent leurs adversaires; il n'y a point entre eux de grande différence d'âge; ils sont remarquables par leur beauté, mais la Fortune leur a refusé le retour dans leur patrie. Toutefois le roi du grand Olympe [2847] ne leur a pas permis de se mesurer entre eux : leurs destins les réservent bientôt à un plus grand ennemi [2848].

Sur ces entrefaites, son alme sœur [2849] conseille à Turnus de prendre la place de Lausus; il fend, de son char qui vole, le milieu de la mêlée. Dès qu'il a vu ses compagnons : « Il est temps de cesser la lutte; moi seul vais marcher contre Pallas; c'est à moi seul que Pallas est dû : je désirerais que son père en personne assistât en spectateur au combat. » Il dit, et, sur son ordre, ses compagnons lui ont laissé le champ libre.

Cependant, au départ des Rutules, le jeune guerrier, surpris de cet ordre arrogant, contemple Turnus avec stupéfaction, porte les yeux sur sa taille énorme et l'embrasse tout entier d'un regard farouche, puis réplique par ces mots au défi du tyran : « Je m'en vais m'illustrer ou par le rapt de dépouilles opimes [2850] ou par une mort insigne; mon père voit d'un œil égal l'un et l'autre événement; laisse là tes menaces. » Ayant dit, il s'avance au milieu de la plaine. Le sang se glace et s'arrête au cœur des Arcadiens. Turnus a sauté de son bige; il s'apprête à aller à pied au corps à corps. Quand un lion [2851], d'un haut observatoire, a vu, au loin dans la plaine, un taureau qui s'exerce au combat, il vole à sa rencontre : telle est l'image de Turnus marchant à l'ennemi. Dès que Pallas l'a cru à portée de sa javeline, il l'attaque dans l'espoir que la fortune seconde son audace dans une lutte inégale; et il s'adresse ainsi au grand éther : « Par l'hospitalité que t'a donnée mon père [2852] et la table où tu t'es assis en étranger, je t'en prie, ô Alcide [2853], seconde ma lourde entreprise : fais que Turnus demi-mort me voie ravir ses armes sanglantes et que ses yeux mourants soient condamnés à contempler son vainqueur. » Alcide a entendu le jeune guerrier; dans le fond de son cœur, il comprime un grand gémissement, et répand des larmes vaines. Alors le Père des dieux adresse à son fils ces paroles amicales : « Chacun a son jour marqué; la durée de la vie est pour tout le monde brève et irréparable; mais étendre son renom par de hauts faits, voilà le rôle de la vertu. Tant de fils de dieux sont morts sous les hauts murs de Troie [2854]! Jusqu'à Sarpédon, mon fils, qui a succombé avec eux! Ses destins appellent aussi Turnus, et il est parvenu aux bornes de son âge. » Il dit et détourne ses yeux des champs des Rutules.

Cependant Pallas lance de toutes ses forces une javeline, et tire du fourreau creux son épée étincelante. En volant, elle a frappé à l'endroit de l'épaule le haut de la cuirasse, s'est frayé un chemin le long des bords du bouclier, et finalement a effleuré le grand corps de Turnus. Alors Turnus, brandissant longuement contre Pallas un bois armé d'un fer aigu, le lance et lui dit : « Regarde si notre trait n'est pas plus pénétrant! » Il avait dit; la pointe, d'un coup vibrant, traverse le milieu du bouclier, en dépit de toutes les lames de fer et d'airain, malgré toutes les superpositions de la peau de taureau qui l'entoure, et perfore l'épaisseur de la cuirasse et la puissante poitrine. En vain Pallas arrache le trait tout chaud de sa blessure; son sang et sa vie s'en vont par la même voie. Il s'est écroulé sur sa blessure; ses armes ont retenti sur son corps; et, en mourant, il fouille la terre ennemie de sa bouche sanglante. Turnus, se tenant debout au-dessus du cadavre : « Arcadiens, dit-il, rappelez-vous mes paroles et rapportez-les à Evandre. Je lui renvoie Pallas, comme il a mérité de le revoir. Tous les honneurs de la tombe, toutes les consolations de la sépulture, je les lui accorde volontiers. L'hospitalité donnée à Enée ne lui coûtera pas peu. » Ce disant, il a foulé du pied gauche le corps inanimé, lui ravissant son baudrier, d'un poids énorme, couvert de la criminelle image d'une troupe de jeunes gens immolée dans une seule nuit d'hyménée [2855] et de leurs couches nuptiales sanglantes : image qu'avait ciselée dans une épaisse couche d'or Clonus, fils d'Euryte [2856]. Maintenant Turnus triomphe avec ces dépouilles et se réjouit de les avoir prises. Esprit humain ignorant de l'avenir et du sort futur, ignorant de la mesure, quand le succès l'exalte! Un temps viendra pour Turnus, où il souhaitera de racheter très cher la vie de Pallas et haïra ces dépouilles et ce jour [2857]. Cependant ses compagnons, avec beaucoup de gémissements et de larmes, placent Pallas sur son bouclier et le remportent, nombreux. Quelle douleur, quelle grande gloire pour ton père, quand tu lui reviendras! Ce premier jour de lutte t'a jeté dans la guerre, ce même jour t'emporte; mais du moins tu laisses sur le champ de bataille d'énormes tas de Rutules.

Ce n'est pas la voix de la Renommée, mais c'est un fidèle courrier qui vole instruire Enée d'un si grand malheur, l'informant que les siens sont à deux doigts de leur perte, qu'il est temps de secourir les Teucères en fuite. Le glaive en main, il moissonne tout sur son passage, et se fraye ardemment avec le fer un large chemin à travers l'armée : c'est toi, Turnus, qu'il cherche, toi qu'exalte ton récent massacre. Pallas, Evandre, tout est devant ses yeux, et la table à laquelle il s'est assis en étranger pour la première fois, et l'alliance qu'a scellée sa main. Il prend vivants quatre guerriers, fils de Sulmon [2858], et autant qu'Ufens [2859] élève, pour les immoler aux ombres infernales et arroser de leur sang captif les flammes du bûcher. Puis, de loin, il avait lancé sur Magus [2860] une redoutable javeline : l'autre, astucieusement, se baisse, et la frémissante javeline vole au-dessus de sa tête. Embrassant les genoux d'Enée, il lui dit alors, en suppliant : « Par les Mânes de ton père et l'espoir que te donne Iule grandissant, je t'en prie, conserve cette vie, précieuse à un fils et à un père. J'ai un haut palais; des talents [2861] d'argent ciselé y gisent profondément enfouis; j'ai des poids d'or, travaillé et brut. La victoire des Teucères ne repose pas sur ma mort; la vie d'un seul homme n'aura point tant de conséquences. » Il avait dit; Enée lui répond les paroles que voici : « Ces nombreux talents d'or et d'argent dont tu parles, réserve-les pour tes enfants. Turnus le premier a supprimé ce commerce de guerre, dès l'instant même qu'il a tué Pallas. Tel est l'avis des Mânes de mon père Anchise, tel est l'avis de Pallas. » Ce disant, il saisit de la main gauche le casque de Magus, lui renverse le cou en arrière, et y enfonce, malgré ses prières, l'épée jusqu'à la garde.

Non loin de là se trouvait le fils d'Hémon [2862], prêtre de Phébus et de Trivie [2863]; un ruban blanc attachait sur ses tempes les bandelettes sacrées; il était tout étincelant, avec ses vêtements et ses armes remarquables. Enée l'assaille, le poursuit dans la plaine; l'autre tombe; il monte sur lui, l'immole, le couvre de la puissante ombre de la mort; Séreste [2864] ramasse et rapporte sur ses épaules les armes du vaincu, dont il fait un trophée pour toi, roi Gradivus [2865]. Céculus, né de la souche de Vulcain [2866], et Umbron, venant des monts des Marses [2867], reforment leurs bataillons. Le Dardanide exerce contre eux sa fureur. D'un coup d'épée il avait fait tomber la main gauche d'Anxur [2868] et l'orbe tout entier de son bouclier; l'autre avait tenu je ne sais quel arrogant langage et avait cru que l'effet suivrait les paroles; il portait jusqu'au ciel peut-être son espoir et il s'était promis une vieillesse chenue et de longues années. Tarquitus [2869], fier de ses armes éclatantes, fils du Faune [2870] sylvestre et de la nymphe Dryope [2871], s'est mis en tête d'arrêter l'élan du héros : lui, d'un coup de sa lance ramenée en arrière, cloue l'un contre l'autre la cuirasse et la masse pesante du bouclier; puis, en dépit des prières de Tarquitus et de tout ce qu'il s'apprête à dire, il lui tranche la tête qui tombe à terre, et, faisant rouler devant lui le tronc tiède encore, il exhale la haine de son cœur en ces mots : « Gis maintenant ici, redoutable guerrier; une mère excellente ne t'ensevelira pas dans la terre et ne chargera pas de tes membres le sépulcre de tes pères. Tu seras laissé aux oiseaux de proie, ou bien, plongé dans l'abîme, tu seras roulé par la vague, et les poissons affamés suceront tes plaies [2872]. »

Et, tout de suite, il pourchasse Antée [2873] et Lycas [2874], qui combattaient à l'avant-garde de Turnus, et le vaillant Numa [2875] et le fauve Camers [2876], fils du magnanime Volcens [2877], le plus riche propriétaire de l'Ausonie, roi de la taciturne Amyclées [2878]. Tel, dit-on, Egéon [2879] aux cent bras et aux cent mains vomissait le feu, de ses cinquante bouches et poitrines, quand, contre la foudre de Jupiter, il choquait autant de boucliers égaux en nombre et brandissait autant d'épées nues; tel, par toute la plaine, Enée vainqueur sévit, dès qu'une fois son glaive s'est attiédi dans le sang. Le voici même qui fonce au poitrail des quatre chevaux attelés au char de Niphée [2880]; à peine ceux-ci ont-ils vu de loin le héros s'avancer et frémir de rage qu'ils tournent le dos de peur et se ruent en arrière, en renversant leur guide et en entraînant le char vers le rivage.

Pendant ce temps, sur un char attelé de deux chevaux blancs, Lucagus [2881] s'élance dans la mêlée avec son frère Liger [2882]; son frère guide les chevaux avec les rênes, l'impétueux Lucagus fait tourner son épée nue. Enée n'a pu souffrir l'ardeur qui les emporte : il s'est rué et a paru devant eux, puissant, avec sa lance. Liger lui dit : « Tu ne vois ni les chevaux de Diomède, ni le char d'Achille [2883], ni les plaines de la Phrygie : aujourd'hui tu vas trouver sur cette terre la fin de la guerre et celle de ta vie. » Les paroles de l'insensé Liger volent au loin; mais le héros troyen, sans s'arrêter à lui répondre, lance un javelot à son ennemi. Tandis que Lucagus, penché en avant sur les rênes, a excité ses deux chevaux d'un trait, et pendant que, le pied gauche en avant, il s'apprête au combat, le javelot glisse sur les bords inférieurs de son bouclier brillant, puis lui perfore l'aine gauche; jeté à bas de son char, il roule mourant dans le guéret. Le pieux Enée lui adresse alors ces paroles amères : « Lucagus, ce n'est point la fuite trop lente de tes chevaux qui m'a livré ton char, ni un vain épouvantail venant de l'ennemi qui t'a renversé; c'est toi-même, en sautant des roues, qui abandonnes les rênes. » Ce disant, il a saisi les deux chevaux. Son frère infortuné, renversé du même char, tendait ses paumes désarmées : « Par toi, par les parents qui ont donné le jour à un guerrier tel que toi, héros troyen, laisse-moi la vie et prends en pitié un suppliant... » Il allait en dire plus, lorsque Enée : « Tu ne prononçais point naguère de telles paroles. Meurs, et, en frère, n'abandonne pas ton frère. » Puis, il lui transperça de son glaive la poitrine, siège où se cache la vie.

Tel était le ravage que répandait à travers la plaine le chef dardanien, semblable dans sa fureur à un torrent d'eau ou à un noir tourbillon. Enfin le petit Ascagne et ses jeunes guerriers, assiégés en vain, sortent et laissent le camp.

Sur ces entrefaites, Jupiter interpelle de lui-même Junon : « O ma sœur à la fois et mon épouse chérie, comme tu le supputais, Vénus (et ton idée n'est point fausse) soutient les forces troyennes : leurs guerriers ont des bras sans vaillance, leur âme n'est point farouche et endurcie au danger. » Junon, soumise, réplique : « Pourquoi, ô mon magnifique époux, tourmenter une femme alarmée et craignant tes paroles amères ? Si ton amour pour moi avait autant de force qu'il en eut autrefois et autant qu'il devrait en avoir, tu ne me refuserais certes pas, ô Tout-Puissant, la permission de dérober Turnus au combat et de le garder sain et sauf à Daunus, son père. Mais qu'il périsse maintenant et qu'il satisfasse de son sang pieux [2884] la vengeance des Teucères : il tire pourtant son nom de notre origine [2885], Pilumnus [2886] est son trisaïeul, et souvent il a chargé tes seuils des largesses de sa main et de nombreuses offrandes. » Le roi de l'Olympe éthéré lui répond brièvement : « S'il m'est demandé de retarder une mort imminente et d'accorder du temps à ce jeune guerrier destiné à périr, si tu comprends bien les limites que je mets à cette faveur, enlève Turnus et dérobe-le par la fuite aux destins qui le menacent : ma complaisance pour toi peut s'étendre jusque-là, mais si, sous tes prières, il se cache une faveur plus haute, si tu crois troubler ou changer toute la guerre, tu nourris une espérance vaine. » Junon, pleurant alors : « Ah! si ton esprit m'accordait ce que tes paroles me donnent à grand-peine, et que la vie demeurât assurée à Turnus! mais, en réalité, une fin pénible l'attend, lui qui n'est pas coupable, ou bien je suis proie d'une illusion trompeuse. Oh! que ne suis-je plutôt le jouet d'une fausse terreur, et que n'améliores-tu, toi qui le peux, tes projets! »

Après avoir prononcé ces paroles, elle s'est élancée du haut du ciel, chassant devant elle la tempête, ceinte d'un nuage à travers les airs, et elle a joint l'armée d'Ilion et le camp des Laurentes[2887]. Alors la déesse, avec un nuage creux, forme à l'image d'Enée une ombre[2888] ténue et sans force, la revêt (ô prodige merveilleux à voir) d'armes dardaniennes, imite son bouclier, l'aigrette de sa tête divine[2889], lui prête de vaines paroles, lui prête un son sans pensée et lui donne l'allure et la démarche du héros : tels sont les fantômes qui voltigent, dit-on, quand on a affronté la mort, ou les songes qui se jouent de nos sens assoupis. Alors l'allègre image bondit devant les premières lignes, irrite le héros de ses traits, le harcèle de la voix. Turnus la presse, et lui lance de loin une javeline sifflante : l'image tourne le dos et s'enfuit. Alors quand Turnus a cru qu'Enée vraiment fuit et renonce à la lutte, et quand son cœur troublé s'est repu d'une espérance vaine : « Où fuis-tu, Enée ? n'abandonne pas l'hymen conclu : ce bras va te donner la terre cherchée à travers les ondes. » En criant ainsi, il le poursuit, fait flamboyer son épée nue, et ne voit pas que les vents emportent sa joie[2890]. Un vaisseau se trouvait par hasard amarré au saillant d'un roc élevé, les échelles dressées et le pont[2891] prêt. C'était celui qui avait amené le roi Osinius des rives de Clusium[2892]. L'image tremblante d'Enée fugitif court s'y cacher; Turnus ne l'en presse pas avec moins d'ardeur, franchit les obstacles, saute par-dessus les hauts ponts. A peine avait-il touché la proue que la Saturnienne[2893] rompt le câble, et entraîne le navire détaché parmi le reflux de la plaine liquide. Alors l'image légère ne cherche plus désormais à se cacher, mais, prenant son vol dans les airs, elle s'est mêlée à une nuée noire.

De son côté, Enée appelle au combat Turnus absent; sur sa route, il dépêche à la Mort[2894] une quantité de guerriers, cependant qu'une trombe emporte Turnus au milieu de la plaine liquide. Le Rutule, ne comprenant pas ce qui se passe, sans aucune gratitude pour son salut, regarde derrière lui et tend vers les constellations ses deux mains en disant : « Père tout-puissant[2895], m'as-tu donc jugé digne d'une telle infamie, et as-tu voulu me punir d'un tel châtiment ? Où suis-je emporté ? d'où suis-je parti ? comment fuir d'ici ? de quel air reparaître ? Reverrai-je encore les murs laurentins ou mon camp ? Que va dire cette troupe de guerriers, qui m'ont suivi, moi et mes armes, et que j'ai abandonné tous (ô crime!) à une mort abominable ? Je les vois maintenant dispersés, et j'entends le gémissement de ceux qui tombent. Que fais-je ? quelle terre assez profonde s'entrouvrira pour moi ? Vous plutôt, ô vents, prenez-moi en pitié; jetez ce navire sur des récifs, sur des écueils (c'est moi, Turnus, qui vous en conjure); brisez-le sur les syrtes[2896] cruelles, où ne me suivent ni les Rutules ni le bruit de mon déshonneur. » Ce disant, il flotte de-ci de-là dans son cœur, pour savoir s'il va, fou d'une telle honte, se percer de son épée, et se traverser les côtes d'un fer cruel, ou se jeter au milieu des flots, gagner à la nage le littoral sinueux, et affronter de nouveau les armes des Teucères. Trois fois il a tenté l'un et l'autre moyen, trois fois la très grande Junon l'a retenu, et le prenant en pitié a réprimé sa juvénile fureur. Il glisse, fendant la mer, et, secondé par le flot et la marée, il se trouve porté vers l'antique ville de son père Daunus [2897].

Cependant, sur les conseils de Jupiter [2898], l'ardent Mézence sur ces entrefaites le remplace au combat, et fond sur les Teucères triomphants. Les bataillons tyrrhéniens [2899] accourent, et tous, acharnés sur lui seul, pressent le héros de leur haine [2900] et de leurs traits multiples. Lui, comme un rocher qui s'avance dans la vaste plaine liquide, face aux fureurs des vents, exposé aux flots, bravant la violence accumulée et les menaces du ciel et de la mer, reste là immobile; il terrasse Hébrus [2901], fils de Dolichaon [2902], et avec lui Latagus et Palmus [2903]; Palmus fuyait, mais il devance Latagus qui fonçait sur lui, en le frappant au front et au visage d'une pierre, énorme débris d'une montagne; il coupe le jarret du lâche Palmus et le laisse rouler par terre, faisant don à Lausus [2904] des armes du vaincu pour en couvrir ses épaules et de sa crête pour la fixer à son cimier. Il extermine encore le Phrygien Evas [2905], et Mimas [2906], compagnon de Pâris et de même âge que lui, Mimas que Théano, femme d'Amycus [2907], mit au monde la nuit même où la reine, fille de Cissée [2908], enceinte d'une torche, accoucha de Pâris [2909]; mais Pâris est couché dans la terre paternelle [2910], tandis que la rive laurentine garde Mimas ignoré. Et de même que, chassé par la morsure des chiens de ses hautes montagnes, un sanglier qu'a défendu pendant de longues années le Vésule couvert de pins [2911] ou celui que le marais de Laurente a pendant de longues années nourri de sa forêt de roseaux [2912], à peine se voit-il tombé au milieu des rets qu'il s'arrête, frémit de rage, hérisse ses épaules; personne n'a le courage de s'en prendre à lui et de l'approcher, mais de loin, à l'abri du danger, on le presse de javelots et de cris; lui, sans peur, fait front de toutes parts, en grinçant des dents, et secoue les dards de son dos [2913]. Tout de même, aucun des guerriers qu'une juste colère anime contre Mézence ne songe à lui courir sus, l'épée haute; ils le harcèlent de loin par leurs traits et leur vaste clameur.

Venu de l'antique territoire de Corythe [2914], Acron, un Grec [2915], avait fui laissant son hymen imparfait [2916]; Mézence le vit de loin bouleverser le centre de l'armée, empourpré du panache et de la pourpre que lui avait donnés sa fiancée. Comme un lion à jeun [2917] parcourant les profonds pacages (car une faim démente l'y pousse), s'il aperçoit d'aventure une fuyante chevrette ou un cerf portant haut ses cornes, se réjouit d'ouvrir une gueule monstrueuse, hérisse sa crinière et, se jetant sur sa proie, s'attache à ses entrailles; un sang impur lave sa gueule avide; ainsi Mézence se rue allégrement au plus épais des ennemis. L'infortuné Acron est abattu; il frappe, en expirant, le sol noir de ses pieds et ensanglante le trait qui s'est brisé dans son corps. Le même Mézence n'a pas daigné abattre Orodès [2918] fuyant, ni lui porter un coup obscur, en lançant contre lui son javelot; il l'a dépassé, l'a attaqué de front, s'est mesuré à lui homme à homme, triomphant non par la ruse, mais par la force des armes. Alors, appuyant avec force sur son adversaire abattu et son pied et sa lance : « Voici gisant, compagnons, un rempart de la guerre qui n'était pas à dédaigner, voici le grand Orodès. » Ses compagnons, l'acclamant, entonnent avec lui un joyeux péan [2919]. L'autre, alors, expirant : « Qui que tu sois, ô mon vainqueur, je ne resterai pas invengé et tu n'auras pas longtemps à te réjouir : un pareil destin t'attend toi aussi [2920], et bientôt tu seras allongé avec moi dans ces guérets. » Mézence lui répond, avec un sourire mêlé de rage : « En attendant, meurs [2921] : le Père des dieux et le Roi des hommes [2922] décidera de moi. » Ce disant, il a arraché du corps le javelot : un dur repos, un sommeil de fer [2923] pèse sur les paupières d'Orodès et ses yeux se ferment pour l'éternelle nuit.

Cédicus pourfend Alcathoüs, Sacrator Hydaspès, Rapon Parthénius et le très rude et robuste Orsès, Messape Clonius et le Lycaonien Ericétès : celui-là renversé à terre par la chute de son cheval sans frein, celui-ci, fantassin contre fantassin. Le Lycien Agis s'était porté en avant : digne héritier de la valeur de ses aïeux, Valère cependant l'abat; Thronius est abattu par Salius, Salius à son tour par Néalcès [2924], remarquable pour lancer le javelot et décocher au loin une flèche traîtresse.

Déjà le cruel Mavors [2925] partageait également dans chaque camp la mort et le deuil; vainqueurs et vaincus massacraient pareillement et tombaient pareillement; la fuite était inconnue aux uns et aux autres. Les dieux, dans le palais de Jupiter, déplorent la vaine colère des deux partis, et qu'il y ait d'aussi grands travaux pour les mortels. Ici Vénus, là la Saturnienne Junon contemplent la lutte; la pâle Tisiphone [2926] sévit parmi ces milliers de guerriers.

Cependant Mézence, secouant une énorme javeline, s'avance, formidable, dans la plaine. Tel quand le grand Orion [2927] marche à pied à travers les grands étangs de Nérée [2928] où il se fraye un chemin au milieu des ondes qu'il dépasse de l'épaule, ou que, rapportant du sommet des monts un orme séculaire, il foule le sol du pied et cache sa tête parmi les nuages [2929]; tel se montre Mézence sous sa vaste armure. Enée, qui le guettait dans cette longue file de guerriers, s'apprête à marcher à sa rencontre. Lui, reste impassible, attendant son magnanime ennemi, et se tient debout de toute sa masse; puis mesurant des yeux la distance où peut porter une javeline : « Que ma droite, qui est mon dieu à moi [2930], et que ce trait que je balance me soient maintenant propices! Je fais vœu, Lausus, de te revêtir des dépouilles enlevées au cadavre de ce brigand [2931], du trophée d'Enée. » Il a dit et lancé de loin la sifflante javeline; mais celle-ci fut écartée dans son vol par le bouclier et va percer au loin le remarquable Antorès [2932], entre le flanc et les côtes. — Antorès, compagnon d'Hercule, qui, envoyé par Argos, s'était attaché à Evandre et fixé dans une ville italienne. L'infortuné s'abat sous un coup dirigé contre un autre, regarde le ciel et se rappelle en mourant sa douce Argos. Alors le pieux Enée lance sa javeline : elle a transpercé l'orbe concave au triple airain, les toiles de lin, l'entrelacs des trois peaux de taureau, et elle s'est enfoncée dans l'aine de Mézence, mais d'un coup déjà affaibli. Enée, joyeux de voir couler le sang du Tyrrhénien, tire rapidement son épée du fourreau pendu à son côté, et presse avec ardeur son ennemi affolé. A cette vue, Lausus, plein d'amour pour son père chéri, gémit profondément, et des larmes roulent sur ses joues. Je ne passerai point ici sous silence l'événement d'une dure mort, ton magnifique dévouement (si toutefois la postérité lointaine veut ajouter foi à un si grand exploit) ni toi-même, jeune homme digne de rester en mémoire [2933].

Lâchant pied, ne pouvant rien faire, empêtré, Lausus reculait et traînait à son bouclier la javeline ennemie; le jeune homme s'est élancé et s'est jeté au milieu du combat, et, comme Enée, levant le bras droit, allait porter le coup, il s'est mis devant le glaive et il a arrêté et retardé Enée, au milieu d'une grande clameur de ses compagnons, jusqu'à ce que, protégé par le bouclier de son fils, son père se soit retiré. Les Latins accablent de leurs traits l'adversaire et le repoussent au loin avec leurs projectiles. Enée est furieux et se tient couvert. De même que, quand les nuages se précipitent en une averse de grêle [2934], les laboureurs et les cultivateurs s'enfuient tous de la plaine et le voyageur se cache à l'abri d'une colline, ou des rives d'un cours d'eau, ou de l'excavation d'un haut rocher, tant qu'il pleut sur la terre, et attend de pouvoir, avec le retour du soleil, continuer son travail quotidien — de même, accablé de tous côtés par des traits, Enée soutient ce nuage de projectiles et attend que cesse tout tonnerre. Il gourmande Lausus; il menace Lausus : « Où cours-tu, toi qui vas mourir ? Ton entreprise est au-dessus de tes forces. Ta piété filiale t'abuse et t'aveugle. » Mais le fol n'en bondit pas moins : une colère terrible s'empare du chef dardanien, et les Parques rassemblent les derniers fils pour Lausus. Enée, en effet, enfonce sa robuste épée au milieu du corps du jeune homme et l'y plonge toute. La pointe a traversé le bouclier, armure légère de cet arrogant, et la tunique que sa mère avait cousue d'or souple; elle a empli de sang sa poitrine : alors sa vie s'en est allée à regret, à travers les airs, vers les Mânes, et a quitté son corps.

Mais quand le fils d'Anchise [2935] a vu le visage et les traits du mourant, ces traits qui pâlissent d'une façon étrange, il a poussé un gémissement sourd, tout ému de pitié, et lui a tendu la main; l'image de son amour de père a envahi son esprit : « Que te donnera maintenant, ô pitoyable enfant, pour récompenser ta gloire, que te donnera le pieux Enée qui soit digne d'un si noble caractère ? Garde tes armes, dont tu te réjouissais; je te remets (si cette faveur a du prix pour toi) aux Mânes et à la cendre de tes pères. Du moins, ô infortuné, auras-tu cette consolation à ta mort misérable, que tu tombes sous le bras du grand Enée [2936]. » De lui-même il appelle les compagnons de Lausus, qui hésitaient, et soulève de terre le jeune guerrier, dont le sang souillait les cheveux peignés selon la mode.

Pendant ce temps, son père, au bord du fleuve Tibre, séchait avec de l'eau ses blessures, et se reposait en s'appuyant au tronc d'un arbre; son casque d'airain est suspendu à l'écart à une branche, et sa lourde armure repose sur le pré. L'élite de ses guerriers se tient autour de lui; lui-même faible, haletant, a le cou penché; sa barbe épaisse est répandue sur sa poitrine. Il s'informe sans cesse de Lausus, lui dépêche un grand nombre d'amis pour le rappeler et lui porter les ordres de son père affligé. Mais ses compagnons rapportaient en pleurant Lausus couché sur son armure, puissant héros vaincu par un coup puissant. En entendant au loin leur gémissement, Mézence a pressenti son malheur; il souille d'une abondante poussière sa tête chenue [2937], tend vers le ciel ses deux paumes [2938], embrasse le cadavre : « Ai-je donc été assez possédé, mon fils, du plaisir de vivre, pour souffrir que celui à qui j'ai donné le jour s'exposât à ma place aux coups de l'ennemi! Moi, ton père, je suis sauvé par tes blessures, je vis par ta mort! Hélas! c'est maintenant seulement, malheureux que je suis, que je succombe à une mort infortunée, c'est maintenant que je suis blessé profondément! C'est moi, mon fils, qui ai entaché ton nom de mon opprobre, en me faisant chasser, par la haine, du trône et du sceptre de mes pères. J'aurais dû satisfaire à ma patrie et à la haine des miens; plût aux cieux que j'eusse expié par mille morts une vie criminelle! Et cependant je vis! et je ne quitte pas encore les hommes et la lumière! Mais je m'en vais les quitter. » En même temps qu'il dit ces mots, il se redresse sur sa cuisse meurtrie, et quoique la violence de sa profonde blessure le retarde, sans se laisser abattre, il se fait amener son cheval : c'était sa gloire, sa consolation; c'est avec lui qu'il s'en revenait vainqueur de toutes les guerres. Il lui parle [2939], voyant sa tristesse [2940], et lui tient ce langage : « Rhèbe [2941], nous avons vécu longtemps (s'il est un long temps pour les mortels). Ou, vainqueur aujourd'hui, tu rapporteras les sanglantes dépouilles et la tête d'Enée, et seras avec moi le vengeur des douleurs de Lausus, ou, si aucune force ne nous en ouvre la route, tu succomberas avec moi; car, je crois, tu ne trouveras pas digne de toi, vaillant cheval, d'endurer d'autres commandements et d'avoir des Teucères pour maîtres. »

Il a dit, et il s'est installé sur la croupe de l'animal, comme il en avait l'habitude, et il a chargé ses deux mains de javelots aigus : sa tête resplendit sous l'airain que hérisse une aigrette de crins. C'est ainsi qu'il a pris sa course, rapide, au milieu des ennemis. Dans son cœur bouillonnent à la fois la honte, la folie mêlée au désespoir, l'amour paternel poussé par les furies, et un courage qui se connaît lui-même. Trois fois il a provoqué Enée d'une voix puissante. Enée, d'ailleurs, l'a reconnu, et il implore, joyeux : « Fasse le Père des dieux [2942], fasse le haut Apollon que tu me provoques ainsi au combat! ...» Il n'a dit que ces mots, et il marche à sa rencontre, la lance en avant. L'autre alors : « Pourquoi me faire peur, cruel, m'ayant ravi mon fils ? C'était le seul chemin possible de ma perte. Nous ne nous effrayons pas de la mort, nous ne ménageons aucun des dieux. Cesse : je viens, en effet, pour mourir, et voici les dons que je t'apporte d'abord. » Il a dit et lancé à son ennemi un javelot, puis il en jette un autre encore, et un autre, et vole autour d'Enée en un cercle puissant; mais la bosse d'or [2943] supporte tout. Trois fois il a fait tourner en rond son cheval autour d'Enée debout, immobile, trois fois le héros troyen tourne son bouclier bardé d'airain où s'enfonce une forêt monstrueuse de javelots [2944]. Puis, las de voir le combat se prolonger si longtemps, et d'arracher tant de dards, pressé de mettre fin à une lutte inégale [2945], agitant mille pensées dans son cœur, Enée enfin s'élance, et darde sa javeline entre les tempes du cheval de guerre. Le quadrupède se cabre tout droit, frappe l'air de ses talons, renverse son cavalier et, tombant en avant lui-même sur son maître qu'il empêtre, il se brise l'épaule dans sa chute.

Troyens et Latins enflamment de leurs clameurs le ciel. Enée vole à son adversaire, tire l'épée du fourreau et lui dit : « Où est maintenant l'impétueux Mézence et sa force d'âme farouche ? » A ces mots le Tyrrhénien [2946], après avoir levé les yeux en l'air vers le ciel et repris ses esprits : « Ennemi amer, pourquoi m'outrager et me menacer ? Il n'est nulle impiété dans le massacre; je ne suis pas venu au combat avec une telle pensée, et mon Lausus n'a pas fait ce pacte avec toi. Je ne te fais qu'une prière, si des ennemis vaincus ont droit à quelque faveur : permets qu'on couvre de terre mon corps. Je sais la haine cruelle dont mes sujets m'entourent : défends-moi, je t'en prie, de leur fureur, et souffre que je partage le tombeau de mon enfant. » En disant ces mots, il reçoit dans la gorge l'épée qu'il attendait et rend l'âme dans un flot de sang qui coule sur son armure.

LIVRE ONZIÈME

FUNÉRAILLES DES GUERRIERS
EXPLOITS ET MORT DE CAMILLE

Pendant ce temps l'Aurore surgissante a quitté l'Océan [2947]. Enée, malgré le soin qui le presse de donner la sépulture à ses compagnons et malgré le trouble qu'a jeté dans son cœur la mort de Pallas, s'acquittait au point du jour, étant vainqueur, de ses vœux envers les dieux [2948]. Il a dressé sur un tertre [2949] un chêne puissant, ébranché de partout [2950], et l'a revêtu des armes resplendissantes, dépouilles du chef Mézence [2951] : c'est à toi, ô grand dieu puissant à la guerre [2952], qu'il consacre ce trophée! Il y attache l'aigrette dégouttante de sang, les traits brisés [2953] du guerrier, et sa cuirasse frappée et transpercée en deux fois six endroits [2954]; il attache à gauche [2955] le bouclier d'airain et suspend à la place du cou l'épée garnie d'ivoire [2956].

Puis, s'adressant à ses compagnons (car tous les chefs groupés l'entouraient en foule), il commence ainsi parmi les ovations : « Le plus fort de notre tâche est fait, guerriers; bannissons toute crainte pour ce qui nous reste à faire : les voilà ces dépouilles et ces prémices [2957] d'un roi superbe [2958], et le voilà, ce Mézence, tel que mes mains l'ont fait! Maintenant le chemin nous est ouvert jusqu'au roi [2959] et aux murs latins. Préparez vos armes avec ardeur et jouissez par avance de la guerre, de peur qu'un obstacle ne vous arrête à l'improviste, ou qu'un sentiment de crainte ne ralentisse votre zèle, le jour où les dieux d'en haut nous permettront [2960] d'arracher les enseignes [2961] et de faire sortir du camp notre jeunesse. En attendant, confions à la terre nos compagnons, dont les cadavres sont restés sans sépulture : c'est le seul honneur qui existe sous le profond Achéron [2962]. Allez, dit-il; honorez des suprêmes devoirs ces âmes d'élite [2963], qui ont conquis pour nous cette patrie au prix de leur propre sang. Qu'on envoie en premier lieu Pallas [2964] à la ville consternée d'Evandre : ce n'est pas la valeur qui lui manquait, mais un sombre jour nous l'a ravi et l'a plongé précocement dans la mort [2965]. »

Ainsi dit-il en pleurant, et il retourne au seuil où le corps de Pallas sans vie était exposé [2966], sous la garde du vieil Acétès, qui, jadis écuyer du parrhasien [2967] Evandre, avait depuis, mais sous des auspices moins heureux, été donné comme compagnon à son élève chéri. Tout autour il y avait toute la troupe des serviteurs, et la foule troyenne, et les femmes d'Ilion [2968], qui, selon la coutume [2969], avaient leurs cheveux épars en signe de deuil. Dès qu'Enée fut entré sous le haut portique, elles poussent vers le ciel, en se meurtrissant la poitrine, un puissant gémissement, et la demeure du roi [2970] retentit de leurs plaintes lugubres. Le héros lui-même, à la vue de la tête appuyée de Pallas, blanc comme la neige, de son visage, de la plaie béante faite par la lance ausonienne [2971] dans sa poitrine lisse [2972], laisse couler ses larmes en disant : « Fallait-il donc, enfant tant à plaindre, que la Fortune, qui venait me sourire, t'enviât à moi et ne te permît pas de voir notre royaume, ni d'être ramené vainqueur au foyer paternel ? Ce ne sont point là les promesses que j'avais faites à ton sujet à ton père Evandre, quand il m'envoyait prendre, en m'embrassant, le commandement suprême, et qu'il m'avertissait avec appréhension que nos adversaires étaient impétueux, et que nous avions affaire à une rude nation. A présent même, abusé d'un vain espoir, peut-être fait-il des vœux et charge-t-il d'offrandes les autels, tandis qu'avec chagrin nous accompagnons d'un stérile honneur ce jeune guerrier sans vie, qui ne doit rien désormais aux célestes puissances [2973]. Infortuné, tu verras les cruelles funérailles de ton fils! Etait-ce là le retour par nous annoncé [2974], le triomphe attendu! était-ce là ma grande promesse! Du moins, Evandre, tu n'apercevras pas ton fils couvert de blessures infamantes [2975], et, dans ton cœur de père, tu ne souhaiteras pas de farouches funérailles [2976], parce que ton fils se sera sauvé. Hélas! quel appui perd l'Ausonie! et quel appui tu perds, ô Iule! »

Après avoir ainsi parlé en pleurant, il commande qu'on enlève le lamentable corps et envoie mille guerriers, choisis dans toute l'armée, pour l'honorer d'une suprême escorte et mêler leurs larmes aux larmes paternelles : faible consolation pour un grand deuil, mais bien due à un malheureux père! D'autres, sans tarder, forment les fascines d'un brancard flexible avec des branches d'arbousier et des rameaux de chêne, et ombragent le lit ainsi dressé d'un dais de feuillage. Ils y déposent tout en haut, sur une couche d'herbe des champs, le jeune guerrier : telle, cueillie par un pouce virginal, la fleur de la tendre violette [2977] ou de l'hyacinthe languissante, qui n'a point perdu encore son éclat ni sa beauté, mais que sa mère, la terre, ne nourrit plus et laisse dépérir. Alors Enée a fait apporter deux étoffes brodées de pourpre et d'or, que la Sidonienne [2978] Didon, heureuse de travailler pour lui, avait jadis ourdies elle-même de ses propres mains, et dont elle avait nuancé la trame d'un filet d'or ténu [2979]. Il met tristement l'une sur le jeune homme, pour lui rendre un suprême honneur, et voile de l'autre sa chevelure que le feu va dévorer; en outre, il entasse les nombreuses dépouilles conquises sur les Laurentins et fait porter ce butin par une longue file de soldats. Il y ajoute les chevaux et les traits, que Pallas avait pris à l'ennemi. Il avait aussi fait lier derrière le dos les mains des prisonniers à dévouer aux ombres infernales, victimes destinées à arroser de leur sang les flammes du bûcher. Il ordonne que des troncs d'arbres revêtus des armes de l'ennemi [2980] portent les dépouilles des chefs abattus et que les noms de ces adversaires y soient inscrits. On amène l'infortuné Acétès, accablé par l'âge, tantôt se meurtrissant la poitrine de ses poings, tantôt le visage de ses ongles, et on le jette à terre où il s'affale de tout son corps. On mène aussi les chars arrosés du sang rutule. Par derrière s'avance le cheval de guerre de Pallas, Æthon, sans insigne, pleurant et le visage mouillé de larmes énormes [2981]. D'autres portent la lance et le casque; le reste [2982], c'est Turnus vainqueur qui le détient. Puis viennent, triste phalange, les Teucères, les chefs tyrrhéniens, les Arcadiens aux armes renversées [2983]. Quand toute la file du cortège se fut déployée au loin, Enée s'arrêta et, avec un profond gémissement, il ajouta ces mots : « Nous, les mêmes destinées horribles de la guerre nous appellent loin d'ici à d'autres sujets de larmes. Reçois de moi un salut éternel, grand Pallas, reçois un éternel adieu. » Et, sans dire un mot de plus, il se dirigeait vers les hautes murailles et portait ses pas vers le camp.

Déjà des porte-parole venus de la ville latine étaient là, voilés de rameaux d'olivier [2984] et sollicitant la faveur d'enlever les cadavres, dont le fer çà et là avait jonché la plaine, et la permission de les inhumer sous un tertre : « Il n'y avait plus de combat, disaient-ils, avec des vaincus et des morts privés des brises de l'éther [2985]; il devait épargner ceux qu'il nommait naguère ses hôtes et ses beaux-pères [2986]. » Le bon Enée accueille avec faveur ceux qui lui présentent des vœux si légitimes, et il ajoute ces mots : « Quelle fortune indigne de vous, Latins, vous a donc engagés dans une telle guerre et fait repousser notre amitié ? Vous me demandez la paix pour les morts, pour ceux qu'a frappés le hasard de la guerre : moi, je voudrais l'accorder aussi aux vivants. Je ne serais pas venu en ces lieux si les destins n'y avaient fixé ma demeure. Je ne fais point la guerre à votre nation : c'est votre roi qui a rompu nos liens d'hospitalité et a préféré se confier aux armes de Turnus. C'eût été plutôt à Turnus d'affronter cette mort dont nous parlons; s'il se prépare à finir la guerre par les armes, et à chasser les Teucères, voici les armes avec lesquelles il devrait se mesurer à moi : celui-là vivrait, à qui le dieu ou son bras aurait laissé la vie. Allez maintenant, et dressez un bûcher à vos malheureux concitoyens. »

Enée avait dit; eux demeurèrent stupides, gardant le silence, et ils se concertaient des yeux et du regard. Alors le vieux Drancès, dont les rancunes et les accusations s'acharnaient depuis toujours sur le jeune Turnus, prend la parole à son tour et lui répond ainsi : « Héros troyen, si grand par la renommée et plus grand encore par les armes, par quelles louanges te porter aux nues ? Qu'admirer plutôt, ta justice ou tes travaux guerriers ? Oui, nous allons avec reconnaissance rapporter tes paroles à la ville de nos pères, et, si la Fortune nous en donne le moyen, nous t'unirons par un traité au roi Latinus. Que Turnus se cherche des alliés ! Mieux encore : nous aurons plaisir à dresser la masse fatale des murs [2987] et à porter sur nos épaules les pierres de Troie. » Il avait dit, et tous unanimement faisaient entendre un murmure favorable. Une trêve de deux fois six jours est conclue, et, à la faveur de la paix, Teucères et Troyens mêlés errèrent impunément à travers les forêts, sur les hauteurs [2988]. Le frêne sonne sous les coups de hache; on abat les pins qui se dressaient vers les constellations; on ne cesse de fendre avec les coins les rouvres et le cèdre odorant, de transporter des ornes sur des chars gémissants [2989].

Et déjà la Renommée ailée [2990], messagère d'un si grand deuil, emplit d'alarme Evandre et la demeure et les murs d'Evandre — la Renommée qui naguère publiait dans le Latium le nom de Pallas vainqueur. Les Arcadiens se sont rués aux portes et ont pris, selon l'antique usage [2991], des torches funéraires : la route brille d'une longue file de flambeaux et tranche au loin sur les champs. De leur côté la foule des Phrygiens [2992] qui s'avancent rejoint les troupes des Arcadiens qui se lamentent. Dès que les mères ont vu le cortège s'engager au pied des maisons, elles enflamment de leurs clameurs la ville en deuil. Cependant aucune puissance ne peut retenir Evandre [2993]; il s'avance au milieu de tous. Ayant fait poser le brancard, il s'est jeté sur Pallas et il l'étreint, pleurant et gémissant; enfin, d'une voix que la douleur laisse passer à grand-peine :

« Ce ne sont point là, ô Pallas, les promesses que tu avais faites à ton père. Comme tu aurais dû te confier avec plus de précautions au cruel Mars! Je n'ignorais pas tout ce que peut la gloire neuve qu'on acquiert sous les armes, et le doux honneur de briller dans un premier combat [2994]. Prémices malheureuses d'un jeune guerrier! dur apprentissage d'une guerre voisine! vœux et miennes prières qu'aucun des dieux n'a entendus! Et toi, ma très sainte femme, sois heureuse de ta mort, qui ne t'a pas réservée à une pareille douleur! Moi, au contraire, j'ai vaincu mes destins en vivant [2995], et cela pour prolonger mon existence après mon fils. Plût aux cieux qu'ayant suivi les armes alliées des Troyens je fusse tombé sous les traits des Rutules! J'aurais donné ma vie, et ce serait moi, et non Pallas, que cette pompe funèbre ramènerait à la maison! Je ne saurais en accuser ni vous, ô Teucères, ni les destins, ni la main qu'a serrée la mienne en signe d'hospitalité : ce triste sort était dû à notre vieillesse. Mais si une mort prématurée attendait mon fils, il me sera doux qu'il soit tombé après avoir massacré des milliers de Volsques [2996], en conduisant dans le Latium les Teucères! Je ne saurais d'ailleurs te faire des funérailles plus dignes de toi, ô Pallas, que celles que te font le pieux Enée et les grands

Phrygiens et les chefs tyrrhéniens et toute l'armée des Tyrrhéniens. Ils portent les grands trophées de ceux que ton bras livre à la Mort. Toi aussi, Turnus, tu ne serais plus maintenant qu'un monstrueux tronc couvert d'armes si Pallas avait le même âge que toi et cette même force que donnent les années. Mais, infortuné, pourquoi retiens-je les Teucères loin des combats ? Allez, et souvenez-vous de faire à votre roi la commission suivante : si je prolonge, après la mort de Pallas, une odieuse vie, ton bras en est la cause : tu vois qu'il doit Turnus et au fils et au père; c'est le seul point où, toi et la Fortune, vous pouvez me faire du bien. Je ne recherche pas de joie pour ma vie, je n'en ai pas le droit; mais d'emporter cette joie au séjour profond des Mânes. »

Pendant ce temps l'Aurore avait rendu aux malheureux mortels [2997] l'alme lumière, ramenant leurs travaux et leurs peines. Déjà le vénérable Enée, déjà Tarchon [2998] ont dressé des bûchers sur la côte sinueuse. Ils y ont porté, chacun selon l'usage des ancêtres [2999], les corps des siens; les sombres [3000] feux sont allumés, et leur fumée plonge dans les ténèbres les hauteurs du ciel. Trois fois les guerriers, ceints de leurs armes brillantes, ont couru [3001] tout autour des bûchers enflammés; trois fois ils ont circulé à cheval autour du triste feu des funérailles, et poussé des hurlements. La terre est baignée de larmes, leurs armes en sont baignées aussi [3002]. La clameur des guerriers et l'accent des clairons montent jusqu'au ciel. Par ici, les uns jettent dans le feu les dépouilles ravies aux Latins morts, des casques, des épées ornées, des freins, des roues brûlantes [3003]; d'autres, des offrandes connues [3004] : les boucliers de leurs propres compagnons et leurs traits malheureux [3005]. A l'entour beaucoup de bœufs puissants sont immolés à la Mort [3006] et on égorge pour les livrer à la flamme des cochons porte-soies et des brebis enlevées à toute la campagne. Alors, sur toute la côte, ils regardent brûler leurs compagnons, surveillent les bûchers à demi consumés, et ne peuvent s'arracher à ce spectacle, jusqu'au moment où la Nuit humide fait tourner le ciel [3007] parsemé d'étoiles resplendissantes.

Sur un point opposé, les malheureux Latins ont également dressé d'innombrables [3008] bûchers; ils enfouissent dans la terre [3009] une grande partie de leurs morts, en mettent d'autres sur des chars et les transportent dans les champs voisins ou les ramènent à la ville [3010]. Le reste [3011], énorme tas de cadavres confusément amassé, est brûlé sans être compté ni distingué : alors, de tous côtés, les vastes champs resplendissent à l'envi de feux innombrables. Le troisième jour avait chassé du ciel la nuit glacée; la foule remuait tristement cette cendre [3012] épaisse et ces ossements confondus dans le brasier, et les couvrait d'une lourde couche de terre tiède [3013].

Mais c'est surtout dans les maisons qui composent la ville du riche Latinus qu'éclate la douleur la plus vive et que se prolonge le deuil le plus général. Là les mères et les malheureuses brus, là les sœurs chéries [3014] au cœur affligé et les enfants privés de leurs parents maudissent la guerre farouche [3015] et l'hyménée de Turnus [3016]. Ils l'invitent à aller lui-même vider sa querelle, avec les armes et avec le fer, puisqu'il réclame pour lui le royaume d'Italie et des honneurs princiers. Le terrible Drancès donne du poids à ces propos; il atteste que Turnus seul est en cause, qu'il est provoqué seul au combat. A l'encontre, de nombreuses voix s'élèvent en faveur de Turnus; le grand nom de la reine [3017] le protège, et la renommée considérable que lui ont value ses trophées soutient le héros.

Parmi ces émotions, au milieu d'un flagrant tumulte, voici, pour comble de malheur, la réponse qu'apportent les députés consternés, venant de la grande ville de Diomède [3018] : tous les efforts ont été dépensés en pure perte; ni les dons ni l'or ni les prières pressantes n'ont eu aucun pouvoir; les Latins doivent chercher le concours d'autres armes ou demander la paix au roi troyen. Le roi Latinus lui-même succombe à sa grande douleur. La colère des dieux et les tombes encore fraîches qui sont devant ses yeux l'avertissent qu'Enée, homme du destin, est manifestement conduit par la puissance divine. Il mande donc par un ordre et rassemble à l'intérieur de son haut palais le grand conseil et les premiers de ses sujets. Ils sont accourus tous, et ils se précipitent, par les rues pleines de monde, vers le palais royal. Au milieu d'eux s'assied, le front assombri, Latinus, le plus ancien par l'âge, et leur prince par le sceptre; et alors il ordonne aux députés revenus de la ville étolienne [3019] de dire ce qu'ils rapportent, et il réclame d'eux un compte détaillé de toutes les réponses qui leur ont été faites. Alors, le silence se fait, les langues se taisent, et Vénulus [3020], obéissant à l'ordre du roi, commence par parler ainsi : « Nous avons vu, ô citoyens, Diomède et le camp argien [3021], et, après avoir, au cours de notre voyage, surmonté tous les événements, nous avons touché la main qui porta le coup fatal au territoire d'Ilion. L'illustre vainqueur fondait, dans les guérets iapygiens du Gargan [3022], une ville dite Argyripe [3023], du nom de sa patrie. Après que nous eûmes été introduits et que la permission nous eut été donnée de parler en sa présence, nous lui présentons nos cadeaux, nous lui apprenons notre nom, notre patrie, ceux qui nous ont fait la guerre, la raison qui nous a attirés à Arpi [3024]. Après nous avoir écoutés, il nous répondit d'un ton calme ce qui suit : « O peuples fortunés, royaume de Saturne [3025], antiques Ausoniens, quelle fortune trouble votre repos et vous engage à provoquer une guerre à l'aveuglette ? Nous tous qui avons violé de notre fer les champs iliaques (sans parler des désastres éprouvés en combattant sous les hauts murs de la ville, des guerriers qu'engloutit le fameux Simoïs [3026]), nous expions nos crimes [3027] par des supplices abominables dans le monde entier et par toutes sortes de châtiments [3028] : pauvre troupe dont Priam même aurait pitié! Témoin la constellation funeste de Minerve [3029], et les contreforts euboïques et Capharée vengeur [3030]. Au lendemain de cette expédition fameuse, poussés sur des rivages opposés, l'Atride Ménélas se trouve exilé jusqu'aux colonnes de Protée [3031] et Ulysse a vu les Cyclopes de l'Etna [3032]. Mentionnerai-je le règne de Néoptolème [3033], les Pénates renversés d'Idoménée [3034], les Locriens habitant sur la côte de Libye [3035] ? Le Mycénien lui-même, chef des grands Achéens, a trouvé la mort, au moment où il franchissait le seuil de son palais, sous le poignard d'une abominable épouse : un adultère, dans un guet-apens, a abattu le vainqueur de l'Asie [3036]. Et moi, qui ne demandais, rendu aux autels paternels, qu'à voir mon épouse désirée, et la belle Calydon [3037], les dieux m'ont envié cette joie! Maintenant encore des prodiges, horribles à voir, me poursuivent, et mes compagnons perdus se sont enfuis à tire-d'aile dans l'éther, errent sous forme d'oiseaux le long des fleuves [3038] (hélas! cruel supplice des miens!) et remplissent les rochers de leurs voix éplorées. Oui, j'aurais dû m'attendre à ces malheurs, à partir du moment où, perdant la tête, j'ai attaqué du fer les corps célestes [3039] et violé d'une blessure la main droite de Vénus! Non, vraiment, non, ne me poussez pas à de tels combats. Depuis la chute de Pergame [3040], il n'est plus pour moi de guerre avec les Teucères, et je ne me souviens ni ne me réjouis des maux anciens [3041]. Ces présents, que vous m'apportez des rives de votre patrie, offrez-les plutôt à Enée. Nous avons affronté ses traits redoutables, nous avons lutté corps à corps [3042]; croyez-en mon expérience : comme il se dresse sur son bouclier! comme il lance en trombe sa javeline! Si la terre de l'Ida [3043] avait enfanté deux héros pareils [3044], Dardanus aurait fondu, le premier, sur les villes d'Inachus [3045], et la Grèce, dont le destin eût été changé, aurait pleuré des larmes de deuil! Tout le temps qu'a duré la guerre devant les murs de Troie, c'est le bras d'Hector et celui d'Enée [3046] qui ont arrêté la victoire des Grecs et qui l'ont retardée jusqu'à la dixième année. Tous deux étaient illustres par leur courage et par leurs exploits éclatants; mais Enée l'emportait en piété. Concluez donc une alliance avec lui, quand vous le pouvez encore; mais gardez-vous de mesurer vos armes contre ses armes! » Tu as entendu à la fois, ô le meilleur des rois, quelle est la réponse du roi et quel est son avis sur cette grande guerre. »

A peine le député a-t-il parlé qu'un frémissement divers a couru parmi l'assemblée bouleversée des Ausonides : ainsi, quand des rochers [3047] arrêtent des cours d'eau rapides, un murmure se fait entendre dans le ravin clos, et les rives voisines frémissent du crépitement des ondes. Dès que les esprits sont apaisés et que les bouches affolées se sont tues, le roi, après avoir invoqué les dieux [3048], commence ainsi de son trône élevé : « C'est avant la lutte, Latins, qu'il fallait statuer sur les intérêts de l'Etat : je voudrais l'avoir fait, cela eût mieux valu; mais ce n'est pas le moment d'assembler le conseil, quand l'ennemi assiège nos murailles [3049]. Nous faisons, citoyens, une guerre sans issue, contre une nation de dieux et d'invincibles guerriers, que nul combat ne fatigue, et qui, vaincus, ne peuvent déposer les armes [3050]. Si vous avez mis quelque espoir dans les armes, par vous sollicitées, des Etoliens [3051], renoncez-y. Que chacun place en soi son espoir [3052], mais vous voyez combien le nôtre est réduit. Le choc qui a ruiné, anéanti notre puissance, est présent à vos yeux et vous pouvez le palper entre vos mains. Je n'accuse personne : tout ce qu'a pu la valeur en se multipliant, elle l'a fait; toutes les forces du royaume ont été engagées dans la lutte. Aussi vous ferai-je connaître à présent quelle pensée occupe mon esprit anxieux; prêtez-moi votre attention; je m'en vais vous l'expliquer en peu de mots. J'ai, à proximité du fleuve toscan [3053], un antique domaine [3054], qui s'allonge à l'occident jusqu'au delà des frontières sicanes [3055]; les Auronces [3056] et les Rutules [3057] ensemencent et travaillent avec le soc ses dures collines, dont leurs troupeaux paissent les parties les plus âpres. Que toute cette région, et cette chaîne de hautes montagnes couverte de pins, devienne le prix de l'amitié des Teucères; proposons-leur des conditions de paix équitables et faisons-en des alliés pour notre royaume. Qu'ils s'établissent là, s'ils en ont une telle envie, et qu'ils y fondent des remparts. S'ils ont l'intention de se fixer sur un autre territoire et chez un autre peuple, s'ils demandent à quitter notre sol, construisons-leur avec le rouvre italien deux fois dix navires, et plus encore, s'ils peuvent en emplir davantage : tous les matériaux gisent là, au bord de l'onde; qu'ils prescrivent eux-mêmes le nombre et la taille des carènes; nous, donnons-leur l'airain, la main-d'œuvre, les chantiers. En outre, pour porter nos propositions et cimenter cette alliance, je suis d'avis que cent porte-parole latins, choisis parmi les premières familles, tenant le rameau de la paix à la main, s'en aillent vers eux, chargés de cadeaux, de talents [3058] d'or et d'ivoire [3059], de la « selle [3060] » et de la trabée [3061], insignes de notre royauté. Consultez-vous au mieux de l'intérêt commun et portez secours à l'Etat malade. »

Alors se lève Drancès, le même Drancès acharné [3062], que la gloire de Turnus agitait d'une jalousie oblique et d'aiguillons amers. Opulent et riche, la langue chez lui valait mieux que le bras, qui était timide à la guerre; il avait une réputation de sage conseiller dans les assemblées et il était puissant pour remuer une foule; il appartenait par sa mère à la noblesse et en concevait de l'orgueil; mais il supportait comme un fardeau l'incertitude où il était de son père [3063]; il se lève, et par ces paroles il accumule sur Turnus le poids des colères : « L'affaire que tu mets en délibéré, ô bon roi, n'est obscure pour personne et n'a pas besoin de notre suffrage. Tous reconnaissent qu'ils savent ce que comporte la fortune du peuple, mais répugnent à le dire. Qu'il nous donne la liberté de parler et rabatte son orgueil, celui dont l'auspice [3064] funeste et le génie sinistre (oui, je le dirai, quoiqu'il me menace de mort avec ses armes) sont cause que nous voyons tant de chefs illustres morts et toute une ville accablée de deuil, celui qui, se confiant dans la fuite [3065], attaque le camp troyen et terrifie le ciel de ses armes [3066]. A tous ces cadeaux et propositions [3067] que tu veux adresser aux Dardanides, puisses-tu, ô le meilleur des rois, en ajouter encore un : que nulle violence n'empêche le père que tu es de donner sa fille à un gendre insigne et à un digne hyménée, et de cimenter cette paix d'une alliance éternelle. Si une grande terreur retient les esprits et les cœurs, conjurons-le lui-même et demandons-lui à lui-même cette grâce : qu'il cède, qu'il reconnaisse un droit qui leur est propre à son roi et à sa patrie. Pourquoi jeter tant de fois dans d'évidents périls tes malheureux concitoyens, ô toi qui es pour le Latium la source et la cause de ces maux ? Il n'y a nul salut dans la guerre : tous, nous réclamons de toi la paix, Turnus, en même temps que le seul gage inviolable de la paix [3068]. Moi tout le premier, que tu crois ton ennemi (et je ne me défends pas de l'être), vois, je viens à toi en suppliant : prends en pitié les tiens, laisse là ton orgueil, et, puisque tu as été repoussé, retire-toi. Nous avons vu, dans notre déroute, assez de funérailles, et nous avons assez désolé ce vaste territoire [3069]. Ou si la gloire te touche, si tu présumes tant de ta vaillance, si tu as tant à cœur le palais dotal [3070], ose présenter sans crainte ta poitrine en face à l'ennemi ! Eh quoi ! pour que Turnus ait l'heur d'une royale épouse, nous, âmes viles, foule privée de sépulture [3071] et de pleurs, nous joncherions la plaine ! Eh bien ! si tu as du cœur, si tu tiens de tes pères quelque bravoure, regarde donc en face le héros qui te provoque !... »

De tels propos ont allumé la violence de Turnus ; il pousse un gémissement et fait éclater son profond courroux en ces termes : « En vérité, Drancès, tu as toujours donné libre cours aux paroles, quand ce sont des bras que réclame la guerre : convoque-t-on les Anciens, tu es là le premier. Mais il ne s'agit pas de remplir la curie de ces phrases, qui volent sans danger de ta bouche grandiloquente, tandis que le terrassement des murs tient l'ennemi à distance, et que le sang n'inonde pas nos fossés. Tonne donc de toute ton éloquence, comme tu en as coutume ; accuse-moi d'avoir peur, toi, Drancès, dont le bras a immolé tant de monceaux de Teucères, et dont les trophées illustrent çà et là nos campagnes. Il t'est permis d'éprouver ce que peut un bouillant courage : nous n'aurons pas, j'imagine, à aller chercher bien loin nos ennemis ; ils entourent de partout nos murs [3072]. Marchons-nous à leur rencontre ? Pourquoi t'arrêtes-tu ? Mavors [3073] pour toi sera-t-il donc toujours dans ta langue venteuse et dans tes pieds fugitifs ?... Moi repoussé ? Pourra-t-on, répugnant individu, m'accuser à bon droit d'être repoussé, en voyant le Tibre croître gonflé du sang iliaque, toute la maison d'Evandre ruinée avec sa souche [3074] et les Arcadiens dépouillés de leurs armes [3075] ? Tel ne m'ont point connu Bitias et l'énorme Pandarus [3076], et ces mille guerriers qu'en un jour j'ai dépêchés vainqueur dans le Tartare, bien qu'enfermé dans leurs murs [3077] et entouré des retranchements de l'ennemi ! Il n'y a nul salut dans la guerre ! Chante de telles antiennes, fou que tu es, au chef dardanien [3078] et à ton parti [3079]. En attendant ne cesse pas de tout bouleverser d'une grande peur, d'exalter les forces d'une nation deux fois vaincue [3080], et de rabaisser, par contre, les armes de Latinus. Maintenant les chefs des Myrmidons [3081] tremblent devant les armes phrygiennes; maintenant le Tydide [3082], et Achille de Larissa [3083], et le cours de l'Aufide [3084] reculent et fuient devant les ondes adriatiques. Voyez encore comme un artifice criminel feint d'avoir peur en face de mes menaces et envenime mes accusations par un simulacre de crainte. Cesse de t'émouvoir : jamais du fait de ce bras tu ne perdras une si belle âme; qu'elle demeure en toi, et reste dans ton infâme poitrine. Maintenant, mon père [3085], je reviens à toi et à tes graves délibérations. Si tu n'as plus aucun espoir dans nos armes, si nous sommes si abandonnés, et qu'une seule défaite nous anéantisse complètement, et que la Fortune ne comporte plus de retour, demandons la paix et tendons au vainqueur des mains désarmées. Pourtant, s'il nous restait encore quelque chose de notre valeur coutumière! Celui-là est pour moi heureux avant tous les autres dans ses malheurs [3086] et noble de cœur, qui, pour ne pas voir une telle honte, est tombé mort, mordant pour toujours la poussière! Mais s'il nous reste des ressources, et une jeunesse encore intacte, et des villes et des peuples italiens prêts à nous secourir, si la gloire des Troyens leur a coûté beaucoup de sang, s'ils ont leurs funérailles et que la tempête ait été égale pour tous, pourquoi, au seuil même de la guerre, l'abandonner honteusement? pourquoi avoir des frissons avant que la trompette ait sonné? Les jours qui passent [3087] et lès épreuves changeantes du temps fécond en vicissitudes ont souvent amélioré bien des choses; la Fortune, dans l'alternance de ses visites et de ses fuites, s'est jouée de bien des mortels, puis les a remis en lieu sûr. Nous n'aurons pas l'appui de l'Etolien ni d'Arpi [3088], mais nous aurons Messape [3089], et l'heureux Tolumnius [3090], et les chefs que nous ont envoyés tant de peuples; et la gloire ne tardera pas à suivre l'élite du Latium et des champs laurentins. Nous avons aussi Camille, de la noble nation des Volsques [3091], avec son armée de cavaliers et ses bataillons resplendissants d'airain. Si c'est moi seul que les Teucères réclament au combat, si cette solution vous plaît et que je sois un si grand obstacle au bien commun, la Victoire hostile n'a pas tellement fui mon bras, que je me refuse à tout essayer pour un si grand espoir. J'irai contre mon adversaire avec courage, fût-il même un autre grand Achille, fût-il couvert comme lui d'armes faites par les mains de Vulcain [3092]. Pour vous et pour mon beau-père Latinus, j'ai fait vœu de ma vie, moi, Turnus, qui ne le cède en valeur à aucun de mes ancêtres. C'est moi seul qu'Enée défie! eh bien! qu'il me défie, je le souhaite. Que Drancès ne meure pas à ma place, s'il faut affronter la colère des dieux; s'il s'agit de valeur et de gloire, qu'il ne m'enlève pas cet honneur! »

Tandis qu'ils délibéraient entre eux sur la situation critique en rivalisant d'éloquence, Enée levait son camp et mettait son armée en marche. Voici qu'un messager se rue avec un grand tumulte au milieu du palais royal et remplit la ville de grandes terreurs, en disant que les Teucères et l'armée tyrrhénienne descendent en ordre de combat du fleuve Tibre à travers toute la plaine. Sur-le-champ les cœurs sont bouleversés, la multitude est toute chavirée et la colère ranimée par de forts aiguillons. On s'agite, on réclame des armes, la jeunesse frémit en réclamant des armes, les anciens affligés pleurent et murmurent; et au milieu de ces sentiments opposés, de toutes parts un grand cri s'élève dans les airs. Telles, dans un profond bois sacré, des bandes d'oiseaux quand d'aventure elles s'y sont rassemblées; tels, dans le cours poissonneux de la Paduse [3093], des cygnes rauques quand ils donnent de la voix parmi les bruyants marécages. « Eh bien! dit Turnus, saisissant l'occasion, rassemblez le conseil, citoyens, et faites l'éloge de la paix sur vos sièges, quand, les armes à la main, on se rue sur notre royaume! » Sans en dire davantage, il s'est élancé et est vite sorti du haut palais « Toi, Volusus [3094], ordonne aux manipules [3095] des Volsques de s'armer; amène aussi les Rutules, dit-il. Messape [3096], et, toi, Coras [3097], avec ton frère [3098], déployez la cavalerie en armes par la large plaine. Qu'une partie des troupes défende les abords de la ville et occupe les tours; que le reste de l'armée porte avec moi les armes où je l'ordonnerai. »

Aussitôt, de tous les points de la ville, on court aux murailles. Le vénérable Latinus lui-même abandonne le conseil et la grande délibération commencée, et, bouleversé par ce funeste contretemps, il ajourne la séance. Il s'accuse mille fois de n'avoir pas accueilli spontanément le Dardanien Enée et de ne l'avoir pas introduit dans la ville en qualité de gendre. Les uns creusent des fossés devant les portes ou charrient des pierres et des pieux [3099]. Les buccins [3100] rauques donnent le signal sanglant du combat. Alors les femmes et les enfants, pêle-mêle, ont garni les murs de leur couronne : tout le monde répond présent pour la suprême épreuve.

La reine aussi, au milieu d'un grand cortège de femmes, se rend sur un char au temple et à la haute citadelle de Pallas, apportant des offrandes; à ses côtés la vierge Lavinie, cause de si grands malheurs, tient ses beaux yeux baissés. Les femmes pénètrent dans le temple, le parfument d'encens et prononcent, au haut du seuil, ces douloureuses paroles : « Déesse puissante par les armes, arbitre de la guerre, vierge Tritonie [3101], brise de ta main le trait du brigand phrygien; abats-le lui-même de tout son long sur le sol, et couche-le sous nos hautes portes [3102]. »

Turnus, lui, furieux, se ceint à la hâte de ses armes pour le combat. Déjà ayant revêtu une cuirasse rutilante, il était hérissé d'écailles d'airain; il avait enfermé ses jambes dans l'or, gardant les tempes encore nues, et avait attaché son épée à son flanc; et il resplendissait en descendant, tout en or, de la haute citadelle. Il exulte dans son cœur; déjà, en espérance, il devance son ennemi : tel, lorsque ayant rompu ses liens, un cheval [3103], libre enfin, fuit sa crèche et prend possession de la plaine qui s'ouvre devant lui; tantôt il s'élance vers le pâturage et les troupeaux de cavales; tantôt, habitué à se plonger dans l'eau, il bondit du fleuve accoutumé, frémit, le col haut dressé en folâtrant, et sa crinière se joue sur son encolure et ses épaules.

A sa rencontre, accompagnée de l'armée des Volsques, Camille est accourue; aux portes mêmes de la ville, la reine a sauté de cheval [3104], et toute la cohorte l'imitant a laissé les chevaux et mis pied à terre. Alors elle prononce les paroles suivantes : « Turnus, si le courage peut à bon droit inspirer confiance, j'ose, je le promets, aller seule au-devant de l'escadron des Enéades et affronter seule les cavaliers tyrrhéniens. Laisse-moi courir les premiers hasards de la guerre; toi, avec l'infanterie, demeure auprès des murs et défends nos remparts. » Turnus, à ces mots, les yeux fixés sur la vierge terrible : « O vierge, honneur de l'Italie, comment te dire ma gratitude et te rendre la pareille ? Mais pour l'instant, puisque ton courage est au-dessus de toute épreuve, partage avec moi le travail de la guerre. Le tenace Enée, à en croire le bruit qui court et les nouvelles certaines que mes éclaireurs me rapportent, a détaché en avant sa cavalerie légère, pour battre la plaine; lui, franchissant la cime de la montagne par des hauteurs désertes, s'approche de la ville. Je lui prépare une embuscade dans un chemin creux de la forêt, en garnissant de soldats armés le double défilé. Toi, soutiens, en réunissant les étendards [3105], le choc de la cavalerie tyrrhénienne; tu auras avec toi l'impétueux Messape, les escadrons latins et le corps de Tiburtus [3106] : charge-toi comme moi des fonctions de général. » Ainsi dit-il, et par de pareils propos il exhorte Messape et les chefs alliés au combat, puis il marche à l'ennemi.

Il est une vallée aux anfractuosités sinueuses, commode pour les surprises et les ruses de guerre, qu'enserrent de part et d'autre les sombres flancs d'une forêt aux frondaisons épaisses; un étroit sentier y conduit, à travers des gorges étroites et malaisément accessibles. Au-dessus de cette vallée, au sommet de la montagne, à un endroit d'où la vue s'étend au loin, se trouve un plateau ignoré, sûr refuge, soit qu'on veuille à droite et à gauche accourir au combat, soit qu'on veuille rester sur les sommets et rouler d'énormes pierres. Le jeune homme s'engage de ce côté par des routes dont il connaît bien la direction : il s'est emparé de la position et s'est établi dans cette forêt perfide.

Pendant ce temps, dans les demeures d'en haut, la Latonienne [3107] s'entretenait avec la rapide Opis [3108], l'une des vierges, ses compagnes, l'une des nymphes de la troupe sacrée, et prononçait ces tristes paroles : « Camille va à une guerre cruelle, ô vierge, et c'est en vain qu'elle se ceint de nos armes. Elle m'est plus chère que les autres : en effet cet amour dont tu vois Diane préoccupée n'est pas né récemment et n'a pas ému son cœur d'une douceur subite. Chassé de son royaume par la haine qu'excitait son arrogant pouvoir, Métabus [3109], en quittant l'antique ville de Priverne [3110], emporta, dans sa fuite à travers les batailles, sa fille en bas âge pour être la compagne de son exil, et, du nom de sa mère Casmille, il la nomma, en changeant une lettre, Camille [3111]. La portant lui-même sur son sein, il gagnait avec elle les hauteurs lointaines des pacages solitaires; de terribles traits le pressaient de toutes parts, et les Volsques, l'entourant de leurs forces guerrières, voltigeaient tout autour de lui. Voici qu'au milieu de sa fuite l'Amasène [3112] débordant écumait sur ses bords : tant la pluie était tombée des nuages! Métabus, prêt à s'élancer à la nage, est retenu par l'amour de son enfant et tremble pour son cher fardeau. Roulant toute sorte de projets dans sa tête, tout à coup, mais à peine à temps, il s'arrête à la résolution suivante : il saisit l'énorme trait qu'il portait par hasard dans sa forte main de guerrier — un trait massif, noueux, de rouvre durci au feu — il enveloppe sa fille de l'écorce d'un liège sauvage, l'attache et la lie adroitement au milieu de la javeline; puis, la lançant d'une droite puissante, il s'écrie tourné vers l'éther : « Alme vierge Latonienne, habitante des pacages [3113], moi, son père, je te voue comme servante cette enfant que tu vois : tenant pour la première fois tes traits [3114] à travers les airs, suppliante, elle fuit devant l'ennemi. Accueille, je t'en conjure, comme tienne, ô déesse, celle qui est confiée maintenant aux brises incertaines. » Il a dit, et ayant ramené le bras en arrière, il brandit son javelot et le lance : les ondes ont résonné [3115], par-dessus le courant rapide l'infortunée Camille a fui dans le javelot strident. Métabus, serré déjà de plus près par une bande nombreuse, se jette dans le fleuve; et, vainqueur, il arrache à une touffe de gazon la javeline avec la vierge enfant, présent de Trivie [3116]. Aucune ville ne l'a accueilli [3117] dans ses maisons ni dans ses remparts; lui-même était trop farouche pour se rendre; il a vécu comme les pâtres sur les monts solitaires. Là, dans les buissons, au milieu des tanières hérissées, il nourrissait sa fille aux mamelles et du lait farouche d'une cavale sauvage, dont il pressait le pis sur les tendres lèvres. Dès que l'enfant eut affermi sur le sol la trace de ses premiers pas, son père chargea ses mains d'un javelot aigu et suspendit à sa petite épaule des dards et un arc. Au lieu d'une agrafe d'or dans ses cheveux, au lieu d'une longue robe flottante, la dépouille d'un tigre [3118] descend de sa tête et pend sur son dos. Dès lors elle brandit de sa tendre main des traits faits pour son âge; elle fit d'une courroie flexible tourner la fronde autour de sa tête; elle abattit la grue du Strymon [3119] et le cygne blanc. Beaucoup de mères dans les villes tyrrhéniennes souhaitèrent vainement de l'avoir pour bru; se contentant de Diane seule, elle se consacre chastement à l'éternel amour des armes et de sa virginité. J'aurais voulu qu'elle ne fût pas en proie à une telle ardeur militaire, qu'elle n'eût pas essayé d'attaquer les Teucères; elle m'est chère et elle fût devenue l'une de mes compagnes. Mais puisque aussi bien elle est poussée par un destin précoce, descends du ciel, ô Nymphe, et va voir les champs du Latium, où, sous un malheureux présage, se livre une bataille funeste. Prends ces armes, et tire de ce carquois une flèche vengeresse : que, percé par cette flèche, quiconque aura d'une blessure violé le corps sacré de Camille, Troyen ou Italien [3120], me paie pareillement ce crime de son sang! Et moi, j'emporterai ensuite au sein d'un nuage le corps de la malheureuse et ses armes dont elle ne sera pas dépouillée, pour lui donner une tombe, et je la déposerai dans sa patrie [3121]. » Elle a dit; Opis, descendant à travers les brises légères du ciel, a fait sonner ses armes, le corps entouré d'un noir tourbillon [3122].

Cependant l'armée troyenne s'approche, sur ces entrefaites, des murs, ainsi que les chefs étrusques et tout le corps des cavaliers, formés par nombre en turmes [3123] : le coursier aux pieds sonores [3124] frémit en bondissant à travers toute la plaine et lutte contre les rênes qui le retiennent, en caracolant de droite et de gauche; alors, au loin, la campagne de fer se hérisse de lances [3125] et la plaine flamboie [3126] sous les armes haut dressées. Du côté opposé apparaissent aussi Messape, et les rapides Latins [3127], et Coras avec son frère, et l'aile que commande la vierge Camille; tous, la main droite ramenée en arrière, tendent leurs lances en avant, et brandissent leurs dards; le bruit des guerriers qui approchent, le frémissement des chevaux croissent. Déjà, après s'être avancées à une portée de trait, l'une et l'autre armée s'étaient arrêtées : tout à coup ils s'élancent avec une clameur, ils exhortent leurs chevaux frémissants, ils lancent de partout à la fois des traits aussi denses que la neige [3128], et le ciel est couvert de leur ombre. Immédiatement Tyrrhénus [3129] et l'impétueux Acontée [3130] s'élancent de toutes leurs forces l'un sur l'autre, la lance en arrêt, et s'écroulent les premiers avec un bruit énorme, sous leurs quadrupèdes qui s'entrechoquent et se brisent, poitrail contre poitrail. Désarçonné avec la rapidité de la foudre ou d'un projectile lancé par une baliste, Acontée est précipité au loin et exhale sa vie dans les airs. Sur-le-champ les lignes sont bouleversées; les Latins en déroute rejettent leurs boucliers sur leur dos [3131] et tournent leurs chevaux du côté des remparts. Les Troyens les pressent; Asilas [3132], à leur tête, conduit leurs escadrons. Déjà ils approchaient des portes; les Latins, à leur tour, poussent une clameur et font faire volte-face aux souples encolures de leurs bêtes. Les autres fuient et se replient au loin à toutes brides. Telle la mer, lorsque avançant et reculant tour à tour avec sa masse profonde, tantôt elle se rue vers la terre, lance en écumant son onde par-dessus les rochers, et arrose de sa vague le bord de la plage, tantôt revenant rapidement sur elle-même, elle ressaisit de nouveau dans son reflux les pierres qu'elle a roulées et abandonne la côte de son flot qui se résorbe. Deux fois les Toscans ont poussé les Rutules en fuite jusqu'aux remparts; deux fois, repoussés eux-mêmes, ils regardent en arrière, en se couvrant le dos de leurs armes. Mais quand pour la troisième fois on revient à la charge, toutes les lignes se sont confondues et chaque guerrier choisit son adversaire [3133]. Alors ce ne sont plus que gémissements de mourants, armes et cadavres baignant dans des flots de sang, chevaux qui roulent pêle-mêle, demi-morts, dans un grand carnage de guerriers : une âpre bataille s'engage.

Orsiloque [3134], tremblant d'affronter Rémulus [3135] lui-même, a lancé une javeline à son cheval, et lui a laissé le fer enfoncé sous l'oreille. L'animal, furieux du coup, se dresse; ses sabots sonnent; il se cabre, le poitrail en avant, ne pouvant supporter sa blessure; Rémulus désarçonné roule à terre. Catillus [3136] abat Iollas et Herminius [3137], puissant par son courage, puissant par sa taille et ses épaules; sa tête, que recouvre une chevelure fauve, est nue, et ses épaules sont nues; les blessures ne l'effraient pas, tant il offre de place aux coups de l'ennemi! Le javelot de Catillus s'enfonce en vibrant dans les larges épaules du guerrier, qu'il transperce et plie en deux [3138] sous l'effet de la douleur. Un sang noir coule partout; le fer en main, on sème à l'envi les funérailles et on cherche à travers les blessures une belle mort.

Cependant, au milieu du carnage, l'amazone [3139] Camille exulte, un flanc découvert pour mieux combattre [3140], le carquois sur l'épaule, et tantôt elle lance à la main une grêle de rapides javelines, tantôt elle empoigne d'une droite infatigable une forte hache [3141]; l'arc d'or et les armes de Diane sonnent sur son épaule. Lors même qu'elle est forcée de tourner le dos et de fuir, avec son arc elle décoche derrière elle des dards fugitifs [3142]. Autour d'elle sont ses compagnes choisies : la vierge Larina, Tulla et Tarpéia [3143] qui brandit une hache d'airain, Italides [3144] que la divine Camille s'est choisies elle-même comme garde d'honneur et comme bonnes servantes de paix et de guerre. Telles les amazones de Thrace [3145], quand elles foulent les flots [3146] du Thermodon [3147] et luttent avec leurs armes peintes [3148], soit qu'elles se pressent autour d'Hippolyte [3149], soit que Penthésilée [3150], fille de Mars [3151], s'en retourne dans son char, et qu'en un grand tumulte hurlant cette armée de femmes bondisse en agitant ses boucliers en forme de lune [3152].

Quel est le premier, quel est le dernier, vierge farouche, que tu abats d'un trait ? combien de corps couches-tu mourants sur le sol ? Eunée, fils de Clytias [3153], est le premier : il s'avançait, la poitrine découverte; elle le transperce de son long sapin [3154]; il tombe, vomissant des flots de sang, mord le sol sanglant, et, en mourant, se tord sur sa plaie. Elle abat ensuite Liris [3155] et Pagase [3156]; l'un, renversé en arrière par son cheval frappé sous le ventre, essayait de ramasser les rênes; l'autre s'avançait et tendait à son ami glissant une main désarmée; ils tombent tous deux à la fois, face en avant. Elle leur ajoute Amaster, fils d'Hippotès [3157]; elle poursuit et de loin menace de sa lance Térée, Harpalycus, Démophoon et Chromis [3158]; autant la main de la vierge a brandi et lancé de dards, autant de guerriers phrygiens sont tombés. Le chasseur Ornytus [3159] se signale de loin par des armes singulières et un cheval iapyge [3160], la peau enlevée à un jeune taureau belliqueux couvre ses larges épaules; la gueule béante et les mâchoires d'un loup aux dents blanches coiffent son énorme tête; un épieu de paysan arme ses mains; il va et vient au milieu des escadrons qu'il dépasse de toute la tête. Elle le cueille (sans difficulté, dans la débandade de son armée), le transperce et lui dit en outre d'un ton courroucé : « As-tu pensé, Tyrrhénien, que tu poursuivais des bêtes dans les forêts ? Le jour est arrivé qui aura rétorqué avec des armes de femme vos vantardises. Cependant tu rapporteras aux mânes de tes ancêtres une gloire qui n'est pas vaine, celle d'être tombé sous le trait de Camille. » Puis elle abat Orsiloque [3161] et Butès [3162], deux Teucères géants; pour Butès, elle l'a percé par derrière, du fer de sa lance, au défaut de la cuirasse et du casque, à l'endroit où le cou du cavalier luit, quand le bouclier pend à son bras gauche; pour Orsiloque, elle fuit et décrit un grand cercle autour de lui, puis l'enferme en se jouant dans un rond plus étroit, et poursuit à son tour celui qui la poursuivait; alors, se dressant de toute sa hauteur, elle assène des coups redoublés de sa forte hache sur l'armure et les os du guerrier, qui la prie et la supplie en vain : le sang qui sort de sa cervelle fumante lui arrose le visage.

Elle a vu surgir devant elle et s'arrêter, terrifié de l'apercevoir subitement, le fils d'Aunus [3163] habitant de l'Apennin [3164], guerrier qui n'était point le dernier des Ligures, tant que les destins lui permettaient de tromper [3165]. Quand il voit qu'il ne peut plus se dérober au combat par la fuite ni détourner de lui la poursuite de la reine, il essaie de recourir à la ruse et à l'astuce : « Quelle gloire, commence-t-il, bien que tu sois une femme, de te fier à la force de ton cheval ? Renonce à la fuite; ose te mesurer de près avec moi sur le sol égal et prépare-toi à un combat à pied. Tu connaîtras bientôt celui qu'abuse une gloire pleine de vent. » Il a dit; elle, furieuse et enflammée d'un violent dépit, remet son cheval à sa compagne et attend à armes égales, à pied, n'ayant pour toute défense que son épée nue et son bouclier sans emblème [3166]. Mais le jeune homme, croyant avoir triomphé par sa ruse, sans perdre de temps s'envole; il a tourné bride, il fuit de toutes ses forces, et fouaille de son talon ferré [3167] son rapide quadrupède [3168]. « Vain Ligure, inutilement enflé d'une superbe arrogance, c'est sans succès, perfide, que tu as essayé des ruses de ta patrie; ton artifice ne te rendra pas vivant à ce menteur d'Aunus. » La vierge dit, et, prompte comme le feu [3169], de ses pieds légers elle dépasse le cheval dans sa course [3170], et, l'ayant saisi par le mors, elle attaque de front son ennemi, dont elle tire vengeance dans le sang : tel et avec la même facilité, l'épervier, oiseau sacré [3171], fond du haut d'un rocher sur la colombe qui s'élève dans la nue, la saisit dans ses serres, et lui déchire les entrailles de ses pattes crochues : alors le sang et les plumes arrachées tombent du haut de l'éther.

Cependant le créateur des hommes et des dieux [3172], haut assis au sommet de l'Olympe, n'observe point le spectacle d'un œil indifférent. Le Père [3173] excite au cruel combat le Tyrrhénien Tarchon [3174] et par de puissants aiguillons anime sa colère. Aussi Tarchon s'élance-t-il sur son cheval au milieu du carnage et des colonnes qui plient; par des propos de toute sorte il encourage les ailes [3175], interpellant chacun par son nom [3176], et ramenant au combat les soldats ébranlés [3177] : « Quelle peur, ô Tyrrhéniens insensibles à la honte [3178] et toujours indolents, quelle lâcheté a envahi vos cœurs ? Une femme vous met en déroute et fait tourner le dos à vos escadrons ? A quoi bon ce fer ? ces traits inutiles que nous portons dans les mains ? Vous n'étiez pas aussi indolents pour Vénus et ses luttes nocturnes, ni quand, au signal des chœurs de Bacchus donné par la flûte recourbée [3179], vous courez vers les mets et les coupes qui emplissent la table [3180]. Voilà votre amour, voilà vos goûts [3181], heureux, pourvu que l'haruspice favorable [3182] annonce le sacrifice [3183], et qu'une grasse victime vous appelle au fond des bois sacrés [3184]. »

Ayant dit, il pousse son cheval dans la mêlée, prêt à mourir lui-même, et s'élance avec rage tout droit sur Vénulus [3185]; il arrache son ennemi de cheval, l'empoigne, et, avec une force puissante, l'emporte contre son sein. Un cri s'élève jusqu'au ciel, et tous les Latins ont tourné les yeux : Tarchon, prompt comme le feu [3186], vole à travers la plaine, portant l'homme et ses armes [3187], puis il brise le fer du bout de la propre lance de son ennemi, et cherche le défaut de la cuirasse, pour lui porter un coup mortel. De son côté, Vénulus, qui se débat, retient la main dirigée contre sa gorge et oppose la force à la force [3188]. Ainsi quand un aigle fauve [3189] emporte, en volant haut [3190], le serpent qu'il a pris, enlacé dans ses serres et pressé dans ses griffes, le reptile blessé plie et replie ses anneaux sinueux, hérisse ses écailles dressées et relève en sifflant une tête menaçante : l'autre, en dépit de ses efforts, ne l'accable pas moins de son bec recourbé et frappe en même temps l'éther de ses ailes. De même Tarchon triomphant emporte la proie ravie à l'armée des Tiburtins [3191]; suivant l'exemple et le succès de leur chef, les Méonides [3192] courent sus à l'adversaire. Alors, dû aux destins, Arruns tourne avec un javelot autour de la rapide Camille, et, supérieur de beaucoup en ruse, guette la plus facile occasion de la frapper. Partout où la vierge en fureur s'élance en pleine mêlée, partout Arruns la suit et s'attache sans mot dire à ses pas. Quand elle retourne, victorieuse, de la lutte, et qu'elle s'en éloigne de quelques pas, le jeune guerrier tourne furtivement de ce côté ses rênes rapides. Il essaie de l'approcher tantôt ici tantôt là, la suit dans tous ses tours, et balance avec acharnement sa sûre javeline.

Il arriva que Chlorée, consacré au Cybèle [3193] et jadis son prêtre [3194], se distinguait au loin par la splendeur de ses armes phrygiennes. Il pressait un cheval écumant, que recouvrait une peau garnie d'écailles d'airain en forme de plumes [3195] et attachée par de l'or. Lui-même, brillant d'une sombre pourpre étrangère [3196], décochait des dards de Gortyne [3197] avec un arc lycien [3198]. Un arc d'or sonne, pendu à ses épaules [3199], il a le casque d'or des devins; il avait noué d'une agrafe d'or fauve sa chlamyde [3200] crocéenne [3201] et les plis bruissants de la fine étoffe; sa tunique et ses braies barbares [3202] sont brodées à l'aiguille [3203]. La vierge, soit pour clouer dans un temple [3204] les armes troyennes, soit pour se montrer en chasseresse couverte de cet or conquis par elle, oubliait tout le reste de la lutte et poursuivait aveuglément le seul Chlorée; elle courait sans précaution à travers l'armée entière, enflammée d'un amour de femme pour ce butin et pour ces dépouilles. Arruns, en embuscade, ayant saisi enfin le moment favorable, lance son trait et adresse aux dieux d'en haut [3205] cette prière : « O le plus haut des dieux [3206], gardien du saint Soracte [3207], Apollon, toi que nous adorons entre tous, toi pour qui s'amoncellent les pins dont se repaissent nos brasiers, et pour qui, forts de notre piété, nous marchons, nous tes prêtres, au milieu du feu, foulant du pied une quantité de charbons ardents [3208], donne-moi, Père tout-puissant [3209], d'effacer le déshonneur qui entache nos armes. En frappant la vierge, je ne recherche ni butin, ni trophée, ni dépouilles : d'autres hauts faits me couvriront de gloire; pourvu que tombe sous mes coups ce cruel fléau, je consens à retourner sans gloire dans la ville de mes pères. » Phébus l'a entendu; il a consenti, en son for intérieur, à exaucer la moitié du vœu, il a laissé l'autre se perdre dans les brises ailées. Il a permis au suppliant d'abattre Camille, après l'avoir bouleversée, par une mort subite; mais il ne lui a pas donné d'assister à son retour dans sa haute patrie [3210], et les tempêtes ont transformé en Notus [3211] sa prière.

Quand donc la javeline, partie de la main d'Arruns, a retenti à travers les airs, tous les Volsques ont tourné un esprit attentif et porté leurs regards sur leur reine. Elle, ne fait attention ni au déplacement d'air ni au bruit ni au trait qui descend de l'éther, avant que la javeline, qui la frappe au-dessous de la fleur découverte de son sein [3212], ait pénétré dans sa chair et, s'y enfonçant profondément, ait bu son sang de vierge. Ses compagnes affolées accourent et soutiennent leur maîtresse défaillante. Epouvanté plus que les autres, Arruns fuit [3213] avec une joie où se mêle la crainte; il n'ose plus se fier à sa lance, ni affronter les traits de la vierge. Ainsi, avant que les traits ennemis le poursuivent, un loup [3214], qui a tué un berger ou un jeune taureau puissant, court tout de suite se cacher, par des sentiers détournés, sur les hautes montagnes : sentant la hardiesse de son exploit et repliant sa queue tremblante sous son ventre, il gagne les bois. De même Arruns éperdu s'est dérobé aux regards, et, content d'avoir fui [3215], s'est mêlé à la foule des combattants.

Elle, mourante, tente de retirer le trait avec la main, mais la pointe du fer, engagée entre les os, vers les côtes, reste enfoncée dans la profonde blessure. Elle défaille, ayant perdu tout son sang; ses yeux défaillent, atteints par le froid de la mort; son visage décoloré a perdu son incarnat brillant. Alors, en expirant, elle s'adresse à Acca [3216], l'une de ses compagnes et la seule entre toutes en qui Camille eût assez de confiance pour lui faire partager ses peines, et elle dit ces mots : « Acca, ma sœur, jusqu'ici j'ai tenu; mais maintenant ma cruelle blessure m'accable et tout, autour de moi, se couvre de noires ténèbres. Enfuis-toi, et porte à Turnus ce suprême message : qu'il me remplace au combat et repousse les Troyens de la ville. A présent, adieu. » En même temps qu'elle disait ces mots, elle abandonnait les rênes, glissant malgré elle jusqu'à terre. Alors, toute froide déjà, elle s'est affranchie peu à peu des liens du corps [3217], elle a penché son cou languissant et sa tête dont la mort s'empare, lâchant ses armes; et sa vie, avec un gémissement, s'enfuit, indignée, chez les ombres [3218]. Alors une immense clameur s'élève, frappant les constellations d'or [3219]; Camille abattue, le combat fait rage : on voit foncer à la fois en rangs pressés toutes les forces des Teucères, les chefs tyrrhéniens, et les ailes arcadiennes d'Evandre.

Cependant la surveillante de Trivie, Opis [3220], assise depuis longtemps tout au sommet des monts, contemple le combat, impassible. Quand elle a vu de loin, au milieu de la clameur des guerriers furieux, Camille punie [3221] d'une triste mort, elle a gémi et, du fond de son cœur, laissé échapper ces mots : « Hélas ! tu n'es que trop punie, ô vierge, trop cruellement punie d'avoir osé provoquer au combat les Troyens. Et il ne t'a point servi d'avoir, solitaire, honoré Diane dans les broussailles et porté comme nous le carquois sur l'épaule. Cependant ta reine ne t'a pas abandonnée sans honneur au moment suprême de la mort; ton trépas ne sera pas sans gloire parmi les peuples, et tu n'auras pas à craindre qu'on dise que tu ne fus pas vengée. Car quiconque a violé [3222] ton corps d'une blessure le paiera d'une mort méritée. » Il y avait, au pied d'une montagne, un énorme tertre de terre, tombeau de Dercennius [3223], antique roi des Laurentes, que des yeuses couvraient d'une ombre opaque. C'est là que la très belle déesse s'arrête d'abord d'un rapide essor; puis, du haut de cette éminence, elle cherche à apercevoir Arruns. Dès qu'elle l'a vu, resplendissant dans son armure et enflé d'un vain orgueil : « Pourquoi, lui dit-elle, te détournes-tu ? dirige ta marche de ce côté. Viens périr ici, pour recevoir une digne récompense du meurtre de Camille. Et encore, est-ce qu'un homme comme toi est digne de mourir sous les traits de Diane ? » La Thrace [3224] a dit, tiré de son carquois doré une flèche ailée, tendu avec courroux son arc, et l'a courbé longuement, de façon à en réunir les deux extrémités, et à ce que, ses mains étant horizontales, la gauche touchât la pointe du fer, et la droite amenât la corde contre la fleur de son sein. Immédiatement Arruns a entendu le sifflement du trait et le frémissement de l'air, en même temps que le fer s'est enfoncé dans son corps. Il expire, pousse un dernier gémissement; ses compagnons insoucieux l'abandonnent dans la poussière ignorée de la plaine. Opis s'envole à tire-d'aile vers l'Olympe éthéré.

L'escadron léger de Camille, ayant perdu sa reine, s'enfuit le premier; les Rutules s'enfuient en désordre; l'impétueux Atinas [3225] s'enfuit; les chefs dispersés et les manipules privés de guide se mettent en sûreté, et, faisant demi-tour, s'élancent avec leurs chevaux vers les remparts. Aucun ne peut opposer ses traits aux Teucères menaçants, qui apportent avec eux la mort, ou les attendre de pied ferme : ils rapportent leurs arcs relâchés sur leurs épaules languissantes et, dans leur course, le sabot de leurs quadrupèdes [3226] ébranle la plaine poudreuse. Un tourbillon de poussière, sombre nuage, roule avec eux vers les murs; et, du haut de leurs observatoires [3227], les mères, se meurtrissant la poitrine, poussent vers les constellations du ciel une clameur de femmes. Ceux qui, en courant, se sont rués les premiers par les portes ouvertes, sont accablés par la foule des ennemis qui survient et se mêle à leurs rangs; ils n'échappent pas à une mort misérable, mais expirent percés de coups, au seuil même de la ville, sous les remparts de leur patrie et parmi la sécurité de leurs demeures. D'autres ferment les portes, n'osent ni ouvrir un passage à leurs compagnons ni les accueillir malgré leurs prières dans leurs murs, et un massacre déplorable commence, et de ceux qui défendent les accès de la ville les armes à la main, et de ceux qui se jettent sur ces armes. Exclus sous les yeux et en présence de leurs parents éplorés, les uns roulent, entraînés par le flot qui les presse, dans les fossés à pic; les autres, aveugles et furieux, se ruent bride abattue, comme avec un bélier, contre les portes et contre leurs battants qui forment un dur obstacle. Les femmes elles-mêmes, dans cette lutte suprême, où le véritable amour de la patrie se fait jour, imitant ce qu'elles ont vu faire à Camille, empoignent fébrilement des traits qu'elles lancent du haut des murs, et, s'armant, au lieu de fer, de piquets de rouvre dur et de pieux durcis au feu, se précipitent, et brûlent de mourir les premières sur le devant des murs.

Sur ces entrefaites, la terrible nouvelle accable Turnus dans la forêt [3228], et Acca jette un grand trouble dans l'âme du jeune guerrier, en lui disant que l'armée des Volsques est détruite, Camille abattue; que les ennemis s'avancent, en courroux, et, secondés par Mars, sont les maîtres de tout le champ de bataille; que la terreur déjà vole jusqu'aux remparts. Lui, furieux (ainsi que le veulent les arrêts terribles de Jupiter), abandonne les collines qu'il occupait, quitte les pacages broussailleux. A peine était-il hors de vue et entrait-il en plaine que le vénérable Enée, pénétrant dans le défilé ainsi ouvert, franchit le col et sort de la forêt opaque. Ainsi tous deux se portent vers les murs, rapides, et suivis de toute leur armée et ne sont plus séparés par un long intervalle. En même temps qu'Enée a aperçu au loin la plaine fumante de poussière et qu'il a vu les bataillons laurentins, Turnus a reconnu le terrible Enée sous les armes, a entendu le bruit de pas de l'armée en marche et le souffle des chevaux.

A l'instant même ils commenceraient de se battre et tenteraient la fortune des combats, si le rose Phébus [3229] ne trempait déjà dans le gouffre ibérique [3230] ses chevaux fatigués [3231], et si, à la chute du jour, il ne ramenait la nuit. Ils s'établissent dans leurs camps, devant la ville, et se retranchent derrière leurs fortifications.

LIVRE DOUZIÈME

LE COMBAT D'ÉNÉE ET DE TURNUS
VICTOIRE D'ÉNÉE

Turnus, voyant que les Latins brisés par un sort contraire ont le dessous, qu'on le somme à présent de tenir ses promesses [3232], que tous les yeux sont fixés sur lui, de lui-même [3233] s'enflamme, implacable, et son courage s'exalte. Tel, dans les champs puniques, blessé au cœur de la profonde blessure que lui ont faite des chasseurs, le lion [3234], alors seulement, se prépare au combat, se plaît à secouer sa crinière sur son cou musculeux, brise, impavide, le trait dont l'a percé un brigand [3235] et rugit de sa gueule sanglante : ainsi croît, une fois allumée, la fureur de Turnus. Alors il aborde le roi [3236] et, bouleversé de colère, commence ainsi : « Point de retard pour ce qui est de Turnus; point de raison pour que les lâches Enéades retirent ce qu'ils ont dit [3237] et se refusent à tenir leur pacte. Je vais combattre. Prépare le sacrifice, ô mon père, et dicte les termes du traité. Ou ce bras dépêchera au Tartare [3238] le Dardanien [3239] déserteur de l'Asie (sous les yeux des Latins, tranquilles spectateurs) et seul je repousserai du fer les reproches qu'en commun on me fait; ou bien Enée aura les vaincus pour sujets et Lavinie lui écherra pour épouse. » Latinus, d'un cœur apaisé, lui a répondu : « O magnanime jeune homme, plus tu l'emportes en fier courage, plus il me faut écouter les conseils de la prudence et peser avec précaution toutes les chances. Tu as le royaume de ton père Daunus [3240], tu as les nombreuses villes conquises par ta valeur, et pareillement Latinus a de l'or et du cœur [3241]. Il y a dans le Latium et dans les champs laurentins d'autres jeunes filles à marier, dont la naissance n'est pas sans éclat. Laisse-moi, bannissant toute réticence, te faire un aveu qui n'est point commode, et du même coup enfonce ces paroles dans ton cœur : les destins ne me permettaient pas d'unir ma fille à aucun de ses anciens prétendants [3242], et c'est ce que m'annonçaient de toutes parts et les dieux et les hommes [3243]. Vaincu par mon amour pour toi, vaincu par la parenté du sang [3244] et par les larmes d'une épouse affligée, j'ai rompu tous les liens [3245] : j'ai arraché à mon gendre [3246] sa promise, j'ai revêtu des armes impies [3247]. Depuis lors, tu vois, Turnus, quels malheurs, quelles guerres me poursuivent, quelles grandes épreuves tu subis le premier. Deux fois vaincus [3248] dans une grande bataille, nous abritons à grand-peine dans notre ville les espoirs italiens; les eaux du Tibre sont chaudes encore de notre sang [3249], et l'immense plaine est blanche de nos ossements [3250]. A quoi bon si souvent revenir sur mes pas ? quelle folie trouble mon esprit ? Si je suis prêt, Turnus mort, à faire des Troyens mes alliés, pourquoi ne pas plutôt, lui vivant, terminer la guerre ? Que diront les Rutules, nos frères par le sang ? que dira le reste de l'Italie, si je te livre à la mort (puisse la Fortune réfuter mes paroles !) pour rechercher notre fille et notre alliance ? Pense aux vicissitudes de la guerre; prends en pitié un père accablé par les ans [3251], que ta patrie Ardée [3252] tient maintenant, affligé, au loin [3253]. » La violence de Turnus n'est nullement fléchie par ces mots : il n'en devient que plus arrogant et s'irrite qu'on veuille le calmer. Dès qu'il a pu parler, il a fait la réponse suivante : « Le souci que tu prends de moi, ô le meilleur des princes, je t'en prie, daigne pour moi le quitter, et laisse-moi acheter la gloire par ma mort. Nous aussi, mon père, nous lançons de notre main des traits et un fer qui ne sont point débiles, et le sang suit de près la blessure que nous portons. La déesse sa mère ne sera point là, pour le protéger dans sa fuite [3254] d'un nuage de femme [3255], et pour se cacher elle-même au sein de vaines ombres [3256]. »

Cependant la reine [3257], épouvantée des nouvelles conditions du combat, pleurait, et, menaçant de mourir, retenait son gendre [3258] enflammé : « Turnus, par ces larmes que je verse, par égard pour Amata si tu en as pour elle, ô toi, l'unique espoir maintenant et l'appui de ma vieillesse malheureuse, toi de qui dépendent la gloire et l'empire de Latinus et sur qui repose toute notre maison chancelante, je ne te demande qu'une chose : renonce à te mesurer aux Teucères. Quelque issue de ce combat qui t'attende, elle m'attend, Turnus, moi aussi : avec toi, je quitterai cette odieuse lumière, et je ne verrai point, captive, Enée être mon gendre. » En entendant les paroles de sa mère, Lavinie a inondé de larmes ses joues brûlantes; une vive rougeur a mis son feu sur son visage et l'a parcouru d'une bouffée chaude. Comme un artisan qui altère d'une pourpre sanglante l'ivoire [3259] de l'Inde [3260] ou comme les lis blancs, mêlés à beaucoup de roses, en reflètent les tons rouges, ainsi se colorait le visage de la jeune fille. Turnus, bouleversé d'amour, fixe ses regards sur la jeune fille; il n'en a que plus d'ardeur pour combattre, et adresse ce peu de mots à Amata : « Evite, je t'en prie, de m'accompagner par des larmes et par un aussi funeste présage [3261], quand je vais, ô ma mère, à un dur combat de Mars; et d'ailleurs Turnus n'est point libre de retarder sa mort [3262]. Va, Idmon [3263], porter de ma part au tyran phrygien ce message qui n'est point pour lui plaire : dès que demain l'Aurore, montée sur son char aux roues pourprées [3264], rougira dans le ciel, qu'il ne fasse point marcher les Teucères contre les

Rutules; laissons reposer les armes des Teucères et des Rutules; terminons la guerre par notre propre sang; que la main de Lavinie soit conquise sur ce champ de bataille! »

Après avoir prononcé ces mots et être retourné rapidement à sa demeure, il réclame ses chevaux et se plaît à les voir devant lui, frémissants. Orithye [3265] elle-même les a donnés comme présent d'honneur [3266] à Pilumnus [3267], pour dépasser la neige en blancheur [3268], les brises à la course [3269]. Des écuyers empressés les entourent, frappent leurs poitrails qui claquent du creux de la main, et peignent leurs encolures chevelues. Lui-même, il met sur ses épaules une cuirasse couverte d'or et de blanc orichalque [3270], en même temps il ajuste son épée, son bouclier et les cornes [3271] de son aigrette rouge; son épée est celle que le dieu puissant du feu [3272] avait lui-même forgée pour Daunus son père et plongée incandescente dans l'onde du Styx [3273]. Puis il saisit avec vigueur une forte lance, qui était appuyée, au milieu du palais, à une puissante colonne; c'était une dépouille de l'Auronce Actor [3274], il la brandit, frémissante, en criant : « Maintenant, ô lance qui jamais ne fus sourde à mes appels, maintenant l'heure est venue! Le très grand Actor jadis, Turnus aujourd'hui te porte dans sa droite; permets-moi d'abattre mon adversaire, d'arracher et de mettre en pièces d'une main robuste la cuirasse de l'efféminé Phrygien [3275], et de souiller dans la poussière ses cheveux frisés au fer chaud [3276] et mouillés de myrrhe [3277]. » Telles sont les furies qui l'agitent; des étincelles jaillissent de son visage ardent; le feu pétille dans ses yeux vifs [3278]. Ainsi quand un taureau [3279], prêt aux batailles, pousse des mugissements terrifiants, essaie la colère de ses cornes en luttant contre le tronc d'un arbre, harcèle les vents de ses coups et prélude au combat en faisant voler la poussière.

Et pendant ce temps, non moins terrible sous les armes de sa mère, Enée aiguise Mars [3280] et surexcite sa colère, content de voir la guerre se terminer aux conditions offertes. Alors il console ses compagnons et les craintes d'Iule alarmé, en les instruisant des destins [3281], puis il envoie des guerriers porter au roi Latinus sa réponse décisive et lui dicter les conditions de paix.

Le lendemain, à peine le jour naissant répandait-il sa lumière sur le sommet des monts, à l'heure où les chevaux du soleil commencent à surgir du gouffre profond et à souffler le jour de leurs naseaux dressés [3282], les guerriers rutules et troyens mesuraient et préparaient, au pied des remparts de la grande ville [3283], le champ destiné au combat. Au milieu, ils disposaient les réchauds et les autels de gazon pour leurs dieux communs. D'autres, voilés d'une robe [3284] et les tempes ceintes de verveine [3285], apportaient de l'eau de source et du feu. La légion des Ausonides [3286] s'avance; ses bataillons armés du pilum [3287] se répandent par les portes pleines [3288]. De son côté toute l'armée troyenne et tyrrhénienne se rue, portant des armes variées : ils sont couverts de fer, comme si Mars les appelait à une lutte farouche. Au milieu de ces milliers d'hommes voltigent les chefs eux-mêmes, beaux sous l'or et la pourpre : Mnesthée [3289], de la race d'Assaracus [3290], et le vaillant Asilas [3291], et Messape dompteur de chevaux, rejeton de Neptune [3292]. Et lorsqu'à un signal donné chaque armée s'est repliée dans ses limites, ils piquent leurs lances dans la terre et déposent leurs boucliers. Alors, entraînés par une passion fébrile, les femmes, le peuple sans armes, les vieillards sans forces garnissent les tours et les terrasses des maisons; d'autres se tiennent debout au haut des portes.

Cependant Junon, du sommet de l'éminence qu'on appelle maintenant le mont Albain [3293] (c'était alors un mont anonyme sans honneur ni gloire) regardant au loin, considérait la plaine, les deux armées des Laurentes et des Troyens et la ville de Latinus. Sur-le-champ la déesse s'adressa ainsi à la sœur de Turnus [3294], divinité qui préside aux étangs et aux cours d'eau sonores; le roi de l'éther, le haut Jupiter, la dota de cet honneur sacré pour prix de la virginité qu'il lui avait ravie : « Nymphe, l'honneur des fleuves, toi qui es si chère à notre cœur, tu sais combien je t'ai préférée entre toutes les Latines qui sont montées dans le lit détesté du magnanime Jupiter, et combien je me suis plu à te placer dans un coin du ciel [3295]. Apprends, Juturne, ton malheur et ne m'en accuse pas : dans la mesure où la Fortune a paru le permettre et où les Parques toléraient le succès du Latium, j'ai protégé Turnus et tes remparts; mais maintenant je vois ce jeune guerrier aux prises avec un destin inégal [3296], le jour des Parques [3297] approche, et leur violence ennemie. Je ne puis de mes yeux voir ce combat, ni ce pacte [3298]. Toi, si tu veux porter à ton frère un secours efficace, hâte-toi, fais ton devoir : peut-être un sort meilleur s'ensuivra-t-il pour notre misère. » A peine eut-elle parlé que Juturne versa toutes les larmes de ses yeux et meurtrit, à trois ou quatre reprises, de sa main sa belle gorge. « Ce n'est pas le moment des larmes, dit la Saturnienne Junon; fais vite et arrache, s'il y a moyen, ton frère à la mort, ou bien rallume la guerre et romps le pacte conclu : je t'autorise à oser. » L'ayant ainsi exhortée, elle la laissa, indécise [3299], et l'esprit désemparé par sa triste blessure.

Sur ces entrefaites les rois paraissent : Latinus, en sa masse imposante [3300], s'avance sur un char attelé de quatre chevaux; ses tempes sont ceintes d'une couronne de deux fois six rayons dorés, symbole du Soleil, son aïeul [3301]; Turnus passe sur un bige blanc [3302], balançant dans sa main deux javelines [3303] au large fer. D'un autre côté, le vénérable Enée, origine de la race romaine, étincelant sous son bouclier constellé et sous ses armes célestes [3304], et à son côté Ascagne, second espoir de la grande Rome, s'avancent hors du camp; un prêtre en robe immaculée [3305] a amené un petit cochon porte-soies [3306] et une brebis de deux dents, non tondue [3307], et a approché le bétail des autels embrasés. Les yeux tournés du côté du soleil levant, les rois avec la main imposent les galettes salées [3308], tracent avec le fer une marque au haut des tempes des victimes [3309] et versent sur les autels les libations des patères [3310]. Alors le pieux Enée, tirant son épée [3311], fait la prière suivante : « Soyez-moi témoins, Soleil [3312], et toi, Terre [3313] que j'invoque et pour qui j'ai pu supporter de si rudes travaux; toi, Père tout-puissant [3314], et toi, Saturnienne Junon, déesse qui m'est déjà, j'espère, plus favorable; et toi, illustre Mavors [3315], qui, vénérable, fais tourner [3316] sous ta puissance toutes les guerres; je vous invoque aussi, Fontaines et Fleuves, et vous, tous les cultes du haut éther, et vous, divinités qui appartenez à la mer azurée; si la fortune donne la victoire à l'ausonien Turnus, il est convenu que les vaincus se retireront vers la ville d'Evandre [3317]; Iule [3318] quittera ces campagnes; les Enéades rebelles ne reprendront plus les armes et ne troubleront plus ce royaume par le fer. Si, au contraire, la Victoire [3319] s'est prononcée en notre faveur pour notre Mars (comme je le suppute plutôt, et que les dieux confirment plutôt de leur puissance cet espoir!) je ne donnerai point l'ordre aux Italiens d'obéir aux Teucères; je ne demande pas pour moi la royauté : que, sous des lois égales, les deux nations invaincues [3320] concluent une éternelle alliance. Je leur donnerai mes rites sacrés et mes dieux : mon beau-père Latinus aura des armées, mon beau-père aura le commandement solennel; les Teucères me bâtiront des remparts et Lavinie donnera son nom à la ville [3321]. »

Ainsi parle, le premier, Enée; Latinus le suit alors, levant les yeux au ciel, et tend vers les constellations sa main droite : « De même que toi, Enée, je le jure par la Terre, par la Mer, par les Constellations, par les deux enfants de Latone [3322], par Janus au double front [3323], par la puissance infernale des dieux [3324], et le sanctuaire de l'inflexible Dis [3325], que m'entende le Père qui sanctionne les pactes de sa foudre [3326]. Je touche ces autels [3327], j'atteste ces feux placés au milieu de nous et ces divinités. Aucun jour ne verra les Italiens rompre cette paix ni ce pacte, quelque tournure que prennent les événements; nulle puissance ne fléchira ma volonté : non, dût Jupiter précipiter dans les ondes la terre en proie au déluge, et abîmer le ciel dans le Tartare; aussi vrai que ce sceptre [3328] (il tenait alors par hasard son sceptre dans la main droite) ne poussera jamais de branches au léger feuillage ni ne répandra d'ombre, depuis le jour où, coupé au bas de la souche dans les forêts, il est privé de sa mère, et a déposé sous le fer sa chevelure et ses bras; jadis c'était un arbre; aujourd'hui la main de l'artiste l'a revêtu d'un bel airain et l'a donné à porter aux pères latins [3329]. »

Par de tels propos ils fortifiaient le pacte conclu entre eux, au milieu des chefs qui les regardaient. Alors, selon le rite, ils égorgent les bêtes consacrées en faisant jaillir leur sang dans la flamme; ils arrachent, tandis qu'ils palpitent encore, leurs viscères, et entassent sur les autels des plats chargés de viandes [3330].

Mais depuis longtemps déjà ce combat semblait inégal aux Rutules, et leurs cœurs étaient agités de mouvements divers; leur crainte redouble quand ils voient de plus près la disparité des forces; elle augmente à l'aspect de Turnus, s'avançant d'un pas silencieux et s'inclinant, à la façon des suppliants, près de l'autel : ses yeux sont baissés, ses joues fleuries d'un léger duvet, ses jeunes traits empreints de pâleur. Aussitôt que sa sœur Juturne a vu croître les murmures et balancer les cœurs chancelants de la multitude, elle se jette au milieu de l'armée, après avoir pris la figure de Camers [3331], guerrier puissant issu de nobles aïeux, fils renommé d'un père vaillant [3332], lui-même très impétueux dans les combats; elle se jette au milieu de l'armée, et, en connaissance de cause, sème des rumeurs diverses et prononce les paroles que voici : « N'avez-vous pas honte, ô Rutules, de vouloir qu'un seul homme expose sa vie pour toute cette puissante armée ? Ne sommes-nous pas égaux en nombre et en forces ? Voyez : il y a ici tous les Troyens et les Arcadiens, et, l'armée du destin [3333], l'Etrurie hostile à Turnus [3334]; nous aurions peine à trouver un adversaire, si nous combattions un sur deux [3335]. Oui, sa gloire l'élèvera jusqu'aux dieux d'en haut, celui qui se dévoue au pied de leurs autels, et son nom vivra, porté de bouche en bouche. Mais nous, n'ayant plus de patrie, nous serons contraints d'obéir à des maîtres superbes, nous qui maintenant demeurons engourdis dans ces champs. » De tels propos ont enflammé de plus en plus l'esprit des jeunes guerriers; un murmure circule à travers les rangs. Les Laurentes eux-mêmes et les Latins eux-mêmes sont changés. Eux, qui espéraient tout à l'heure la fin de la lutte et le salut, veulent maintenant des armes, demandent l'annulation du pacte, et prennent en pitié le sort inique de Turnus.

A cet artifice Juturne en joint un autre plus puissant; elle fait éclater au haut du ciel un prodige, dont l'effet sans pareil a troublé les cœurs italiens et les a trompés de son présage : l'oiseau fauve de Jupiter [3336], volant dans l'éther rouge [3337], poursuivait les oiseaux du rivage et dispersait leur troupe ailée sonore, quand tout à coup, s'abattant sur l'onde, l'audacieux enlève dans ses pattes crochues un cygne remarquable. Ce spectacle a attiré l'attention des Italiens; ils voient (ô merveille!) tous les oiseaux faire demi-tour à grands cris, obscurcir l'éther de leurs ailes, et, formant une nuée, accabler à travers les airs leur ennemi, jusqu'à ce que, vaincu par la force et par le propre poids qu'il porte, l'oiseau ait succombé, lâché d'entre ses serres sa proie qui retombe dans le fleuve et qu'il ait fui enfin au plus profond des nues. Alors les Rutules saluent de leur clameur cet augure et s'apprêtent à empoigner leurs armes; et, le premier, l'augure Tolumnius [3338] : « Voilà, voilà, dit-il, ce que je t'ai tant de fois demandé : j'accepte ce présage et reconnais les dieux.

C'est moi, moi votre guide : saisissez le fer, ô malheureux qu'un perfide étranger terrifie par la guerre, comme des oiseaux sans forces, en dévastant par la violence vos rivages. Il prendra la fuite et fera voile au loin sur l'abîme [3339] : vous, d'un même cœur, serrez les rangs, et défendez en combattant le roi qu'on vous a ravi. »

Il a dit et, courant en avant, a lancé un trait sur les ennemis qui lui font face : le cornouiller [3340] sifflant résonne et fend les airs vers le but visé. En même temps qu'il vole, une immense clameur se fait entendre : tous les coins de l'amphithéâtre s'agitent; les cœurs sont chauds du tumulte. En face de Tolumnius s'étaient rangés par hasard neuf frères d'une beauté magnifique, tous fils de l'Arcadien Gylippe et d'une Tyrrhénienne, sa fidèle épouse; le javelot, en volant, frappe l'un d'eux au milieu du corps, à l'endroit où le tissu du baudrier appuie sur les flancs et où l'agrafe en mord les deux bouts; il traverse les côtes du jeune homme si beau, aux armes brillantes, et l'étend sur la fauve arène. Ses frères alors, phalange ardente et enflammée de douleur, empoignent les uns leurs glaives, les autres leurs fers de lance, et se ruent en aveugles. A leur rencontre accourent les bataillons des Laurentes; d'autre part, s'élancent à flots pressés les Troyens, les Agyllins [3341] et les Arcadiens aux armes peintes. Tous n'ont qu'un désir : combattre avec le fer. Ils ont saccagé les autels; un nuage trouble de traits parcourt le ciel entier et une pluie de fer tombe [3342], les prêtres emportent les cratères et les réchauds. Latinus lui-même fuit, remportant ses dieux [3343] outragés par l'annulation du pacte. D'autres attellent des chars ou sautent d'un bond sur les chevaux, et se présentent l'épée nue.

Messape [3344], avide de rompre le pacte, pousse son cheval tout droit sur le roi tyrrhénien Aulestès [3345], revêtu de ses insignes de roi; il l'effraye; le malheureux recule, tombe, et roule à la renverse sur la tête et sur les épaules près des autels qui sont derrière lui. Messape, ardent, vole sur lui avec sa lance, et, sourd à toutes ses supplications, haut dressé sur son cheval, le frappe profondément de son javelot énorme [3346] et lui dit : « Touché! voilà une victime qui va être plus agréable aux grands dieux! » Les Italiens accourent et dépouillent ses membres encore chauds. Corynée [3347] saisit sur l'autel un tison embrasé, et, devançant Ebusus [3348] qui s'avançait pour lui porter un coup, il lui approche la flamme du visage; l'énorme barbe du guerrier [3349] a pris feu et a exhalé une odeur de roussi. Alors, l'empoignant de la main gauche par les cheveux, il saisit son ennemi désemparé, appuie son genou sur lui, l'écrase contre terre, et, dans cette posture, lui perce le flanc de son épée roide. Podalirius [3350], voyant le berger Alsus [3351] se ruer à travers les traits au premier rang, le poursuit en levant sur lui son épée nue; mais l'autre, d'un revers de sa hache, lui fend en deux le front et le menton et éclabousse au loin les armes de flots de sang. Un dur repos et un sommeil de fer [3352] pèsent sur les yeux de Podalirius; ses prunelles se ferment pour la nuit éternelle.

Cependant le pieux Enée, montrant sa tête à nue[3353], étendait sa main désarmée et appelait les siens à grands cris : « Où vous ruez-vous ? quelle est tout à coup cette discorde qui s'élève ? Oh! réprimez votre courroux! Le pacte est désormais conclu, et toutes les conditions en sont réglées : j'ai seul le droit de combattre; laissez-moi faire et bannissez vos craintes; j'aurai vite de ma main affermi le pacte : ce sacrifice me livre Turnus... » Au moment où il prononçait ces paroles, au milieu de ces propositions généreuses, voilà qu'une flèche ailée et sifflante frappe le héros. On ignore quelle main l'a lancée, quelle force l'a fait tourner dans les airs, qui — hasard ou dieu ? — a valu un tel honneur aux Rutules : la gloire de cet insigne exploit est restée ensevelie dans le silence, et personne ne s'est vanté de la blessure d'Enée.

Turnus, à la vue d'Enée quittant le champ de bataille et des chefs désemparés, brûle d'un soudain et bouillant espoir : il réclame à la fois ses chevaux et ses armes, d'un bond s'élance, superbe, sur son char, et en prend dans ses mains les rênes. En voltigeant il livre à la Mort une foule de courageux guerriers, en renverse un grand nombre à moitié morts, écrase des bataillons entiers sous son char, et perce en hâte de javelines ceux qui fuient. Tel, quand sur les flots de l'Hèbre glacé[3354] Mavors[3355] sanglant s'élance en frappant son bouclier[3356], et, précurseur de la guerre, lâche la bride à ses chevaux furieux : ils volent à travers la plaine découverte, devançant les Notus et le Zéphyre[3357]; les extrémités de la Thrace[3358] gémissent sous le choc des sabots; autour de lui se déchaînent l'Epouvante au sombre visage[3359], les Colères, les Embûches, cortège du dieu. Tel l'agile Turnus, au milieu des combats, lance ses chevaux fumants de sueur, bondissant lamentablement sur ses ennemis massacrés; les rapides sabots font gicler une rosée sanglante et foulent une arène mêlée de sang. Déjà il a livré à la Mort Sthénélus, Thamyrus et Pholus[3360], attaquant de près les deux derniers, et l'autre de loin. De loin aussi il atteint les deux fils d'Imbrasus[3361], Glaucus et Ladès[3362], qu'Imbrasus lui-même avait nourris en Lycie[3363] et parés d'armes semblables pour combattre à pied ou pour devancer à cheval les vents.

Sur un autre point s'élance au milieu des combats Eumédès[3364], rejeton illustre à la guerre de l'antique Dolon[3365]; il a le nom de son aïeul, mais l'âme et le bras de son père, qui jadis, pour pénétrer comme espion dans le camp des Grecs, osa demander comme récompense le char du Pélide[3366]. Le Tydide[3367] lui donna une autre récompense pour une telle audace, et il n'aspire plus maintenant aux chevaux d'Achille. Dès que Turnus l'a vu de loin dans la plaine découverte, il l'a atteint d'abord d'un léger javelot à travers le long espace vide, puis il arrête ses deux chevaux et saute à bas de son char, tombe sur son adversaire écroulé à demi mort, et, appuyant le pied sur son cou, il lui arrache de la main droite son épée, et la lui plonge, brillante, au fond de la gorge en ajoutant ces mots : « Voilà que tu mesures [3368] de ton cadavre, Troyen, ces champs et cette Hespérie [3369], dont tu poursuivis la conquête : telle est la récompense de ceux qui ont osé se mesurer avec le fer contre moi; c'est ainsi qu'ils fondent leurs remparts. » Il lui donne comme compagnons, d'un coup de lance, Asbytès [3370], Chlorée [3371], Sybaris [3372], Darès [3373], Thersiloque [3374] et Thymétès [3375] tombé du cou de son cheval qui l'écrase. Ainsi quand le souffle de l'Edone [3376] Borée [3377] résonne sur l'Egée [3378] profonde, et que le flot se brise sur les rivages, les nuages prennent la fuite dans le ciel du côté où les vents se sont couchés; de même, partout où Turnus s'ouvre un passage, les bataillons plient devant lui et les armées font demi-tour et se ruent; son impétuosité l'emporte lui-même, et, sur son char, vent debout, la brise agite son aigrette qui vole. Phégée [3379] n'a pas pu supporter son acharnement et sa frémissante ardeur; il s'est jeté au-devant du char, a saisi de sa main droite la tête des chevaux rapides qui écument sur leurs freins et a détourné leur élan. Mais tandis qu'il se suspend au joug qui l'entraîne, la large lance l'atteint, découvert, pénètre en s'y fixant sa cuirasse à doubles mailles et l'effleure superficiellement d'une blessure. Pourtant, se couvrant de son bouclier, il s'est retourné, et il marchait sur son ennemi, et, l'épée tirée, il appelait les siens à son aide, quand la roue et l'essieu, dans leur course rapide, l'ont lancé la tête en avant et couché à terre; Turnus est déjà sur lui; d'un coup porté entre le bas du casque et les bords supérieurs du bouclier, il lui a tranché la tête de son épée et a laissé le tronc sur l'arène.

Et tandis que Turnus victorieux sème la mort à travers la plaine, Mnesthée [3380] et le fidèle Achate, accompagnés d'Ascagne, ont ramené dans son camp Enée ensanglanté, et qui s'appuie tous les deux pas sur son long fer de lance. Il enrage, s'efforce d'arracher le trait dont le bois s'est brisé, et demande qu'on le secoure au plus vite : qu'on ouvre la plaie avec une large épée, et qu'on fouille profondément les chairs où se cache le dard, et qu'on le rende aux combats. Déjà s'était présenté Iapyx [3381], cher entre tous à Phébus, Iapyx, fils d'Iasus [3382], à qui Apollon [3383], épris jadis pour lui d'un vif amour, voulait donner avec joie ses arts, ses talents, sa cithare [3384] et ses flèches [3385] rapides. Mais lui, pour prolonger le destin de son père « déposé [3386] », aima mieux connaître les vertus des herbes et l'art de guérir et exercer sans gloire d'obscurs talents [3387]. Enée était debout, frémissant d'amertume, appuyé sur sa longue lance au milieu d'un grand concours de guerriers, en tête desquels se trouve Iule alarmé; mais il est impassible devant leurs larmes. Le vieillard, la robe retroussée à la manière de Péon [3388], met tout en œuvre fébrilement et emploie vainement sa main guérisseuse et les herbes puissantes de Phébus; vainement il ébranle le dard de sa main droite et cherche à saisir le fer d'une pince tenace. La Fortune ne guide en rien sa route;

Apollon inspirateur ne lui vient pas en aide. Alors la terrible frayeur s'étend de plus en plus dans la plaine; le mal se rapproche. Déjà on voit le ciel se remplir de poussière; les cavaliers s'avancent et font pleuvoir des traits serrés au milieu du camp. On entend monter vers l'éther la lugubre clameur des guerriers combattant et tombant sous les coups de l'inflexible Mars.

Alors Vénus, tout émue des souffrances iniques de son fils, cueille maternellement sur l'Ida crétois le dictame [3389], dont la tige est parée de feuilles duveteuses et porte une chevelure de fleurs purpurines. Cette plante n'est pas inconnue des chèvres sauvages [3390], quand les flèches volantes se sont fixées dans leurs flancs. Vénus, la figure entourée d'un nuage obscur, a apporté le dictame; elle le fait infuser dans l'eau de rivière que contient un bassin aux lèvres brillantes, et lui communique une vertu secrète en y répandant des sucs salutaires d'ambroisie [3391] et une odorante panacée [3392]. Le vieil Iapyx a baigné la plaie avec cette eau dont il ignore le pouvoir; et tout à coup, comme il fallait s'y attendre, toute douleur a fui du corps d'Enée. Tout sang s'est arrêté de couler du fond de la blessure; bientôt la flèche, suivant la main sans aucun effort, est tombée, et de nouveau les forces sont revenues, comme précédemment. « Des armes! vite, hâtez-vous d'apporter des armes! qu'attendez-vous ? » crie de toutes ses forces Iapyx, qui est le premier à enflammer Enée contre l'ennemi : « Non ce ne sont pas les facultés humaines ni mon art magistral qui ont produit ces résultats; ce n'est pas ma main qui te sauve, Enée, c'est un dieu plus grand qui agit et qui te renvoie à de grands travaux. »

Lui, avide de la lutte, avait déjà enfermé dans l'or l'une et l'autre de ses jambes : il maudit les retards, il brandit sa lance. Après avoir ajusté à son côté son bouclier et endossé sa cuirasse, il entoure de ses bras Ascagne et l'étreint, puis, l'effleurant [3393] d'un baiser à travers son casque, il lui dit : « Apprends de moi, mon enfant, la vertu et le véritable effort; d'autres t'enseigneront la fortune. Aujourd'hui mon bras, à la guerre, assurera ta défense, et te conduira à de grandes récompenses. Toi, tâche de te le rappeler quand tu seras parvenu à l'âge mûr, et que le souvenir des exemples de tes aïeux anime le fils d'Enée et le neveu d'Hector [3394] » Après avoir prononcé ces mots, il s'est avancé hors des portes, immense, brandissant un trait énorme dans sa main; en même temps que lui, à la tête d'un bataillon sacré, Anthée [3395] et Mnesthée se ruent; toute la foule, laissant le camp, s'écoule; alors la plaine se brouille sous une poussière aveuglante et la terre ébranlée tremble sous le choc des sabots.

Turnus, d'une éminence opposée, les a vus venir; les Ausoniens les ont vus aussi, et un frisson glacé a parcouru leurs os jusqu'au fond. La première, avant tous les Latins, Juturne a entendu et reconnu ce bruit, et elle s'est enfuie toute tremblante. Enée vole, et entraîne dans la plaine découverte sa sombre armée. Tel, lorsqu'un nuage [3396], quand se rompt une constellation, parcourt le milieu de la mer dans la direction des terres, les malheureux laboureurs, hélas! qui l'ont vu de loin en frémissent dans leurs cœurs; il va renverser les arbres et coucher les moissons; il va tout abattre au loin : les vents volent devant lui et font entendre leur fracas contre les côtes. Tel, le chef rhétéien [3397] lance son armée contre les ennemis qui lui font face : ils se groupent, se formant chacun en coins denses. Thymbrée [3398] frappe de son épée le lourd Osiris [3399], Mnesthée massacre Archétius [3400], Achate Epulon [3401] et Gyas [3402] Ufens [3403]; il tombe lui-même, l'augure Tolumnius [3404], qui le premier avait lancé un trait contre les ennemis qui lui faisaient face. Une clameur s'élève vers le ciel, et les Rutules, tournant le dos à leur tour, se dispersent en une fuite poudreuse à travers champs. Enée ne daigne pas coucher dans la mort les fuyards; il ne poursuit pas ceux qui l'attendent de pied ferme, ni qui lui lancent des traits : Turnus est le seul qu'il cherche des yeux dans cette épaisse obscurité, le seul qu'il appelle au combat.

Tout émue à l'idée du péril de son frère, l'héroïque Juturne pousse le conducteur de Turnus [3405], tenant les rênes, le projette loin du timon et le laisse; elle-même le remplace et prend en mains les rênes flottantes, semblable en tout à Métisque : voix, corps et armure. Ainsi quand la noire hirondelle parcourt le grand palais d'un maître opulent et rase de ses ailes de hauts atriums, en cueillant de petites pâtures pour nourrir sa couvée babillarde, on entend son cri tantôt sous les vastes portiques, tantôt autour des pièces d'eau; telle Juturne lance ses chevaux au milieu des ennemis et fait voler sur tous les points son char rapide; elle montre tantôt ici et tantôt là son frère triomphant, ne souffre pas qu'il en vienne aux mains avec Énée, s'en détourne et vole au loin.

Enée n'en fait pas moins mille détours pour rencontrer Turnus, il suit ses traces et l'appelle à haute voix au milieu des bataillons dispersés. Chaque fois que ses yeux sont tombés sur son ennemi et qu'il a essayé d'atteindre en courant ses fuyants chevaux aux pieds ailés, chaque fois Juturne a fait tourner le char dans une direction opposée. Hélas! que faire ? il flotte vainement, assailli de sentiments divers, et des projets opposés tiraillent son esprit en sens contraire. Messape, qui, en courant lestement, tenait par hasard dans la main gauche deux javelines flexibles, armées de fer, brandit l'une avec force et la lance d'un coup sûr. Énée s'est arrêté et s'est ramassé sous son armure, en pliant le jarret; pourtant la javeline lancée a frappé le haut de son cimier et a abattu le haut de la crête qui le surmontait. Alors sa colère s'exaspère, cette attaque insidieuse le pousse à bout : quand il voit les chevaux et le char de Turnus ramenés dans une direction opposée, il prend mille fois à témoin Jupiter et les autels garants du pacte lésé, puis se précipite enfin au milieu des ennemis, et, terrible, secondé par Mars, il fait sans choix un massacre effroyable, et laisse la bride à sa colère.

Quel Dieu m'aidera maintenant à décrire dans mes vers tant d'horreurs, tant de massacres sur des points opposés, et le trépas des chefs qu'à travers toute la plaine poursuivent tour à tour tantôt Turnus et tantôt le héros troyen ? As-tu donc voulu, ô Jupiter, un tel choc entre des nations qui devaient vivre dans une paix éternelle ?

Enée attaque le Rutule Sucron [3406] (ce premier combat a fixé sur place les Teucères qui se ruaient); sans perdre beaucoup de temps, il le blesse au côté, et, trouvant au destin le chemin le plus prompt, il lui plonge son épée sanglante dans les côtes, ce rempart de la poitrine. Turnus, à pied, attaque Amycus [3407], renversé de son char, et son frère Diorès [3408]; il frappe l'un qui venait sur lui avec son long fer de lance, l'autre avec son épée; il tranche et suspend à son char la tête des deux guerriers, et les emporte dégouttantes de sang. Enée livre à la Mort, d'un seul choc, Talos [3409], Tanaïs [3410] et le vaillant Céthégus [3411], et dépêche avec eux le triste Onitès [3412], dont le père avait nom Echion [3413] et qui avait pour mère Péridie [3414]. Turnus immole deux frères [3415] venus de la Lycie [3416] et des champs d'Apollon [3417], et le jeune Ménétès [3418], dont l'horreur pour la guerre fut vaine : Arcadien, il exerçait son adresse autour des flots du poissonneux étang de Lerne [3419], et, sorti d'une pauvre maison, ignorait le seuil des puissants [3420]; son père ensemençait une terre qu'il avait prise à ferme. Ainsi, venus de points opposés, des incendies dévorent une forêt aride où crépitent les pousses de laurier [3421]; ainsi encore, quand, dévalant, rapides, du haut des monts, des fleuves écumants font entendre leur fracas et roulent vers la mer, après avoir tout dévasté sur leur route; tels, non moins impétueux, tous les deux, Enée et Turnus, se ruent à travers les combats; maintenant la colère bouillonne plus que jamais dans leur sein; leurs cœurs indomptables cèdent sous la fureur; maintenant de toutes leurs forces ils portent des coups mortels. Murranus [3422] faisait sonner ses ancêtres et les noms antiques des rois latins dont descendait sa famille; Enée, faisant tourner un énorme débris de roche, précipite Murranus de son char et l'étend sur le sol : gisant sous les courroies et le joug, il est emporté par les roues et foulé de coups de sabot par ses chevaux rapides qui ne reconnaissent plus leur maître. Turnus court à la rencontre d'Hyllus [3423] qui se ruait frémissant d'un monstrueux courroux : il lui lance un javelot, qui frappe ses tempes dorées [3424], et dont la pointe, à travers le casque, demeure enfoncée dans son cerveau. Ton bras ne t'a pas soustrait à Turnus, ô le plus vaillant des Grecs, ô Créthée [3425]. Et ses dieux n'ont pas, non plus, protégé Cupencus [3426] contre l'assaut d'Enée : il a présenté sa poitrine au fer, et son bouclier d'airain n'a point retardé la mort du malheureux. Toi aussi, Eole [3427], les plaines de Laurente t'avaient vu succomber et couvrir au loin [3428] la terre de ton corps. Tu tombes, toi que ne purent abattre ni les phalanges argiennes [3429], ni Achille destructeur du royaume de Priam : c'étaient là pour toi les bornes de la mort : tu as un haut palais au pied de l'Ida [3430], à Lyrnesse [3431] un haut palais, sur le sol laurentin ton sépulcre. Dès lors les armées entières sont retournées l'une contre l'autre : tous les Latins, tous les Dardanides : Mnesthée [3432], l'impétueux Séreste [3433], Messape dompteur de chevaux [3434], le vaillant Asilas [3435], la phalange des Toscans [3436] et les ailes arcadiennes d'Evandre : les guerriers, chacun pour soi, déploient toutes leurs forces; point de cesse, point de relâche; ils s'affrontent en une vaste lutte.

Alors la très belle Vénus envoya à Enée l'idée de marcher vers les murs et de diriger au plus vite son armée vers la ville, pour bouleverser les Latins par une calamité subite. Comme Enée, cherchant des yeux Turnus au milieu des bataillons éparpillés, a promené ses regards çà et là, il aperçoit la ville à l'abri d'une telle guerre et impunément tranquille. Aussitôt la pensée d'un combat plus important l'enflamme. Il appelle Mnesthée, Sergeste [3437], le vaillant Séreste, les chefs, monte sur un tertre où accourt le reste de la légion des Teucères; serrés les uns contre les autres, ils ne quittent ni leurs boucliers ni leurs dards. Debout au milieu d'eux, sur la haute éminence, il leur parle : « Qu'on exécute mes ordres sans retard : Jupiter se tient de notre côté [3438], que la soudaineté de l'entreprise ne rende personne plus lent. Cette ville, cause de la guerre, capitale du royaume de Latinus, s'ils refusent d'accepter le frein et d'obéir après la défaite, je la détruirai aujourd'hui et je raserai ses toits fumants. Je devrais attendre apparemment qu'il plût à Turnus de se mesurer à nous et qu'il voulût bien combattre encore après sa défaite [3439]. C'est là [3440] qu'a commencé, citoyens, c'est là que prendra fin une guerre abominable. Apportez vite des torches et réclamez, la flamme à la main, l'exécution du pacte! »

Il avait dit; et tous, rivalisant pareillement d'ardeur, forment le coin et s'élancent, en masse serrée, jusqu'aux murs. Immédiatement des échelles ont été dressées; un feu soudain a lui. Les uns courent aux portes et massacrent les premiers soldats qu'ils rencontrent; les autres lancent le fer et obscurcissent de leurs traits l'éther. Enée lui-même, au premier rang, tend la main droite vers les remparts et accuse à haute voix Latinus : il atteste les dieux qu'on le contraint de nouveau à combattre, que deux fois déjà les Italiens ont provoqué les hostilités [3441], que ce pacte est le second qu'ils rompent. La discorde s'élève entre les citoyens affolés : les uns font ouvrir les portes de la ville et livrer passage aux Dardanides, et ils entraînent le roi lui-même sur les remparts [3442]; les autres prennent les armes et courent défendre les murs. Ainsi quand un berger a découvert des abeilles dans un rocher de pierre ponce [3443] et a rempli leurs cachettes d'une fumée amère [3444], les insectes, à l'intérieur, affolés, courent à travers leurs fortifications cireuses [3445] et aiguisent leur colère par de grands sifflements : une sombre odeur[3446] roule sous leur toit; alors, à l'intérieur, le roc résonne d'un obscur murmure, la fumée monte dans le vide des airs[3447].

Mais voici encore qu'un nouvel événement est venu accabler les Latins fatigués, et remuer profondément d'un deuil toute la ville. Dès que la reine, de sa terrasse, voit l'ennemi qui s'avance, les murs investis, l'incendie volant sur les toits, sans que s'avancent nulle part contre Enée les bataillons rutules ni l'armée de Turnus, l'infortunée croit que le jeune homme a succombé dans la lutte, et, l'esprit bouleversé soudain par la douleur, crie qu'elle est la cause, l'auteur, la source de ces malheurs; puis, quand elle a donné libre cours à sa triste fureur, éperdue, elle déchire de sa propre main pour mourir son manteau de pourpre, et attache à une poutre élevée le nœud coulant d'une mort hideuse[3448]. Les Latins ont appris bientôt la mort de la malheureuse : sa fille Lavinie, la première, arrache sa chevelure fleurie[3449] et déchire ses joues roses, puis le reste de la foule, autour d'elle, fait furie : le palais résonne au loin de leurs lamentations. De là, la nouvelle du malheur se répand à travers toute la ville. Les esprits sont abattus; Latinus s'avance, les vêtements en lambeaux[3450], abasourdi par le destin de son épouse et la ruine de la ville, souillant ses cheveux blancs en y répandant une immonde[3451] poussière; il s'accuse mille fois[3452] de n'avoir pas accueilli tout d'abord le Dardanien Enée et de ne pas l'avoir de lui-même adopté pour gendre.

Pendant ce temps, Turnus, à l'extrémité de la plaine, poursuit encore quelques ennemis épars; mais déjà il est plus lent et de moins en moins content de la façon dont ses chevaux avancent[3453]. Le vent lui a apporté cette clameur mêlée de cris de terreur obscurs et le bruit et le sinistre murmure de la ville affolée ont frappé ses oreilles attentives. « Hélas! malheur à moi! pourquoi un si grand deuil trouble-t-il nos remparts ? quelle est cette grande clameur qui s'élève, tout là-bas, de la ville ? » Il dit, et, éperdu, tire les guides à lui et s'arrête. Sa sœur qui, sous les traits de Métisque, lui servait de conducteur et dirigeait la course et les chevaux et les rênes, le prévient en ces termes : « Poursuivons les fils de Troie, Turnus, de ce côté que la victoire nous a d'abord ouvert; assez d'autres pourront, les armes à la main, défendre nos maisons. Enée charge les Italiens et multiplie les combats : nous aussi, lançons, d'une main terrible, la mort chez les Teucères. Tu ne retireras de cette lutte ni moins de victoires ni moins de gloire. » Turnus lui répond : « O ma sœur, car je t'ai reconnue, dès l'instant où, par ton artifice, tu as bousculé le pacte, et où tu t'es jetée dans cette guerre, et maintenant encore tu ne m'abuses nullement, toute déesse que tu es. Mais qui donc a voulu, en t'envoyant de l'Olympe, te soumettre à de si grandes épreuves ? Était-ce pour voir le cruel trépas de ton malheureux frère ? Car que fais-je? quelle Fortune désormais me promet le salut ? J'ai vu sous mes yeux, m'appelant à grands cris, Murranus [3454], le plus cher ami qui me restât, trouver la mort, puissant guerrier vaincu par une puissante blessure [3455]. L'infortuné Ufens [3456] a succombé pour ne pas voir notre déshonneur : les Teucères sont les maîtres de son corps et de ses armes. Souffrirai-je (c'est la seule chose maintenant qui manque à nos malheurs) qu'on détruise nos maisons ? Ne réfuterai-je pas, de ce bras, les assertions de Drancès [3457] ? Je tournerai le dos et cette terre verra Turnus s'enfuir! Est-ce donc un si grand malheur que de mourir [3458] ? Vous, ô Mânes [3459], soyez bons pour moi, puisque la volonté des dieux d'en haut m'est contraire! Je descendrai vers vous avec une âme sainte [3460], ignorante d'une pareille faute [3461], n'étant jamais indigne de mes grands ancêtres. »

A peine avait-il parlé, voici qu'au milieu des ennemis vole Sacès [3462], monté sur un cheval écumant, blessé d'une flèche en plein visage, et qui se rue, implorant Turnus par son nom : « Turnus, sur toi repose notre espoir suprême de salut; prends les tiens en pitié. Enée en armes fulmine [3463], il menace d'abattre les hautes tours des Italiens et de tout anéantir. Déjà les torches volent vers les toits. C'est vers toi que les Latins tournent leurs regards, vers toi qu'ils tournent les yeux; Latinus lui-même se demande tout bas quels gendres [3464] il doit appeler, vers quel pacte il doit incliner. En outre, la reine, qui t'était si fidèle, s'est tuée de sa propre main et a fui, terrifiée, la lumière. Seuls devant les portes, Messape [3465] et l'impétueux Atinas [3466] soutiennent le choc de l'ennemi; autour d'eux se dressent de part et d'autre d'épaisses phalanges et une moisson de fer hérisse ses épées nues [3467] : et toi, tu promènes ton char dans une prairie déserte. » Confondu à l'idée des événements de toute sorte qu'on lui annonce, Turnus est resté stupéfait et a gardé un morne silence. Au fond de son cœur bouillonnent [3468] une énorme honte, une fureur qui se mêle au deuil, un amour agité de furies et la conscience de sa valeur.

Dès que les ombres se sont dissipées et que la lumière est rendue à sa raison, il a tourné, bouleversé de colère, des yeux enflammés vers les remparts, et, du haut de ses roues, il a considéré la grande ville. Or voici qu'en ce moment, roulant d'étage en étage le long d'une tour, un tourbillon de flammes ondoyait sur le ciel, et dévorait la tour — une tour que Turnus lui-même avait dressée avec des poutres serrées, qu'il avait montée sur des roues et munie de ponts élevés : « Voilà, voilà que les destins l'emportent, ma sœur : cesse de me retarder; allons où m'appellent le dieu [3469] et la dure Fortune. Je suis décidé à combattre Enée; décidé à subir tout ce que la mort a de cruel; et tu ne me verras pas plus longtemps, ô ma sœur, sans honneur. Laisse-moi, je t'en prie, avant l'heure fatale, m'abandonner à toute cette fureur! » Il a dit, et a fait de son char un bond rapide à terre; puis il se rue à travers les ennemis, à travers les traits, laisse sa sœur éplorée, et, dans sa course rapide, se fraye un chemin au milieu des bataillons. Ainsi quand de la cime d'une montagne un rocher [3470] tombe à pic détaché par le vent, ou roule dans une rafale de pluie, ou se détache miné par les ans et la vieillesse, ce morceau de montagne, dans un grand élan irrésistible, s'élance dans le vide et bondit sur le sol, faisant rouler avec lui les forêts, les troupeaux et les gens; de même, à travers les bataillons disjoints, Turnus se rue vers les murs de la ville, là où la terre baigne dans le sang répandu à flots et où les airs résonnent du sifflement des traits. Il fait un signe de la main, en même temps qu'il crie à haute voix : « Arrêtez, Rutules; et vous, Latins, ne lancez plus de traits : quelle que soit la Fortune, elle est mienne; il est tout naturel que ce soit moi, tout seul, qui expie pour vous le pacte [3471] et vide par le fer ma querelle. » Tous se sont écartés et, au milieu d'eux, ont fait place aux rivaux

Cependant le vénérable Enée, en entendant le nom de Turnus, abandonne les murs et les hautes tours, expédie tout retardement, suspend tous les travaux en bondissant de joie, et agite avec un bruit horrible le tonnerre de ses armes — aussi grand que l'Athos [3472] aussi grand que l'Eryx [3473], aussi grand que le Père Apennin [3474] lui-même, quand il frémit de ses yeuses étincelantes [3475] et se réjouit de dresser vers les airs sa cime neigeuse [3476]. Déjà, à l'envi, les Rutules, les Troyens et tous les Italiens ont tourné vers lui leurs regards, ainsi que ceux [3477] qui occupaient les hauts remparts, et ceux [3478] qui du bélier battaient le pied des murs; ils ont quitté les armes qu'ils avaient sur l'épaule. Latinus lui-même s'étonne de voir ces puissants guerriers, nés en deux régions opposées du monde, aller à la rencontre l'un de l'autre et combattre le fer à la main.

Pour eux, dès que la plaine évacuée leur a laissé le champ libre, dans une course rapide, après avoir lancé de loin leurs javelines, ils engagent la lutte en heurtant leurs boucliers d'airain sonore [3479] : la terre exhale un gémissement; alors ils se portent avec leurs épées des coups redoublés : le hasard et la valeur sont confondus ensemble. Ainsi, dans l'énorme Sila [3480] ou sur le haut Taburne [3481], quand deux taureaux [3482] courent l'un contre l'autre, les cornes en avant, pour une lutte sans merci, les bergers effrayés se sont arrêtés : tout le troupeau s'immobilise, muet de terreur, et les génisses se demandent en murmurant lequel des deux aura l'empire dans le pacage et sera suivi de tout le troupeau; eux, multiplient les coups violents qu'ils se portent, se percent de leurs cornes avec acharnement, et inondent de flots de sang leurs cous et leurs épaules : tout le pacage gémit de leurs mugissements. De même, le troyen Enée et le héros daunien [3483] entrechoquent leurs boucliers : un fracas énorme emplit l'éther.

Jupiter lui-même tient dans sa main une balance [3484] où l'aiguille s'équilibre et y place les destins opposés des deux champions, pour savoir lequel l'épreuve condamne et sous le poids duquel penche la mort. Turnus s'élance, impunément croit-il, et dressé de tout son corps, l'épée haute, il frappe. Les Troyens et les Latins affolés poussent un cri, et les deux armées demeurent en suspens. Mais la perfide épée se brise et lâche au milieu du coup l'ardent champion : c'en serait fait s'il n'avait la ressource de la fuite. Mais il a fui, plus prompt que l'Eurus [3485], dès qu'il a vu cette poignée inconnue [3486] et son bras désarmé. On dit qu'au premier moment du combat, quand il se précipitait pour monter sur son attelage, ayant oublié l'épée de son père [3487], il saisit dans sa hâte le fer de son conducteur Métisque : longtemps ce fer lui suffit, tant que les Teucères tournaient le dos et se débandaient, mais, quand il fallut affronter les armes vulcaniennes du dieu [3488], cette épée d'un simple mortel se brisa par la force du coup, comme une glace fragile; ses morceaux resplendissent sur le sable fauve. Turnus donc, éperdu, fuit de tous les côtés dans la plaine, et, courant çà et là, décrit mille détours incertains : de toutes parts, en effet, les Teucères l'ont enfermé en un cercle dense, et ici le vaste marais [3489], là les hauts remparts l'entourent.

Enée ne l'en poursuit pas moins, quoique ses genoux l'en empêchent parfois, retardés par la flèche [3490], et lui refusent la course; et ses pieds, dans l'ardeur qui le presse, touchent les pieds de Turnus affolé. Ainsi parfois un chien de chasse [3491], trouvant un cerf arrêté par un fleuve ou enfermé dans un épouvantail de plumes pourprées, le presse de sa poursuite et de ses aboiements; le cerf, terrifié par le piège ou par la berge élevée, va, vient, fuit en tous sens; mais le vif Ombrien [3492] s'accroche, la gueule béante, il va le tenir bientôt, et, croyant qu'il le tient, il fait claquer ses mâchoires [3493] qu'a trompées une vaine morsure. Alors une clameur s'élève, à laquelle répondent les rives et les lacs [3494] d'alentour, et tout le ciel en tumulte fait entendre le bruit du tonnerre. Turnus en fuyant gourmande à la fois tous les Rutules, les appelant chacun par son nom, et réclame son épée bien connue. Enée, par contre, menace de mort et de trépas instantané quiconque s'approcherait de Turnus; il terrifie les Rutules tremblants, en menaçant de raser leur ville, et, tout blessé qu'il est, il serre de près Turnus. Ils font ainsi cinq tours complets en courant et autant de fois reviennent sur leurs pas; car ce n'est pas un prix frivole, une récompense de jeu qu'ils disputent; la lutte a pour objet la vie et le sang de Turnus.

Le hasard voulait qu'un olivier sauvage aux feuilles amères, consacré à Faunus [3495], se fût élevé en cet endroit; son bois depuis longtemps était révéré des matelots, qui, sauvés des flots, avaient accoutumé d'y fixer leurs offrandes au dieu laurentin et d'y suspendre leurs vêtements pour acquitter leurs vœux [3496]. Mais les Teucères, sans faire de différence avec les autres arbres, avaient enlevé cette souche consacrée, afin de laisser le champ net aux combattants. C'est là qu'était debout la javeline d'Enée [3497], c'est là qu'un élan impétueux l'avait portée et fixée, et qu'elle demeurait dans la racine flexible [3498]. Le Dardanide se courba, voulut arracher le fer à la main, et poursuivre avec ce javelot celui qu'il ne pouvait atteindre à la course. Mais alors, éperdu de frayeur, Turnus : « Faunus, je t'en prie, aie pitié de moi, dit-il, et toi, Terre très bonne [3499], retiens ce fer, s'il est vrai que j'ai toujours honoré les objets de votre culte [3500], que les Enéades, au contraire, ont profanés dans un but de guerre. » Il a dit, et n'a pas invoqué pour rien l'assistance du dieu : car en dépit d'une longue lutte et après s'être attardé sur la souche flexible, Enée avec toute sa force n'a pas pu desserrer la morsure du rouvre [3501]. Tandis qu'il poursuit, impétueux, et redouble d'efforts, la déesse daunienne [3502] accourt de nouveau, ayant revêtu les traits de l'aurige Métisque, et remet à son frère son épée. Mais Vénus, indignée de voir cette Nymphe audacieuse s'arroger tant de pouvoir, s'est approchée et a arraché le javelot de la profonde racine. Les champions relèvent la tête, reprenant à la fois leurs armes et leur courage; l'un confiant dans son glaive, l'autre se dressant impétueux avec sa javeline, ils font face à l'essoufflant combat.

Pendant ce temps, le roi de l'Olympe tout-puissant [3503] s'adresse à Junon, qui regardait la lutte du haut d'un nuage fauve : « Quelle sera donc la fin de tout cela, mon épouse ? que prétends-tu enfin ? Tu sais toi-même, et tu en conviens, qu'Enée Indigète [3504] est dû au ciel et que les destins l'élèvent jusqu'aux constellations. Que construis-tu ? quel espoir te retient dans ces nuages glacés ? Convenait-il donc qu'un dieu [3505] fût blessé de la main d'un mortel ? Et cette épée (car, sans toi, que pouvait Juturne ?) devais-tu la ravir pour la rendre à Turnus et accroître le courage des vaincus [3506] ? Cesse enfin désormais et laisse-toi fléchir par nos prières : qu'une si vive douleur ne te dévore plus en secret, et que je ne voie pas sur ton doux visage réaccourir les tristes soucis ? On en est arrivé au moment suprême. Tu as pu poursuivre les Troyens sur la terre et sur l'onde, allumer une guerre abominable [3507], entacher une famille [3508], et mêler le deuil à l'hyménée : je te défends d'essayer davantage. » Ainsi a parlé Jupiter. Ainsi, les yeux baissés, lui répond la déesse Saturnienne : « C'est bien parce que ta volonté m'était connue sur ce point, grand Jupiter, que j'ai abandonné malgré moi et Turnus et la terre; autrement tu ne me verrais pas seule, en ma résidence aérienne, endurer toute sorte d'affronts; mais, ceinte de flammes, je serais debout en plein champ de bataille, et j'entraînerais les Teucères à d'acharnés combats. J'ai conseillé à Juturne, je l'avoue, de secourir son malheureux frère, et je l'ai approuvée d'oser plus encore pour sa vie, mais sans aller pourtant jusqu'à lancer des traits et tendre un arc : j'en jure par la source implacable des eaux du Styx [3509], seul objet de crainte religieuse qui reste aux dieux d'en haut. Et maintenant je cède, oui, vraiment, j'abandonne des combats que j'abhorre. Mais ce qui n'est pas compris dans la loi du destin, je le demande pour le Latium, pour la majesté des tiens [3510]. Lorsque les adversaires, puisqu'il le faut, établiront bientôt la paix sur un heureux mariage [3511], lorsqu'ils stipuleront les conditions de leur pacte, ne permets pas que les Latins indigènes changent leur ancien nom[3512] et deviennent des Teucères, ni qu'ils changent de langage ou transforment leur costume. Qu'il y ait un Latium[3513], qu'il y ait à travers les siècles des rois albains[3514], que la race romaine soit puissante par la valeur italienne. Troie a succombé; daigne permettre qu'elle ait succombé avec son nom. »

Le créateur des hommes et des choses[3515] lui répond en souriant : « Tu es bien la sœur de Jupiter et l'autre enfant de Saturne, tant sont violents les flots de ressentiments que tu roules dans le fond de ton cœur! Mais allons, laisse là cette fureur à laquelle tu t'es laissée aller sans raison : je te donne ce que tu veux, et me rends volontiers, vaincu, à ton désir. Les Ausoniens garderont la langue et les mœurs de leurs pères; leur nom restera comme il est. Confondus de corps seulement avec eux, les Teucères leur céderont le pas : je leur donnerai le culte et les rites des sacrifices; j'en ferai tous des Latins, n'ayant qu'une seule langue. Une race en sortira, mêlée au sang ausonien, que tu verras surpasser en piété et les hommes et les dieux et aucune nation ne te rendra autant d'hommages[3516]. » Junon a applaudi à ces paroles et sa joie a annoncé le changement de son cœur. Sur ces entrefaites elle a quitté le ciel et laissé son nuage.

Cela fait, le Père[3517] roule en lui-même un autre projet, et s'apprête à éloigner Juturne du combat de son frère. Il y a, dit-on, deux fléaux du nom de Furies[3518], que la Nuit sombre[3519] a enfantés d'une seule et même couche en même temps que la Mégère du Tartare, qu'elle a couronnés des mêmes spirales de serpents, et à qui elle a donné des ailes venteuses[3520]. Elles apparaissent[3521] au pied du trône de Jupiter et sur le seuil de ce roi terrible, et jettent chez les malheureux mortels les aiguillons de la peur, quand le roi des dieux s'apprête à leur envoyer l'horrible mort et les maladies, ou terrifie par la guerre les villes qui l'ont mérité. Jupiter a dépêché du haut de l'éther un de ces fléaux rapides et lui a ordonné de se présenter comme un présage à Juturne. La Furie vole et dans un tourbillon rapide s'élance sur la terre. Ainsi décochée à travers le brouillard, une flèche que le Parthe[3522] — le Parthe ou le Cydone[3523] — a armée du fiel d'un terrible venin[3524], et lancée, trait irrémédiable, bondit, sifflante et invisible, à travers les ombres rapides[3525]; telle la fille de la Nuit s'est élancée et a atteint la terre. Dès qu'elle voit l'armée d'Ilion et les bataillons de Turnus, s'étant soudain ramassée sous la figure du petit oiseau[3526], qui parfois perché la nuit sur les bûchers ou sur les toits déserts, chante sinistrement[3527] le soir à travers l'ombre, ayant, dis-je, pris cette forme, la Furie passe et repasse devant les yeux de Turnus en criant et frappe à grands coups d'ailes son bouclier. Une torpeur inconnue a détendu les membres du héros plein d'épouvante; ses cheveux se sont dressés d'horreur; sa voix s'est arrêtée dans sa gorge[3528].

Cependant, dès qu'elle a reconnu de loin le sifflement et

les ailes de la Furie, l'infortunée Juturne arrache ses cheveux dénoués, se meurtrissant fraternellement le visage de ses ongles, et la gorge de ses poings [3529]. « Quel appui maintenant, ô Turnus, peut te prêter ta sœur ? Quel espoir reste-t-il désormais à la cruelle que je suis ? par quel artifice prolonger tes jours ? puis-je résister à un tel monstre ? J'abandonne maintenant le champ de bataille. Ne me terrifiez pas : j'ai peur, oiseaux impurs [3530] : je reconnais le battement de vos ailes et votre cri de mort ; et les ordres superbes du magnanime Jupiter ne m'abusent pas. Ainsi voilà ce qu'il m'offre pour prix de ma virginité ! Pourquoi m'a-t-il donné la vie éternelle ? pourquoi m'a-t-il exemptée de la loi de la mort [3531] ? Maintenant du moins je pourrais mettre une fin à de si grandes douleurs et accompagner chez les ombres mon malheureux frère. Moi immortelle ! mais quelle douceur sans toi, ô mon frère, auront mes privilèges ? Oh ! quel abîme assez profond s'ouvrira sous mes pas [3532], pour précipiter une déesse au séjour des Mânes profonds ? » Bornant là ses paroles, la déesse a recouvert sa tête de son manteau glauque [3533], en gémissant beaucoup, et s'est plongée dans le fleuve profond [3534].

Enée, de son côté, presse Turnus, brandit son javelot énorme, long comme un arbre, et interpelle d'un cœur terrible son adversaire : « Qui t'arrête maintenant ? pourquoi hésiter désormais, ô Turnus ? Ce n'est point à la course, mais de près, avec des armes terribles qu'il faut combattre ? Prends toutes les formes que tu voudras, rassemble tout ce que tu pourras de courage ou d'artifice, souhaite de t'envoler à tire-d'aile jusqu'aux astres, ou de t'enfouir prisonnier dans les entrailles de la terre ! » L'autre, secouant la tête : « Tes paroles cinglantes ne m'effraient pas, farouche guerrier ; ce sont les dieux qui m'effraient et Jupiter hostile. » Sans ajouter un mot, il jette les yeux sur un rocher énorme — un rocher antique, énorme — qui gisait par hasard dans la plaine, borne posée là à un champ, pour prévenir les procès en séparant les guérets. A peine deux fois six hommes d'élite, ayant la taille de ceux que la terre produit maintenant [3535], pourraient le soulever sur leur nuque ; le héros, l'ayant saisi d'une main fébrile, le brandissait déjà sur son ennemi, dressé de toute sa hauteur, lui courant sus. Mais il ne se reconnaît plus soi-même, ni pour courir, ni pour marcher, ni pour soulever de la main et mouvoir le roc monstrueux. Ses genoux fléchissent, son sang glacé s'est figé. La pierre elle-même qu'il voulait lancer a roulé par le vide des airs sans franchir tout l'espace ni porter le coup. Ainsi dans le sommeil [3536], quand dans la longueur de la nuit le repos a fermé nos yeux, nous croyons vouloir en vain prolonger une course avide et nous succombons à la fatigue au milieu de nos efforts ; notre langue n'a plus de forces, nos forces corporelles habituelles nous manquent, la voix et la parole ne suivent plus. De même, quelque moyen de vaincre qu'ait tenté la valeur de Turnus, la déesse farouche lui refuse le succès. Alors des sentiments variés s'agitent dans son cœur. Il regarde les Rutules et la ville; il hésite, par peur; il tremble de voir le trait qui le menace. Mais comment échapper? et avec quelles forces lutter contre l'ennemi? Il ne voit plus son char ni sa sœur qui le conduisait.

Pendant qu'il hésite, Enée brandit le trait fatal, guettant des yeux l'instant propice, et le lance de loin de toutes ses forces. Jamais ne frémissent aussi fort les pierres lancées par une baliste de siège; jamais la foudre n'éclate avec un tel fracas. La javeline vole, à la manière d'un tourbillon sombre, portant avec elle le farouche trépas; elle troue les bords de la cuirasse et le bas des sept cuirs superposés du bouclier [3537]; elle pénètre en sifflant dans le milieu de la cuisse. Le puissant Turnus tombe à terre du coup, pliant le jarret.

Les Rutules se dressent en poussant un gémissement, toute la montagne alentour répond par un gémissement et les hauts pacages répercutent l'écho au loin. Lui, humble et suppliant, portant vers Enée ses yeux et sa main dans l'attitude de la prière : « Oui, j'ai mérité ce destin, dit-il [3538], et je ne cherche point à l'éviter par mes prières; use de ta fortune. Mais si le tourment d'un malheureux père peut t'émouvoir, je t'en prie (toi qui as eu aussi un tel père en Anchise [3539]), prends en pitié la vieillesse de Daunus, et rends-moi aux miens, ou, si tu le préfères, rends-leur mon corps dépouillé de la lumière. Tu as vaincu, et les Ausoniens ont vu le vaincu tendre les paumes [3540]. Lavinie est ton épouse; ne porte pas plus loin ta haine. » L'impétueux Enée s'est arrêté, immobile sous ses armes, roulant les yeux, et il a retenu sa droite; déjà il hésitait de plus en plus et les paroles de Turnus commençaient à le fléchir, quand au sommet de l'épaule apparut le baudrier funeste [3541] et brilla le ceinturon aux bulles [3542] bien connues du jeune Pallas, que Turnus avait terrassé d'un coup mortel [3543] et dont il portait sur les épaules l'insigne ennemi. Enée, à la vue de ces dépouilles qui lui rappelaient une douleur cruelle, enflammé de fureur et terrible de colère : « Quoi! tu échapperais à ma vengeance, recouvert des dépouilles des miens! C'est Pallas, oui, Pallas qui t'immole [3544] de ce coup et tire un châtiment de ton sang scélérat. » Ce disant, il lui plonge son fer en pleine poitrine, tout bouillant. Les membres de l'autre se détendent sous le froid de la mort, et sa vie indignée s'enfuit, avec un gémissement, chez les ombres [3545].

NOTES

LIVRE PREMIER

Certains éditeurs donnent, au début de *l'Enéide*, les quatre vers suivants

Ille ego qui quondam gracili modulatus avena
Carmen, et egressus silvis, vicina coegi
Ut, quamvis avido, parerent arva colono,
Gratum opus agricolis, at nunc horrentia Martis...

« Moi qui jadis modulai mon chant sur un grêle pipeau, et qui, sorti des bois, forçai les guérets voisins à obéir, si avide fût-il, à leur cultivateur — œuvre dont les paysans me savent gré — [je chante] maintenant [les guerres] farouches de Mars... »

Nous n'avons pas cru devoir conserver ces vers dans notre édition : leur origine en rend l'authenticité bien douteuse; leur style et leur syntaxe, plus encore. Sans parler de la banale emphase de l'expression *horrentia Martis*, de la transition à la fois brusque et gauche du quatrième vers, ce serait la première fois que Virgile emploierait la construction de *cogere* avec *ut*...

Au reste, ces quatre vers n'apparaissent dans aucun manuscrit avant le xe siècle. Et les auteurs anciens ou les inscriptions qui parlent de *l'Enéide* désignent toujours le poème par le vers : *Arma virumque cano*... Cf. Ovide. *Trist.*, II, 54; Sénèque, *Ep.*, 113; Perse, *Sat.*, I, 96; Martial, *Epigr.*, VIII, 56.

Le seul témoignage en leur faveur est celui de Donat, qui, au IVe siècle, dans une biographie dont les éléments sont empruntés à Suétone, conte que *l'Enéide* commençait par les quatre vers inédits, et qu'ils auraient été supprimés par Varius, lorsqu'il publia le poème de Virgile. — L'autorité de Donat est très insuffisante, et son assertion est d'autant plus suspecte ici que le grammairien Nisus, à qui l'histoire est attribuée, demeure tout à fait inconnu. Tenons-nous-en aux bons manuscrits.

L'ARRIVÉE D'ÉNÉE A CARTHAGE

1. Virgile semble ici se contredire lui-même, puisqu'au vers 242 il dit qu'avant Enée Anténor aborda en Liburnie et y fonda Padoue. Mais la contradiction n'est qu'apparente, car le pays des Liburnes fait partie de la Gaule Cisalpine, que les anciens ne confondaient point avec l'Italie.

2. Ville du Latium, capitale des Laurentes dont il ne subsistait, à l'époque de Virgile, que des vestiges. C'est aujourd'hui Prattica di Mare, à mi-chemin entre Ostie et Antium, à 24 kilomètres au sud-ouest de Rome et à 4 kilomètres de la mer. Cf. J. Carcopino, *Virgile et les origines d'Ostie*.

3. Il faut entendre : la puissance de Junon, qui suscitera contre Enée d'autres divinités : Neptune, Eole, Juturne.

4. Les Pénates de Troie.

5. Les Albains sont les « pères » ou ancêtres des Romains. C'est Iule en effet qui a fondé Albe auj. Palazzuola, sur la rive orientale du lac Albanum; et c'est Romulus, petit-fils du dernier roi d'Albe, Numitor, qui a fondé Rome.

6. Junon, la reine des dieux, savait (cf. vers 20) que les Troyens fourniraient les vainqueurs de Carthage, sa ville favorite. Elle n'oubliait pas non plus les offenses reçues pendant la guerre de Troie, aussi bien lors du jugement de Pâris (cf. vers 23-24) que lors de la naissance de Dardanus et de l'enlèvement de Ganymède (cf. vers 28).

7. La fondation de Carthage est antérieure de huit siècles à l'époque où Virgile écrit *l'Enéide*. Fondée en ~ 880 par Didon, elle fut détruite en ~ 146 par Scipion Émilien. César la releva de ses ruines.

8. Samos, l'une des Sporades, auj. Samo, sur la côte occidentale de l'Asie Mineure, en face du promontoire de Mycale, où les Grecs défirent les Perses (479 av. J.-C.). Les Grecs avaient reçu ce jour-là pour mot d'ordre *Héra* (Junon). La déesse était née à Samos, elle y avait été élevée et y avait épousé Jupiter. Elle y avait un temple qui, au temps d'Hérodote, était le plus grand de tous les temples grecs. On en attribuait la fondation aux Argonautes. C'était un vaste édifice diptère de 8 colonnes de façade et 24 de côté. Au ~ VIe siècle, il avait encore été agrandi par Polycrate. Tous les ans avaient lieu à Samos des fêtes en l'honneur du mariage de Héra-Junon avec Zeus-Jupiter; elles comportaient une procession, des sacrifices et des jeux. L'un des rites consistait à rechercher la statue de la déesse, cachée préalablement dans un buisson au bord de la mer; les femmes, ayant feint de la retrouver, la replaçaient sur son piédestal et lui offraient des gâteaux de farine. Une série de monnaies samiennes représente la Junon (Héra) du temple, telle sans doute que le sculpteur Smilis l'avait faite au ~ VIIe siècle : la déesse est drapée dans une tunique, ayant la calathos et le voile, et tenant dans chaque main une coupe à libation.

On comprend la prédilection marquée par Junon pour une île où elle était ainsi adorée.

9. Junon est souvent représentée en guerrière. Cicéron a décrit (*De natura deorum*, I, 29-83) la statue de *Juno sospita*, dans le temple de Lanuvium : la déesse, dont le visage sévère rappelle les traits d'une Héra grecque, tient de la main gauche un bouclier, de la main droite un javelot dont la pointe est tournée contre terre. C'est la Junon qu'on retrouve trait pour trait dans la colossale statue du Vatican.

10. Les anciens représentaient souvent les dieux montés sur des chars. Pausanias (V, XV, 5) fait allusion au char de Junon-Héra. Sur les monnaies romaines, la *Juno Coelestis*, divinité africaine, monte un char traîné par des lions. Virgile confond ici Héra, Junon et la Tanit carthaginoise.

11. Enée et ses compagnons, et non point, comme l'ont cru des commentateurs trop subtils, la seule *gens Æmilia*, famille romaine de sang troyen, à laquelle appartenait Scipion Emilien, destructeur de Carthage.

12. Cf. *Il.*, I, 102, où l'épithète est appliquée à Agamemnon.

13. Cf. *Bucoliques*, IV, 47.

14. Junon (Héra) déclare elle-même dans Homère sa préférence pour trois villes grecques : Argos, Sparte, Mycènes. Cf. *Il.*, IV, 51.

Le mot « les Argiens » désigne ici tous les Grecs, comme dans *l'Iliade*, et non pas les seuls sujets de Diomède. Junon avait d'ailleurs à Argos, comme à Samos (cf. note 8) un temple célèbre et des fêtes annuelles.

15. Junon avait pour père Saturne, comme Jupiter, dont elle est à la fois la sœur et l'épouse. Cette épithète de Saturnienne lui est déjà donnée par Ennius (cité par Servius) :

Respondit Juno Saturnia sancta dearum.

16. On sait qu'Eris (la Discorde) ayant, aux noces de Thétis et de Pélée, jeté parmi les dieux assemblés une pomme d'or avec ces mots : *A la plus belle*, Héra (Junon), Aphrodite (Vénus) et Athéna (Minerve) se la disputèrent. Zeus (Jupiter) intervint, et, au lieu d'accorder la pomme à Junon, s'en remit au berger troyen Pâris, qui, sur le mont Ida, décerna la victoire à Vénus. Cf. *Iliade*, XXIV, 25.

17. Dardanus, fondateur de Troie, était fils de Jupiter et d'Electre, fille d'Atlas, rivale de Junon. — Enée descendait de lui par Anchise, Capys, Assaracus (cf. *Géorg.*, III, 35), Tros et Erichtonius.

18. Ganymède, jeune et joli prince troyen, fils de Tros (cf. note 17), plut à Jupiter qui se métamorphosa en aigle pour l'enlever et le porter sur l'Olympe, où il reçut les fonctions d'échanson des dieux, à la place de la jeune Hébé, fille légitime de Junon.

19. Ou Argiens, ainsi nommés de l'Egyptien Danaüs, fils de Bélus, qui, forcé de quitter son pays, aborda en Grèce et fonda Argos. — Danaens est donc synonyme d'Argiens, synonyme lui-même de Grecs.

20. Achille fut, avec le « dur » Ulysse et le « bouillant » Ajax, le plus cruel adversaire de Troie.

21. Le premier chant de *l'Enéide* est chronologiquement postérieur au second et au troisième, dans lesquels Enée raconte les malheurs qui lui sont survenus jusqu'à sa première arrivée en Sicile.

22. Car ils croyaient faire voile vers l'Italie et arriver à la fin de leurs épreuves.

23. Descendant de Teucer, premier roi de la Troade, fils de Scamandre et de la nymphe Idée (oréade du mont Ida), et qui eut pour fille Batéia, épouse de Dardanus (Cf. note 17). — De même que les Danaens désignent les Grecs, les Teucères désignent les Troyens.

24. Ajax, fils d'Oïlée, roi des Locriens, avait outragé Cassandre, prêtresse de Minerve-Pallas, dans le temple même de la déesse : il la bouscula devant l'autel et fit tomber la statue de Pallas qui était là. — Pour cette « faute » et pour ces « fureurs », il fut châtié par Pallas : selon la version adoptée par Euripide et par Virgile, il fut foudroyé au cours d'une tempête qui engloutit sa flotte, près du promontoire de Capharée, dans l'île d'Eubée (cf. Euripide, *Troyennes*, 77, et *En.*, XI, 260), selon une autre version que suit Homère, Ajax, protégé par Poséidon et échoué sur les rocs de Gyræ, près de l'île de Mycone, y défia les dieux : Poséidon (Neptune) fendit alors les rocs de Gyræ et précipita Ajax dans les flots. Cf. *Od.*, IV, 499-511.

25. Une des îles Eoliennes, sans doute Lipara, auj. Lipari, ou Strongyle, auj. Stromboli, ou peut-être l'une des îles Egates, Hiéra, à l'ouest de la Sicile. Toutes ces identifications sont sujettes à caution, et il est peut-être prudent d'imiter le scepticisme d'Eratosthène, qui disait ironiquement, à ce propos, qu'on trouverait l'Eolie et autres lieux homériques quand on aurait trouvé le cordonnier qui a cousu le sac à vents d'Eole.

26. Dieu des vents, fils d'Hippotès. — L'Eole d'Homère et d'Apollonius de Rhodes est un souverain qui habite une île escarpée et vit somptueusement au milieu des festins. — Virgile en fait un subordonné de Jupiter, un haut-commissaire aux vents. — Pline, qui identifie l'Eolie avec l'île de Stromboli, écrit (*Hist. nat.*, III, 14) que, « par l'inspection des fumées du volcan, les habitants prédisaient trois jours à l'avance la direction des vents » et qu'il faut voir là l'origine de l'opinion attribuant à Eole son pouvoir sur les vents.

27. La mer Tyrrhénienne ou Intérieure s'étend entre l'Italie et les trois îles de Corse, de Sardaigne et de Sicile.

28. Ou Troie, ainsi nommée d'Ilus, fils de Tros. Cf. note 17.

29. C'est ici la Junon hyménéenne *(Juno pronuba)* qui parle.

30. Virgile fait d'Eole le serviteur direct de Junon. On n'a point par ailleurs d'autres preuves de cette dépendance.

31. Vent du sud-est, auquel Virgile donne ici son nom grec, *Euros*. Les Latins le nommaient le *Volturnus*.

32. Vent du sud, auquel Virgile donne ici son nom grec, *Notos*. Les Latins le nommaient l'*Auster*.

33. Vent du sud-ouest, celui que les Grecs nommaient le *Lips (libecco)*.

34. Il s'agit de Diomède, fils de Tydée et de Déipyle, fille d'Adraste, roi d'Argos. On sait qu'après avoir pris Thèbes il se distingua presque autant qu'Achille devant Troie : c'est lui qui lutta contre Hector, contre Enée, qu'il aurait tué sans l'intervention de Vénus, lui qui blessa Vénus et Mars. Homère a conté ses exploits au chant V de *l'Iliade*. Après la chute de Troie, forcé de fuir Argos, il aborda en Italie et fonda plusieurs villes de la Grande-Grèce. Cf. *En.*, I, 470 et 752.

35. Le fils aîné de Priam et le chef des Troyens; il tua Patrocle, l'ami d'Achille.

36. Achille, petit-fils d'Eaque, lui-même fils de Jupiter et de la nymphe Europe, juge des Enfers. On sait qu'il vengea Patrocle en tuant Hector.

37. Fils, selon les uns, de Jupiter et de Laodamie, selon les autres, d'Evandre et de Déidamie, Sarpédon, roi des Lyciens, vint au secours de Troie et fut tué par Patrocle (Cf. *Il.*, XVI, 480). Jupiter, pour venger son fils, poussa Hector à tuer Patrocle.

38. Rivière de la Troade, dont les ondes torrentielles descendent du Cotylon, l'un des sommets du mont Ida, et qui se jetait dans le Scamandre, auj. le Doumbrek.

39. Vent du nord-est, celui que les Grecs nommaient le *Kaikias*, antagoniste de l'Africus. Cf. note 33.

40. Cf. note 32.

41. Ce sont les deux îles Egimures, auj. Zembra Simbolo et Zembretta Simboletto *(Ægimuri arae)*, « plutôt des écueils, écrit Pline (V, 7, 7) que des îles véritables »; situées en face du golfe de Carthage, ces deux îles, vestiges, à en croire Claudius Quadrigarius (*Annales*, I), d'une ancienne île disparue, servaient aux prêtres carthaginois d'autels à Neptune *(arae Neptuniae)*.

42. Cf. note 31.

43. Nom local générique, dont on désignait les bancs de sable et les bas-fonds. Ce nom s'est fixé géographiquement pour deux de ces « syrtes » : la Grande Syrte, aujourd'hui golfe de la Sidre ou du Sert; la Petite Syrte, auj. golfe de Gabès.

44. Les Lyciens étaient venus au secours de Troie sous la conduite de Pandarus et s'étaient rangés, après la mort de celui-ci, sous les ordres d'Enée.

45. Ce nom se trouve seulement dans ce passage et au chant VI.

46. Sans doute les boucliers de bois et les casques de cuir, qui pouvaient surnager.

47. Ces noms ne se trouvent que dans ce passage. Les uns semblent avoir été empruntés par Virgile à la mythologie, où ils sont d'autres personnages; Achate, selon Servius, doit son nom à l'agate *(achates)*.

48. Neptune est aussi le fils de Saturne.

49. Cf. note 31.

50. Vent d'ouest, auquel Virgile donne ici son nom grec. Les Latins le nommaient *Favonius*.

51. Les Vents, selon la tradition mythologique, étaient fils du Titan Astrée et de l'Aurore (cf. Hésiode, *Théog.*, 378); et l'on sait que les Titans étaient les ennemis de Jupiter et des Dieux supérieurs.

52. Le trident était l'attribut de Neptune.

53. Jupiter, Neptune et Pluton, tous trois fils de Saturne, se partagèrent le monde par la voie du sort : Jupiter eut le ciel, Neptune la mer, Pluton les Enfers. Quant à l'Olympe et à la terre, ils demeurèrent communs aux trois dieux. Cf. *Il.*, XV, 187, sq.

54. Cf. note 31.

55. Cf. note 26.

56. L'une des cinquante Néréides, nymphes de la mer.

57. Dieu marin, fils de Neptune et d'Amphitrite, dont le corps se termine par une queue de poisson. D'abord indépendant, puis subordonné à son père Neptune, il en est le trompette et souffle dans une conque. Cf. Properce, IV, 6 : « *Prosequitur cantu Triton.* »

58. Cf. note 43.

59. Titre d'honneur décerné ici à Neptune, et plus fréquemment à Jupiter.

60. On a cherché à identifier la baie de l'île dont parle ici Virgile. Les uns ont cru qu'il s'agissait d'une baie formée par le promontoire de Mercure (cap Bon) et que l'île était l'une des Egimures : c'est l'opinion qu'à la suite de Shaw Chateaubriand adopte dans son *Itinéraire de Paris à Jérusalem*. Selon d'autres, il s'agirait du port de Carthagène ou de la baie de Naples. — Il semble bien que ces identifications soient vaines, et qu'il s'agisse ici d'une description purement littéraire, imitée de la description du port de Phorcyre à Ithaque, tel qu'il est dépeint par Homère, *Od.*, XIII, 96-112, et complétée soit par des traits empruntés à quelque poète alexandrin (cf. Constans, *Revue des Etudes latines*, 1933, p. 149), soit par le souvenir peut-être d'une fresque ou d'un tableau.

61. Les ustensiles pour faire le pain. Cf. *Géorgiques*, I, 160; III, 345.

62. Un bouclier peint à ses armes.

63. Anthée et Caïcus ne nous sont connus que par Virgile. Quant à Capys, dont Virgile dira plus loin qu'il a donné son nom à une ville campanienne (*En.*, X, 145), son nom se retrouve dans Tite-Live (IV, 37, 1), qui rapporte qu'en 420 av. J.-C. un chef samnite de ce nom s'empara de Vulturnum et lui donna le nom de Capoue.

64. Sans doute des cerfs de Barbarie, aux bois plus courts que ceux d'Europe. Une mosaïque d'Utique en offre une représentation.

65. Achate est le compagnon et le confident d'Enée, comme Patrocle est celui d'Achille, Sthénélus celui de Diomède, Mérion celui d'Idoménée.

66. Fils du fleuve sicilien Crinisus et de la Troyenne Ségeste, le « généreux »

Aceste fonda Aceste ou Ségeste dans la Sicile occidentale et y donna l'hospitalité à Enée quand celui-ci fut jeté par les vents sur les côtes de Sicile. Cf. *En.*, III, 707; V, 38. — Thucydide (VI, 2, 3) avait déjà attribué la fondation de Ségeste à des Troyens fugitifs. Virgile rattache Aceste à la légende de Troie.

67. « L'île aux trois pointes », c'est-à-dire la Sicile, que terminent en effet trois promontoires : le cap de Pachynum, auj. Passaro, au sud-est; le cap de Pélore, auj. Paro, au nord-est; celui de Lilybée, auj. Boco, à l'ouest.

68. Il y a deux Scylla. L'une, fille de Nisus, roi de Mégare, arracha à son père le cheveu de pourpre auquel était attachée la conservation de son royaume, et le donna à Minos, qu'elle aimait; Minos prit Mégare, et fit attacher Scylla au mât de son navire; elle fut changée en alouette. L'autre Scylla est une nymphe, fille de Phorcus, qui fut aimée de Glaucus, et que Circé la magicienne transforma par jalousie en un horrible monstre. Scylla, désespérée, se précipita dans la mer, et ses cris de rage terrifiaient les marins. — Virgile (*Buc.*, VI, 74, sq.) a confondu les deux légendes.

Le rocher de Scylla, auj. la Rema, se trouve dans le détroit de Sicile, vis-à-vis du gouffre de Charybde, aujourd'hui Calofaro.

69. Peut-être les îles des Cyclopes, auj. îles de la Trizza (?), près de Catane, à côté desquelles Enée était passé en longeant la Sicile. Mais plus probablement les côtes de la Sicile, près de l'Etna hanté des Cyclopes. Cf. *En.*, III, 368-681.

70. Pendant l'embaumement des corps par les libitinaires, on appelait de temps en temps le mort, afin de l'éveiller au cas où la mort ne fût qu'apparente. Cf. Sénèque, *Tranquil. anim.*, II. Puis on l'appelait encore au moment de mettre le feu au bûcher. Cf. Servius, *En.*, VI, 218. La formule était, selon Servius : *Vale, vale, vale, nos te, ordine quo natura permiserit, cuncti sequemur.* Enfin, quand le bûcher était consumé, le cortège criait un dernier adieu : *Salve, vale, ave.*

71. Fils de Priam et frère de Diorès. Cf. *En.*, V, 297; XII, 509. Son nom ne nous est connu que par Virgile.

72. Ce nom ne nous est connu que par Virgile.

73. Gyas, selon Servius, serait à l'origine de la *gens Gegania*. Son nom ne nous est connu que par Virgile. Cf. *En.*, V, 118.

74. Cloanthe serait à l'origine de la *gens Cluentia*. Son nom ne nous est connu que par Virgile. Cf. *En.*, V, 122.

75. Cf. note 23.

76. Prince troyen, parent de Priam, Anténor est, dans *l'Iliade*, l'un des sages vieillards de Troie. Il propose qu'on renvoie aux Grecs Hélène et ses trésors. Il a tant de ménagements pour les Grecs que Lycophron et les auteurs postérieurs en font un traître. Epargné par les vainqueurs, à cause des sympathies qu'il eut pour eux, il passa avec ses fils et les Enètes, peuple paphlagonien, en Thrace, en Illyrie, puis en Vénétie, où il fonda Padoue. Cf. Tive-Live, I, 1.

77. Proprement, les habitants de l'Achaïe, descendants d'Achéus, fils de Xuthus et petit-fils d'Hellen. Le mot désigne dans *l'Enéide* les Grecs en général.

78. La Liburnie faisait partie de l'ancienne Illyrie, auj. la Dalmatie. Le royaume des Liburnes était réduit, au temps de Virgile, à un territoire plutôt modeste, avec Jader pour capitale.

79. Le Timave, avec ses neuf sources qui sortent d'énormes rochers, formait autrefois un large fleuve, dont les eaux au goût saumâtre le faisaient appeler *mare* par les habitants du pays (Servius). Ce n'est plus aujourd'hui qu'un petit ruisseau, souvent à sec. Cf. *Buc.*, VIII, 6.

80. Aujourd'hui Padoue.

81. Les anciens identifiaient les Enètes paphlagoniens et les Vénètes gaulois d'Italie. — Tive-Live (I, 1) nous apprend d'autre part que Padoue porta d'abord le nom de Troie; ses premiers habitants s'appelaient Anténorides.

82. C'était l'usage de suspendre en trophée, après la guerre, les armes de combat.

83. On montre encore à Padoue le tombeau d'Anténor.

84. Servius cite, à ce propos, deux vers d'Ennius :

Juppiter hic risit : tempestatesque serenae
Riserunt omnes risu Jovis omnipotentis.

Cf. aussi *Il.*, VIII, 38.

85. Vénus, selon une légende, était la fille de Jupiter et de l'Océanide Dioné. (Cf. III, 19.) Déjà, dans *l'Iliade*, Homère avait fait de Dioné la mère d'Aphrodite. On rencontre son effigie sur des monnaies d'Epire, tantôt associée à Zeus (Jupiter), tantôt seule.

86. Vénus était adorée à Cythère, île de la mer de Crète, auj. Cérigo, où elle avait un temple magnifique. De là, le nom de Cythérée que lui donnent Homère et Virgile.

87. Cf. note 2.

88. Les Rutules, peuple du Latium, au sud de Rome, ayant pour capitale Ardée, attaquèrent les Troyens d'Enée, sous le commandement de leur roi Turnus. Cette lutte est décrite dans les derniers chants de *l'Enéide*.

89. Selon Virgile, Ascagne ou Iule était le fils d'Enée et de Créuse; il aida son père dans sa lutte contre les Rutules, lui succéda sur le trône de Lavinium et fonda Albe-la-Longue. — Selon d'autres légendes, Iule et Ascagne étaient deux fils d'Enée; selon d'autres encore, Iule était le fils d'Ascagne et le petit-fils d'Enée. Enfin Denys d'Halicarnasse (*Antiq. Rom.*, I, 65) écrit que le fils d'Enée s'appelait Euryléon et ne prit le nom d'Ascagne qu'après la chute de Troie.

90. Ilus est le nom d'un des plus anciens rois de Troie, fils de Tros et de Callirhoé. Cf. note 17. — L'étymologie d'Iule est ici inventée par Virgile pour rattacher Iule à Ilion. Le nom des *Julii* est latin.

91. Ascagne (Iule) régnera trente ans. — Il est à noter qu'Enée régnera trois ans, et les rois albains trois cents ans. — Le nombre 3 et ses multiples 6 et 9 sont considérés comme sacrés.

92. Cf. note 2.

93. Cf. note 5.

94. Ilia ou Rhéa Silvia, fille du roi d'Albe Numitor, et prêtresse de Vesta, eut du dieu Mars deux jumeaux, Romulus et Rémus. Virgile lui attribue une origine troyenne (VI, 778).

95. Suivant la légende, Romulus et Rémus, exposés sur le Tibre et portés par ses eaux au pied du Palatin, furent allaités par une louve et recueillis par le gardien des troupeaux de Numitor, Faustulus, qui confia à sa femme, Acca Laurentia, le soin de les élever. — Dans cette louve, certains ont voulu voir une femme de mauvaise vie *(lupa)*; d'autres, une riche courtisane qui légua ses biens au peuple romain (cf. J. Carcopino, *La louve du Capitole*). — Un relief du Musée des Thermes, à Rome, montre la louve allaitant les jumeaux; une fresque du même musée déroule la légende de Rhéa Silvia et de son fils.

96. Lucrèce (I, 32) appelle Mars Mavors, et l'on retrouve ce doublet ancien dans Virgile et beaucoup d'autres poètes. — Une inscription de Tusculum (*C. I. L.*, I², 49) donne une autre forme, *Maurte*, datif de *Maurs*. — Ancienne divinité italique, identifiée plus tard avec le dieu grec Arès, Mavors ou Mars est le même dieu que le Mamers des Osques.

97. Dans les derniers siècles le nom de Rome fut officiellement celui de « Ville Eternelle ».

98. Les citoyens romains portaient la toge *(gens togata)*; les citoyens grecs portaient le pallium *(gens palliata)*. Suétone conte qu'Auguste enjoignit aux édiles de n'admettre personne au cirque ou sur le forum qu'avec la toge, et que les rois étrangers la revêtaient pour faire leur cour à l'empereur (*Aug.*, 40 et 60). On appelait *fabula togata* une pièce de théâtre à sujet romain; *fabula palliata* une pièce à sujet grec. La « Gaule togée » *(Gallia togata)* était la Gaule romaine.

99. En 146 av. J.-C., c'est-à-dire 608 ans après la fondation de Rome.

100. Cf. note 17.

101. Patrie d'Achille, en Thessalie.

102. Patrie d'Agamemnon, dans le Péloponnèse. Ses ruines sont voisines du village actuel de Karvati.

103. Patrie de Diomède, dans le Péloponnèse. La ville est située sur les bords de l'Inachus.

104. Auguste, neveu et fils adoptif de César, se flattait de descendre, comme tous les *Julii*, d'Enée et des rois de Troie.

105. Il s'agit des dépouilles d'Antoine et de Cléopâtre, derrière lesquels tout l'Orient était conjuré.

106. En fait, si les Romains rendaient un culte à Rome et à Jules César divinisés (ce culte fut autorisé d'abord à Pergame et à Nicomédie, en 29 av. J.-C., et se

généralisa), celui d'Auguste vivant n'apparut pour la première fois qu'en 13 av. J.-C., associé aux Lares du peuple romain dans le culte restauré des *Lares compitales*.

107. L'antique Bonne Foi aux cheveux blancs, à laquelle Numa Pompilius bâtit un temple sur le Palatin.

108. Vesta, la Déesse Mère, était une divinité italique, originaire sans doute de Lavinium, qui représentait à la fois le feu (le foyer) et la terre. Son temple, sur le Forum romain, dans le voisinage de la Régia, passait pour avoir été bâti par Numa. Il avait une forme en rotonde, « pour imiter, nous dit Plutarque, non la forme de la terre, mais celle de l'univers, dont le milieu est occupé par le feu, que les Pythagoriciens nomment Vesta et l'unité ». — Le culte de la déesse, essentiellement italique, se répandit fort peu dans les provinces : on n'a trouvé en son honneur que deux inscriptions en Espagne, deux en Germanie et une en Gaule.

Dans le temple de Vesta étaient les pénates de Troie, donc des Jules et d'Auguste, et le palladium.

109. Quirinus est, comme Vesta, une divinité italique et indigète. Vers la fin de la République, on crut que Quirinus était Romulus divinisé par Numa. Plus tard on identifia même Auguste avec Quirinus.

110. Les portes du temple de Janus, fondé par Romulus au pied du mont Capitolin, étaient ouvertes pendant la guerre et closes pendant la paix. Depuis Numa jusqu'à la bataille d'Actium, elles n'avaient été closes qu'une seule fois, en ~ 235, après la première guerre punique. Auguste les ferma trois fois : en ~ 29, quand Virgile commençait *l'Enéide ;* en ~ 25; et en ~ 8.

Janus est justement cité ici, avec Vesta et Quirinus, parmi les dieux indigètes. Son culte est essentiellement romain. Gardien des portes et des arcs *(jani)* sous lesquels passaient les voies romaines, Janus est le dieu des ports, des routes, le dieu des commencements (il donne son nom au mois de janvier, *januarius)*, enfin le dieu de la paix *(pacis custos)*.

Aucun vestige ne subsiste du temple fondé par Romulus; mais le *Janus quadrifrons* (à quadruple passage), sur le *Forum boarium*, est l'un des monuments les mieux conservés de la Rome antique.

111. En fermant les portes du temple de Janus, on empêchait la guerre de sortir. Virgile substitue ici, à la guerre avec l'étranger, « la Fureur impie » des guerres civiles et s'inspire sans doute pour la décrire du tableau d'Apelle, placé dans le Forum d'Auguste.

112. Mercure, fils de Jupiter et de la nymphe arcadienne Maia, elle-même fille d'Atlas et de l'aînée des Pléiades. Une caverne du Cyllène avait abrité les amours de Jupiter et de Maia, et c'est dans cette caverne que la nymphe mit au monde Mercure. — Il y avait à Rome, non loin du grand Cirque, un temple commun de Jupiter et de Maia; les fêtes du dieu et de la déesse étaient célébrées le 15 mai.

113. Il avait des ailes aux talons.

114. Cf. note 65.

115. Un poète tragique, cité par Cicéron dans les *Tusculanes* (II, 36), dit que les jeunes Lacédémoniennes « préféraient la palestre, l'Eurotas, le soleil, la poussière, les fatigues de la guerre à une fécondité barbare ».

116. D'après les légendes, que rapportent à l'occasion de ce passage le Ps.-Servius et Hygin, Harpalyce, fille d'Harpalycos, roi des Ammiméens, en Thrace, avait délivré son père, prisonnier des Gètes ou des Myrmidons. Harpalycos ayant été plus tard chassé du trône et massacré, à cause de ses exactions cruelles, sa fille vécut dans les bois du produit de ses rapines et de ses chasses : elle échappait aux poursuites par la rapidité de sa course *(fuga)*, mais périt enfin, prise dans un filet comme une biche par des paysans qui la mirent à mort. La légende ajoute que ceux-ci se disputèrent alors un chevreau qu'elle avait capturé et s'entre-tuèrent. En expiation, les gens du pays se rendaient plus tard sur sa tombe en feignant de se livrer un combat.

117. Cf. note 31.

118. Diane.

119. Le cothurne (ἔμβας) était une botte à haute tige lacée sur le devant : c'était la chaussure des chasseurs, cf. *Buc.*, VII, 32, et aussi celle des acteurs tragiques.

120. La pourpre, tirée de deux coquillages marins, le *murex* et la *purpura*,

abondait sur les côtes de Tyr et de Sidon. La pourpre tyrienne passait pour la meilleure de l'Asie.

121. C'est-à-dire un royaume phénicien.

122. Le premier roi de Tyr ou de Sidon, père de Cadmus et d'Europe, frère ou fils de Bélus, qui est, dans *l'Enéide*, le père de Didon.

123. Anachronisme volontaire de Virgile : la fondation de Tyr était contemporaine de la prise de Troie, la fondation de Carthage lui était postérieure d'au moins trois siècles (813 environ av. J.-C.).

Didon-Elissa, d'après la légende, avait été chassée du trône, à la mort de son père, par son frère cadet Pygmalion. Elle épousa alors Sychée (que Servius nomme Sicharbas). Pygmalion fit assassiner Sychée. Alors Elissa s'enfuit avec les patriciens tyriens et alla fonder la nouvelle Tyr : Carthage, en phénicien : « Villeneuve ». Elle reçut de cette aventure le surnom de Didon, qui signifie l'*errante*. Cf. Gsell, *Hist. ancienne de l'Afrique du Nord*, I, pp. 380 sq.

124. Bélus.

125. Le premier rite de l'hymen était une prise d'auspices (examen des oiseaux) ou d'haruspices (inspection des entrailles d'une victime). Virgile attribue ici aux Tyriens une coutume romaine.

126. Le nom de Byrsa vient en réalité du mot phénicien *bosra*, contrefort, bastion. L'étymologie de *byrsa*, cuir (gr. βύρσα), est controuvée. Les Grecs avaient inventé, pour l'expliquer, la fable suivante : Didon, ayant acheté à bon compte du roi Iarbas « le sol que pouvait embrasser la peau d'un taureau », fit découper cette peau en lanières très minces *(byrsae)* et put ainsi détenir un terrain considérable.

127. L'étoile du soir ou du berger, opposée à l'étoile du matin, Lucifer. Cf. *Buc.*, VI, 87.

128. Dardanus, ancêtre des Troyens et fils de Jupiter, passait pour avoir vu le jour en Italie dans la ville étrusque de Corythe, plus tard Cortone.

129. L'étoile de Vénus, à en croire Varron, guida Enée de Troie jusqu'au pays des Laurentes.

130. Cf. note 31.

131. Cf. note 39.

132. Les cygnes étaient consacrés à Vénus, et de plus, à en croire Æmilius Macer, ami de Virgile et auteur d'une *Ornithogonie* que cite Servius, ils étaient considérés comme pouvant donner de précieux présages aux marins :

Cycnus in auguriis nautis gratissimus augur :
Hunc optant semper quia nunquam mergitur undis.

133. Il restait à Enée deux fois six vaisseaux à retrouver. Ils sont symbolisés ici par les douze cygnes.

134. L'aigle, cf. *En.*, XII, 247. Il passait pour n'être jamais atteint par la foudre.

135. L'ambroisie est, comme le nectar, à la fois un aliment, un breuvage, un parfum. C'est une liqueur mythologique, de composition incertaine, probablement à base de miel. Cf. *Géorg.*, IV, 415.

136. Toutes les déesses, sauf Diane, portaient une longue robe flottante.

137. La grâce majestueuse de la démarche caractérise les divinités. « Elles glissent sur la terre sans y toucher », dit le *Mahâbhârata*, qui ajoute qu'on reconnaît encore les dieux et les déesses à quatre signes : ils n'ont ni sueur ni poussière; ils ne clignent pas des yeux; ils n'ont pas d'ombre; leurs couronnes ne se flétrissent pas. Cette conception des dieux de l'épopée sanscrite est commune aux peuples indo-européens, et en particulier aux anciens Grecs et Latins. Cf. *En.*, V, 647.

138. Ainsi voit-on, dans *l'Odyssée* (VII), Athéné envelopper d'un nuage Ulysse, quand celui-ci s'avance vers la ville des Phéaciens.

139. Paphos était avec Amathonte et Aphrodisium l'une des villes de l'île de Chypre où Vénus avait son temple. On distingue la vieille Paphos, fondée, avant la guerre de Troie, par le Tyrien Cinyras, qui y transporta le culte phénicien d'Astarté, et la nouvelle Paphos, fondée, au retour de Troie, par le Grec Agapénor, qui y transporta le culte d'Aphrodite : le culte des deux déesses se confondit bientôt. Les deux Paphos, toutes deux situées sur la côte sud-occidentale de l'île, sont aujourd'hui, la première un amas de ruines, près du village de Kouklia, la seconde, un village : Baffa. Cf. *Odyssée*, VIII, 362, 59, et Tacite, *Hist.*, II, 3.

140. Ville de l'Arabie Heureuse, auj. Zébid, dans l'Yémen. Elle était célèbre par son encens.

141. Ces cabanes, que les Latins nommaient d'un mot punique : *magalia, mapalia*, sont des gourbis. Cf. Salluste, *Jug.*, 18, 8. — Virgile parle encore de ces gourbis dans les *Géorgiques*, III, 340, et dans *l'Enéide*, IV, 259.

142. La hauteur des colonnes est l'un des plus frappants détails du théâtre romain; le théâtre d'Arles nous le montre aujourd'hui.

143. Toute cette comparaison est en grande partie tirée des *Géorgiques*, IV, 163-169. C'est le thym qui passait pour donner au miel attique son parfum exquis.

144. D'après une antique légende, les Tyriens avaient choisi, pour construire Carthage, l'endroit où, en creusant la terre, ils avaient trouvé enfouie une tête de cheval. Les monnaies carthaginoises avaient en effigie une tête de cheval.

145. A Rome, le rite principal où figure le cheval est celui de l'*October equus*, sacrifice solennel offert à Mars considéré comme une divinité agricole. On faisait disputer une course de biges au Champ-de-Mars : l'animal de droite du char vainqueur était immolé, et sa queue égouttée sur le foyer de Vesta; puis sa tête était coupée en morceaux, que les habitants de certains quartiers se disputaient. — Peut-être faut-il voir un souvenir de ce rite chevalin dans l'association que fait ici Virgile de la gloire militaire et de la prospérité agricole.

146. Didon était de Tyr, colonie de Sidon, auj. Saïda, l'une des Echelles du Levant.

147. L'emploi du métal est un signe de magnificence. Cf. *Od.*, IV, 72; VII, 86; XIII, 4.

148. Agamemnon et Ménélas.

149. Irrité contre Priam, dont il tua le fils, Hector; irrité contre l'Atride Agamemnon, qui lui avait enlevé sa prisonnière, Briséis.

150. La citadelle de Troie : on donne souvent ce nom à la ville tout entière. — Selon Suidas et Servius, le mot πίργαμος ou πί.γαμον signifie proprement : bastion, citadelle.

Le pluriel *Pergama* est mis pour désigner les deux tours de la citadelle.

151. Cf. *Géorg.*, IV, 462. — Rhésus, roi de Thrace, fils du fleuve Strymon, était venu au secours de Priam. Un oracle avait déclaré que Troie ne succomberait pas si les chevaux de Rhésus buvaient les eaux du Xanthe et goûtaient les pâturages troyens. Rhésus arriva de nuit, mais cette nuit même, ses chevaux lui furent enlevés par Ulysse et il fut tué de la main de Diomède. Cf. *Il*, X, 433, 59.

152. Diomède, cf. note 151.

153. Homère et Euripide *(Rhésus)* font des chevaux de Rhésus des chevaux merveilleux.

154. Le Xanthe ou Scamandre se réunissait au Simoïs, et se jetait dans l'Hellespont, au nord-est du cap Sigée. Auj. le Mendéré.

155. Fils de Priam et d'Hécube, tué par Achille avant les événements de *l'Iliade*. Cf. *Il.*, XXIV, 257.

156. Son bouclier; mais il tient encore sa lance.

157. Le voile sacré ou *péplum* était une grande pièce de laine rectangulaire, sans couture, une sorte de châle qu'on drapait d'une certaine manière. A l'origine, le péplum était le costume des femmes grecques ou troyennes; il a fini par ne plus désigner, comme ici, que le châle de Pallas. Homère (*Il.*, VI, 285-311) nous montre Hécube choisissant son plus beau péplum pour le porter au temple de Pallas, où la prêtresse Théano le place sur les genoux de la déesse. C'est aussi un péplum qu'on portait en grande pompe aux Panathénées d'Athènes.

158. Même attitude dans *l'Iliade* (VI, 311).

159. Cf. *Il.*, XXIV. Dans Homère, le corps d'Hector est traîné trois fois chaque matin autour du tombeau de Patrocle. Dans Euripide, Ennius (cf. Cicéron, *Tusc.*, I, 105) et Virgile, le corps d'Hector est traîné autour des murs de Troie.

160. Hector.

161. Les phalanges éthiopiennes.

162. Memnon, fils du roi d'Ethiopie Tithon et de l'Aurore, fut envoyé par son père au secours de Priam. Il tua Antiloque (*Od.*, IV, 187-188) et fut tué à son tour par Achille.

163. Les Amazones étaient, selon la légende, un peuple de femmes guerrières, habitant les bords du Thermodon, fleuve d'Asie Mineure, et dont les capitales étaient Thémiscyre, Lycastie et Chadésie : car il y avait trois tribus.

Filles de Mars et de la nymphe Harmonie, elles n'admettaient avec elles aucun homme. Mais, pour perpétuer leur race, elles se rendaient, chaque printemps, auprès des Gargaréens, peuple de la montagne voisine, et revenaient chez elles. Les enfants mâles nés de ces brèves unions étaient massacrés ou renvoyés aux Gargaréens; les Amazones ne gardaient que les filles.

164. Reine des Amazones, qui succéda à Antiope et à Hippolyte, Penthésilée vint au secours de Priam, à la fin de la guerre de Troie, et se fit tuer par Achille.

165. Cf. note 115.

166. Le Cynthe est une montagne de l'île de Délos, près de laquelle sont nés Diane et Apollon.

167. Nymphes des montagnes.

168. *Latone...* Mère de Diane et d'Apollon, célèbre par son amour maternel. Poursuivie par la jalousie de Junon, à cause de ses amours avec Jupiter, elle mit au monde ses enfants dans l'île de Délos, surgie des flots pour la recevoir. — On sait comment elle se vengea de Niobé qui avait osé, dans un accès d'orgueil maternel, se comparer à elle, en faisant tuer les six fils et les six filles de celle-ci.

169. Cf. notes 62 et 74.

170. Cf. note 47.

171. L'Hespérie, pays du Soir (Vesper), désigne tantôt, comme ici, l'Italie, par rapport aux Grecs; tantôt l'Espagne, par rapport aux Romains. — Ce vers de Virgile semble imité d'Ennius : « Il est un pays que les mortels nomment Hespérie. »

172. Les Œnotriens ou descendants d'Œnotrus, fils de Lycaon, roi d'Arcadie, et petit-fils de Pélasge, passaient pour être venus en Italie cinq cents ans avant la guerre de Troie. Ils habitèrent d'abord la partie de l'Italie comprise entre Tarente et Posidonie, c'est-à-dire la Lucanie et le Bruttium.

173. Aristote et d'autres rapportent qu'un roi d'Œnotrie, Italus, fils de Télégone et de Pénélope, donna son nom au pays des Œnotriens; ce nom s'étendit ensuite à toute l'Italie. — Thucydide toutefois fait d'Italus un roi des Sicules.

174. Orion, fils d'Hyriée, géant béotien, soit qu'il ait poursuivi de son amour l'Aurore (Eôs), soit qu'il ait offensé Diane elle-même, périt de la piqûre d'un scorpion voulue par la déesse. Après sa mort, il prit place au ciel parmi les constellations. Au temps de Virgile le lever apparent d'Orion au soir durait du 29 novembre au 8 décembre et amenait, dit-on, les orages.

175. Ou Austers. Cf. note 32.

176. Les ombres des Enfers.

177. Cf. note 66.

178. Cf. *Buc.*, X, 4. — Virgile confond les Sicules et les Sicanes ou Sicaniens. Les anciens Sicanes occupaient la partie occidentale de la Sicile, les Sicules la partie orientale. Virgile emploie les deux appellations pour désigner indifféremment tous les habitants de la Sicile.

179. Sans doute parce qu'elle est honteuse de l'apparente cruauté de ses sujets, qu'un « dur état de choses » rend nécessaire.

180. Le soleil, par sa lumière bienfaisante, embellit les corps et les âmes, qu'il rend généreuses et miséricordieuses.

181. Cf. note 171.

182. Les champs sur lesquels régna Saturne (cf. *Géorg.*, II, 173), c'est-à-dire l'Italie.

183. Le pays où fut enterré Eryx, fils de Vénus, tué par Hercule, c'est-à-dire la Sicile, où se trouve le mont Eryx, auj. San Giuliano, au sommet duquel s'élevait un temple splendide à Vénus Erycine, que Pausanias compare au temple de Vénus à Paphos. Cf. Pausanias, VII, 16, 4; VIII, 24, 6.

184. Cf. note 66.

185. Cf. note 32.

186. Le marbre de Paros est le plus célèbre des marbres antiques : c'est une pierre d'une éclatante blancheur, qui se trouve dans l'île en couches si épaisses que les anciens croyaient que le marbre se reformait au fur et à mesure dans les entrailles de la terre. L'extraction s'en faisait non point dans des carrières, mais dans des mines, où les ouvriers s'éclairaient par des lampes. Cf. *Géorg.*, III, 34.

187. Même locution au vers 30.

188. Parmi les Troyens, les uns comme Hélénus et Andromaque s'étaient établis en Epire (cf. *En.*, III, 394, sq.); les autres, comme Aceste, en Sicile (cf. *En.*, I, 549); beaucoup avaient été emmenés comme esclaves en Grèce (cf. *En.*, III, 325); des compagnons d'Enée étaient restés en Crète (cf. *En.*, III, 190).

189. Les anciens croyaient que la partie la plus subtile de l'air, l'éther, nourrissait les constellations. Cf. Lucrèce, I, 231 : *Æther sidera pascit*. Selon Cicéron, *De Nat. Deor.*, II, 46, les vapeurs qui s'élèvent de la mer et de la terre servaient d'aliment aux étoiles et entretenaient leur éclat.

190. Virgile reprend textuellement ici un vers de la cinquième Bucolique (*Buc.*, V, 78.)

191. Cf. note 146.

192. Cf. note 38.

193. Teucer, frère d'Ajax, fils de Télamon et d'Hésione, sœur de Priam, fut chassé de l'île de Salamine par son père pour n'avoir pas empêché ou vengé le suicide de son frère. Il alla fonder, sur la côte orientale de l'île de Chypre, une nouvelle Salamine. Virgile imagine qu'il se rendit à Sidon pour implorer Bélus en faveur de la ville nouvelle.

194. Les Pélasges sont les peuples ou les hommes qui ont précédé en Grèce, en Italie, en Espagne et dans les îles de l'Archipel, les premiers habitants dont le nom est connu. Pour Hérodote, *Hist.*, II, 56, la Pélasgie (Πελασγια) est l'ancien nom de la Grèce. — Les poètes latins, à commencer par Ennius, désignent par Pélasges les Grecs en général.

195. Ce Teucer (cf. note 193), fils de Télamon et d'Hésione, tenait par sa mère, sœur de Priam et fille de Laomédon, aux Troyens descendants de Teucer, gendre de Dardanus. Cf. note 23, et *En.*, III, 108.

196. Ces *supplications* ou actions de grâces étaient l'usage romain. Il y eut quinze, puis vingt jours de *supplications* pour les succès de César en Gaule, quarante jours de *supplications* pour sa victoire en Afrique sur Juba.

197. Le taureau est « la plus grande victime »; il figure dans les sacrifices à Jupiter, à Bacchus et à Neptune.

198. Une hécatombe de l'animal choisi comme victime ordinaire pour les purifications.

199. Une double hécatombe.

200. L'acanthe de verre *(acacia arabica)*, arbre des pays chauds, dont la feuille est l'élément caractéristique du chapiteau corinthien, servait aussi de motifs de broderie. Dans ces motifs la feuille naturelle de l'acanthe était souvent déformée : les extrémités en étaient arrondies, et chaque lobe était partagé en quatre ou cinq divisions, rappelant ainsi la feuille de la vigne.

201. Hélène régnait à Sparte. Cf. *Il.*, II, 161.

202. Léda, fille du roi d'Etolie Thestius et femme du roi de Sparte Tyndare, fut la mère d'Hélène ainsi que des Dioscures (Castor et Pollux) et de Clytemnestre. La légende attribue la paternité d'Hélène et de Pollux, non à Tyndare, mais à Jupiter, qui aurait séduit Léda sous l'apparence d'un cygne. Léda aurait mis au monde deux œufs : de l'un serait sortie Hélène, de l'autre les deux jumeaux, dont l'un, Castor, aurait pour père Tyndare, l'autre, Pollux, pour père Jupiter.

203. Où régnait son beau-frère, le roi des rois, Agamemnon.

204. Troie. Cf. note 150.

205. Avec le beau Pâris, fils de Priam.

206. Fille aînée de Priam et d'Hécube, femme de Polymnestor, roi de Thrace.

207. Ces perles imitaient des baies : d'où leur nom. Elles étaient en stéatite, en agate, en améthyste, en cornaline, en cristal de roche, ou encore en une pâte bleue analogue au lapis-lazuli.

208. Les principales gemmes connues des anciens étaient : l'agate, l'aigue-marine, l'améthyste, la calcédoine, le corail, le cristal de roche, le diamant, l'émeraude (quartz vert), l'escarboucle, l'hyacinthe, le jaspe, l'onyx, l'opale, la perle, le saphir (lapis-lazuli), la sardoine et la topaze.

209. Cf. note 86.

210. Sur les artifices de Vénus, cf. Apollonius de Rhodes, *Argon.*, III, 7, 25 et 112.

211. Ou Eros, fils de Vénus et de Jupiter, dieu cruel et charmant qui règne sur le cœur des mortels. Dans les œuvres qui le représentent, Cupidon apparaît

le plus souvent sous les traits d'un adolescent d'une quinzaine d'années, ayant à la main l'arc et les flèches, ou parfois la torche et la lyre.

212. Allusion à la mauvaise foi punique.

213. Parce que Junon protège Carthage.

214. Cupidon.

215. Fils du Tartare et de la Terre, foudroyé par Jupiter et enseveli sous l'Etna, d'où il continua à lancer des flammes. Cf. *Géorg.*, I, 279.

216. Qui protège Carthage, c'est-à-dire la mauvaise foi punique.

217. Cupidon, fils de Vénus et de Jupiter, roi des dieux et des hommes.

218. Carthage, cf. *supra*.

219. Cf. note 86.

220. Ville de l'île de Chypre, au pied de la montagne du même nom, où se trouvait un temple de Vénus. — D'après Théocrite, XV, 100, le temple d'Idalie était l'un des séjours préférés d'Aphrodite (Vénus). — Pline nous apprend que la ville et le temple n'existaient déjà plus de son temps (V, 35).

221. Surnom de Bacchus, du grec λυειν, *délier*, parce qu'il délivre des soucis.

222. *Fait couler... un doux repos.* Cf. *Od.*, II, 395 : ἐπὶ γλυκὺν ὕπνον ἔχευεν ; et Furius, dans Macrobe, VI, 1, 44 : *mitemque rigat per pectora somnum.*

223. La campagne d'Idalie était couverte de bois et de vergers célèbres.

224. La marjolaine de Chypre ou origan avait un parfum renommé. Cf. Plin., *H. N.*, XXI, 163.

225. Sur le lit du fond, qui était, chez les Numides, la place d'honneur; cf. Sall., *Jug.*, 11, 3. — Didon, ainsi placée, a Enée à sa droite et Bitias à sa gauche. Iule est sur ses genoux.

226. Le pain.

227. Cf. *Géorg.*, IV, 376 sq., et Horace, *Od.*, VII, 103 sq.

228. Dans l'atrium.

229. Les mets qu'elles disposent en longue file.

230. C'était l'un des luxes des maisons riches que d'avoir des serviteurs du même âge. Cf. Sénèque, *Ep.*, 119 : *paribus ministeriis*, ou des serviteurs assortis par la taille, la couleur des cheveux, la ressemblance.

231. L'éclat du regard est un signe de divinité. Cf. note 137.

232. L'amour.

233. Vénus avait coutume de se baigner avec les Grâces dans la fontaine d'Acidalie, près d'Orchomène, en Béotie.

234. Cf. note 123.

235. Après le premier service ou repas proprement dit, on retirait les plateaux *(fercula)* sur lesquels on avait apporté les mets. — A ce premier service en succédait un second, la *comessatio*, qui s'ouvrait par une libation aux dieux et pendant lequel l'on buvait.

236. Des cratères, dits *cratères à calice*, dont le rebord s'épanouit, et qui s'incurvent par le bas. — Les anciens puisaient dans les cratères le vin mélangé d'eau, les vins grecs étant trop épais pour qu'on pût les boire purs.

237. Les anciens entendaient par *couronner le vin* remplir les cratères jusqu'aux bords, le vin formant alors comme une couronne aux bords des cratères. Cf. *Géorg.*, II, 528, et *En.*, III, 525; *Il.*, I, 470.

238. Ces plafonds « à caisson » étaient appelés par les anciens *laquearia* (de *laqueus*, lacet) par assimilation aux mailles d'un filet ou à la boucle d'un nœud coulant.

239. Il s'agit ici non du père de Didon, mais d'un ancêtre, Bélus, fondateur de la race.

240. Didon invoque ici le Jupiter protecteur des hôtes, le Ζεὺς ξένιος des Grecs, cf. Ovide, *Mét.*, X, 224 : *Jupiter hospes ;* Cicéron, *Ad Quintum*, II, 10, 3 : *Jupiter hospitalis.* « C'est de la part de Zeus (Jupiter), dit Homère, que viennent tous les étrangers et tous les pauvres. » Et, dans *l'Odyssée*, lorsque Eumée accueille Ulysse sans le reconnaître, il lui dit : « Si j'ai pitié de ta misère, c'est parce que je redoute Zeus hospitalier. »

241. *Bonum vinum laetificat cor hominum*, « Le bon vin réjouit le cœur de l'homme ».

242. Les femmes ne buvaient pas de vin.

243. Il ne saurait s'agir ici de Bitias, frère de Pandare, que nous retrouvons dans *l'Enéide*, IX, 672. Selon Servius, Bitias était le chef de la flotte d'Enée, *ut docet Livius*, « comme nous l'apprend Tite-Live ». Si cette assertion de Servius est exacte, le nom de Bitias se trouve dans un des livres de Tite-Live qui ne nous sont point parvenus.

244. Ironique : car Bitias n'avait pas besoin qu'on l'excitât à boire. Sa *hâte à vider* la coupe et sa façon de *s'y abreuver* le prouvent du reste.

245. Ce Iopas serait, d'après Servius, un roi africain. Le chanteur rappelle ceux des repas homériques : Démodocus, chantant à la cour d'Alcinoüs, roi des Phéaciens; Phémius, que les prétendants de Pénélope forçaient à chanter dans leurs festins. — L'usage d'introduire, à la fin du festin, des chanteurs, des mimes ou des arétalogues était fréquent à Rome.

246. Comme Apollon citharède, dieu des chanteurs. Cf. *En.*, IX, 638.

247. De sa main droite, le citharède exécutait la mélodie à l'aide du plectre; de la gauche, avec les doigts seuls, il la répétait à l'unisson ou l'harmonisait à la tierce supérieure.

248. Atlas, roi de Mauritanie, fils du Titan Japet et de l'Océanide Clymène, frère des Titans Prométhée et Epiméthée, prit part à la guerre des Titans contre Jupiter, et fut condamné à porter le ciel sur ses épaules et à en faire tourner l'axe. Selon Homère (cf. *Od.*, I, 52), il connaît tous les abîmes de la mer. Des légendes postérieures font de lui un astronome : il enseigna, dit-on, l'astronomie à Hercule, qui avait délivré ses filles, les Hespérides. C'est lui, dit Pline (II, 6, 3), qui découvrit que la terre était ronde. Iopas reçoit de lui des leçons, non de musique, mais d'astronomie. Cf. *En.*, IV, 482; VIII, 137.

249. Cf. *Géorg.*, II, 478.

250. L'Arcture est l'étoile la plus grande de la constellation du Bouvier, voisine de la Grande Ourse. Son nom vient, selon les uns, du voisinage de la queue de l'Ourse (arctos, oura); selon les autres, il signifie gardien de l'Ourse (arctos, ouros). Cf. *Géorg.*, I, 68.

251. Les Hyades (dont le nom vient de ὕειν, *pleuvoir*) sont les filles du géant Atlas. Elles moururent de chagrin de la mort de leur frère Hyas, tué à la chasse, et furent changées en constellation pluvieuse. On en compte 5 ou 7. Elles se lèvent entre le 16 mai et le 9 juin, se couchent entre le 2 et le 14 novembre : leur lever et leur coucher marquent donc un changement de saison. Ce sont les Hyades que Cicéron et Pline appellent *Suculae*. Cf. *Géorg.*, I, 138.

252. Les constellations appelées Bœufs *(triones)* ou Chariots *(plaustra)* par les Latins sont les mêmes que les Grecs appellent Ourses. Elles forment deux figures symétriques de sept étoiles, cf. *Géorg.*, III, 381 : *septem... trioni* : les quatre premières étoiles font un rectangle, et les trois autres une courbe, appelée queue *(cauda)*.

253. Ce passage est répété des *Géorgiques*, II, 481-482.

254. Memnon. Cf. note 162.

255. Cf. notes 151 et 153. Outre les chevaux de Rhésus, Diomède avait ravi ceux de Darès, de Chromios et d'Enée. Cf. *Il.*, V, 25, 163.

256. Le cheval de Troie.

257. Ces revers font l'objet du livre II.

258. Ces courses font l'objet du livre III.

258 *bis*. Sur le sens qu'a ici *aestas*, l'année étant divisée en deux « saisons » cf. Constans, *l'Enéide*, pp. 408-421.

LIVRE DEUXIÈME

LE SAC ET LA RUINE DE TROIE

259. Assis à la place d'honneur, Enée avait, selon l'usage ancien, un lit surélevé par des coussins. — Le mot *torus*, employé par Virgile, désigne proprement un toron de câble; puis, par extension, tout objet qui, par sa forme, rappelle les renflements que font les brins tressés d'un câble : les coussins de lit étaient bordés, primitivement d'herbes tressées. Cf. Varron, *ap. Non.*, XIV,12.

260. Cf. note 19.

261. Les Myrmidons étaient un peuple achéen, établi primitivement dans l'île d'Egine; Pélée, père d'Achille, en établit une colonie dans le Phthiotide, région de la Thessalie méridionale, sur les bords du golfe Maliaque. Commandés à Troie par Achille, ils se signalèrent par leur vaillance.

262. Les Dolopes, établis aussi dans la Thessalie méridionale, au pied du Pinde, furent commandés aussi par Achille et se signalèrent devant Troie par leur vaillance.

263. Les soldats d'Ulysse comme les Myrmidons et les Dolopes d'Achille étaient renommés pour leur bravoure, et Ulysse était, avec Achille, l'un des plus *durs* adversaires de Troie.

264. Dix ans.

265. L'île a gardé son nom ancien. Les Turcs la nomment Bokhtcha-Adassi.

266. Capitale du roi des rois, Agamemnon, prise pour la Grèce entière. Cf. note 102.

267. Le pays des descendants de Teucer, c'est-à-dire la Troade.

268. Le camp des Grecs. — Ce n'est que quatre-vingts ans après la guerre de Troie que les Doriens, conduits par les Héraclides, s'emparèrent du Péloponnèse : aussi Homère n'emploie-t-il jamais ce mot pour désigner les Grecs. Il y a ici un anachronisme.

269. Cf. note 262.

270. Minerve était, avec Diane, la déesse vierge, qui ignorait les noces *(innupta)*.

271. Thymète, fils de Laomédon, neveu de Priam, est l'un des vieillards qui entourent Priam dans Homère, *Il*,. III, 146. — A en croire Servius, le poète Euphorion de Chalcis avait raconté que Thymète avait eu un fils le même jour qu'Hécube, femme de Priam. Un oracle ayant dit que ce jour-là naîtrait celui qui causerait la ruine de Troie, Priam, ne voulant pas appliquer cette prédiction à son fils Pâris, fit périr la femme et le fils de Thymète. Thymète avait donc à se venger de Priam. — Il convient de noter que ce récit est en désaccord avec la légende qui rapporte que Priam avait fait exposer Pâris à sa naissance, et que Pâris avait été sauvé par Hécube. Cf. *Buc.*, II, 61.

272. Trahison entraînée par le désir de venger la mort de sa femme et de son fils. Cf. note 271.

273. Cf. note 62.

274. La tradition fait de Laocoon le frère d'Anchise et l'oncle d'Enée.

275. Des Grecs. Cf. note 77.

276. Des Grecs. Cf. note 14.

277. Pergame. Cf. note 150.

278. Troyens. Cf. note 17.

279. Troie était située en Phrygie.

280. Palamède, fils du roi d'Eubée Nauplius, fut l'un des Argonautes.

281. Palamède se rattachait à Bélus par sa grand-mère, la Danaïde Amymone.

282. Cf. note 194.

283. On connaît la légende, qui fait le sujet du *Palamède* d'Euripide : Ulysse, pour éviter d'aller à la guerre de Troie, feignit la folie et labourait le sol du rivage; Palamède dévoila sa supercherie en plaçant devant la charrue le jeune Télémaque. Ulysse, pour se venger, accusa alors Palamède d'intelligence avec l'ennemi, et affirma qu'on trouverait dans sa tente l'or qu'il avait reçu de Priam. On l'y trouva, en effet, car Ulysse avait pris soin de l'y enfouir lui-même pendant la nuit. Palamède fut tué à coups de pierres par les Grecs.

284. Sinon invente ce détail pour se faire bien voir des Troyens.

285. Sinon invente encore ce détail. Il n'était nullement parent de Palamède. A en croire Servius, il avait pour aïeul Autolycus, voleur célèbre dont parle Homère (*Od.*, XIX, 355-396) et pour père Œsimus. Cet Œsimus était le frère d'Anticlée, la mère d'Ulysse. A grand-père voleur, petit-fils perfide.

286. La terre, par opposition aux « rives d'en bas », les Enfers.

287. En Grèce.

288. Calchas, fils de Thestor, devin célèbre des Grecs. C'est lui qui a exigé le sacrifice d'Iphigénie; qui a expliqué la colère d'Apollon, irrité de l'outrage fait à son prêtre Chrysès; qui a conseillé de faire le cheval de bois.

289. Dans sa haine simulée, Sinon désigne Ulysse par cette dénomination méprisante. — Rien ne pouvait mieux disposer les Troyens en faveur de Sinon que cette haine prétendue d'Ulysse, détesté d'eux entre tous les Grecs.

290. Agamemnon et Ménélas.

291. Cf. note 32.

292. Au vers 16, Virgile parle de sapin *(abies)* ; aux vers 186, 230 et 260, de chêne *(robur)* ; au vers 258 de pin *(pinus)*, soit que ces détails fussent pour lui sans importance, soit que divers bois entrassent dans la composition du cheval de Troie. — L'érable, comme le pin, le sapin et le chêne, abondait en Phrygie. Il passait, ainsi que le chêne-rouvre, le pin maritime et le sapin, pour un bois imputrescible.

293. Eurypyle, fils d'Evémon, commandait les troupes d'Orménium en Thessalie. Cf. *Il.*, II, 734.

294. Iphigénie, fille d'Agamemnon et de Clytemnestre, fiancée d'Achille, dont le sacrifice est le sujet d'*Iphigénie à Aulis* d'Euripide. Ce sacrifice, par lequel les Grecs retenus à Aulis obtinrent des vents favorables, est inconnu à Homère.

295. Grecque.

296. Cf. note 289.

297. Cf. note 288.

298. Cf. note 289.

299. Avant le sacrifice, on émiettait sur la tête de la victime une galette d'épeautre salée *(mola salsa)*. La farine représentait le plus précieux des biens (cf. Denys d'Halicarnasse, II, 25); le sel était le symbole de la pureté de l'âme : Homère le qualifie de divin (Θεῖος ἅλς).

300. Les bandelettes *(vittae* ou *infulae)*, généralement en laine blanche, étaient des insignes sacrés. Elles étaient le symbole de l'inviolabilité. Le prêtre s'en parait au moment du sacrifice et en garnissait la tête de la victime.

301. *Qui que tu sois..., tu seras des nôtres...* C'est la formule même dont un général romain accueillait un transfuge.

302. Les suppliants tendaient leurs mains renversées, en tournant la paume vers le ciel.

303. Diomède, qui avait ravi le Palladium.

304. Le Palladium, auquel était lié le sort *(fatum)* des Troyens. — Selon une tradition, Dardanus transporta de Samothrace à Troie le Palladium ou statue de Pallas. Suivant une autre version, Jupiter le fit tomber du ciel près de la tente d'Ilus, quand ce prince construisait la citadelle d'Ilion. L'oracle ayant déclaré que Troie serait imprenable tant que le Palladium serait dans ses murs, Dardanus en fit, dit-on, faire un autre, à l'imitation du premier; Diomède et Ulysse auraient ravi ce second Palladium, et le premier, le vrai, sauvé par Enée, aurait été emporté par lui en Italie et placé dans le temple de Vesta. Cette légende contredisant l'oracle, certains disent que Diomède et Ulysse enlevèrent bien le vrai Palladium, mais que Diomède le rendit soit à Enée, à son passage en Calabre, soit à un certain Nautès, dans la famille duquel resta le culte de Pallas.

305. Il était défendu de toucher les objets sacrés avant de s'être purifié les mains dans l'eau vive. Cf. *En.*, II, 718 et *Il.*, 266, 59.

306. Minerve. — Déjà, dans Homère, *Tritogénie* est un nom donné à Athéné (Minerve) : on disait que la déesse était née sur les bords du Triton, son père. Dieu-poisson, soit du fleuve Triton en Béotie, soit de la source Triton en Crète, soit d'une rivière et d'un lac de Libye, Triton apparaît pour la première fois dans la *Théogonie* d'Hésiode, qui en fait le fils de Neptune (Poséidon) et d'Amphitrite (Cf. note 57). Il est lui-même le père et le parèdre de Tritogénie (Τριτογενεία) ou Tritonis, identifiée avec Minerve-Athéné (cf. *En.*, II, 615). L'appellation de *Tritonienne* est purement locale (Libye, Béotie, Thessalie); la véritable déesse des eaux est Diane.

307. Il faut entendre : de ses yeux grands ouverts et rendus fixes par la colère.

308. Cf. note 288.

309. Cf. note 150.

310. Cf. note 14.

311. Cf. note 287.

312. La patrie d'Agamemnon le roi des rois, leur chef. Cf. notes 102 et 266.

313. Cf. note 304.

314. Cf. note 292.

315. Pélops, fils de Tantale et père d'Atrée, chassé de Phrygie, passa dans le Péloponnèse (qui tire de lui son nom) et régna sur l'Elide. On montrait en Laconie les tombeaux de ses compagnons phrygiens; à Olympie même, dans l'Altis, on faisait voir le tombeau du héros, orné de statues et d'offrandes votives, dans une enceinte nommée Pélopion. Tous les ans on y égorgeait un bélier noir selon des rites particuliers (cf. *Géorg.*, III, 7). — Les murs de Pélops désignent ici le Péloponnèse, et, par extension, toute la Grèce.

316. Cf. note 303.

317. Achille était de Phthie, bourg voisin de Larissa, en Thessalie.

318. En chiffres ronds. Homère, *Il.*, II, dénombre 1 196 vaisseaux grecs.

319. Cf. note 274.

320. A en croire Servius, qui cite Euphorion de Chalcis, le prêtre troyen de Neptune avait été tué à coups de pierres par ses compatriotes pour n'avoir pas empêché le débarquement des Grecs. Laocoon, déjà prêtre de l'Apollon de Thymbrée, avait été désigné par le sort pour le remplacer. Cf. *Géorg.*, IV, 423.

321. Homère ne parle pas de la mort de Laocoon. Le sujet, traité par Sophocle, Euphorion de Chalcis et Virgile, a inspiré le groupe célèbre que Michel-Ange nommait « le miracle de l'art ». Ce groupe en marbre, de trois morceaux, selon Michel-Ange, d'un seul morceau, suivant Pline (XXXVI, 4), est dû au sculpteur rhodien Hagésandre et à ses deux fils, Polydore et Athénodore, qui semblent avoir vécu dans la première moitié du Ier siècle av. J.-C. Il se trouvait, à l'époque de Pline, dans le temple de Titus; il a été retrouvé en 1506, sous Jules II, et placé au musée du Vatican : mais le bras droit du père et ceux des enfants, qui étaient brisés, ont été restaurés en stuc. Canova regrettait cette restauration, qui, selon lui, avait détruit l'harmonie de l'ensemble. — C'est la comparaison du passage de Virgile et de ce groupe qui inspira le *Laocoon* de Lessing.

322. Cf. note 306.

323. Pausanias (1, 34) nous dit que Phidias avait représenté la Minerve du Parthénon « ayant à ses pieds son bouclier et un serpent couché contre le bois de sa lance ». Cf. Salomon Reinach, *Répertoire de la statuaire grecque et romaine*, II, 274, 1 et 2.

324. Cf. note 292.

325. Cf. note 28.

326. La plus belle des filles de Priam et d'Hécube et la sœur jumelle d'Hélénus (*En.*, III, 295), Cassandre, aimée d'Apollon, avait reçu du dieu le don prophétique; mais, ayant repoussé ensuite Apollon, elle se vit enlever par le dieu le pouvoir d'être crue dans ses prédictions. Après la prise de Troie, emmenée en captivité par Agamemnon, qui s'éprit d'elle, elle périt avec lui sous les coups de Clytemnestre.

327. Les anciens croyaient que le ciel tournait autour de la terre en un jour. Cf. Ennius, cité par Macrobe (VI, 1, 8) :

Vertitur interea caelum cum ingentibus signis.

328. Chaque soir, selon les anciens, la Nuit s'élevait de l'Océan, et chaque matin elle y tombait (*En.*, II, 9). Cf. *Od.*, V, 294; et Ovide, *Mét.*, IV, 92 : *Aquis Nox exit ab isdem.*

329. Cf. note 261. — Ici : Grecs en général.

330. Signal donné à Sinon pour ouvrir le cheval de Troie. — Précédemment, Hélène, du haut de la citadelle, avait donné le signal du départ de Ténédos. Cf. *En.*, VI, 519.

331. Ce Thessandre est identifié par certains avec Thersandre, fils du roi de Thèbes Polynice et d'Argia. Cf. Apollodore, III, 7, 2. Mais Pausanias (IX, 6, 14) nous apprend que Thersandre fut tué par Télèphe au commencement du siège de Troie. — Peut-être est-ce un personnage inconnu par ailleurs.

332. Chef argien, fils de Capanée, compagnon de Diomède. Cf. *Il.*, II, 638.

333. Acamas, fils de Thésée, héros éponyme d'une tribu attique, a été mêlé à la guerre de Troie bien après la composition des poèmes homériques. Virgile l'adopte ici. — Homère a bien deux personnages de ce nom, mais dans le camp troyen. Cf. *Il.*, 823 et 844.

334. Thoas, fils d'Andrémon, roi de Calydon, en Etolie. Cf. *Il.*, II, 638.

335. Néoptolème ou Pyrrhus, petit-fils de Pélée, fils d'Achille et de Déidamie, tua Polite et Priam (cf. *En.*, III, 294, 59), précipita Astyanax du haut d'une tour, égorgea Polyxène sur la tombe d'Achille, et s'en vint fonder un royaume en Epire. Il périt à Delphes de la main d'Oreste.

336. Machaon, fils d'Esculape, le médecin des Grecs, et d'Arsinoé, chef des Messéniens, guérit les blessures de Philoctète dans l'île de Memnos.

337. Epéus, fils de Panopée, construisit le cheval de bois.

338. Cf. Ennius, cité par Macrobe, VI, 1, 20 :

Nunc hostes vino domiti somnoque sepulti.

339. Epithète homérique : βροτοῖσι δειλοῖσι.

340. Char à deux chevaux.

341. Virgile suit sans doute ici la version qui veut qu'Hector ait été attaché, vivant encore, au char du vainqueur.

342. Des armes d'Achille dont il avait dépouillé Patrocle après l'avoir tué.

343. Voir ces combats aux chants XV et XVI de *l'Iliade.*

344. Cf. Ennius, cité par Macrobe, VI, 2, 18 :

O lux Trojae, germane Hector...

« O lumière de Troie, mon frère Hector... » Cf. aussi *Il.*, XXI, 538 : τεῦξαν φάος

345. Le culte des dieux Pénates — privés et publics — était pour les Romains un culte national et indigène. Cependant, suivant une antique tradition rapportée par Denys d'Halicarnasse (1, 67), ces dieux seraient originaires du Péloponnèse d'où ils auraient été introduits à Troie. Virgile, qui suit cette tradition, admet que le culte des Pénates fut apporté à Lavinium par Enée, ancêtre des Romains. — Ce qui est certain, en tout cas, c'est que dès les premiers temps de l'histoire romaine il est question de Pénates publics à Lanuvium, à Albe et à Rome. Ceux de Rome furent souvent identifiés avec le couple Romulus et Rémus, ou avec Castor et Pollux. Ils avaient à Rome deux temples : la *Regia*, et un autre, au bas de la colline de la Vélie, qui passait pour abriter les Pénates de Lanuvium. Auguste, qui tenait beaucoup à ce culte, dans un intérêt dynastique, lui réserva un sanctuaire dans son palais du Palatin. On comprend dès lors l'importance que Virgile donne dans *l'Énéide* aux Pénates de Troie.

346. Vesta, déesse du feu, du foyer, n'avait point d'image à l'origine. Mais des monnaies de l'époque impériale nous la montrent assise et portant sur la main étendue le palladium. Elle avait alors des statues. Son culte était souvent associé à celui des Pénates.

347. Symbole des traditions familiales, et, dans la cité, de la perpétuité de l'Etat.

348. Déiphobe, fils de Priam et d'Hécube, épousa Hélène après la mort de Pâris et fut livré par elle aux Grecs dès leur entrée à Troie. Cf. *En.*, VI, 494-546.

349. Du feu.

350. Homère, *Il.*, III, 148, nomme Ucalégon parmi les vieillards qui entourent Priam, quand du haut des portes Scées il contemple les combats des Grecs et des Troyens.

351. La mer qui baigne le cap Sigée, au nord-ouest de la Troade et à l'entrée de l'Hellespont; auj. Kum-Kalé.

352. Panthus, fils d'Othrys, est nommé par Homère parmi les vieillards qui entourent Priam au conseil (cf. *Il.*, III, 146); il est père de trois guerriers, mentionnés aussi par Homère, entre autres Euphorbe et Polydamas, protégé d'Apollon (cf. *Il.*, XV, 522). — Virgile, utilisant sans doute ce dernier détail, fait de Panthus un prêtre d'Apollon.

353. Du côté des Grecs.

354. Nom commun aux Furies, que les Grecs nommaient par antiphrase Euménides (Bienveillantes) et qui sont des divinités vengeresses. Virgile, à la suite d'Euripide (*Or.*, 408; *Troy.*, 457), en compte trois : Alecto, Mégère, Tisiphone. Cf. *En.*, VI, 571; VII, 324; XII, 846.

355. Inconnu d'Homère et des devanciers de Virgile. Virgile a pris son nom sans doute au trésor des mots grecs : Riphée est un Centaure. Cf. Ovide, *Mét.*, XII, 352.

356. Inconnu d'Homère et des devanciers de Virgile, qui en fait le père de Périphas. Cf. *En.*, V, 547.

357. La lune, qui gardait d'abord « un silence amical », a fini par se lever.

358. Inconnu d'Homère et des devanciers de Virgile, qui donne à son héros un nom de fleuve.

359. Dymas était le nom du beau-père d'Hécube et du père d'Asius (cf. *Il.*, XVI, 718). Ce n'est sûrement pas de ce Dymas que Virgile parle ici.

360. Corèbe nous est connu par Euphorion de Chalcis et par une tragédie, *Rhésus*, attribuée à Euripide. Priam ayant secouru Mygdon, père de Corèbe et roi de Phrygie, contre les Amazones, Corèbe fut envoyé par son père défendre Troie assiégée par les Grecs. — Selon Pausanias, il figure dans les peintures du temple de Delphes. Il fut tué, à en croire Pausanias (X, 27, 1), par Néoptolème; à en croire Virgile, par Pénélée. Cf. *En.*, II, 425.

361. Homère attribue un amour analogue à Othryonée. Cf. *Il.*, XIII, 363.

362. Les anciens croyaient que les dieux abandonnaient une ville sur le point d'être prise. Aussi quelques peuples, par exemple les Tyriens, au dire de Quinte-Curce, enchaînaient-ils dans les temples les statues des dieux pour qu'elles ne pussent quitter la ville. Macrobe nous apprend que les généraux romains adressaient aux dieux protecteurs des villes qu'ils assiégeaient une « évocation » pour les attirer à Rome, où ils leur promettaient un culte plus grandiose. Tacite note, à propos de la prise de Jérusalem par Titus, qu' « on entendit une voix surnaturelle disant que les dieux s'en allaient de la ville, et qu'il s'ensuivit un énorme exode de la population ». (*Hist.*, V, 13.)

363. La lune s'était voilée.

364. Autre Grec inconnu, auquel Virgile donne le nom du fils de Minos et de Pasiphaé, dont il parle au livre VI de *l'Enéide*, 20. — Il ne faut pas confondre l'un avec l'autre.

365. La citadelle.

366. Cf. *Géorg.*, III, 421.

367. Cf. note 360.

368. Grecque.

369. Cf. note 355.

370. Cf. note 359.

371. Orcus est le nom d'une divinité infernale, et, par extension, des enfers, puis de la mort, chez les anciens Romains (cf. Plaute, Névius, etc.). Virgile dit « dépêcher chez Orcus », *Orco demittere*, comme Homère dit « dépêcher chez Hadès » (cf. *Il.*, I, 3) : ψυχὰς Ἄϊδι προΐαψεν.

372. Cf. note 360.

373. Du sanctuaire de Minerve.

374. Cf. note 24.

375. Agamemnon et Ménélas.

376. Cf. note 262.

377. Cf. note 50.

378. Cf. note 32.

379. Cf. note 31.

380. L'Eurus, vent du sud-est, vient du côté de l'Aurore ou de l'Orient. Les chevaux dont il s'agit ici ne sont point ceux qui traînaient le char du Soleil, mais ceux qui traînaient le char de l'Eurus auroral. Euripide (cf. *Phéniciennes*, 218) parle de même du char du Zéphyre et Horace (cf. *Odes*, IV, 4, 44) fait allusion, comme Virgile, aux chevaux de l'Eurus.

Virgile, d'autre part, qualifie justement l'Eurus, le Zéphyre et le Notus, puisque le premier soufflant du sud-est, le second souffle de l'ouest et le troisième du sud. Macrobe cite à ce propos Ennius :

Concurrunt veluti venti, cum spiritus austri
Imbricitor aquiloque suo cum flamine contra
Indu mari magno fluctus extollere fluctant.

Cf. aussi *Il.*, IX, 4.

381. Nérée est un dieu marin, le symbole de la mer bienfaisante. Hésiode le fait fils de l'Océan (Pontos), et on lui attribue pour mère tantôt Thétys, tantôt

la Terre (Gaia). C'est, dit Hésiode, « un vieillard véridique et doux, qui n'oublie jamais les lois de l'hospitalité et qui n'a que des pensées de justice et de douceur ». Il est le père des cinquante Néréides. L'épisode le plus connu de sa légende est son combat avec Hercule, quand celui-ci veut le forcer à livrer le secret de la retraite des Hespérides : Nérée, qui a le pouvoir de se transformer, se change en eau et en feu, mais il est vaincu. De nombreux vases peints reproduisent cette lutte. Nérée est représenté généralement comme un vieillard chenu, tenant un trident ou un sceptre, et dont le corps se termine quelquefois, comme celui de Triton, par une queue de poisson. Cf. *Buc.*, VI, 35.

382. Ce rôle violent n'est pas attribué d'ordinaire à Nérée. Cf. note précédente.

383. Comme Homère, Virgile attribue la même langue aux Grecs et aux Troyens, mais il suppose entre eux une différence d'accent.

384. Cf. note 360.

385. Nom pris par Virgile dans *l'Iliade* (II, 494), où il désigne un autre personnage, chef des Béotiens, qui, selon Pausanias (IX, 5, 15), fut tué sous les murs de Troie par Eurypyle, fils de Télèphe.

386. Cf. note 355.

387. Cf. *Od.*, I, 234. — La pensée est elliptique : « Les vertus de Riphée eussent dû le sauver, mais les dieux en avaient décidé autrement. »

388. Cf. note 358.

389. Cf. note 359.

390. Cf. note 352.

391. Cf. note 352.

392. Personnage inconnu d'Homère et des écrivains antérieurs à Virgile, qui lui donne un nom connu.

393. Virgile donne à ce personnage le nom du fils célèbre de Neptune et de Tyro.

394. Faire la tortue consistait pour les soldats à élever leurs boucliers au-dessus de leurs têtes, de façon à former un toit, analogue à une carapace de tortue, qui les protégeât contre les traits de l'ennemi, surtout lorsqu'ils s'avançaient au pied d'un mur.

395. Andromaque, fille d'Eétion, roi de Thèbes, en Cilicie, et veuve d'Hector (d'où l'épithète d'*infortunée* que lui décerne Virgile), devait, après la prise de Troie, épouser Pyrrhus (Néoptolème), fils d'Achille, puis Hélénus, autre fils de Priam, avec lequel elle régna sur l'Epire. Cf. *En.*, III, 204.

396. Priam et Hécube.

397. Astyanax ou Scamandrius (cf. *Il.*, VI, 402), fils d'Hector et d'Andromaque, devait, suivant un oracle, venger Troie asservie. Il fut, selon les uns, précipité du haut des remparts de la ville par Pyrrhus, à l'instigation du *dur* Ulysse; selon les autres, sauvé par sa mère et emmené avec elle à la cour de Pyrrhus.

398. Le camp des Grecs.

399. La cour d'entrée, entre la porte de la maison et la rue, ouverte par-devant et fermée sur les côtés par un mur ou une colonnade, quelquefois par une rangée de petits bâtiments. Cf. Vitruve, VI, 10, 5.

400. Cf. note 335.

401. Cf. *Il.*, XIII, 13-14.

402. Comparaison qui se trouve presque textuellement dans les *Géorgiques*, III, 426, 437 et 439. Cf. *Il.*, XXII, 93.

403. Les anciens croyaient que le venin du serpent provenait des herbes vénéneuses qu'il mangeait.

404. Virgile semble suggérer que Pyrrhus est un nouvel Achille rajeuni.

405. Inconnu. Le poète a emprunté son nom au personnage d'Homère tué au pied des remparts de Troie (cf. *Il.*, V, 842).

406. Automédon, fils de Diorès, le conducteur fameux du char d'Achille. Cf. *Il.*, *passim*.

407. Scyros, auj. Skyrô, l'une des Sporades du nord, au nord-est de l'Eubée voisine. C'est là que vivait Pyrrhus près de sa mère Déidamie, et de son grand-père Lycomède, roi du pays; c'est là que vint le chercher Ulysse, parce qu'un oracle l'avait déclaré nécessaire à la prise de Troie; et c'est de là qu'il partit, emmenant avec lui toute la jeunesse de l'île.

408. Les vantaux de la porte construits en bois de rouvre.

409. Virgile décrit ici le palais de Priam sur le modèle d'une maison romaine de son temps.

410. Même expression : *sidus aureum* dans Horace, *Epod.*, XVII, 41.

411. Cette comparaison se retrouve dans Lucrèce, *De Natura Rerum*, I, 285. Cf. aussi *Il.*, V, 87.

412. Du haut du toit, d'où le regard plonge dans les cours intérieures et les appartements ouverts.

413. Cinquante brus et cinquante filles (cf. *Il.*, VI, 243).

414. Cf. *Il.*, VI, 243 :

Πεντήκοντ' ἔνεσαν θάλαμοι ξεστοῖο λίθοιο

415. Cf. Ennius, *Andromaque captive* (d'après le texte restitué par L. Havet) :

Vidi ego te astante ope barbarica,
Marmore pictam atque abiete crispa,
Tectis caelatis lacuatis,
Auro ebore instructam regifice...
Haec omnia vidi inflammari,
Priamo vi vitam evitari,
Jovis aram sanguine turpari.

Cicéron qui cite ces vers d'Ennius (*Tusc.*, III, 44) s'écrie, admiratif : « Le magnifique passage! Les sentiments, les mots, la cadence, tout est funèbre! »

416. On a opposé ce passage à ceux où l'on voit Priam se faire tuer près de l'autel de Zeus (Jupiter). Cf. Ennius, *loc. cit.*, note précédente, et Sénèque, *Agam.*, 449 :

Sparsum cruore regis Herceum Jovem.

417. C'est l'attitude des suppliantes. Cf. Sophocle, *Œdipe roi*, 15.

418. Fils de Priam et père lui-même d'un Priam, qui est l'ami d'Ascagne (cf. *En.*, V, 564). Homère cite deux fois Polite, *Il.*, II, 791; XV, 339.

419. Les portiques du péristyle.

420. Cf. *Il.* XXIV, 486 sq.

421. Le bouclier présentait extérieurement une surface bombée (*umbo*, ὀμφαλός) qui servait à repousser les traits, et parfois à frapper l'ennemi (cf. Tive-Live, IV, 19) : *assurgentem regem umbone resupinat*, « il renverse, de la bosse de son bouclier, le roi qui se redressait ».

422. Achille, fils de Pélée.

423. Les Troyens, et d'ailleurs tous les habitants de l'Asie, portaient une longue chevelure.

424. Le meurtre de Priam, tué par Néoptolème, est représenté sur plusieurs vases peints, qui montrent Pyrrhus frappant le vieillard, assis sur l'autel, avec le corps d'Astyanax. Cf. S. Reinach, *Répertoire de vases peints*, t. I, p. 221. — La scène avait déjà été décrite, non par Homère qui l'ignore, mais par Euripide. Cf. *Héc.*, 13; *Troy.*, 16, 481.

425. Selon Homère (cf. *Il.*, XXI, 66), le cadavre de Priam resta sans sépulture, abandonné aux chiens. Selon Pacuvius (cité par Servius), Priam, tiré de son palais par Néoptolème, fut tué sur le rivage près du tombeau d'Achille. Virgile suppose qu'il fut tué dans son palais, puis traîné ensuite sur le rivage, ce qui est peu vraisemblable. Ce détail, qui concorde mal avec les autres, a été sans doute glissé là par Virgile pour faire allusion à la mort de Pompée, assassiné au moment où il débarquait en Egypte et dont le corps fut laissé nu sur le rivage : au préalable ses meurtriers avaient coupé sa tête *(avulsum humeris caput)* pour l'embaumer et l'offrir à César.

426. Fille de Priam et d'Hécube, femme d'Enée.

427. Cf. note 90.

428. Tout ce passage (V, 567-588) manque dans les principaux manuscrits. Selon certains, il avait été retranché par Tusca et Varius, amis et éditeurs de Virgile, qui jugeaient indigne d'Enée d'avoir voulu tuer une femme ou qui trouvaient ces vers en contradiction avec le VIe livre de l'*Enéide*, 511-529. Cf. Ps.-Servius et Servius.

Il a été rétabli à bon droit par les éditeurs d'aujourd'hui. Son authenticité n'est pas douteuse.

429. Hélène, fille de Tyndare, roi de Sparte, et de Léda. Cf. note 202.

430. Dont ils la rendaient responsable, puisqu'elle était la cause de la guerre.

431. Qui puniraient sa fugue avec le beau Pâris.

432. Ménélas.

433. Cf. note 354.

434. Les vases peints nous montrent les suppliants assis, et parfois sur l'autel lui-même. Cf. note 417.

435. Où régnait son époux Ménélas.

436. C'est-à-dire sa patrie, la Grèce : Agamemnon, chef suprême des Grecs, roi des Rois, régnait sur les Mycéniens. Cf. notes 102 et 266.

437. Non point sa mère, Léda, qui était morte, mais son père, Tyndare, qui vivait encore.

438. Elle n'avait point de fils, Nicostrate étant né plus tard, mais une fille, Hermione.

439. Ainsi, dans Homère, *Il.*, I, 194, Pallas s'offre à la vue d'Achille.

440. Au lieu de la dissimuler sous les traits d'une jeune chasseresse, comme au premier chant. Cf. *En.*, I, 314.

441. Les dieux avaient quelque raison d'être incléments à Troie et aux Troyens : Pâris n'avait-il pas outragé Junon et Pallas, en accordant à Vénus le prix de la beauté ? Laomédon n'avait-il pas frustré Neptune de sa récompense ?

442. Cf. *Il.*, V, 127.

443. Les portes Scées (portes de gauche, σκαίος) donnaient sur le camp des Grecs.

C'est du haut des portes Scées qu'Hélène énumère à Priam et aux vieillards troyens qui l'entourent les héros grecs (cf. *Il.*, III, 146 sq). C'est aux portes Scées qu'Andromaque dit adieu à Hector (cf. *Il.*, VI, 393 sq).

444. Cf. note 306.

445. Il y avait trois Gorgones : Euryalé, Sthénô et Méduse. C'est la dernière, la plus terrible, Méduse, qui est dite, par excellence, la Gorgone. Elle avait, comme ses sœurs, un aspect hideux et terrible : des serpents s'enroulaient autour de sa tête; ses dents étaient longues comme des défenses de sanglier; ses traits étaient convulsés, tordus; ses yeux fixés pétrifiaient ceux qui la regardaient. Ainsi faite, elle plut pourtant à Neptune, et succomba à l'étreinte du dieu, « dans une molle prairie, parmi les fleurs du printemps ». Polydochès poussa Persée à la tuer : Persée y parvint en la surprenant endormie et lui trancha la tête. Il mit cette tête dans un sac, échappa, grâce au casque magique de Pluton, qui rend invisible, et aux sandales ailées des Nymphes, à la poursuite de Sthénô et d'Euryalé. Plus tard, il fit don de la tête de Méduse à Pallas qui la porta sur son égide.

446. Jupiter.

447. Neptune avait aidé Laomédon à bâtir Troie.

448. Comparaison qu'on retrouve dans Homère, *Il.*, IV, 482; Apollonius de Rhodes, *Arg.*, IV, 1682 sq.; Catulle, *Noces de Thétis et de Pélée*, 64, 105 sq.

449. De la citadelle.

450. Cette réflexion d'Anchise est en désaccord avec les idées des Anciens, qui croyaient que, quand un homme n'avait pas reçu de sépulture, son âme, pendant cent ans, errait aux bords du Styx (cf. *En.*, VI, 329). Mais Anchise est désespéré; en outre, il veut décider son fils à le laisser. Au reste, du temps de Virgile, le respect de la sépulture n'était pas aussi répandu : « Je ne me soucie pas de ma tombe, écrivait Mécène, la nature ensevelit ceux qu'on a délaissés. »

451. Anchise, qui avait eu les faveurs de Vénus, n'avait pu garder secrète une conquête si avantageuse, et avait soulevé contre lui la haine des dieux.

452. Jupiter.

453. Foudroyé superficiellement par Jupiter, Anchise, à en croire Servius, perdit un œil et demeura débile toute sa vie. Cf. Homère, *Hymne à Aphrodite*, 287, et Eschyle, *Prom.*, 359.

454. Et non pas, comme l'indique Servius, « peser sur le destin de manière à en précipiter la marche ».

455. Cf. *supra*, 526 sq.

456. « Rendez-moi aux Grecs auxquels m'a dérobé ma mère. »

457. Andromaque dit de même à Hector (cf. *Il.*, VI, 431 sq.)

458. Un prodige analogue avait désigné Servius Tullius enfant à la royauté (cf. Tive-Live, I, 39, 1), que suivent Pline et Plutarque. — Un prodige du même genre concerne Lavinie. Cf. *Enéide*, VII, 73.

459. Les anciens ne se contentaient pas d'un premier présage heureux; ils en demandaient aux dieux un second.

460. Contrairement à la règle générale, le côté gauche est favorable dans l'observation de la foudre *(auspicia caelestia)*.

461. Une étoile filante.

462. La forêt du mont Ida, qui surplombait Troie, auj. Kas-Dagh. Cf. *En.*, III, 6; *Phrygia Ida*, l'Ida de Phrygie, qu'il ne faut pas confondre avec l'Ida de Crète, cf. *Géorg.*, II, 84.

463. Le soufre, à en croire Servius, serait « l'odeur du feu divin ».

464. Du lit funèbre où il s'était étendu pour mourir.

465. Cf. *En.*, IX, 247, où le vieil Alétès s'écrie : « Dieux de mes pères, sous la protection desquels est toujours Troie. »

466. De façon à ne pas attirer l'attention de l'ennemi.

467. Ce temple, situé hors de Troie, avait été abandonné depuis dix ans que durait le siège de la ville.

468. Le cyprès était l'arbre consacré à Pluton : on en plantait des branches auprès des maisons où il y avait un mort. Il était à sa place près du temple de Cérès, qui pleurait sa fille Proserpine ravie par Pluton.

469. Cf. note 305.

470. Le culte de Cérès, la Déméter des Grecs (la Terre Mère), est très ancien. Il avait été importé de Grèce en Sicile, puis en Campanie, puis à Rome. — Les Romains avaient la notion de l'ancienneté de la déesse: en ~ 133, la famine régnant, un oracle ordonne d'apaiser par des expiations « la plus ancienne Cérès, *antiquissimam Cererem* ». — Au reste, le nom de *Ceres* est à rapprocher de *creo* et de *cresco*, et signifie proprement la déesse qui fait naître et croître les moissons.

471. Plusieurs vases peints et quelques monnaies montrent Enée fuyant avec Créuse. Cf. S. Reinach, *Répertoire des vases*, II, pp. 108, 110, 116, 273, 274, 333.

472. Pour tâcher de voir Créuse.

473. Le temple de Junon était un lieu d'asile, comme beaucoup de temples. Selon Servius, les Grecs vainqueurs y avaient enfermé aussi les femmes et les enfants pour qu'ils ne fussent pas massacrés.

A l'origine tous les temples jouissaient du droit d'asile. Puis la nécessité de faire réserver les lois pénales fit qu'on l'accorda seulement à quelques-uns. C'est ainsi que semblent avoir joui du privilège : le Parthénon d'Athènes; le temple de Pallas Chalciœkos, à Sparte; le temple de Diane, à Munychie; le temple de Junon, à Argos; le temple d'Esculape, à Epidaure; celui de Neptune, à Calaurie; celui d'Apollon, à Délos, etc. L'asile conférait à ceux qui s'y étaient réfugiés une inviolabilité temporaire : les criminels échappaient au châtiment, tant qu'ils étaient dans l'enceinte sacrée; ils retombaient, une fois sortis, dans le droit commun. Souvent, pour ne pas violer le droit d'asile, on cherchait à faire sortir le suppliant de l'enceinte sacrée en l'enfumant ou en l'incendiant. Grec de nom et d'usage, le droit d'asile fut restreint par Rome. Tibère l'abolit presque complètement (cf. Suétone, *Tib.*, XXXVII). — Il devait reparaître au moyen âge, et ne disparut complètement en France qu'avec la Révolution de 1789 : l'abbaye de Saint-Romain, en Normandie, était, à cette époque encore, un asile.

474. Phénix, fils d'Amyntor, roi des Dolopes, fut le précepteur d'Achille, qu'il accompagna devant Troie (cf. *Il.*, IX, 432). — Il devait mourir en Thrace, au retour de la guerre de Troie.

475. Phénix représentait les Dolopes, et Ulysse les Ithaciens, les plus farouches adversaires des Troyens.

476. Les tables d'offrandes, dressées à l'intérieur du temple devant les statues des dieux. Elles étaient d'or, d'argent ou de marbre. On y plaçait les offrandes : vins, fruits, viandes, et l'on disposait tout autour soit des sièges, soit des lits pour les dieux *(sellisterne* ou *lectisterne)*. Cette coutume, d'origine grecque, est liée à l'introduction à Rome des livres Sibyllins.

477. Il y en avait aussi en or et en argent (cf. *Iliade*). Peut-être n'avait-on réuni dans le temple de Junon que les plus précieux et les plus grands.

478. Vêtements, tapis, tentures : le mot *vestis* désigne toutes ces choses. Cf. *Géorg.*, II, 464.

479. Peut-être Virgile se réservait-il (le vers 767 est inachevé) de décrire l'épouvante des captives, comme l'a fait Euripide. Cf. *Héc.*, 905; *Troy.*, 18-44.

480. Les anciens donnaient aux apparitions une taille plus grande que nature. — Quand Décius apparaît aux Romains (cf. Tite-Live, VIII, 9), il est beaucoup plus majestueux qu'un homme ordinaire : *aliquanto augustior humano visu.* Cf. Ovide, *Fastes*, II, 503 : *pulcher et humano major.*

481. *Je demeurai stupide, mes cheveux se dressèrent sur ma tête, et ma voix resta dans ma gorge...* Virgile a répété ce vers (*En.*, III, 48; cf. *Il.*, XXIV, 359).

482. *Alors elle m'adressa la parole et ôta mes soucis par ces mots...* Vers répété, *En.*, III, 153 et VIII, 35.

483. Jupiter.

484. Cf. note 171.

485. Le Tibre est étrusque (toscan) par son cours supérieur et sa rive droite; comme les Etrusques étaient une colonie lydienne (cf. *En.*, VIII, 479), il était donc, si l'on veut, lydien.

486. Le Tibre, auj. Tevere, que Virgile dénomme tantôt *Thybris* et tantôt *Tiberinus* ou *Tiberis*.

487. Lavinie.

488. Cf. note 261.

489. Cf. note 262.

490. Pausanias (X, 26, 1), dans la description du tableau de Polygnote qui se trouvait dans le temple de Delphes et représentait la prise de Troie, met Créuse au nombre des captives. Toutefois, il note que, selon certaines légendes, elle fut sauvée de l'esclavage par la Mère des dieux qui en avait fait l'une de ses nymphes : c'est la tradition que suit ici Virgile.

491. Créuse, étant fille de Priam, descend de Dardanus.

492. Créuse, étant l'épouse d'Enée, avait pour belle-mère « la divine Vénus ».

493. Cybèle, la mère des dieux, d'abord adorée dans la Crète minoenne comme déesse de la fécondité, confondue plus tard avec Gaia ou Rhéa, la Terre Mère, avait gardé tout son prestige en Phrygie. Elle est la première des déesses indigènes, la Grande Mère d'Anatolie, la déesse de l'Ida; Cybèle est son nom rituel.

Annexée par Rome, elle eut son temple sur le Palatin dès ~ 191; ce temple, dont le nom officiel était *Ædes Matris deum Magnae Idaeae* fut rebâti par Auguste; les dédicaces portaient *M. D. M. I.*

Il est tout naturel que Cybèle, déesse de l'Ida, protège la Troyenne Créuse.

494. Parmi ses nymphes. Cf. Pausanias, X, 26, 1.

495. *Trois fois, etc. s'envole...* Vers répétés, *En.*, VI, 700-702.

496. Les ressources qu'ils avaient pu sauver du pillage de la ville.

497. Cf. note 462.

498. L'étoile du matin (cf. note 127).

499. Cf. *Buc.*, VIII, 17.

500. La piété filiale d'Enée, son départ de Troie avec son père sur ses épaules sont figurés sur des vases peints, sur des lampes, sur des pierres gravées, sur des monnaies, etc. Une peinture de Pompéi traite même le sujet en caricature : Enée, son père et son fils y sont des singes habillés en hommes.

501. Les montagnes qui entouraient Troie : ici le mont Ida, entre Troie et Antandros.

LIVRE TROISIÈME

LES VOYAGES D'ÉNÉE

502. La guerre de Troie n'est qu'un épisode de la lutte constante de l'Asie et de la Grèce.

503. Les Troyens.

504. Injuste aux yeux d'Enée, mais les Dieux d'en haut avaient quelque raison, on l'a vu, d'être mécontents des Troyens, cf. d'ailleurs *Géorg.*, I, 502 :

Laomedontiadae luimus perjuria Trojae.

505. Cf. note 28.

506. Cf. note 447.

507. Elles fumaient encore, quand Enée commence la construction de sa flotte.

508. Cf. *En.*, II, 682-703 et 780-782.

509. L'épithète *desertas* a soulevé bien des commentaires. Selon Servius, il faudrait comprendre *desertas a Dardano*, « désertées par Dardanus », une ancienne tradition faisant naître Dardanus à Corythe, en Etrurie, qu'il aurait « désertée » pour venir en Asie (cf. *En.*, I, 380); — mais Servius sollicite le texte. Selon d'autres, il faut entendre *desertas Troja*, « des terres où ne seront plus Troie », ce qui est absurde. — Le mieux nous semble d'entendre tout bonnement *desertas*, « désertes, où il est possible de fonder une colonie ».

510. On a vu plus haut (cf. *En.*, I, 380) que cette flotte comprend vingt vaisseaux.

511. Antandros, ville et port de Phrygie, au pied de l'Ida, qui la sépare de Troie, et qu'ont traversée les compagnons d'Enée, cf. note 501, en y coupant le bois nécessaire pour construire les navires. L'antique Antandros, que Pline (V, 32, 3) nomme encore *Cimmeris* et *Edonis*, s'appelle aujourd'hui Dimitri.

512. Cf. note 462.

513. Servius et un grand nombre de commentateurs ont voulu voir ici une contradiction avec les prédictions de Créuse. Ils oublient que, si ces prédictions nous semblent précises, elles devaient être fort vagues pour Enée que pouvait dérouter l'expression de *Tibre lydien* et que renseignait peu le nom d'*Hespérie*. Cf. II, 781-784 et les notes 170, 483, 484 et 485.

514. Les deux Pénates de Rome portaient l'inscription *Magnis dis* (Varron, cité par Servius). Statues et monnaies montrent que les Romains confondaient les Pénates tantôt avec Romulus et Rémus, tantôt avec Castor et Pollux. — A Troie les Grands Dieux étaient les Cabires, qui avaient leur temple et leurs mystères à Samothrace; ces Cabires étaient au nombre de trois ou quatre (dont une déesse). En Phrygie on honorait parmi eux Dardanus; à Délos et à Syros, on les confondait avec Castor et Pollux. — Il semble bien qu'il y ait ici une confusion habilement voulue, où le poète unit les Cabires phrygiens, les Dioscures ou Romulus et Rémus, et les Pénates.

515. Cf. note 96.

516. Laboureurs qui avaient des mœurs guerrières et sauvages : ce qui explique que Mars (Mavors) fut la divinité protectrice du pays.

517. Lycurgue, roi de Thrace, s'opposa à l'introduction du culte de Dionysos (Bacchus) et poursuivit les Ménades qui le célébraient : il fut frappé de cécité par Jupiter et, selon les uns, écartelé par des chevaux sauvages, selon les autres, crucifié par les Thraces. Cf. *Il.*, VI, 130.

518. Hécube, femme de Priam, était la fille du roi de Thrace Cissée (cf. V, 537). Ilioné, fille aînée de Priam, avait en outre épousé son cousin, le roi de Thrace Polymestor. Cf. III, 51.

519. C'est-à-dire tant que dura l'empire de Priam.

520. En réalité la ville d'Enéades ne tirait point son nom d'Enée; son vrai nom était Enos. Elle était située sur l'une des bouches de l'Hèbre, en face de Samothrace (cf. Hérodote, I, 90, et *Il.*, IV, 520). — Virgile utilise adroitement la ressemblance des noms.

521. Vénus, fille de Dioné.

Dioné est une divinité primitive, que la mythologie fait l'épouse de Zeus à Dodone. Son nom même n'est qu'une forme féminine de celui de Zeus, *Dios*. Elles avait, à Dodone, trois prêtresses qui portent le nom de *colombes*. Hésiode et Homère, que suit Virgile, en font une Océanide, fille de l'Océan et de Thétis. Il semble que Vénus ait emprunté à sa mère Dioné les colombes qui lui sont consacrées (cf. *Buc.*, IX, 47). On comprend qu'Enée, offrant un sacrifice à Vénus, insiste sur les origines illustres de sa mère.

522. Le taureau était l'animal d'ordinaire immolé à Jupiter, à Mars et à Neptune. Cf. Ovide, *Mét.*, IV, 754 :

... Mactatur vacca Minervae,
Alipedi vitulus, taurus tibi, summe deorum.

523. A Jupiter.

524. Le cornouiller *(cornus)* abondait en Troade et en Thrace.

525. Le myrte *(myrtus)* est l'arbre avec lequel on tressait des couronnes et des guirlandes pour les sacrifices.

526. Les Dryades et les Hamadryades. Les premières sont les nymphes des bois; les autres vivent à l'intérieur des grands arbres, mourant avec eux, et saignant quand on frappe l'arbre. Cf. *Buc.*, X, 62.

527. Gradivus *(Pater Gradivus)* est le dieu Mars lui-même. Le nom assez ambigu de *Gradivus* paraît venir de *grandis, grandire : Gradivus* serait le dieu qui fait grandir les plantations. D'abord dieu agricole, Mars est devenu tardivement un dieu guerrier : chez les Italiotes, il était d'usage, en effet, au printemps, de dévouer à Mars les jeunes gens qui allaient parvenir à l'âge d'homme; exilés, contraints de conquérir une autre patrie, ceux-ci, de paysans, devenaient guerriers.

Il y avait au bord de la Voie Appienne, entre le premier et le deuxième milliaire, au-delà de la porte Capène, un temple de Mars *Gradivus*, construit sans doute, en ∼ 387, après l'invasion des Gaulois.

Enée, héros national de Rome, supplie ici un dieu latin antique.

528. Les Gètes sont un peuple scythe d'Europe établi sur la rive droite du Danube, que Virgile confond ici avec les Thraces.

529. En en changeant le sens et les conséquences.

530. Polydore est dans la tombe, mais il n'a pas reçu les honneurs de la sépulture.

531. Polydore, le plus jeune des fils de Priam et d'Hécube, fut confié par Priam à son gendre Polymestor, avec une partie de ses trésors. Polymestor fit périr Polydore, à la mort de Priam, et s'empara de ses richesses. C'est la tradition suivie par Euripide dans sa tragédie d'Hécube. Mais Homère (*Il.*, XX, 407-418) fait tuer Polydore par Achille. Selon Ovide (*Mét.*, XIII, 538), le corps de Polydore fut jeté à la mer.

532. Les traits lancés sur Polydore ont pris racine et sont devenus des arbres fournissant du bois pour les javelots.

533. « Trouble », parce qu'elle a deux causes à la fois : le sang noir qu'il a vu couler et les paroles de Polydore; et parce qu'elle le fait hésiter sur le parti à prendre.

534. Même vers, II, 774.

535. Polymestor. Cf. note 518.

536. Cf. note 23.

537. Les lois de l'hospitalité. Cf. III, 15.

538. Ces « principaux chefs du peuple » étaient quelques exilés : Virgile semble se laisser entraîner par l'idée du sénat romain.

539. Enée agit comme le magistrat qui a convoqué le sénat. Cf. note précédente.

540. Par crime de Polymestor, qui a violé les lois saintes de l'hospitalité.

541. Il faut entendre ici : aux vents en général. Car l'Autan ou Auster est le vent du sud, que les Grecs nomment Notos (cf. note 32) et qui eût été défavorable aux vaisseaux d'Enée pour se rendre de Thrace à Délos et en Crète.

542. Qu'on accumule sur le tertre déjà formé.

543. Les anciens croyaient que les morts devenaient dieux dès que la flamme les avait dévorés; on les appelait *dii animales* (dieux des âmes) ou *Manes :* de là, la consécration des sépulcres : *D(iis) M(anibus) S(acrum)*.

Ce mot de *Manes*, « les bons, les illustres » (Plutarque le traduit par χρήστοι), s'opposait primitivement à *immanes :* il était destiné à flatter les esprits des défunts, et à les apaiser.

Virgile, qui est, de tous les écrivains latins, celui qui emploie le plus le mot *manes*, s'en sert pour désigner :

1° Comme ici, un mort déterminé; 2° le séjour profond des morts : *sub imos Manes* (cf. *En.*, IV, 387; XI, 181; XII, 884); 3° la destinée des morts aux Enfers (cf. *En.*, VI, 743); 4° les divinités infernales (opposées aux divinités d'en haut); 5° le groupe des ancêtres d'une famille; 6° les âmes des morts en général.

Très souvent d'ailleurs, et c'est le cas ici, le mot Mânes s'applique à des personnages malheureux, ou qui ont péri de mort violente. Tibulle (1, 10) représente la troupe pâle des Mânes, « les joues creuses, les cheveux brûlés, errant le long des fleuves noirs ».

544. Les bandelettes sacrées étaient blanches *(albae, candidae)*, sauf pour les cérémonies de deuil où elles étaient de couleur sombre *(caeruleae, atrae)*. Caton, cité par Servius, dit que les femmes prenaient le deuil en quittant leurs robes de pourpre et en mettant des vêtements céruléens, c'est-à-dire bleu-noir ou violets.

545. Le cyprès était l'arbre de Pluton, l'arbre funèbre. Cf. note 468.

546. Comme font encore de nos jours les « pleureuses » en Corse, en Sardaigne, en Serbie. — Un bas-relief du Louvre nous montre des femmes en deuil, les cheveux en désordre.

547. Les coupes *(cymbia)* dont il s'agit ici sont des vases à boire : leur description diffère suivant les auteurs.

548. On offrait aux Mânes du lait, et aussi de l'eau, du vin, de l'huile, du miel, des œufs, des lentilles, des fèves, du sang des victimes noires, en même temps que des fleurs et des parfums (cf. *En.*, V, 76 et 96). Ovide, *Fastes*, II, 535-540, nous dit que « les Mânes demandent peu; la piété supplée à la richesse; les divinités Stygiennes ne sont pas avides. Une tuile couverte de couronnes, des fruits répandus sur la tombe, quelques grains de sel, du pain amolli dans du vin pur, quelques violettes çà et là : tout cela dans un vase trouvé au milieu de la rue, il n'en faut point davantage ».

549. Les patères sont des vases à libations, analogues aux « phiales » des Grecs : leur forme normale était celle d'un bol sans pied avec une saillie au fond. Il y en avait en métal précieux, et certains artistes renommés, comme Polyclète et Myron, en avaient ciselé.

550. Pour la fixer, de façon qu'elle ne soit plus errante. — Il s'agit ici de la cérémonie suprême des funérailles : on recueillait les cendres du mort dans une urne, et, nu-pieds, sans ceinture, on allait la déposer dans le monument. — Enée, n'ayant point les restes de Polydore, accomplit le simulacre.

551. Cf. note 70.

552. Cf. note 541.

553. Doris, femme de Nérée, fille de l'Océan et de Téthys, mère des cinquante Néréides. Cf. *Buc.*, X, 5.

554. Neptune (Poséidon), dit Homère (*Il.*, XIII, 21), avait son domicile dans une ville merveilleuse, Egée (Αἰγαί), où abondaient les palais d'or et les édifices splendides : les Grecs situaient cette ville neptunienne soit sur la côte d'Achaïe, soit sur celle de l'Eubée, soit en face de Lesbos.

Il semble que Virgile use ici de cette épithète assez rare (cf. *Ciris*, 474) pour suggérer l'idée de la mer Egée, où se trouve Délos.

555. Délos (cf. *Géorg.*, III, 6) était autrefois, dit la légende, une île flottante, qui fut fixée par Jupiter ou par Neptune ou, suivant une tradition que reprend ici Virgile, par Apollon. Celui-ci l'aurait fixée, en souvenir de l'asile offert par l'île errante à sa mère, Latone, quand elle les mit au monde, lui et sa sœur Diane, après neuf jours et neuf nuits de douleurs. Cf. note 168.

556. Apollon, le dieu « à l'arc d'argent », ἀργυρότοξος, cf. *Il.*, I, 37. — Cf. aussi Névius, Hostius (Macrobe, VI, 5, 8), Accius, Nonius (p. 487).

557. Cf. note 555, *in fine*.

558. Mycone, l'une des Cyclades. — L'île n'est point si haute, puisque Ovide (cf. *Mét.*, VII, 463) la traite de plate, *humilem Myconum*. Elle n'a, en effet, que deux montagnes aux deux extrémités de la côte Nord, et ces montagnes sont peu élevées; mais, vue de la mer, au nord, elle apparaît à tort montagneuse et haute, et elle l'est, en tout cas, par rapport à Délos, la plus basse des Cyclades.

559. Gyare, auj. Ghioura, autre Cyclade, qui servit longtemps aux Romains de lieu de déportation.

560. Apollon est né à Délos. Cf. note 555.

561. Anius, roi de Délos, fils d'Apollon, arrière-petit-fils de Bacchus par sa mère. — Selon Ovide (cf. *Mét.*, XIII, 631) ses filles reçurent de Bacchus le pouvoir de changer en vin, en huile, en céréales tout ce qu'elles touchaient.

Le Ps.-Servius conte que, bien avant la guerre de Troie, Anchise était venu consulter Anius, roi et prêtre d'Apollon, sur la question de savoir s'il devait ou non accompagner Priam et Salamine. Cf. *En.*, VIII, 158.

562. Le laurier était consacré à Phébus-Apollon.

563 Il l'avait vu une douzaine d'années auparavant. Cf. note 561.

564 Apollon avait un temple illustre à Thymbre, petite ville de la Troade,

sur le fleuve Thymbrius. Selon certaine légende, c'est dans le temple d'Apollon à Thymbre que Pâris tua Achille, au moment où il allait épouser Polyxène, fille de Priam. Enée, Troyen, invoque ici Apollon en nommant le culte le plus fameux qui lui fût rendu en Troade. Cf. *Géorg.*, IV, 423.

565. Pour les éclairer et les inspirer.

566. Le bois de lauriers qui entourait le temple d'Apollon.

567. Le Cynthe, sur la côte orientale de l'île. Cf. *Buc.*, VI, 3.

568. Le trépied pythique, placé au-dessus d'une crevasse, dans le sanctuaire du temple.

569. Le tremblement de terre a fait ouvrir le sanctuaire.

570. Ce n'est pas au hasard que Virgile emploie ce mot ici : la voix s'adresse aux « descendants de Dardanus », pour les exhorter à rechercher leur pays ancestral.

571. L'Italie, patrie de Dardanus, fils du roi étrusque Corythe, qui s'expatria après le meurtre de son frère Iasius et fut reçu par Teucer, dont il épousa la fille. — Anchise croira qu'il s'agit de la Crète, patrie de Teucer. — Sur la généalogie des ascendants d'Enée, cf. note 23.

572. Virgile emprunte cette prophétie à Homère, cf. *Il.*, XX, 307, mais il la retouche sur un point essentiel : alors qu'Homère ne promettait à Enée et à ses descendants que l'empire sur les Troyens, Virgile leur promet l'empire du monde entier.

573. La Crète passait pour être située au milieu de la mer. Cf. *Od.*, XIX, 172.

574. Jupiter, suivant la tradition, naquit en Crète, où il fut élevé par les Curètes et les Corybantes (cf. *Géorg.*, IV, 151). — *Zeus Crétagène*, « Jupiter de Crète », disent les Grecs, qui montraient son tombeau dans l'île. « Ici gît le grand Zeus (Jupiter) », rapporte une épigramme de l'*Anthologie*.

575. La chaîne de l'Ida, auj. Psiloriti, traverse la Crète dans toute sa longueur. Jupiter serait né sur l'Ida.

576. Homère appelle la Crète « l'île aux cent villes » (cf. *Il.*, II, 649), et cite parmi ces villes : Gnosse, Gortyne, Lycaste, Lyctos, Milet, Phestos et Rytion. — Au temps de *l'Iliade*, en effet, la Crète était morcelée en un grand nombre de cités indépendantes. Beaucoup plus anciennement, entre 2 000 et 1 500 av. J.-C., au temps de Minos, elle formait un empire puissant, le plus civilisé du monde antique.

577. Cf. note 23.

578. Aux rivages du cap Rhétée, en Troade, sur l'Hellespont.

579. Selon Servius, Dardanus n'avait établi que de petites cabanes, *parva aedificia*, pour ses compagnons. C'est son fils Teucer qui fonda la ville de Troie et la citadelle de Pergame.

580. Il y en avait deux. Cf. sur Pergame, la note 150.

581. Cf. *Il.*, XX, 216 :

582. De la Crète.

583. La Grande Mère des dieux, à qui le mont Cybèle, en Phrygie, a donné son nom. Cf. note 493.

584. Virgile confond ici les Corybantes, venus d'Asie, avec les Curètes, qui sont effectivement venus de Crète; les premiers sont liés à Cybèle, les seconds à Rhéa. La confusion de Virgile vient de la confusion qui était faite entre les déesses Cybèle et Rhéa.

Les Curètes crétois dansaient autour du berceau de Jupiter (Zeus) une danse guerrière et bruyante, qui empêchait Saturne (Kronos) d'entendre les vagissements du nouveau-né; c'est cette danse pyrrhique que Virgile évoque ici par l'expression « cymbales d'airain », la confondant avec la danse des Corybantes, accompagnée de tambourins, de cors, de flûtes et de cymbales. Cf. Lucrèce, *De Natura Rerum*, II, 600-643.

585. Virgile semble dire ici que l'Ida de Phrygie tire son nom de l'Ida de Crète. Cf. note 575.

586. Le silence n'était observé, à vrai dire, que pendant une courte partie de ces mystères.

587. « La souveraine » serait, à en croire Varron, cité par le Ps.-Servius, le titre officiel de Cybèle. « Le souverain » serait celui de Baal qui est, comme Cybèle, une divinité d'origine asiatique.

Cybèle était représentée, couronnée de tours, dans un char que traînaient des lions, et où elle emmenait Attis, le beau pâtre adoré d'elle, et qui, frappé de folie pour l'avoir repoussée, s'était tranché les parties viriles à l'ombre d'un pin : il était mort de sa blessure, mais la déesse l'avait ressuscité.

588. La Crète, du nom de Gnosse, sa capitale, sur la côte septentrionale de l'île. C'est près de Gnosse que s'ouvrait le Labyrinthe où était enfermé le Minotaure.

589. Dieu protecteur de Troie, et aussi dieu des marins.

590. Dieu protecteur de Troie.

591. La Tempête est traitée comme une divinité infernale, donc malfaisante, et reçoit, comme telle, une victime de couleur noire.

592. On sacrifiait aux Vents, et en particulier aux Zéphyrs (cf. *C. I. L.*, VIII, 2610) : *Ventis bonarum tempestatium potentibus*. — On a trouvé à Antium trois autels ronds portant les inscriptions : *ara Ventorum*, *ara Neptuni*, *ara Tranquillitatis* (cf. *C. I. L.*, X, 6642-6644). — Quand Octave, en ~ 36, partit pour combattre Sextus Pompée, il sacrifia aux Vents, à Neptune et à la Tranquillité de la mer. Cf. Appien, *Bell. civ.*, V, 98.

Sur Zéphyr, cf. note 50.

593. Idoménée, descendant de Minos, avait amené les Crétois à Agamemnon; assailli par une tempête à son retour de Troie, il fit vœu, s'il échappait, d'immoler à Neptune la première personne qui se présenterait à lui à son arrivée en Crète. Ce fut son fils Mérion : il le sacrifia. Une peste ayant éclaté peu après, les Crétois imputèrent ce fléau au crime d'Idoménée, et le chassèrent de son royaume. Il vint en Italie et y fonda Salente, auj. Soleta. Cette aventure a servi de point de départ à Fénelon pour décrire une cité idéale. Cf. *Télémaque*, V et VIII.

594. Les Crétois, ennemis des Troyens, qu'ils avaient combattus dans les rangs des Grecs.

595. Le port de Délos, ainsi nommé d'*ortyx*, caille, sans doute à cause des cailles qui abondaient dans l'île.

596. Naxos, auj. Naxia, l'une des Cyclades, était renommée pour son vin, d'où le surnom de *Dionysias*, île de Dionysos (Bacchus), qui lui était donné, quelquefois, et qui explique le culte que célébraient dans l'île des Bacchantes. On montre encore à Naxos la montagne où, selon certaines légendes, naquit Bacchus, la grotte où il aurait été élevé, et les ruines de son temple. C'est à Naxos encore, suivant certaines traditions, que Bacchus rencontra Ariane, abandonnée par Thésée, l'aima et l'épousa, lui donnant, le jour de ses noces, une couronne d'or et de gemmes serties par Vulcain.

597. Donysa, entre Naxos à l'est et Amorgos à l'ouest, est une petite Cyclade. L'épithète de « verte », à en croire Servius, vient « ou de la couleur de son marbre ou de ses forêts ». Mais, si Naxos voisine est célèbre par son marbre gris autant que par ses vignes, on n'a jamais entendu parler du marbre vert de Donysa. Il est donc probable que Virgile fait ici allusion à l'aspect verdoyant de l'île.

598. Oléare, auj. Antiparos, est une île située au sud-ouest de Paros.

599. Paros est qualifiée de neigeuse à cause du marbre blanc célèbre que l'on tirait du mont Marpèse, au sud de l'île. (Cf. *Géorg.*, III, 34.) Ce marbre, aussi excellent pour la statuaire que celui du Pentélique l'était pour l'architecture, se trouvait dans l'île en couches si épaisses que les anciens croyaient qu'il se reformait au fur et à mesure dans le sein de la terre. L'extraction s'en faisait non pas dans des carrières à ciel ouvert, mais dans des mines souterraines où les ouvriers s'éclairaient par des lampes. Les mines de Paros furent comprises sous l'Empire dans le domaine impérial.

600. Les détroits de l'Archipel.

601. Sans doute le chant cadencé, nommé *céleuma*.

602. Cf. note 584.

603. En souvenir de Pergame. La ville de Pergamée se trouvait tout près de Cydonia; on l'a placée à Platania, dans la baie de la Canée.

604. La constellation de Sirius ou Canicule apparaissait le 26 juillet et amenait les jours les plus brûlants de l'été.

605. Cf. note 595.

606. Apollon. Cf. note 555.

607. Cf. note 571.

608. Vers empruntés au discours d'Ilionée à Didon, *En.*, I, 530-533.

609. Cf. note 571.

610. Iasius, frère de Dardanus, fut foudroyé à Samothrace où il l'avait suivi, par Jupiter jaloux de ses amours avec Cybèle.

611. Corythe (Cortona), l'une des douze cités étrusques au nord du lac Trasimène. Cf. note 571.

612. Le nom d'Ausonie a d'abord désigné l'Italie étrusque, puis toute l'Italie.

613. Les champs de Dicté désignent l'île de Crète, sur la côte orientale de laquelle le mont Dicté s'élève. La légende conte que la nymphe Dicté, aimée de Minos et ne l'aimant pas, se jeta dans la mer du haut de la montagne qui prit ensuite son nom. — Une grotte du mont Dicté abrita l'enfance de Jupiter.

614. Voilés de bandelettes.

615. Dardanus et Teucer : Anchise avait cru que l'oracle faisait allusion à Teucer, donc à la Crète, quand il s'agissait de Dardanus, donc de l'Italie (Ausonie).

616. Cf. note 326.

617. Cf. note 171.

618. Pergamée.

619. *Quand nos embarcations eurent gagné la pleine mer, etc.* Vers imités d'Homère (*Od.*, XII, 402-406), et répétés (*En.*, V, 8-11.)

620. Palinure, fils d'Iasius, pilote du vaisseau d'Enée. Cf. *En.*, V, 853 sq.; VI, 337 sq.

Il semble que Virgile ait pris son nom à celui d'un promontoire de Lucanie, expliqué par le culte d'un héros du même nom.

621. Les Strophades, auj. Strivali, sont deux îles de la mer Ionienne, à vingt-cinq milles au sud de Zacynthe, vis-à-vis de Cyparissia de Messénie.

622. Elles s'appelaient primitivement îles Plotées (flottantes). Leur nom de Strophades vient du grec στρέφω, « tourner », parce que, selon la légende, Calaïs et Zéthès, y poursuivant les Harpyes chassées de Thrace, entendirent une voix inconnue qui leur enjoignit de s'en retourner.

623. Céléno, dont le nom grec signifie « la sombre », est l'une des trois Harpyes. Cf. note suivante.

624. Il y avait trois Harpyes : Céléno, Aello « la tourbillonnante », Ocypète « la rapide ». Filles de Thaumas et d'Electre, ou suivant une autre tradition de Jupiter et d'Electre, elles furent envoyées par Jupiter pour punir le roi de Thrace, Phinée, qui avait crevé les yeux aux deux fils qu'il avait eus de sa première femme, Cléobule, fille de l'Aquilon. Elles s'abattaient sur la table de Phinée et souillaient tous les mets. Zéthès et Calaïs, fils de Borée, pour récompenser Phinée, qui avait guidé les Argonautes à travers les Symplégades, les chassèrent de Thrace et les poursuivirent jusqu'aux Strophades où elles s'établirent. Cf. note 622. — Selon une autre tradition, recueillie par Apollonius de Rhodes (cf. *Argon.*, II, 262 sq.), Jupiter avait puni Phinée pour avoir révélé ses secrets aux Argonautes; il l'avait rendu aveugle et livré aux Harpyes. Elles avaient été chassées de Thrace par Zétès et Calaïs, allant à la conquête de la Toison.

On représentait les Harpyes avec un corps de vautour, des griffes de chienne, et un visage de femme (cf. Eschyle, *Eum.*, 46). Selon Hésiode, elles personnifiaient les génies de la tempête farouche, qui ravissent (*Harpyes*, de *harpazô*, « ravir ») les navigateurs. Homère et Virgile en font des pourvoyeuses des Enfers. « Et maintenant les Harpyes l'ont enlevé sans gloire », dit deux fois Homère à propos d'un héros mort. Virgile leur prête en outre le pouvoir prophétique.

On trouve les Harpyes peintes sur des vases qui reproduisent l'histoire de Phinée : ce sujet figurait déjà, rapporte Pausanias, sur le trône de l'Apollon d'Amyclées et sur le coffre de Cypsélos. Cf. S. Reinach, *Rép. Vases*, I, pp. 119, 200, 471, 441.

625. Virgile semble oublier qu'elles ne sont que trois : la « troupe » est petite par le nombre.

626. Misène, fils d'Eole, trompette de la flotte d'Enée. Cf. *En.*, VI, 162 sq. Virgile a tiré son nom du cap Misène, près de Naples, qui passait pour être ainsi appelé du nom d'un compagnon d'Ulysse. Cf. Polybe, cité par Strabon, I, p. 26.

627. Selon Hésiode, les Harpyes avaient pour mère une Océanide, Electre. Cf. note 624.

628. Terme de mépris : Céléno rappelle les perfidies de Laomédon, ancêtre des Troyens. Cf. *Géorg.*, I, 502 :

Laomedontiadae luimus perjuria Trojae.

629. L'empire des Strophades leur avait été donné par la volonté de Jupiter, leur père.

630. Jupiter.

631. Virgile assimile ici les Harpyes aux Furies, qui étaient, comme elles, trois divinités infernales.

632. Cf. note 32. — Les Notus, vents du sud, font remonter la flotte vers le nord.

633. Zacynthe, île de la mer Ionienne, au sud de Céphallénie, (auj. Céphalonie), en face de l'embouchure du Pénée, auj. Zante.

634. Cf. *Od.*, I, 246; IX, 24.

635. Dulichium, l'une des îles Echinades, auj. Dolicha ou Néochori.

636. Samé, ancien nom de l'île de Céphallénie, à l'ouest d'Ithaque.

637. Néritos, petite île voisine d'Ithaque, à en croire du moins Virgile, que suivent Ovide (*Mét.*, XIII, 711) et Pomponius Méla, II, 5. — Homère en fait une montagne de l'île d'Ithaque; Strabon, une ville d'Acarnanie.

638. Ile montueuse, dit Virgile, se souvenant qu'Homère en faisait une montagne.

639. Ithaque, île Ionienne, auj. Théaki.

640. Laerte, père d'Ulysse, roi d'Ithaque.

641. Le promontoire de Leucate, à la pointe méridionale de l'île de Leucade, auj. Sainte-Maure. C'était de ce promontoire que, suivant une légende, Sapho se serait précipitée dans la mer.

642. Le temple d'Apollon de Leucade faisait pendant au temple d'Apollon d'Actium : on passait de l'un à l'autre en allant d'Italie en Grèce (cf. Philippe de Thessalonique, *Anth. Pal.*, VI, 251) : « O toi, qui du promontoire élevé de Leucade veilles au loin sur les flots d'Ionie, reçois, ô Apollon, de pauvres matelots cette part de biscuit... Sois-leur propice et enfle leurs voiles d'un vent puissant qui les conduise dans le port d'Actium! »

643. Des souillures des Harpyes, afin de pouvoir offrir un sacrifice.

644. Actium, ville et promontoire d'Acarnanie, auj. La Punta, à l'entrée du golfe d'Ambracie, au large duquel fut remportée par Octave la victoire fameuse qui le rendit le maître du monde (2 septembre 31 av. J.-C.). Pour commémorer cette victoire, Octave fit agrandir le temple d'Apollon d'Actium, construisit en face de l'ancienne ville, sur la côte d'Epire, Nicopolis, « la Ville de la Victoire », auj. Prévésa, et institua en l'honneur d'Apollon les Jeux Actiaques, qui devaient avoir lieu tous les quatre ans. — Virgile, pour plaire à Auguste, donne à ces jeux le nom d'Iliaques et les fait remonter à Enée, qui les célèbre à la fin de la quatrième année qui suivit la chute de Troie.

645. Les exercices gymniques, d'origine grecque, sont rattachés à Troie par Virgile.

646. Grecques.

647. Vents froids du nord-est. Cf. note 39.

648. Cet Abas, Grec (qu'il ne faut pas confondre avec le guerrier troyen du même nom, cf. I, 121, et note 47), est un roi d'Argos, fils de Lyncée et de la Danaïde Hypermnestre, éponyme des Abantes, qui habitèrent dans les temps très anciens l'île d'Eubée. Le bouclier du « grand » Abas avait été d'abord offert par Danaus à Junon et fixé dans le temple de celle-ci à Argos; sa vue avait, dit-on, mis l'ennemi en fuite, quand, à la mort d'Abas, les sujets d'Argos se soulevèrent. — C'est en souvenir de ce bouclier, insigne héroïque, que le vainqueur des jeux argiens recevait un bouclier en guise de palme.

649. Cette inscription est conçue dans le style des inscriptions latines habituelles ; cf. *C. I. L.*, I, 64 : M. Fourio [Furius] C(aii) filius tribunos militare [tribunus militaris] de praidad [praeda] Fortun(a)e dedet [dedit]. — Enée, ici, par une ironie amusante, consacre un bouclier ravi aux Grecs vainqueurs.

650. *Mes compagnons battent à l'envi la mer, etc.* Vers répété, *En.*, V, 778.

651. Les Phéaciens habitaient l'île montagneuse de Corcyre, auj. Corfou, où leurs citadelles étaient bâties sur des bastions.

652. Enée continue sa course vers le nord.

653. La Chaonie est une région de l'Epire (Albanie), anciennement habitée

par les Chaoniens. Le port en question est sans doute celui que Strabon appelle Pélodès. Cf. *Buc.*, IX, 13.

654. Buthrote, ville d'Epire (Albanie), en face de Corcyre (Corfou), auj. Butrinto, n'était pas directement sur la mer, mais sur un lac salé qui communiquait avec le port de Pélodès par un canal. Le site de Buthrote a été exploré par M. Ugolini. Cf., sur le résultat des fouilles, Vaucher, *L'Illustration* du 16 janvier 1932.

655. Hélénus, frère jumeau de Cassandre, devin et héros, fait partie du butin de Pyrrhus (Néoptolème) et épouse Andromaque, quand Oreste a tué Pyrrhus. Cf. Euripide, *Androm.*, 1245. — La version suivie par Virgile est un peu différente. Dans *l'Iliade*, cet Hélénus joue un rôle effacé; dans les poèmes homériques, il prédit la nécessité d'amener Philoctète pour prendre Troie.

656. Pyrrhus était fils d'Achille, lui-même fils de Pélée, lui-même fils d'Eaque; il était donc l'arrière-petit-fils d'Eaque. Cf. note 36.

657. Andromaque appartint d'abord au Troyen Hector, puis au Grec Pyrrhus, enfin au Troyen Hélénus, frère d'Hector.

658. On verra plus loin (cf. 335 sq.) qu'Andromaque avait cherché à reproduire en Epire tout ce qui pouvait lui rappeler sa patrie.

Sur le Simoïs troyen, cf. note 38.

659. Les autels funéraires étaient généralement au nombre de deux ; cf. *Buc.*, V, 64 :

Ecce duas tibi, Daphni, duoque altaria Phoebo.

Il est d'ailleurs permis de croire que l'un de ces autels était pour Hector, l'autre pour Astyanax.

660. Vers admirablement paraphrasé par Baudelaire :

Andromaque, des bras d'un grand époux tombée...
Veuve d'Hector, hélas! et femme d'Hélénus...

661. Il s'agit de Polyxène, aimée d'Achille et épousée par lui à l'insu des Grecs. Achille ayant été tué traîtreusement par Pâris, dans le temple d'Apollon, après la chute de Troie, une voix sortit du tombeau d'Achille, demandant le sacrifice expiatoire de Polyxène, qui fut immolée par Pyrrhus. Cf. Euripide, *Hécube*, 37 et 109; Ovide, *Mét.*, XIII, 438; Sénèque le Tragique, *Troad.*, 195 et 1118.

662. Le tirage au sort des captives, emmenées en esclavage par les vainqueurs. Cf. Euripide, *Troy.*, 235 sq., 568-628.

663. De Pyrrhus ou Néoptolème.

664. Andromaque eut de Pyrrhus trois fils : Molosse, qui figure dans l'*Andromaque* d'Euripide et régna sur l'Epire, Pilée et Pergamus. Cf. Pausanias, I, 2, 1,

665. Hermione, fille de Ménélas et d'Hélène, petite-fille de Léda (cf. sur Léda, note 201), épousa Néoptolème (Pyrrhus) ; cf. *Od.*, IV, 4. Néoptolème (Pyrrhus) l'ayant quittée pour épouser Andromaque, elle s'enfuit avec Oreste auquel elle avait été fiancée autrefois et forma avec lui un complot contre Pyrrhus, qui fut massacré au pied des autels, à Delphes. Cf. Euripide, tragédies d'*Andromaque* et d'*Oreste*.

Virgile modifie la version d'Euripide en supposant que Pyrrhus a abandonné Andromaque pour épouser Hermione, fiancée d'Oreste, et périt victime de la jalousie de ce dernier.

On sait les modifications apportées par Racine *(Andromaque)* aux versions d'Euripide et de Virgile.

666. Le mariage de Pyrrhus et d'Hermione a eu lieu à Lacédémone, où régnait Ménélas. Cf. note précédente.

667. Andromaque a donc subi deux fois les lois de l'esclavage : en épousant Pyrrhus, en épousant Hélénus.

668. Cf. note 665.

669. Oreste, fils d'Agamemnon et de Clytemnestre, poursuivi par le destin des Atrides, vengea la mort de son père assassiné par Clytemnestre et Egisthe, en tuant ceux-ci. « En proie aux Furies vengeresses » (cf. note 354), il se vit absous à Athènes, par le tribunal de l'Aréopage, devant lequel Apollon et Pallas plaidèrent sa triste cause.

670. Virgile semble vouloir dire qu'Oreste a tué Pyrrhus dans la maison même de Pyrrhus, ce qui contredit la version d'Euripide qui place à Delphes le meurtre

de Pyrrhus; cf. note 665. — Servius a essayé de concilier les deux versions en parlant d'un autel élevé à Delphes par Pyrrhus en l'honneur d'Achille.

671. L'Epire, que Néoptolème (Pyrrhus) avait ajoutée à son royaume de Phthiotide.

672. En sa qualité d'époux d'Andromaque.

673. Chaon, fils de Priam et d'Hécube, frère d'Hélénus, aurait été tué dans un accident de chasse par Hélénus. Selon le Ps.-Servius, il se serait dévoué dans une épidémie pour sauver Hélénus et ses compagnons.

674. On s'est demandé comment Andromaque pouvait connaître la mort de Créuse. Wagner a supposé qu'au vers précédent, resté inachevé, Andromaque a compris, à un geste d'Enée, que Créuse était morte. On peut supposer aussi que Virgile, en complétant le passage, eût prêté à Andromaque quelques paroles qui expliquassent la chose.

675. Créuse était sœur d'Hector.

676. Hélénus.

677. Cf. note 154.

678. Cf. note 443.

679. L'*aula* grecque, sorte de péristyle découvert à l'intérieur de la maison, correspondait à l'*atrium* latin : c'était la partie de la maison où l'on recevait les hôtes.

680. Des libations de vin.

681. Cf. note 32. — Ici, le vent en général.

682. Hélénus était célèbre comme devin. Cf. Homère, *Il.*, VI, 76.

683. Cf. note 568.

684. Claros, ville d'Ionie, près de Colophon, fondée par Manto, fille du fameux devin Tirésias, était célèbre par son temple d'Apollon, situé dans un bois de lauriers, arbres consacrés au dieu. Le prêtre d'Apollon, après s'être enquis du nom et du nombre des consultants, s'enfonçait dans le bois de lauriers, buvait l'eau d'une fontaine secrète, puis rendait en vers ses oracles. Cf. Tacite, *Ann.*, II, 54.

Claros est mentionnée dans l'*Hymne homérique à Artémis* et dans un hymne à Callimaque (2, 70).

685. Les oiseaux *(aves augurales)* donnaient leurs présages soit par le chant *(oscines)*, soit par le vol *(alites)*; quand le vol des oiseaux était « rapide » *(praepetes pennae)*, l'aile en haut et en avant, il était favorable.

686. Le sacrificateur quitte ses bandelettes pour prophétiser. Cf. *En.*, VI, 48.

687. Cf. note 612.

688. Les trois Parques Clotho, Lachésis, Atropos, filles de l'Erèbe et de la Nuit, ou de Jupiter et de Thémis, sont avant tout les divinités du Destin. Virgile confond ici les Parques latines : Parca, Nona et Décuma, avec les trois *Moirai* grecques (cf. Hésiode). C'est à ce titre de déesses du Destin *(Fatum)* qu'elles empêchent Hélénus de connaître certains secrets de l'avenir.

689. Cf. note 15.

690. Enée a pourtant dit (v. 364) qu'il se dirigeait vers des terres éloignées.

691. Cf. note 67.

692. La mer Tyrrhénienne.

693. Le lac Averne, en Campanie, à peu de distance de Naples, qui passait pour être l'entrée des Enfers.

694. Circé, fille, suivant les uns, du Soleil et de la nymphe Persé, selon les autres, du roi de Colchide Eétès et d'Hécate, vint s'établir dans l'île d'Ea, voisine du promontoire de Circeii, au pays des Volsques. — Homère, *Od.*, IX, 32, appelle déjà Circé, Circé d'Ea.

695. Le Tibre.

696. L'yeuse *(ilex)* est assez abondante en Italie; Enée avait déjà pu en voir en Thrace. Il y en avait aussi en Arcadie.

697. De la rive.

698. On s'est demandé si c'est en souvenir de cette antique tradition d'une laie blanche qu'Ascagne donna à la ville qu'il construisit le nom d'Albe, c'est-à-dire « la Blanche ». Peut-être la tradition a-t-elle pris naissance du nom d'Albe, les trente petits de la laie représentant les trente villes qui étaient sous la domination d'Albe.

699. Allusion à la prédiction de Céléno (cf. vers 255-257).

700. Dans le temple duquel se trouvent Hélénus et Enée.

701. La côte orientale de l'Italie, face à l'Epire (Albanie), que baigne l'Adriatique.

702. Les colons grecs de la « Grande-Grèce », qui occupaient la Sicile, l'Italie méridionale et la côte orientale de l'Italie centrale.

703. Les Locriens de la ville de Narycie, patrie d'Ajax, fils d'Oïlée, avaient fondé dans le Bruttium Locres Epizéphyrienne, auj. Gerace. Cf. *Géorg.*, II, 437.

704. Sur Idoménée, cf. note 593.
Idoménée était de Lyctos, ville de la Crète orientale, au pied du mont Dicté.

705. Cf. note 592. — Les Anciens considéraient d'ailleurs que la population primitive de Salente, en Calabre, était faite d'Illyriens et d'Italiotes. Cf. Varron, dans Probus, sur *Buc.*, VI, 31.

706. D'après une tradition, Philoctète, chassé de Mélibée, ville de Thessalie, au pied de l'Ossa, où il régnait, par une révolte du peuple, vint s'établir dans l'Italie méridionale, et y fonda plusieurs villes situées entre Crotone et Thurii. Cf. Lycophron.
On sait comment, dans *l'Odyssée*, ce même Philoctète, mordu par une vipère et sa plaie s'infectant, fut débarqué par les Grecs dans l'île de Lemnos; comment un oracle ayant dit qu'on ne pouvait prendre Troie sans les armes d'Achille qu'il possédait, Ulysse et Diomède vinrent le chercher; et comment, guéri par Esculape ou par ses fils, il tua Pâris.
Homère le nomme (cf. *Od.*, III, 190) parmi ceux qui, après la chute de Troie, rentrèrent sans encombre dans leur patrie. La version de Lycophron que suit Virgile est adoptée aussi par Varron et Caton.

707. Pétilie est une petite ville du Bruttium, au-dessus de Crotone. A en croire Caton, *Orig.*, Pétilie était antérieure à Philoctète, qui se borna à l'entourer d'un mur. Virgile adopte la tradition de Caton.

708. Les Romains, contrairement aux Grecs, priaient la tête voilée : de noir, quand leurs prières s'adressaient aux dieux infernaux; de pourpre, quand ils invoquaient les dieux d'en haut : la pourpre passait, en effet, pour protéger contre les enchantements et les maléfices. — Virgile attribue cet usage romain à Enée.
Il s'accorde sur ce point avec Plutarque (cf. *Quaest. rom.*, X), qui raconte qu'Enée, offrant un sacrifice et apercevant soudain Diomède, se voila le visage pour continuer la cérémonie. De là l'usage latin.
Ce religieux usage n'était pas observé envers trois dieux seulement : Saturne, Hercule et l'Honneur, qu'on priait la tête nue.

709. Le cap Pélore, auj. Paro, forma un des rivages du détroit de Messine.

710. Au navire qui vient de la mer Ionienne, le détroit de Messine paraît fermé au nord par le Pélore, à cause de ses contours qui semblent former des barrières *(claustra)*; mais à mesure qu'on avance, le détroit a l'air de s'élargir et les barrières de se faire plus rares *(rarescent)*.

711. La Sicile et la mer occidentale de Sicile : Enée, venant d'Epire, a la Sicile à gauche et l'Italie à droite. Hélénus lui conseille de contourner l'île au lieu de passer par le détroit de Sicile.

712. Les Anciens croyaient que la Sicile et l'Italie n'avaient formé autrefois qu'un seul continent, et qu'elles avaient été séparées par un mouvement volcanique, ou par un séisme, ou par le travail des eaux. Eschyle, cité par Strabon (VI, 1, 6), prétend même qu'il faut voir dans cette rupture l'origine du nom de Rhegium, auj. Reggio, du grec *rhegnumi*, « rompre ». Cf. aussi Salluste, *Hist.*, IV, fragm. 358, et Valérius Flaccus, I, 590.

713. Scylla, auj. La Rema, est un rocher du détroit de Messine transformé par la légende en un monstre féroce. *L'Odyssée* en fait une sorte de chien marin à deux pieds et six têtes garnies chacune d'une triple rangée de dents. Les poètes postérieurs à Homère lui donnent une forme plus humaine; pour Virgile, qui suit les nombreuses représentations qu'en donnent les mosaïques et les peintures romaines de son époque, c'est une belle jeune fille dont le corps se termine par une queue de dauphin. Cf. *Buc.*, VI, 74; *Géorg.*, I, 405; *En.*, III, 420, 424, 432, 684; VI, 286; VII, 302.
La légende la plus accréditée conte que Scylla, nymphe sicilienne, fille de Phorcus, fut aimée de Glaucus, et métamorphosée, par la jalousie de la magicienne Circé, en un monstre horrible; désespérée, elle se jeta à la mer, où ses cris effrayaient les matelots.

714. Charybde, auj. Calofaro, non loin de Scylla (La Rema), est un gouffre

dangereux. Homère en fait un monstre qui habite sur un rocher, sous un figuier sauvage, et qui, trois fois par jour, avale et rejette l'eau salée. Quand elle l'avale, le sable du fond apparaît. Cf. *Od.*, XII, 73 sq.

La légende la plus accréditée conte que Charybde, fille de Neptune et de la Terre, célèbre par sa voracité, fut foudroyée par Jupiter pour avoir dérobé des bœufs à Hercule et changée en un gouffre, dans la mer de Sicile ; cf. Ovide, *Mét.*, XIII, XIV. — Virgile suit ici la tradition d'Homère.

715. Le promontoire de Pachynum, auj. cap Passaro, est l'une des trois pointes de la Sicile, celle du sud.

716. Cf. note 67.

717. On représentait Scylla (cf. note 713), avec une ceinture de chiens ou de loups (voir plus haut, vers 428), parce que le bruit des flots sur ses rochers imitait l'aboiement des chiens ou le hurlement des loups. Cf. *Buc.*, VI, 75.

718. Junon reine, la *Juno Regina*, dont le culte était associé à celui de *Jupiter Optimus Maximus*, et qui avait à Rome trois sanctuaires : l'un, à gauche de celui de Jupiter, dans le temple du Capitole; l'autre sur le mont Aventin, érigé par Camille et reconstruit par Auguste; le troisième, au portique d'Octavie.

719. Cumes, ville de Campanie, sur la crête d'une montagne que baigne la mer Tyrrhénienne; son port était Puteoli (Pouzzoles). Cumes, colonie grecque, était la métropole de Naples. Tombée en décadence complète dès le IIe siècle ap. J.-C., elle fut détruite en 1203 par les Napolitains : il n'en reste que quelques ruines et une porte nommée l'*Arco felice*.

720. L'Averne.

721. Cf. note 693.

722. D'épaisses forêts, dont le bruit avait frappé les Anciens, entouraient le lac Averne, qui occupait le cratère d'un volcan à demi éteint d'où s'échappaient des vapeurs sulfureuses.

723. La Sibylle de Cumes.

724. Le nom de Sibylle, dont on ignore l'origine, après s'être appliqué à toutes les femmes douées du pouvoir prophétique, par exemple à la Pythie de Delphes, finit par n'en plus designer que quelques-unes.

Celle de Cumes est mentionnée pour la première fois au IIIe siècle dans le traité *De Mirabilibus*, faussement attribué à Aristote. « On montre à Cumes, nous dit-il, une chambre souterraine où habitait la Sibylle qui y rendait des oracles. On raconte que, née à une époque très reculée et restée vierge, elle y résida durant de longues années. » C'était donc, à cette époque déjà, une figure légendaire. — Il semble cependant que la Sibylle de Cumes ait son origine dans la Sibylle de Marpessos, lieu sauvage de Troade sur un des flancs de l'Ida, non loin de la ville de Cergithe. Les habitants de cette région étaient en rapports constants avec ceux de Cymé, en Eolie, d'où partirent au XIe siècle avant J.-C. les colons qui fondèrent Cumes (Cymé), en Italie.

Mais, tandis que l'opinion populaire faisait de la Sibylle de Cumes une sorte de vieille sorcière décrépite et presque aphone, Virgile lui prête une figure épique.

On fait voir aujourd'hui, à l'extrémité occidentale du lac Averne, *la grotte de la Sibylle*, qui semble n'avoir été qu'un des tunnels construits par Agrippa, pour faire communiquer l'Averne avec les villes de Cumes et de Baïes; on montre à peu de distance l'*antre de la Sibylle*, vaste salle garnie de mosaïques, qui devait être un établissement d'eaux thermales.

725. Il s'agit des vases d'airain que l'on suspendait aux chênes de la forêt prophétique de Dodone (cf. *Géorg.*, I, 149) et dont le bruit, lorsqu'ils étaient balancés par les feuillages ou, en cas d'accalmie des vents, frappés par des chaînettes de métal, était interprété par les prêtres-devins. Ces vases *(lebetes)* étaient assez profonds, avec des flancs rebondis.

726. Hébénus.

727. La première fois, quand Pergame fut détruite par Hercule que Laomédon avait frustré (cf. *Géorg.*, I, 501-502); la seconde fois, quand elle fut détruite par les Grecs d'Agamemnon.

728. Cf. note 720.

729. L'Ausonie occidentale, que baigne la mer Tyrrhénienne.

730. Les vents.

731. *Une chlamyde phrygienne*... La chlamyde est un manteau léger et court, porté d'abord par les Thessaliens et les Macédoniens, puis par les jeunes Athé-

niens qui faisaient du cheval (cf. Plutarque, *Alex.*, 26). — A Rome, c'était surtout un vêtement de guerre et un vêtement de luxe : Scipion, Sylla portaient souvent une chlamyde (cf. Valère-Maxime, VI, 3) : « Sylla, général en chef, ne trouva point malséant de se promener à Naples revêtu d'une chlamyde »; Agrippine et Scribonia portaient aussi de luxueuses chlamydes (cf. Tacite, *Annales*, XIII, 56; Suétone, *Caligula*, 25); Virgile en prête une à Didon (cf. *En.*, IV, 137).

Ces chlamydes romaines étaient d'ordinaire richement brodées. D'où l'épithète de *phrygienne*, qui est donnée à la chlamyde par Virgile, et qui signifie *brodée*. Les Phrygiens, et nommément les Phrygiens de l'Ida, passaient, en effet, pour avoir inventé la broderie (cf. Pline, VIII, 74, 1). Les brodeurs étaient appelés *phrygiones*, et la broderie « le travail phrygien », *phrygium opus*.

Andromaque donne à Ascagne une chlamyde, brodée sans doute à Troie par des brodeurs phrygiens, ou peut-être par elle-même. Cf. vers 486 : *manuum monumenta mearum*.

732. C'est en souvenir d'Hector qu'Andromaque offre ces présents à son jeune neveu, et aussi (voir la suite) en souvenir d'Astyanax.

733. Cf. *Od.*, IV, 149-150.

734. On fondait une ville après avoir pris les auspices, *auspicato ;* mais l'adversaire pouvait être aidé par de meilleurs auspices, c'est-à-dire des auspices de valeur supérieure.

735. En fait, les descendants de Pyrrhus régnèrent en Epire pendant dix siècles environ; la race des Eacides ne s'éteignit qu'en 229, avec Pyrrhus III. L'Epire, devenue alors une république, ravagée par des guerres intestines, tomba sous la domination des Macédoniens, puis sous celle des Romains, qui la rattachèrent tour à tour à la province de Macédoine, et à celle d'Achaïe.

736. Pour commémorer la victoire d'Actium, Octave fonda une ville, Nicopolis, « la ville de la Victoire », dans l'isthme épirote qui est au nord d'Actium, entre le golfe d'Ambracie et la mer Ionienne. La loi d'établissement spécifia que les habitants seraient traités d'alliés *(cognatos)* par les Romains.

737. Dardanus, ancêtre des Troyens, est aussi l'ancêtre de Buthrote, capitale de l'Epire, et de Rome, capitale de l'Hespérie (Italie).

738. Allusion à la chute de Troie et aux vicissitudes de ses habitants.

739. Les monts Cérauniens ou Acrocérauniens, dont le nom signifie monts de la Foudre (κεραυνός), formaient une chaîne imposante de montagnes, en bordure de la côte, dans l'Epire occidentale. Cf. *Géorg.*, I, 332, et Horace, *Od.*, I, 3, 20.

740. La place près des rames, sur le vaisseau. Une partie de l'équipage gardait le navire, en restant près des rames; l'autre descendait à terre; le sort décidait entre les uns et les autres.

741. Les Heures sont attelées au char de la Nuit. On les voit ailleurs (cf. Ovide, *Mét.*, II, 118) qui attellent des chevaux au char du Soleil.

742. Cf. note 620.

743. *L'Arcture, les Hyades pluvieuses, les deux Ourses...* Vers répété de I, 744. Cf. notes 250, 251 et 252.

744. L'armure d'Orion, figurée par des étoiles, comportait un baudrier *(balteus)* ou une ceinture *(zona)* et un glaive *(gladius)*.

745. Mal dégagées encore des brouillards du matin.

746. C'est à la poupe que se plaçait l'image des dieux protecteurs du navire.

747. Cf. note 592.

748. Le port en question, au sud d'Otrante, s'appelait alors *Portus Veneris*, « Port-Vendres », auj. Porto Badisco. Cf. Denys d'Halicarnasse, I, 5, 13.

749. Strabon mentionne ce temple et la ville toute proche à laquelle le temple a donné son nom : *Castrum Minervae*, auj. Castro, en Calabre. Selon Varron, cette ville aurait été fondée par Idoménée. Cf. *supra*.

750. Bâti sur une hauteur, le temple, de loin, paraît être sur le bord même de la mer; de près, on voit qu'il est à quelque distance du rivage.

751. Silius Italicus dit de même (XIII, 42) : « La déesse aux armes sonores », *armisona diva*.

752. Cf. note 708.

753. Junon protectrice des Argiens, c'est-à-dire des Grecs, et qui avait à Argos un temple célèbre avec une imposante statue, chef-d'œuvre de Polyclète. — Enée adresse ses vœux à la déesse ennemie des Troyens, espérant la fléchir.

754. Les pointes des vergues.

755. Les campagnes de la Grande-Grèce. Cf. III, 398.

756. Les traditions diffèrent sur l'origine de Tarente. Virgile en attribue la fondation à Hercule. D'autres, comme Horace (*Od.*, II, 4, 12) « *regnata Laconi rura Phalante* » au Lacédémonien Phalante, qui était un descendant d'Hercule; certains au héros éponyme Taras, fils de Neptune. Ovide semble appuyer la tradition recueillie par Virgile, lorsqu'il nous montre (*Mét.*, XV, 9) Hercule parcourant ces rivages et y fondant des villes.

757. Junon, dont le temple s'élevait sur le promontoire de Lacinium *(Juno Lacinia)*, à la pointe méridionale du golfe de Tarente, à six milles au sud-est de Crotone, cf. Tite-Live, XXIV, 3, 3. — Il reste encore de ce temple une colonne et quelques vestiges, qui ont fait donner au promontoire son nom actuel de Cap de la Colonne, *Capo delle Colonne*, ou de Cap Nau, *Capo di Nao*, c'est-à-dire Cap du Temple.

758. Caulon, auj. Castel Vetere, « Vielcastel », ville du Bruttium, était une colonie de Crotone, fondée par Typhon (cf. Pausanias, VI, 3, a2), et détruite par les Campaniens, dans la guerre de Pyrrhus.

759. Scylacée, auj. Squillon, ville du Bruttium, fondée par les Athéniens, donne son nom au golfe réputé pour ses naufrages.

760. L'Etna, auj. Monte Gibello, volcan de la côte orientale de la Sicile, où se trouvaient, suivant la fable, la demeure des géants Encelade et Typhée et les forges de Vulcain et des Cyclopes. Cf. *Géorg.*, I, 472; IV, 173.

761. Cf. note 67.

762. Cf. note 714.

763. D'après Homère, les Cyclopes étaient un peuple de pasteurs anthropophages, fils de Neptune et d'Amphitrite, d'une taille gigantesque, avec un seul œil au milieu du front. — Homère les situe en Sicile, sous l'Etna, où la fable les représente comme des ouvriers de Vulcain. Callimaque les place dans la grande île Lipari ou à Hiéra, une des îles Egates, auj. Marittimo. Virgile les situe le long de la côte entre Catane et Acium, auj. Aci Reale, dans les îles Faraglioni, « Les Fanaux », sept îlots aux roches basaltiques où l'on montre aujourd'hui la grotte dite des Cyclopes.

764. Encelade, l'un des géants, fils du Tartare et de la Terre, se révolta contre les dieux d'en haut et chercha à escalader le ciel; il fut, selon les uns, à demi foudroyé par Jupiter; selon les autres, percé par le javelot de Silène ou écrasé par le char de Minerve. Jupiter jeta sur lui l'Etna, et la fable attribuait aux efforts que faisait Encelade pour se retourner les convulsions et les éruptions du volcan. On plaçait aussi sous l'Etna Typhée ou Briarée.

765. Virgile demeure dans le vague : il est difficile d'admettre que quelque signe extérieur ait pu faire reconnaître un Grec. Cf. cependant le portrait du roi de Colchide Eétès, dans un fragment de tragédie cité par Cicéron, *Tusc.*, III, 26.

766. Et non point de celle des Cyclopes regardés non comme des hommes, mais comme des monstres.

767. Les noms d'Ithaque et d'Ulysse étaient particulièrement odieux aux Troyens.

768. Nom inconnu d'Homère et pris par Virgile à la dynastie perse des *Achéménides* pour désigner ici un personnage imaginaire.

769. Nom inventé par Virgile; mais Homère parle d'un certain Adamas. Cf. *Il.*, XII, 140.

770. Les compagnons d'Ulysse.

771. Accius, cité par Macrobe *(Sat.*, VI, 1, 55), en dit à peu près autant de Philoctète « qu'on ne peut pas regarder en face et à qui on ne peut pas adresser la parole » :

Quem neque tueri contra nec affari queas.

772. Il faut entendre qu'il n'oublie pas son ingéniosité et son audace habituelles.

773. Lucilius donne au Cyclope deux cents pieds de haut.

774. Même détail dans Homère (*Od.*, IX, 331).

775. Par un sourcil énorme, et peut-être par des cheveux en broussaille.

776. Le bouclier rond que portait l'infanterie lourde des Grecs passait pour

avoir été inventé à Argos (cf. Pausanias, II, 25). — Ovide (*Mét.*, XIII, 852) compare aussi l'œil de Polyphème à un bouclier rond.

777. Au soleil. Cf. *En.*, IV, 6.

778. Le fruit du cornouiller a un noyau dur comme une pierre. Cf. *Géorg.*, II, 34.

779. Le Cyclope de *l'Odyssée* (IX).

780. Souvenir de Théocrite, 11.

781. Cf. Ovide, *Mét.*, XIV, 188 sq.

782. Fils de Neptune et d'Amphitrite, les Cyclopes, qui habitaient l'Etna, étaient tous frères. Cf. note 763.

783. *Haute forêt de Jupiter...* Le chêne, l'arbre « aérien », était consacré à Jupiter. On distinguait le chêne pédonculé *(quercus)* que nomme ici Virgile, du chêne-rouvre *(robur)* et de l'esculus *(aesculus)* qui rendait des oracles à Dodone.

784. Le cyprès *(cupressus)* était consacré aux divinités des Enfers, à Pluton (cf. notes 468 et 545) et à Hécate, c'est-à-dire à Diane infernale.

785. Le promontoire du Pélore étant situé au nord-est de la Sicile, le vent qui en soufflait poussait vers le sud de l'île les vaisseaux des Troyens. Cf. notes 709 et 710.

786. Borée est avec Eole et Zéphyre l'un des principaux dieux des Vents. C'est le vent le plus rapide, le plus furieux, représentant le souffle de Jupiter lui-même. C'est lui qui détruisit la flotte de Xerxès, et c'est en souvenir de cet événement si heureux que les Athéniens célébraient la fête annuelle des *Boréasmes*.

Les Latins le nommaient *Septentrio*, le vent du Nord. Les habitants de certaines îles méditerranéennes appellent encore *bora* le vent du Nord ou mistral.

Borée se montre ici favorable aux vaisseaux d'Enée, puisque son souffle impétueux leur fait contourner la Sicile.

787. Le Pantagias est un fleuve côtier de la Sicile orientale, auj. *Fiume di Porcari*, qui se jette dans la mer à travers des rochers abrupts et sur un lit de cailloux. Cf. Claudien, *De Raptu Proserp.*, II, 57 : *saxa rotantem Pantagiam*, « Le Pantagias roulant des cailloux ».

788. Le golfe de Mégare, auj. *golfo di Augusto*, un peu au nord de Syracuse, baignait la ville de Mégare d'Hybla, anciennement Hybla-la-Petite, qui fut tour à tour détruite par Gélon et par Marcellus et dont il ne reste aujourd'hui que quelques ruines.

789. Thapsus est une petite presqu'île plate, qui fermait au sud le golfe de Mégare, auj. *Isola delli Magnisi* ou *Bagnoli*.

790. Achéménide avait passé par là en venant jadis, avec Ulysse, de la terre des Lotophages.

791. Le mot *infortuné*, appliqué à Ulysse, a semblé à certains commentateurs bien étrange dans la bouche d'Énée, son ennemi. Mais ce n'est point Enée qui le prononce, c'est Achéménide, qui signalait les terres qu'il avait vues « en compagnie de l'infortuné Ulysse ».

792. Du golfe de Syracuse, golfe principal de la Dicanie (Sicile), cf. note 178. — Ce golfe est devenu le Grand Port, *Porto Maggiore*.

793. Le promontoire de Plemmyre, auj. la Pointe des Géants, *Punta di Gigante*, fermait le grand Port au sud, laissant un large passage entre lui et l'île.

794. Ce promontoire est toujours battu par les flots, d'où son nom grec de Plemmyre, « marée haute ».

795. L'île d'Ortygie ne formait autrefois qu'un quartier de Syracuse; elle est aujourd'hui toute la ville. Un étroit canal, creusé par l'ordre de Charles Quint, la sépare de la ville.

Le nom d'Ortygie vient du culte de Diane qui était célébré dans l'île, comme à Délos, et signifie « île des Cailles. » Cf. note 595.

796. La fable conte que le chasseur Alphée poursuivit la nymphe Aréthuse, fille de Nérée et de Doris, suivante de Diane, jusque dans l'île d'Ortygie, où la nymphe fut changée en fontaine et le chasseur en un fleuve de l'Elide, qui, par des conduits souterrains, allait mêler ses eaux à celles de la fontaine.

Le fleuve Alphée, auj. *Roufia*, disparaît plusieurs fois sous terre avant de se jeter dans le golfe d'Arcadie, et la tradition veut que des objets jetés dans ses ondes reparaissent dans celles d'Aréthuse.

797. Cf. note 796 et *Buc.*, X, 1. — Aréthuse est considérée par les poètes comme une inspiratrice de la poésie bucolique.

798. Virgile ne dit pas que les Troyens aient débarqué; ils « adorent » Diane et « les grandes divinités du lieu » de leurs navires ou en longeant la côte.

799. L'Hélore, fleuve de Sicile, se jette dans la mer au nord du promontoire de Pachynum; cf. note 715. Il est « stagnant » dans sa partie inférieure, où ses débordements engraissent et fertilisent ses rives; mais dans sa partie supérieure il est rapide, pierreux et bruyant, d'où l'épithète de *clamosus* que lui donne Silius Italicus, XIV, 269. — Ce double aspect contracté du fleuve, torrentueux dans sa partie supérieure, limoneux et lent dans sa partie inférieure, est sans doute cause qu'il porte aujourd'hui deux noms : le *Tellaro* dans la première partie de son cours, l'*Abisso* dans la seconde partie.

800. Cf. note 715.

801. Camarine, auj. Torre di Camarina, près de la bourgade de Camarina, était autrefois une colonie grecque sur l'Hyparis.

802. Le petit fleuve Hyparis, qui entourait Camarine de ses eaux marécageuses et pestilentielles, fut desséché par ses habitants, en dépit de l'oracle de Delphes, qui avait répondu « qu'il ne fallait pas y toucher ». Les habitants de Camarine furent punis d'avoir passé outre aux injonctions de l'oracle, car, par le marais mis à sec, les ennemis pénétrèrent aisément dans la ville, qui était auparavant inexpugnable.

803. Les champs arrosés par le Géla ou Gélas, auj. Fiume di Terra Nuova, célèbre par le danger de ses eaux tourbillonnantes. Cf. Ovide, *Fastes*, IV, 470 : *verticibus non adeunde Gela*, « Gélas dont il ne faut pas affronter les tourbillons. »

804. Géla, auj. Terra Nuova, ville fondée par les Doriens, sur le Gélas. Virgile qualifie la ville d'*immanis*, qui signifie « monstrueuse » ou « immense », faisant allusion soit à la cruauté des tyrans qui y régnèrent, soit à l'étendue de la ville.

805. Agrigente, auj. Girgenti, était bâtie sur plusieurs collines, entre deux fleuves côtiers : l'Acregas (l'Agrigente), auj. Fiume di San Biagio, qui lui donnait son nom, et l'Hypsas, auj. Fiume Drago. D'où l'épithète d'escarpée, *arduum*, que lui donne Virgile.

806. *Ses très grands remparts...* Agrigente fut autrefois une ville puissante, et ses remparts imposants, dressés sur les collines, se voyaient de loin. Aujourd'hui, comme l'a dit Heredia en un vers fameux :

Agrigente n'est plus qu'une ombre...

807. Les chevaux d'Agrigente étaient célèbres. Selon Servius, les chevaux de la Cappadoce ayant péri, les habitants, sur l'ordre de l'oracle de Delphes, allèrent en chercher à Agrigente. Pindare a rappelé les victoires des chevaux d'Agrigente aux Jeux Isthmiques et Pythiques.

Autrefois est une inadvertance du poète : le mot était vrai à l'époque de Virgile; il est, dans la bouche d'Enée, un anachronisme. Ce n'est point le seul du reste que Virgile ait commis dans ce passage : on a fait remarquer avec raison qu'Enée n'avait pu passer devant Géla et Agrigente, puisque la première ville (cf. note 804) n'a été fondée qu'en ~ 700 environ par des Crétois et des Rhodiens, et la seconde (cf. note 805) est elle-même une colonie de cette Géla, remontant à ~ 575 environ.

808. Sélinonte, sur la côte occidentale de la Sicile, au nord-ouest d'Agrigente, fut autrefois une ville prospère, dont il ne reste que les ruines de quelques temples.

809. La partie de la côte de Sicile où se trouvaient Sélinonte et Lilybée est toujours abondante en palmiers.

810. Lilybée, auj. Marsala, à la pointe occidentale de la Sicile, autrefois promontoire de Lilybée, auj. Capo Boco.

811 Drépane, auj. Trapani, un peu au nord de Lilybée, près du mont Erix.

812. La côte où se trouvait Drépane était dépourvue d'arbres et de verdure : elle avait un aspect nu et triste *(il laetabilis)*, à la tristesse duquel s'ajoutait pour Enée la douleur d'y avoir perdu son père Anchise. Cf. vers 710.

LIVRE QUATRIÈME

DIDON

813. Depuis que l'Amour (Cupidon), prenant les traits d'Ascagne, a inspiré à Didon une ardente passion pour Enée. Cf. *En.*, I, 720.

814. Lucrèce, avant Virgile, avait déjà parlé de la « blessure » de l'amour. Cf. *De Nat. Rer.*, IV, 1042.

815. Cf. Apollonius de Rhodes, *Argon.*, III, 454, sq. : « Médée le voyait, tel qu'il était; elle se rappelait quels vêtements il portait, quels mots il avait prononcés, comment il s'était assis, comment il était sorti... A ses oreilles résonnaient sans cesse les accents de sa voix et les paroles si douces qu'il avait prononcées. »

816. Le soleil. Cf. note 777.

817. La Médée d'Apollonius a aussi sa sœur, Chalciopé, pour confidente, et Névius avait déjà, avant Virgile, donné Anne comme confidente à Didon.

818. Sœur de Didon, Anne, après la mort de la reine, fut en butte aux poursuites du roi Iarbas et s'enfuit tour à tour auprès du roi de Cyrène Battus et auprès d'Enée. Jalousée par Lavinie, elle s'enfuit de nouveau et se jeta la nuit dans le fleuve Numicius, dont elle devint la naïade, sous le nom d'Anna Perenna. Ovide conte qu'elle apparut au peuple, lors de la sécession sur le mont Sacré et lui distribua des vivres : les Romains reconnaissants lui élevèrent un temple et y célébrèrent sa fête tous les ans, le jour des ides de Mars. La fête fut rayée du calendrier après la mort de César, et le jour des ides déclaré néfaste. Il semble qu'Anna Perenna fut une déesse de la longévité.

Ovide, qui nous donne une description détaillée de sa fête, note une autre légende selon laquelle Anne, confidente de l'amour de Mars pour Minerve, proposa au dieu de lui faciliter une entrevue avec la déesse et osa se substituer à celle-ci.

819. Entre son ancien amour pour Sychée et son nouvel amour pour Enée.

820. Par la mort de Sychée, son époux.

821. Allusion aux rites du mariage romain : la jeune épouse était conduite le soir à la maison de l'époux et à la chambre nuptiale par un cortège où un enfant portait une torche, faite d'aubépine. — Virgile, ici, fait parler Didon comme une Romaine.

822. La loi romaine autorisait les secondes noces, mais l'opinion publique était peu favorable aux seconds mariages (cf. Valère Maxime, II, 1, 3, 4). A l'époque des empereurs chrétiens, on frappait de certaines incapacités les époux qui se remariaient après avoir eu des enfants du premier lit. — Didon semble estimer qu'un second mariage porte atteinte à l'honneur d'une femme.

823. Cf. note 123.

824. Pygmalion, qui assassina Sychée, était le frère de Didon. Cf. note 123.

825. L'amour d'autrefois pour Sychée.

826. Jupiter.

827. L'Erèbe, fils du Chaos et de la Nuit, père du Jour, fut précipité dans les Enfers pour avoir porté secours aux Titans révoltés contre Jupiter et transformé en fleuve. Le mot désigne souvent ce fleuve et, par extension, les ténèbres des Enfers. Cf. *Géorg.*, IV, 471.

828. La déesse Pudeur *(Pudor* ou *Pudicitia)* avait à Rome deux sanctuaires et ne pouvait être adorée que par les femmes ayant eu un seul mari.

829. Iarbas, roi des Maxitans, peuple nomade d'Afrique, s'éprit de Didon et voulut l'épouser malgré elle. Justin, qui suit une tradition différente de celle de Virgile, conte que le roi des Maxitans dépité menaça de guerre la reine de Carthage, et que, les Carthaginois épouvantés ayant mis leur reine en demeure de se sacrifier, elle fit préparer un bûcher, comme si elle voulait honorer une dernière fois son mari et s'y tua d'un coup d'épée.

830. Les Gétules habitaient au sud de Carthage, au-delà de l'Atlas, dans le désert. Ils suivirent Jugurtha contre les Romains, mais fournirent plus tard des auxiliaires à Marius et à César.

831. Les Numides, ancêtres des Kabyles, habitaient le pays qui est maintenant l'Algérie : ils étaient donc les voisins occidentaux des Carthaginois.

832. On peut entendre : qui ne se servent pas de freins pour leurs montures (cf. Tite-Live, XXI, 44, 1), ou : indomptables, incapables de supporter le frein (cf. Silius Italicus, I, 215 : *Numidae, gens nescia freni)*.

833. Cf. note 43. — Après avoir nommé les voisins de Carthage au sud, les Gétules, ses voisins à l'ouest, les Numides, Virgile nomme ici ses voisins immédiats de l'Est, qui habitaient l'actuelle Tripolitaine.

834. Le désert de Libye.

835. Les Barcéens étaient les habitants de la ville de Barcé, auj. Barca, port de la Cyrénaïque. Virgile commet ici un anachronisme, la fondation de Barcé ne remontant qu'au ∼ VIe siècle.

836. Pygmalion. Cf. note 123.

837. La Junon hyménéenne *(Juno pronuba)*. Cf. note 29.

838. Cf. note 23.

839. Cf. note 174. Orion amenait le mauvais temps pendant son coucher matinal, du 8 au 25 novembre.

840. « Cérès, dit Calvus, cité par le Ps.-Servius, enseigne les lois saintes. » La Cérès législatrice dont parle ici Virgile se confond avec Déméter Thesmophore.

841. Phébus passait pour être le dieu de la médecine, le dieu qui envoie les maladies, mais aussi qui les guérit (ἀλεξίκακος).

842. Lyée. — Bacchus, le dieu qui « délie » (λύει) de tout souci. Virgile et les Latins le confondent avec le dieu italique *Liber*.

843. Junon hyménéenne *(Juno pronuba)*, cf. note 29, protégeait les unions légitimes; elle présidait à la conclusion des fiançailles, guidait l'épouse vers l'époux *(juga)*, la conduisant à la maison conjugale *(domiduca)*, oignant de parfums les montants de la porte *(unxia)*, dénouant la ceinture de la femme près du lit *(cinxia)*, assistant les accouchements *(lucina)*, et faisant monter le lait au sein des mères *(mimina)*.

844. Si la victime n'était point « frappée de stupeur » par cette libation, c'est qu'elle était bonne pour l'immolation.

845. Gras du sang des victimes.

846. Le mariage romain commençait par un sacrifice, suivi de l'examen des entrailles des victimes.

847. La Crète est ici mal choisie, car, à en croire Pline, qui d'ailleurs s'en étonne, il n'y avait point de biches ni de cerfs dans cette île.

848. Cf. note 613.

849. Cf. note 146.

850. Parce qu'Enée n'y est plus.

851. Le lit du festin.

852. Les échafaudages.

853. Epithète homérique. Cf. *Il.*, XV, 156.

854. Cupidon. Cf. *Il.*, 658, et la note 211.

855. Carthage était protégée par Junon. Cf. note 6.

856. C'est-à-dire avec la même puissance. *L'imperium* conférait à Rome le droit de prendre les auspices.

857. Vénus, mère d'Enée, est considérée par Junon comme le chef de famille.

858. Le Soleil, fils du Titan Hypérion, l'un des rares Titans (avec Prométhée) qui ne se révolta pas contre Jupiter, et qui, ayant épousé Thya, fut le père également de la Lune et de l'Aurore.

859. Junon compare les chasseurs qui entourent Enée et Didon aux ailes d'une armée.

860. D'un cordon de filets et de réseaux, surveillés par les chasseurs pour empêcher le gibier de s'échapper.

861. Hyménée ou Hymen, fils, selon les uns, d'Apollon et de Calliope, selon les autres, de Bacchus et de Vénus, présidait au mariage accompli suivant les rites. Il était représenté sous les traits d'un beau jeune homme, à la chevelure bouclée, souriant et triste tour à tour, qui portait des fruits (noix et grenades), des fleurs (roses et marjolaines) et avait tantôt une flûte, tantôt une torche nuptiale.

862. Cf. note 86.

863. L'Aurore, sœur du Soleil et de la Lune, fille du Titan Hypérion (cf. note 858), quittait chaque matin la couche de son époux Tithon, montait sur son char et surgissait de l'Océan précédant dans les airs le Soleil, tandis que devant elle volait l'étoile du matin, Lucifer.

864. Les Massyles habitaient au nord de l'Aurès, dans la région où plus tard devait s'élever Cirta. Il semble que leur nom soit employé ici pour celui de Numides en général.

865. Cf. note 731.

866. Teinte avec la pourpre de Sidon.

867. Comme celle de Diane chasseresse.

868. La troupe des Troyens, d'une part; la troupe des Tyriens et des Massyles, d'autre part.

869. La Lycie où il passait l'hiver. Apollon demeurait six mois à Patare, capitale de la Lycie (qui est une province d'Asie Mineure au sud de la Pamphylie et de la Carie), puis, au printemps, se rendait à Délos où avaient lieu des fêtes en son honneur. Il avait à Patare un temple et un oracle célèbres.

870. Le Xanthe, fleuve côtier de Lycie qu'il ne faut pas confondre avec le Xanthe troyen, coulait non loin de Patare.

871. Cf. note 555.

872. En une panégyrie.

873. Les Dryopes sont un peuple pélasgique qui habitait en Thessalie, entre le Sperchius, les Thermopyles et le Parnasse, la région qui fut plus tard la Doride.

874. Les Agathyrses sont un peuple scythe ou sarmate qui habitait, sur la rive gauche du Danube, le territoire de la future Dacie et de l'actuelle Transylvanie. Leur nom venait, à en croire Hérodote, d'Agathyrsès, fils d'Hercule. Cf. Hérodote, *Hist.*, IV, 100, 104.

875. Les Agathyrses avaient coutume de se peindre le corps en bleu. Cf. Ammien Marcellin, XXXI, 2, 14. — Ainsi faisaient aussi les Bretons, au témoignage de César, *De Bello Gallico*, V, 14 : *se Britanni vitro inficiunt, quod caeruleum efficit colorem.*

876. Cf. note 166.

877. Ce croquis d'Apollon est conforme à l'image traditionnelle du dieu. Le dernier trait rappelle le vers d'Homère, *Il.*, I, 46.

878. Elles sont rabattues par les chasseurs.

879. Ascagne, petit-fils de Vénus et descendant de Dardanus.

880. La Terre *(Tellus mater* ou *Terra mater*, « la Terre mère ») était une divinité que les Latins confondaient avec Déméter. En tant que déesse de la fécondité, elle présidait aux noces : c'est par elle que naissaient « les beaux enfants et les fruits savoureux ». Le jour du mariage, l'épouse l'invoquait et lui sacrifiait selon les rites, soit avant de se mettre en marche vers la maison de l'époux, soit une fois arrivée dans la chambre nuptiale. On voit cette Terre Mère dans l'un des panneaux de l'Autel de la Paix, élevé à Rome par Auguste, qui est conservé aujourd'hui à Florence : assise, et la tête couronnée de fleurs sous un voile, elle tient dans ses bras deux petits enfants qui lui offrent des fruits; à ses pieds sont un taureau, symbole de la fécondité, et une brebis; une végétation abondante l'entoure.

881. Ces éclairs et ces hurlements sont de funestes présages, comme, dans une conjuration de Jason que décrit Apollonius, un tremblement de terre et des hurlements de nymphes. Cf. Apollonius de Rhodes, *Arg.*, III, 1218.

882. Ce portrait de la Renommée, qui rappelle celui de la Discorde (Eris) dans Homère (cf. *Il.*, IV, 440), a été imité par Ovide (*Mét.*, XII, 39 sq.), par Stace (*Théb.*, III, 426), par Valérius Flaccus (II, 116), et en français par Boileau (*Lutrin*, II), par Voltaire (*Henriade*, VIII), par J.-B. Rousseau *(Ode au prince Eugène)*. Il semble que Beaumarchais lui ait emprunté quelques traits de sa célèbre tirade sur la calomnie, *Barbier de Séville*, II, 8.

883. La Terre, épouse du Ciel, mère primitive de toutes choses, que Virgile confond ici avec Gê, mère des Titans.

884. L'un des Titans, fils du Ciel et de la Terre. Cf. *Géorg.*, I, 279.

885. Cf. note 763. — Encelade est un géant non un Titan; Virgile confond les uns et les autres.

886. L'hiver n'était pas encore arrivé (cf. III, 399) quand Enée quitta l'Afrique. La Renommée exagère déjà.

887. Enée oublie l'Italie, Didon oublie Carthage.

888. Cf. note 829.

889. Hammon, dieu thébain du Soleil, avait depuis des temps très anciens un temple et un oracle dans l'oasis qui portait son nom, auj. l'oasis de Syouah. Alexandre vint consulter cet oracle. Les Grecs identifièrent Hammon avec Zeus. Hammon était représenté avec des cornes de bélier. On voit encore les ruines du temple et la fontaine du Soleil, dont Lucain a donné dans la *Pharsale*, IX, une brillante description.

Au temps de Virgile, l'oracle de Jupiter Hammon avait perdu toute sa réputation et n'était plus qu'une tradition littéraire.

890. Les Garamantes habitaient les oasis de la Libye. Cf. *Buc.*, VIII, 44.

891. Jupiter-Hammon. Cf. note 889.

892. Grâce à Iarbas.

893. Les Maures habitaient, à l'ouest de la Numidie (Algérie), ce qui est aujourd'hui le Maroc. Les Maxitans d'Iarbas (cf. note 829) n'en faisaient donc pas partie. Mais le mot désigne ici tous les peuples africains.

894. Des libations de vin. Le père Lénéen, « le dieu des pressoirs », est Bacchus (Dionysos); à Athènes avaient lieu tous les ans, en janvier, les Dionysies Lénéennes fête des pressoirs à vin, présidées par l'archonte-roi, et où un double concours de comédies et de tragédies succédait à une procession.

895. Iarbas parle comme si Didon était sa femme, et comme si Enée la lui eût ravie, ainsi que Pâris avait ravi Hélène à Ménélas.

896. Au temps de Virgile, les Phrygiens étaient méprisés pour la mollesse de leurs mœurs.

897. La mitre est une longue bande d'étoffe, dont on se coiffait soit à la façon d'un turban, soit, comme ici, en nouant la bande sous le menton.

898. Lydienne. La Méonie est un canton de la Lydie. Cf. *Géorg.*, IV, 380.

899. Son messager.

900. Mercure est fils de Jupiter et de Maja.

901. Pour qu'ils aident ton vol. — Sur les Zéphyrs, cf. note 50.

902. Vénus.

903. Une première fois, Vénus sauva Enée blessé par Diomède en l'enveloppant de son manteau et en l'entraînant hors du champ de bataille, cf. *Il.*, V, 311 sq.; une seconde fois, elle le sauva, en le faisant passer indemne au milieu des projectiles et de l'incendie, pendant la nuit suprême de Troie. Cf. *En.*, II, 589-590.

904. Cf. note 23 et *En.*, III, 95.

905. Le Capitole, bâti sur l'une des sept collines.

906. La race d'Enée, destinée à régner sur l'Italie (Ausonie).

907. Cf. note 2.

908. Sandales munies d'ailes sur les côtés (πέδιλα). Cf. *Il.*, XXIV, 340; *Od.*, V, 43-49.

Les poètes anciens attribuent cette chaussure à Mercure et à Persée.

909. Cf. note 371.

910. Mercure est le dieu conducteur des âmes (psychopompe). *L'Odyssée* nous le montre entraînant une âme « à travers les sombres chemins. Ils franchissent le cours de l'Océan, dépassent la roche Leucade, les portes du Soleil, le peuple des Songes, et arrivent bientôt dans le pré d'asphodèles où habitent les fantômes de ceux qui ne sont plus » (XXIV, 2, 10). Le chœur des *Perses* d'Eschyle s'adresse à lui pour ramener sur terre l'ombre de Darius. Oreste, au début des *Choéphores*, le supplie, agenouillé sur la tombe de son père.

911. Les morts voient leur chemin quand la baguette de Mercure a rouvert leurs yeux fermés à l'heure suprême. A Rome, quand le corps était placé sur le bûcher funèbre, on rouvrait les yeux fermés du mort pour qu'ils ne fussent pas cachés au ciel (cf. Pline, XI, 55, 3).

912. Pour qu'ils lui ouvrent la route (cf. vers 223).

913. Cf. note 248.

914. Mercure était né sur le mont Cyllène, auj. Ziria, en Arcadie. Cf. *Géorg.*, I, 337 et la note 112.

915. Le plongeon *(mergus)*.

916. Maia, mère de Mercure, était fille d'Atlas. Cf. note 112.

917. Les gourbis des indigènes, dont le nom *(magalia, magaria)* est peut-être devenu celui de Mégara, faubourg de Carthage.

918. Le manteau (*laena*, gr. χλαῖνα) que porte ici Enée est un grand manteau de laine doublé, fixé par des agrafes, comme en mettaient les Orientaux, et qui est à Rome le manteau des flamines et des augures. Cf. Cicéron, *Brutus*, 57 : *Cum M. Popilius sacrificium publicum cum laena faceret*, et Varron, *L. L.* V, 133. — Enée, note finement L. Constans (*L'Enéide*, p. 139), a déjà l'aspect d'un roi oriental, et « la mollesse tyrienne l'a marqué de son empreinte ».

919. Mercure a reproduit à peu près textuellement le message de Jupiter : cette répétition est dans le style de l'épopée; voir les messages des dieux dans Homère.

920. *Ses cheveux se dressèrent d'horreur*, etc. Même vers, III, 48.

921. Inconnu d'Homère. Virgile en fait un descendant d'Assaracus (*En.*, XII, 127) et un ancêtre des Memmius (*En.*, V, 117).

922. Virgile fait plus loin (V, 121) de ce Sergeste l'ancêtre des Sergius. Cf. aussi I, 510.

923. Cf. note 74.

924. Le signal était donné au moment où l'on tirait du sanctuaire la statue et les attributs sacrés du dieu : le van, la flûte et les cymbales.

925. Les Thyades ou Thyiades, prêtresses de Bacchus, avaient pour mission de réveiller le dieu endormi : ce réveil avait lieu en novembre, tous les deux ans. Elles montaient alors avec lui sur le Parnasse, pour se livrer à des danses bachiques, parvenant à l'extase par des hurlements et des rondes frénétiques, mâchant du lierre et se livrant au rite de l'omophagie, c'est-à-dire dépeçant des victimes vivantes et dévorant leur chair crue.

926. Triennales, selon la façon antique de compter, en prenant l'année de départ et l'année d'arrivée, c'est-à-dire revenant tous les deux ans. Cf. note précédente. — Ces *orgies*, qui se célébraient à Thèbes et à Athènes, furent introduites à Rome de bonne heure, mais elles prirent un tel caractère de frénésie luxurieuse qu'elles furent interdites par un sénatus-consulte, en 186 av. J. C.

927. Le cri usité dans ces orgies était : *Io, evohe Bacche !*

928. Le Cithéron est une chaîne de montagnes, auj. Elatea, qui séparait l'Attique de la Béotie et de la Mégaride. Elle était fameuse, d'autre part, par les légendes cynégétiques d'Actéon et de Penthée. Cf. *Géorg.*, III, 43.

929. Les *orgies* avaient lieu la nuit : aussi les appelait-on quelquefois *nyctélies*.

930. On était encore en automne, mais l'hiver approchait.

931. Les Aquilons, vents du nord-est (cf. note 39), étaient contraires à Enée qui devait aller d'Afrique en Italie.

932. L'Ariane de Catulle évoque aussi l'union et l'hyménée, en un vers dont se souvient Virgile. Cf. Catulle, LXIV, 142 :

Sed connubia laeta, sed optatos hymenaeos.

933. Allusion à la haine, à la jalouse hostilité d'Iarbas éconduit. Cf. note 829.

934. Qui reprochaient à Didon de leur donner un maître étranger.

935. Avec l'aide des Tyriens courroucés.

936. Cf. note 830.

937. Pour la punir de l'avoir éconduit.

938. Cf. note 123. — Elise est le nom ancien de la reine; Didon est un surnom. Il est probable que dans l'intimité Enée la nommait Elise, et il lui donne encore, tendrement, ce nom d'amour.

939. Apollon avait un temple à Gryna ou Grynium, en Lydie, dans le golfe d'Elée. Cf. *Buc.*, VI, 72.

940. Cf. note 869. — Enée n'a d'ailleurs point reçu les oracles de l'Apollon Grynéen ni de l'Apollon Lycien, mais de l'Apollon Délien. Cf. *En.*, III, 69 sq.

941. Mercure.

942. L'Hyrcanie est une contrée de l'Asie Mineure, au sud-est de la mer Caspienne, voisine de l'Arménie, où s'élève le mont Caucase.

943. Qui semble abandonner Carthage.

944. Jupiter, qui envoie Mercure à Enée pour l'inviter à quitter Carthage.

945. Apollon, dieu des oracles, fondés en partie sur le chant ou le vol des oiseaux interprété par les augures. Cf. Horace, *Od.*, I, 2, 31, et *Chant Séculaire*, 61.

946. Cf. note 940.

947. Cf. note 941.

948. Les torches de l'Erinnye vengeresse.

949. Cf. note 543.

950. Cet hémistiche : *it nigrum campis agmen*, serait, selon Servius, emprunté à Ennius, qui l'applique aux éléphants.

951. Vers emprunté aux *Géorgiques*, I, 304. — Les matelots avaient coutume de couronner de fleurs la poupe de leurs navires lorsqu'ils mettaient à la voile.

952. Anne était à la fois, comme il arrive souvent, la double confidente de l'amant et de la maîtresse. — Varron, selon Servius, prétendait qu'elle aussi, elle aimait Enée. Cf. note 818.

953. Aulis, auj. Valthi ou Microvalthi, est le port de Béotie d'où la flotte grecque avait appareillé pour Troie, après le sacrifice d'Iphigénie.

954. Les Grecs. Cf. note 19.

955. Allusion à une tradition, suivie par Varron, et selon laquelle Diomède, pour obéir à un oracle, aurait profané le tombeau d'Anchise et emporté ses ossements. Puni pour ce sacrilège, il les aurait rendus à Enée. — Virgile n'a d'ailleurs pas adopté cette légende, et l'allusion indiscrète qu'il y fait ici témoigne du flottement d'un ouvrage laissé inachevé.

956. Il faut sans doute entendre : en te laissant, par ma mort, maîtresse de mon royaume.

957. Cf. note 786.

958. Venant des Alpes, c'est-à-dire du nord.

959. Cf. *Géorg.*, II, 291-292.

960. Certains comprennent, et comprenaient déjà du temps de Servius, les larmes de Didon et d'Anne. Nous préférons entendre : celles d'Enée, dont le « grand cœur » est « envahi de douleur ».

961. Les signes funestes envoyés par les dieux sont un mystère dont on ne doit pas parler.

962. Donc, de mauvais augure.

963. Les toisons dont on fait les bandelettes de laine blanche, dont on usait dans les sacrifices.

964. Sans doute des frondaisons de myrte et de cyprès.

965. Penthée, roi de Thèbes, fils d'Echion, s'opposant à l'introduction du culte de Bacchus dans ses Etats, fut frappé de folie par le dieu; il croyait voir deux soleils, deux villes de Thèbes, etc. Les Ménades, ayant à leur tête sa mère Agavé, le mirent en lambeaux (cf. Euripide, *Les Bacchantes*). La pièce d'Euripide avait été transportée sur la scène romaine par Pacuvius et par Accius. Cf. Ovide, *Mét.*, III, 511-733.

966. Virgile confond ici les Ménades (cf. note 965) et les Euménides (Furies).

967. Oreste, fils d'Agamemnon, tua sa mère Clytemnestre pour venger la mort de son père, assassiné par Clytemnestre et Egisthe.

968. Eschyle, dans *les Euménides*, Euripide, dans *Oreste*, et à Rome, Ennius et Pacuvius ont porté sur la scène les malheurs et les fureurs d'Oreste.

969. Cf. Euripide, *Oreste*, I, 1 sq.

970. Comme une Furie.

971. Eschyle et Pacuvius nous montrent Oreste entré dans le temple d'Apollon, où il est venu consulter l'oracle, tandis que les Euménides, assises sur le seuil, l'attendent à la sortie.

972. Enée. — Didon évite de prononcer son nom.

973. Les anciens donnaient le nom d'Ethiopie à la fois à la partie de l'Afrique qui s'étend au sud de l'Egypte (Ethiopie du soleil couchant) et à la partie de l'Arabie qui s'étend le long de la mer Rouge (Ethiopie du soleil levant) : c'était la

région la plus méridionale du monde connu. Selon Pline (VI, 35, 8), le nom d'Ethiopie venait du premier roi, Ethiope, fils de Vulcain, ainsi nommé lui-même parce qu'il avait le visage brûlé (αἴθω, brûler, ὄψ, visage).

974. Cf. note 248. — L'Atlas étant dans le Nord-Ouest de l'Afrique, on voit combien sont vagues pour Virgile, et pour les Anciens, les confins de l'Ethiopie, qui semble s'étendre ici jusqu'au Soudan et à tout le Sahara.

975. Cf. note 864.

976. Les Hespérides, selon les uns filles d'Atlas et d'Hespéris, selon les autres filles de Vesper ou Hesper, « le Couchant », possédaient au pied de l'Atlas des jardins magnifiques, où les arbres portaient des pommes d'or, fruits merveilleux offerts à Junon par la Terre, quand Junon épousa Jupiter. Elles étaient au nombre de trois : Aréthuse, Eglé et Hypérétuse. Un dragon à cent têtes, fils de Typhée et de la Vipère, les assistait dans la garde qu'elles montaient autour des pommes d'or.

Pour Virgile, le temple des Hespérides semble être un monument allégorique où étaient figurés le jardin merveilleux et ses gardiennes. La prêtresse de race massyle nourrissait le dragon en lui donnant, semble-t-il, du miel et des pavots, comme on en donnait aux serpents du Parthénon et du temple d'Esculape, à Epidaure.

977. Même magie dans Apollonius (*Arg.*, III, 532) : « Elle (Médée) arrête immédiatement les fleuves sonores et enchaîne les astres et le cours de la lune. » Cf. *Buc.*, VIII, 70.

978. Didon s'excuse d'avoir recouru aux pratiques magiques, qui furent toujours repoussées par les Romains. La loi des Douze Tables déjà défendait d'employer la magie dans plusieurs cas, et en particulier contre les terres d'autrui. Des empereurs comme Constantin, Constance et Valentinien devaient faire plus tard des lois rigoureuses contre les magiciens.

979. Enée. — Didon évite encore de le nommer par son nom.

980. De branches de cyprès.

981. Dans les cérémonies magiques, on représentait par une image de cire la personne qu'on voulait atteindre. Cf. *Buc.*, VIII, et Horace, *Sat.*, I, 8, 30.

982. Elle n'ignore pas qu'elle va mourir.

983. Le nombre trois et ses multiples (ici, trois fois cent) étaient consacrés dans les cérémonies magiques.

Quant au nombre des dieux, les conjurations qui nous sont parvenues dans des papyrus contiennent une liste imposante de divinités infernales.

984. Cf. note 827.

985. Le Chaos, père de l'Erèbe, placé à l'origine du monde et représentant le vide infini, devint une divinité infernale, confondue avec les Enfers. Cf. *Géorg.*, IV, 347.

986. La même déesse était à la fois la Lune (Phébé) dans le ciel, Diane (Artémis) sur terre, Hécate aux Enfers. De là les épithètes qui sont appliquées à « la triple Hécate » : *triformis*, « triforme » (cf. Horace, *Od.*, III, 22, 4 et Ovide, *Mét.* VII, 94); *triceps*, « aux trois têtes » (cf. Ovide, *Mét.*, VII, 194); *trivia*, « la déesse des carrefours de trois routes » (cf. Properce, II, 23, 40).

987. Cf. note 693.

988. Tous ces détails sont confirmés par Macrobe, *Sat.*, V, 19.

989. L'excroissance de chair, de couleur noire et de la grosseur d'une fraise, qui est placée sur le front du poulain nouveau-né, et que la jument dévore, ce qui lui inspire, dit Pline, un amour violent pour son petit. Cf. Pline, VIII, 66.

990. Cf. note 299.

991. Purifiées.

992. Dans les opérations magiques, il faut être dégagé de tout lien : *pedibus nudis*, dit Horace, *Sat.*, I, 8, 24. — Les bas-reliefs antiques attestent cet usage.

993. Cf. note précédente.

994. Allusion à Iarbas.

995. Allusion à la perfidie de cet ancêtre d'Enée. Cf. note 628.

996. Tyr, colonie de Sidon.

997. De Mercure.

998. Il faut croire que les Aquilons dont parlait Didon (cf. vers 310 et note 931) ont cessé et fait place aux Zéphyrs, à moins que Didon, qui désire qu'Enée

reste, et Mercure, qui désire qu'il parte, ne jouent à leur gré avec les vents.

999. Idée proverbiale (cf. Euripide, *Iph. Taur.*, 1298, « la race peu sûre des femmes », et les sentences populaires : française : « souvent femme varie », italienne : *la donna e mobile*, etc.).

1000. Envoyé par Jupiter.

1001. Au lieu de les délier.

1002. Enée n'est pas tout à fait sûr d'avoir eu affaire à Mercure.

1003. Cf. note 863.

1004. Allusion à la conduite de Médée, dispersant en lambeaux les membres de son frère.

1005. Allusion au festin de Thyeste, où Atrée lui servit les membres de ses fils égorgés ou à celui dans lequel Procné servit à Térée le corps de son fils.

1006. Comme Hector ceux des Grecs. Cf. *En.*, II, 276.

1007. Ajax (cf. Sophocle, *Ajax*, 845 sq.) interpelle de même le soleil.

1008. Cf. note 986.

1009. Où avaient lieu les cérémonies magiques. Cf. note 986, *in fine*.

1010. Les Euménides. Cf. note 971.

1011. Le peuple des Rutules.

1012. Au livre VIII de *l'Enéide*, Enée, conseillé par Evandre, implore le secours des Etrusques (102 sq.).

1013. De ses alliés, comme Pallas. Cf. *En.*, X, 479.

1014. Junon (cf. *En.*, VIII, 238 sq.) obtient de Jupiter que les Latins ne prennent pas le nom des Troyens et que Troie disparaisse :

Occidit occideritque sinas cum nomine Troja.

1015. On ignore combien d'années Enée régna en Italie. Sans doute Anchise (*En.*, VI, 764) lui prédit que, devenu vieux, il aura de sa femme Lavinie un fils Silvius, mais Virgile nous dit d'autre part (*En.*, I, 265) qu'il ne régna que trois ans.

Selon Tite-Live (I, 1-2), il fut tué trois ans après son arrivée en Italie dans un combat. Selon Servius, il glissa en faisant un sacrifice sur les eaux du fleuve Numicius, et son corps englouti ne fut pas retrouvé, ce qui explique qu'il gise « sans sépulture au milieu de l'arène ».

1016. Annibal, qui poursuivit les Romains de sa « haine inexpiable » et leur infligea les défaites du Tessin, de la Trébie, de Trasimène et de Cannes.

1017. En mettant les villes à feu et à sang.

1018. Servius voit quelque relation entre le nom de Barcé et celui des Barca, famille d'Annibal.

Barcé, nourrice, figure ici comme figuraient dans *l'Odyssée* Euryclée, nourrice d'Ulysse (cf. *Od.*, XIX, 357 sq.), dans la *Phèdre*, d'Euripide, Œnone, et comme figure aussi, dans *l'Enéide*, Caiète, nourrice d'Enée. Cf. *En.*, VII, 2.

1019. A Tyr.

1020. Pluton (cf. *Il.*, IX, 459) « Jupiter souterrain », et Sénèque, *Herc. Œt.*, 1705 : *Jupiter niger*, « Jupiter noir ». — Virgile appelle de même Proserpine la Junon des Enfers, *Juno inferna* (cf. *En.*, VI, 138) et Stace la nomme « Junon stygienne », *Stygia Juno* (cf. *Thébaïde*, IV, 526).

1021. Cf. note 381. — Didon continue de ne pas prononcer le nom d'Enée, et elle fait croire à la nourrice qu'elle prépare une opération magique.

1022. Didon avait sans doute demandé à Enée, en échange de l'épée ornée de jaspe qu'elle lui avait offerte (cf. V, 261), l'épée qu'il portait à Troie. Cf. Ovide, *Hér.*, VII, 182 sq.

1023. Cf. *En.*, I, 647 sq.

1024. Le lit de leurs amours.

1025. Le lit funèbre.

1026. La divinité, en général.

1027. Elle évite toujours de nommer Enée par son nom.

1028. Les présages funestes. Cf. vers 384.

1029. Didon emploie une expression romaine : *populumque patresque.*

1030. De Carthage, fondée par la Sidonienne Didon.

1031. C'était une coutume romaine de recueillir sur la bouche d'un mourant son dernier souffle. Cicéron (*Verr.*, V, 45) nous montre les mères ne demandant plus rien, « sinon qu'il leur fût permis de recueillir sur la bouche le dernier soupir de leurs enfants ».

1032. Iris, fille du Centaure Thaumas et d'Electre, était la messagère des dieux dans la mythologie grecque et plus particulièrement dans la poésie latine, celle de Junon, qui la métamorphosa en arc-en-ciel.

On la voit, dans la *Théogonie*, aller puiser l'eau du Styx dans une aiguière d'or, pour que les dieux puissent jurer par cette eau.

Sur les vases peints, Iris est représentée avec une tunique flottante, des ailes aux épaules, quelquefois aussi ayant, comme Mercure, des talonnières et portant, comme lui, le caducée, mais plus souvent sans talonnières et tenant, au lieu du caducée, réservé à Mercure, la ciste à parfums de Junon.

1033. De même que les flamines enlevaient aux victimes une touffe de poils d'entre les cornes et la jetaient dans un feu de pin allumé sur l'autel, de même les Anciens croyaient que Proserpine coupait un cheveu au mourant, victime lui-même dévouée aux puissances infernales. Les Anciens plaçaient, en effet, le siège de la vie dans les cheveux (voir l'histoire du cheveu de pourpre de Nisus, *Géorg.*, I, 404). Cf. Euripide, *Alceste*, 74-76; et Horace, *Od.*, I, 28, 20 :

... Nullum
Saeva caput Proserpina fugit.

Stace, *Silv.*, II, 1, 147 :

Jam complexa manu crinem tenes, infera Juno.

1034. Cf. note 371.

1035. Ses ailes blondes, couleur de crocus. Cf. note 1032.

1036. On la représentait glissant sur l'arc-en-ciel.

1037. Dis *(Dis Pater)*, dieu infernal italique, est l'équivalent de Pluton ou de l'Hadès des Grecs, auquel il a cédé la place de bonne heure. — Virgile le nomme onze fois dans son œuvre, dont neuf fois dans *l'Enéide.*

Dis signifie « le Riche », le royaume de Pluton étant composé d'un grand nombre de morts.

LIVRE CINQUIÈME

LES JEUX FUNÈBRES EN L'HONNEUR D'ANCHISE

1038. Composée de dix-neuf vaisseaux. Cf. *En.*, I, 380 et 534.

1039. L'Aquilon, vent du nord-est (cf. note 39), donne aux flots bleus une couleur sombre, presque noire.

Il est contraire à la flotte d'Enée qui va d'Afrique en Italie (cf. note 931). Il faut supposer que les vaisseaux, partis avec des vents favorables, cf. IV, 562, sont assaillis, presque aussitôt après leur départ, par un vent contraire, l'Aquilon. Cf. note 998.

1040. Cf. note 938.

1041. Profané par la trahison d'Enée.

1042. Cf. note 23.

1043. *Dès que leurs vaisseaux... ténèbres.* Ces quatre vers (8-11) sont à peu près répétés de III, 192-195.

1044. Cf. note 620.

1045. Au couchant assombri.

1046. Cf. note 183. — Par sa mère, Vénus, Eryx était le demi-frère d'Enée : c'est pourquoi Palinure parle des rivages « fraternels ».

1047. Des portes de Sicile. Cf. note 178.

1048. Cf. note 66.

1049. Anchise était mort à Drépane, en Sicile. Cf. III, 709-722.

1050. Les vents favorables. Cf. IV, 562 et note 1039.

1051. Le mont Eryx n'a que 660 mètres; mais il est isolé, et, vu de la mer surtout, paraît beaucoup plus élevé qu'il ne l'est.

1052. Pline (VIII, 54) affirme qu'il n'y a pas d'ours en Afrique : *in Africa ursum non gigni constat*. Mais Hérodote dit le contraire, et Solin (IX) note que les ours de Libye étaient plus grands que les autres. Pline lui-même d'ailleurs, en ses *Ann. Pont.*, dit que les Romains faisaient venir des ours de Libye pour servir à leurs spectacles.

1053. Aceste était le fils, en effet, du fleuve Crinisus et de la Troyenne Ségeste, fille d'Hippotès (cf. note 66).

La rivière Crinisus ou Crimisus, ou Crinisius, auj. Fiume di Caltabellota, est un affluent de l'Hypsa, auj. Belice, fleuve côtier du Nord-Ouest de la Sicile. La rivière Crinisus passe à peu de distance de Ségeste.

1054. Les ressources de ses champs, récoltes et troupeaux.

1055. Comme faisaient les généraux romains en campagne.

1056. Les Troyens descendaient de Dardanus, qui avait pour père Jupiter.

1057. « Mon divin père » dit Enée en parlant d'Anchise : 1° parce qu'Anchise, comme lui et ses ascendants, remonte au « noble sang des dieux », à Jupiter, père de Dardanus; 2° parce que tout mortel, après sa mort, devient dieu sous le nom de mâne (cf. IV, 610); et peut-être aussi, 3° parce qu'Anchise, qui était un célèbre devin, participait par là de la divinité. Servius semble même entendre *divini* par « devin ».

1058. Enée, dans son récit (cf. III, 709-711), s'était borné à mentionner la mort de son père; mais il va de soi que lui et les Troyens lui avaient rendu les suprêmes devoirs.

1059. Cf. note 830.

1060. Par la tempête.

1061. La mer « grecque », la mer Egée qui baigne les côtes de l'Argolide. Horace emploie la même expression (*Od.*, II, 16, 1) : *In patenti prensus Ægeo*.

1062. Capitale d'Agamemnon, où un grand nombre de Troyens et de Troyennes avaient été emmenés en esclavage.

1063. L'impureté résultant d'un décès cesse huit jours après la sépulture. De là, les expressions : *novendiales ludi* (cf. Tite-Live, I, 31); *novendiale sacrum* (cf. Tite-Live, XXI, 62), et *novendialis cena* (cf. Tacite, *Annales*, VI, 5).

1064. Les Anciens, dans les cérémonies sacrées, se taisaient ou ne disaient que des mots de bon augure qui ne puissent pas nuire au sacrifice. Cf. Horace, *Od.*, III, 16, 11 :

... male ominatis
Parcite verbis.

« ... Evitez les paroles de mauvais augure. »

1065. C'était l'usage, dans les cérémonies sacrées, de s'entourer les tempes de rameaux et, quelquefois, de bandelettes.

1066. Le myrte était consacré à Vénus. Cf. *Buc.*, VII, 62; IX, 47; *Géorg.*, I, 28.

1067. Hélymus, ami et compagnon d'Aceste, avait abordé avec lui en Sicile, et y avait fondé, près de la ville d'Aceste, plusieurs villes, sans doute Eryx, Entelle et Ségeste, qu'occupait le peuple des Hélymes. Cf. Denys d'Halicarnasse, I, 47, 52.

Les Hélymes furent plus tard les alliés des Phéniciens contre les colons grecs; ils disparaissent à la fin du VIIe siècle avant J.-C. — Nous retrouvons Hélymus plus loin (cf. v. 300) : il prend part à la course à pied.

1068. Deux coupes pleines de vin pur.

1069. Les offrandes vont d'habitude par paires.

1070. Enée avait déjà salué Anchise en le mettant au tombeau. Cf. note 1058.

1071. Selon Servius, les Anciens distinguaient dans l'homme : le corps, qui était mis au tombeau; l'âme, qui montait au ciel; l'ombre, qui descendait aux Enfers. Mais il semble bien, suivant d'autres doctrines, qu'ils confondaient souvent l'âme et l'ombre, sorte de double du corps.

1072. Sept est un nombre indivisible et sacré.

1073. Les Anciens croyaient que chaque lieu avait une divinité protectrice, le *génie*, représenté parfois sous la forme d'un enfant, d'un adolescent ailé, d'un vieillard, le plus souvent sous celle d'un serpent vivant. C'est pourquoi, dit Pline (cf. XXIX, 4), on élevait des serpents dans les maisons romaines. — L'inscription sacrée portait : GENIO LOCI : « Au génie du Lieu ».

1074. Ce serpent pouvait être aussi l'exécuteur des volontés d'Anchise devenu dieu, *divini parentis*.

1075. Cette offrande est le *suovetau rile* (*sus*, porc, *ovis*, brebis, *taurus*, taureau), sacrifice des trois victimes ordinaires, que les Romains faisaient surtout pour les lustrations.

Sur le nombre deux, cf. note 1069.

1076. Les victimes immolées aux dieux infernaux étaient noires.

1077. Ainsi voit-on Achille, dans Homère (*Il.*, XXII, 221), évoquer l'âme de Patrocle.

1078. L'Achéron, l' « avare » Achéron (cf. *Géorg.*, II, 492), est un fleuve des Enfers, pris ici pour les Enfers eux-mêmes.

Il y avait en Grèce et en Epire des fleuves de ce nom.

1079. Le neuvième jour, qui met fin aux Féralies (13-21 février). Cf. vers 64 et note 1063.

1080. Phaéthon, « le brillant », fils du Soleil (Apollon) et de Clymène, fut foudroyé par Jupiter et précipité dans le Pô, pour avoir failli mettre le feu à la terre en conduisant le char du Soleil qu'Apollon avait eu l'imprudence, un jour, de lui confier. — Il semble qu'ici Phaéthon désigne le soleil lui-même, « le brillant » Soleil. Cf. Homère, *Il.*, XI, 735.

1081. Cf. note 66.

1082. Les trépieds, dont on se servait pour brûler les parfums dans les sacrifices, étaient consacrés aux dieux dans les temples, et offerts aussi, comme récompenses, aux vainqueurs dans les jeux de la Grèce. C'est ainsi qu'Achille, célébrant les jeux funèbres en l'honneur de Patrocle, donne comme prix « des coupes et des trépieds » (cf. *Il.*, XXIII, 259), et offre au vainqueur de la course de chars, outre une belle captive, « un trépied à anses contenant vingt-deux mesures ». (Cf. *Il.*, XXIII, 264.)

1083. Le talent, qui pesait, selon les pays, de 25 à 35 kilos, eut une valeur variable, qui était relativement faible à l'époque de Troie, mais qui augmenta par la suite. Aux jeux funèbres de Patrocle, le second prix comportait une jument avec son poulain; le quatrième, deux talents d'or. Cf. *Il.*, XXIII, 269.

1084. Usage romain, mais non point grec. Les jeux, du temps d'Homère, commençaient par le chant des hymnes.

1085. Ayant le même nombre de bancs de rameurs.

1086. Cf. note 921.

1087. La Baleine, selon certains; la Scie, sorte de squale, selon d'autres. Chaque vaisseau porte à la proue l'image d'un animal ou d'un monstre qui lui donne son nom.

1088. A l'époque où Virgile écrivait *l'Enéide*, Varron venait d'écrire un ouvrage en plusieurs volumes, *De familiis trojanis*. « Les familles troyennes », et il était à la mode, pour les familles patriciennes de Rome, de se rattacher, par de vagues similitudes de nom, à des héros troyens. C'est ainsi que les Memmius, dont le nom est voisin de *memini*, prétendaient remonter à Mnesthée, dont le nom est proche de μεμνῆσθαι, qui signifie, comme *memini* : « se rappeler ».

Ainsi plus tard la noblesse italienne, par les mêmes procédés, se cherchera des aïeux parmi les patriciens romains. « Il n'est point de *cicerone* en Italie, a dit un humoriste, qui ne prétende remonter à Cicéron. »

1089. Cf. note 73.

1090. La Chimère était un monstre fabuleux, né de Typhon et d'Echidna : elle avait, selon Homère, une tête de lion, un corps de chèvre et une queue de serpent; selon Hésiode, trois têtes de lion, de chèvre et de serpent. Elle vomissait des flammes. Suivant les traditions, elle habitait tantôt en Carie, tantôt en Lycie, et fut tuée par Bellérophon. Elle figurait sur plusieurs monnaies, soit seule, soit avec son meurtrier, entre autres sur des monnaies de Corinthe et de Sicyone.

1091. Virgile n'a pas pris garde que les trirèmes n'étaient pas inventées au temps de la guerre de Troie. Selon Thucydide (I, 13), les premières trirèmes virent le jour à Corinthe trois cents ans avant la guerre du Péloponnèse, c'est-à-dire au VIIIe siècle av. J.-C.

Virgile n'est d'ailleurs point le seul qui ait commis cet anachronisme : sur une ancienne fresque, découverte aux jardins Farnèse, et qui représente la fuite de Pâris et d'Hélène, on voit aussi une trirème.

1092. Cf. note 922.

1093. Cf. note 1088.

1094. Les Centaures étaient des monstres fabuleux, nés, selon la légende, d'Ixion et de Néphélé (la Nue); on conte à ce propos qu'Ixion, coupable d'un meurtre, mais purifié par Jupiter, avait été admis à la table des dieux : oublieux des lois de l'hospitalité, il osa concevoir pour Junon un amour sacrilège et le lui déclarer. Jupiter irrité donna à une nuée l'apparence de Junon; Ixion s'unit à elle, et de leur union naquirent les Centaures; après quoi, Ixion fut précipité dans les Enfers.

Les Centaures ont le torse, les bras et la figure d'un homme, le reste du corps d'un cheval.

1095. La nymphe Scylla, fille de Phorcus, éprise de Glaucus, fut transformée en un monstre horrible par la jalouse Circé (cf. note 68).

Elle est ici nommée la Scylle « d'azur », parce qu'après cette métamorphose elle se précipita dans la mer azurée et en prit la couleur.

1096. Cf. note 74.

1097. Cf. note 1088.

1098. Le Corus (gr. Skirôn) est le vent du nord-ouest, antagoniste du Volturnus (gr. Euros), vent du sud-est. Cf. *Géorg.*, III, 278.

1099. Le peuplier était consacré à Hercule (cf. *Buc.*, VII, 61) : *populus Alcidae gratissima.* — On se couronnait de peuplier dans les jeux funèbres, parce que, d'après la fable, Hercule, en revenant des Enfers, s'était fait une couronne de feuilles de cet arbre, planté par Pluton au bord de l'Achéron en l'honneur de l'Océanide Leucé.

1100. Les éperons, formés de trois poutres en saillie, garnis de bronze ou de fer, et placés à la proue, servaient à fendre l'eau et à couler le navire ennemi.

1101. La forêt qui s'étend sur le rivage et les pentes du mont Eryx, en face duquel, au loin, avait lieu la joute navale.

1102. Ménètès craignait sans doute de toucher le pied de l'écueil et prenait un peu au large. Gyas lui crie de doubler le rocher de justesse. Cloanthe profite de la trop grande prudence de Ménètès pour passer entre le but et Gyas. Le rocher en question est aujourd'hui l'*Isola d'Avinello*. Cf. Boissier, *Nouvelles promenades archéologiques*, p. 245.

1103. A la mort d'Hector, ses compagnons se sont attachés à Mnesthée.

1104. Allusion à la tempête qui assaillit la flotte d'Enée. Cf. I, 82 sq. et note 43.

1105. Allusion à leur course sur mer, après le départ de Crète. Cf. III, 192 sq.

1106. Le cap Malée, auj. cap. Malia, à la pointe Sud de la Laconie, était fort redouté des navigateurs. « En doublant le cap Malée, disait un proverbe, renoncez à ce que vous avez laissé à la maison ». Cf. Strabon, VIII, 6, 20.

Malherbe, paraphrasant ce dicton, a écrit :

Il faut dans la plaine salée
Avoir lutté contre Malée...
Pour être cru bon marinier.

1107. Valérius Flaccus (IV, 712) emploie la même image.

1108. Homère et Apollonius de Rhodes comparent la marche rapide d'un navire au vol de l'épervier. Cf. *Od.*, XIII, 86; *Argonautiques*, II, 932.

1109. Les Néréides, filles de Nérée et de Doris, au nombre de cinquante, étaient les Nymphes des mers intérieures; on les distinguait des Océanides, Nymphes de l'Océan. D'après la fable, elles habitaient au fond de la mer, avec leur père, occupées à filer des fuseaux d'or et à chanter; souvent, elles venaient par troupes jouer à la surface des flots, chevauchant, de leurs corps nus de femmes à queues de poisson, des tritons ou autres monstres marins. Certaines sont célèbres : Amphitrite, Thétis, Orithye, Galatée.

Ce sont des divinités bienfaisantes. Leurs représentations sur les vases peints ou sur les bas-reliefs sont très nombreuses. Cf. note 553.

1110. Phorcus, fils de l'Océan et de la Terre, frère de Nérée, est comme celui-ci un ancien dieu de la mer qui a cédé sa place à Neptune. Il est le père des Gorgones et du dragon des Hespérides. Un port d'Ithaque lui était consacré. Cf. *Od.*, XIII, 96.

1111. L'une des cinquante Néréides.

1112. Portunus ou Portumnus, dieu marin, présidait aux passes ou ports *(portus)* et aux passages ou portes *(portae)*; Varron le nomme : *portuorum portarumque praeses*. Cf. P. F. XLVIII, 25 : *claudere et clavis ex graeco descendit; cujus rei tutelam penes Portunum esse putabant, qui clavim manu tenere fingebatur, et deus putabatur esse portarum.*

On l'a quelquefois confondu avec Janus. Il avait sous le nom de *Portunalies* une fête à Rome, où on l'honorait surtout comme dieu du Tibre (cf. Varron, *L. L.*, VI, 19) : *Portunalia dicta a Portuno, cui eo die aedes in portu Tiberino facta et feciae institutae.*

1113. Cf. note 32. Ici, le vent en général.

1114. Cf. note 1083. — Virgile ne parle plus du talent d'or.

1115. Cf. note 731.

1116. Mélibée, ville de Thessalie, entre le Pénée et l'Ossa, produisait une pourpre célèbre, dont parle aussi Lucrèce; cf. *De Nat. Rerum*, II, 499-500.

1117. En une double bande brodée qui imite les courbes du Méandre, auj. Meinder, fleuve d'Asie Mineure très sinueux, qui séparait la Carie de la Lydie (cf. Ovide, *Héroid.*, IX, 55).

1118. Ganymède, cf. note 18.

1119. Cf. note 462.

1120. L'aigle qui porte les *armes* de Jupiter, c'est-à-dire la foudre. Cf. Ovide, *Mét.*, XV, 386, et Valerius Flaccus, I, 156.

1121. Cf. III, 466.

1122. Héros grec inconnu. Virgile semble avoir emprunté son nom, en le déformant, à un Troyen d'Homère, Démoléon. Cf. *Il.*, XX, 395.

1123. Cf. note 38.

1124. Inconnus.

1125. Cf. note 725, et *Il.*, XXIII, 613.

1126. Les rubans qui attachaient les extrémités d'une couronne et dont les bouts tombaient par-derrière sur le cou.

1127. Cf. Lucrèce, *De Nat. Rerum*, III, 658.

1128. A filer et tisser la laine.

1129. Inconnue.

1130. Cf. note 178.

1131. Couple d'amis créé par Virgile. Cf. livre IX.

1132. L'amour, attentif, un peu paternel de l'aîné pour le cadet.

1133. Euryale a entre quinze et vingt ans. Les auteurs latins appliquent le terme de *puer* à des jeunes gens, qui ont parfois dix-neuf ans; cf. Cicéron, *Ad Fam.*, XII, 25, et même vingt, cf. Silius Italicus, XV, 33.

1134. Inconnu par ailleurs. Virgile semble avoir emprunté son nom aux Diorès d'Homère, qui n'ont rien de commun avec celui-ci, le même sans doute qui est tué par Turnus. Cf. *En.*, XII, 509.

1135. Inconnu, auquel Virgile a prêté un nom qui ne peut pas être grec : peut-être pour y rattacher les Saliens.

1136. Inconnu, auquel Virgile a prêté un nom qui ne peut pas être grec : peut-être pour y rattacher les « patrons » romains. Il faut noter toutefois que Denys d'Halicarnasse donne un Patron comme compagnon à Enée. Cf. I, 51.

1137. L'Acarnanie, ancienne province grecque, s'étendait au sud de l'Epire (Albanie), entre le golfe d'Ambracie et l'embouchure de l'Achéloüs, qui la séparait de l'Etolie.

1138. Tégée, ville d'Arcadie, aux confins de l'Argolide, s'élevait à l'endroit où est aujourd'hui le village de Piali.

1139. Siciliens, cf. note 67.

1140. Cf. note 1067.

1141. Inconnu, auquel Virgile a prêté le nom d'un personnage d'Homère. Cf. *Il.*, XXIII, 665.

1142. Gnosse, capitale de la Crète, était célèbre par ses armes forgées. Cf. *Géorg.*, III, 345.

1143. Même épithète dans Eschyle, *Perses*, 617 : ξανθῆς ἐλαίας, soit parce que les feuilles de l'arbre sont d'un or pâle et gris, soit à cause de l'abondant pollen jaune de l'arbre en fleur.

1144. Les phalères étaient des plaques rondes en métal précieux ou en ivoire, sur lesquelles étaient gravées diverses figures; elles ornaient, suspendues en colliers, le harnachement des chevaux.

On donnait des plaques analogues, à titre de récompenses, aux soldats qui s'étaient signalés par leurs faits d'armes; quelques-uns en avaient la cuirasse constellée.

Certaines de ces plaques, comme celles du musée de Berlin provenant de Lauersfort, sont de véritables œuvres d'art, avec une décoration au repoussé et la signature de l'auteur.

1145. Un carquois comme celui dont se servaient les Amazones. Cf. note 163.

1146. Cf. note 163.

1147. Venu de Grèce, c'est-à-dire pris à un guerrier grec.

1148. La foudre était représentée ailée sur les monnaies. Cf. Aristophane, *Oiseaux*, 174.

1149. Ainsi, dans Homère, Ajax glisse dans la bouse des bœufs (cf. *Il.*, XXIII, 775).

1150. Le procédé ne serait pas admis aujourd'hui.

1151. L'ordre était Euryale, Hélymus, Diorès. Si l'on classe Salius premier, Diorès passe quatrième, et n'a plus droit au troisième prix.

1152. Tué dans les chasses de Didon. Cf. note 830.

1153. Artiste inconnu par ailleurs.

1154. C'était l'usage de suspendre des trophées aux portes d'un temple.

Le bouclier en question avait été pris par les compagnons d'Enée dans un combat contre les Grecs, ou donné à Enée par Hélénus.

1155. Bandées du ceste : à l'origine, courroie de cuir de bœuf d'environ deux mètres de long, plus tard large anneau de cuir assujetti à la main et au poignet, renforcé de têtes de clou ou de masses de plomb, sorte de « coup-de-poing américain ».

Sur les pugilats avec le ceste, cf. Homère, *Il.*, XXIII, 651-699, et Théocrite, XXII, dont s'inspire Virgile; cf. aussi Stace, *Thébaïde*, VI, 249 sq.; et Valérius Flaccus, IV, 222 sq., qui s'inspirent des précédents et de Virgile.

1156. Ses cornes sont dorées; dorée aussi, la large bande brodée qui lui couvre le dos.

1157. Inconnu, le même sans doute qui est tué par Turnus, XII, 63. Virgile lui a prêté le nom d'un personnage d'Homère. Cf. *Il.*, V, 9.

1158. Les poètes homérides ont fait du bel amant d'Hélène un champion robuste et vaillant : Pâris triomphe de ses frères dans divers combats pour se faire reconnaître fils de Priam; il remporte tous les prix aux jeux funèbres d'Hector. Déjà d'ailleurs Homère l'avait montré luttant vaillamment contre Ménélas (cf. *Il.*, III, 346) ou attaquant les vaisseaux grecs (cf. *Il.*, XIII, 767).

1159. Inconnu par ailleurs.

1160. Les Bébryces étaient un peuple thrace de la Bithynie préhistorique, habitant le rivage de la mer Noire, à l'est du cap Posidium.

1161. Amycus, roi légendaire des Bébryces, fils de Neptune, inventeur du ceste, provoquait au combat tous les étrangers. Ayant voulu empêcher les Argonautes de faire leur provision d'eau, il fut pris par Pollux, lié à un arbre, et finalement vaincu au ceste et tué. Cf. Apollonius de Rhodes, *Argonautiques*, 1-153; Théocrite, XXII.

La ciste Ficoroni reproduit l'épisode où Amycus est lié à un arbre.

1162. L'un des compagnons d'Aceste, venu avec lui en Sicile, et fondateur de la ville d'Entelle, chez les Hélymes. Cf. note 1067.

1163. Cf. notes 183 et 1046.

1164. Nestor et Laërte font entendre, dans Homère, des regrets semblables. Cf. *Il.*, XXIII, 626 sq.; *Od.*, XXIV, 376 sq.

1165. Le combat dans lequel Eryx fut tué par Hercule.

1166. Cf. note 1046.

1167. Hercule, fils d'Alcée.

1168. Montagne du Péloponnèse, entre l'Arcadie et l'Elide, auj. mont Olénos, célèbre par le sanglier qu'Hercule y prit vivant.

1169. Cf. note 462.

1170. Le pin abondait sur l'Ida. Cf. Pline. XVI, 19, 5.

1171. Entelle, demi-dieu, fils de Vénus.

1172. Ainsi, dans Homère, voit-on Euryale emporté par ses compagnons. Cf. *Il.*, XXIII, 96.

1173. Tout au contraire, au livre XII, 296, Message frappe Aulestès en s'écriant qu'une victime humaine plaira mieux aux dieux.

1174. Cf. note I, 611.

1175. Cet Hippocoon est inventé par Virgile, qui le fait fils, sans doute, de l'Hyrtacus d'Homère, et frère d'Asius. Cf. *Il.*, XIII, 750.

1176. Cf. note 921.

1177. Personnage inventé par Virgile.

1178. Fils de Lycaon, chef des Lyciens, et habile au char, Pandare, dont les exploits sont contés dans *l'Iliade*, livres IV et V, périt de la main de Diomède. Cf. *Il.*, V, 277-296.

1179. Sommé par Minerve, qui lui fit rompre aussi la paix conclue entre Ménélas et Pâris. Cf. *Il.*, IV, 88 sq.

1180. Ce trait atteignit Ménélas.

1181. Cf. note 32. Ici, les vents en général.

1182. Pandare. Cf. note 1178.

1183. Ainsi, dans Homère, Teucer ayant coupé le lien qui attachait la colombe, Mérion atteint l'oiseau dans son vol. — Virgile ajoute ici l'épisode merveilleux d'Aceste.

1184. Quel est cet événement ? Est-ce, comme le croient les uns, une allusion à l'incendie de la flotte d'Enée ? ou, comme le pensent les autres, une allusion à la première guerre punique ? L'allusion, en tout cas, est obscure.

1185. Le poète raille les devins. Cf. *En.*, IV, 65.

1186. Jupiter.

1187. Cissée, roi de Thrace et père d'Hercule, selon les tragiques grecs que suit ici Virgile. Dans *l'Iliade*, Cissée a pour fille Théano, épouse d'Anténor (cf. *Il.*, VI, 298); et Hécube y est la fille de Dymas.

1188. Epytide, fils de l'Epytos d'Homère, le même que *l'Iliade* nomme Périphas. Cf. *Il.*, XVII, 323.

1189. Pelotons de trente cavaliers, ou, comme ici, de vingt-quatre.

1190. Seuls les jeunes fils de familles patriciennes pouvaient prendre part à ces jeux *(ludus Trojae)*. — Virgile fait remonter ici à Enée l'institution de ces jeux, qui apparaissent à l'époque de Sylla (cf. Plutarque, *Caton*, 3), sont renouvelés par César, et font partie, à dater d'Auguste, des jeux ordinaires du Cirque. Cf. Suétone, *Jules César*, XXXIX.

1191. La couronne en question, taillée de façon qu'aucun brin ne dépassât, était placée sur le casque. Cf. *En.*, VII, 751 :

Fronde super galeam et felici comptus oliva.

1192. Deux javelots de cornouiller mâle, au bois dur comme la *corne* (d'où le nom de l'arbre).

Les jeunes gens qui participèrent aux *jeux troyens* donnés à la mort de César avaient aussi deux javelots. Cf. Bébrius Macer cité par Servius.

1193. Ces trois turmes représentaient suivant les uns, comme Varron, les trois tribus primitives du peuple romain : *Tities*, *Ramnes*, *Luceres ;* suivant les autres, comme Tite-Live (cf. I, 13, 8), les trois centuries primitives des cavaliers.

A en croire Suétone, *Cés.*, XXXIX, il n'y avait pourtant que deux turmes aux jeux troyens de la mort de César.

1194. Priam, fils de Politès, tué, selon Virgile, par Pyrrhus (cf. *En.*, II, 526 sq.), et petit-fils de Priam, roi de Troie.

1195. Cf. note précédente. — Caton, *Orig.*, dit que Politès vint en Italie avec Enée, se sépara de lui et fonda la ville de Politorium, dont Virgile attribue la fondation au jeune Priam, « destiné à accroître les Italiens ».

1196. Les chevaux thraces étaient célèbres. « La Thrace nourricière de chevaux », dit Hésiode, *Op.*, 507.

1197. Nom choisi par Virgile pour rappeler la *gens Atia.*

1198. Les Atius, que Virgile fait remonter à cet Atys contemporain d'Enée et d'Iule, sont la famille qui donna Julie, sœur de César, femme d'Atius Balbus, et mère de la mère d'Octave, Atia. — L'amitié d'Iule et d'Atys présage l'union des deux familles.

Ces Atius sont Latins, en effet : Atius Balbus était d'Aricie, bourg latin situé dans la plaine, au pied des monts Albains.

1199. Les chevaux sidoniens n'avaient aucune réputation. Peut-être faut-il entendre le cheval numide donné par la Sidonienne Didon.

1200. La Crète est traversée par une chaîne dont les sommets dépassent 2 000 mètres. Le mont Ida, au centre, atteint 2 418 mètres. — En outre, l'île paraît encore plus haute qu'elle ne l'est, car de hautes montagnes surplombent ses côtes : les monts Blancs, à l'ouest, qui ont 2 440 mètres, et le fameux Siché, à l'est, qui s'élève à 2 158 mètres.

1201. Construit par Dédale, sur l'ordre de Minos, le labyrinthe de Crète, rappelant le labyrinthe du pharaon Amenemhet III, s'élevait près de Gnosse. C'était un réseau inextricable de couloirs souterrains servant de repaire au Minotaure : Thésée, grâce au fil d'Ariane, put ne pas s'y perdre et tuer le Minotaure.

Des monnaies de Gnosse représentent ce labyrinthe par des lignes enchevêtrées. Peut-être le palais crétois de Minos est-il le labyrinthe légendaire : il est, comme l'ont montré les fouilles d'Evans, très compliqué, et les pierres y portent souvent le symbole de la double hache, *labrys* en carien. Le labyrinthe serait le palais de la *labrys*, et la légende, en ce cas, n'aurait fait qu'embellir à peine la vérité.

Pline *(Hist. nat.*, XXXVI, 19), qui s'occupe des labyrinthes, prétend que le labyrinthe de Crète n'était que la centième partie de celui d'Egypte; il en signale aussi un à Lemnos, où les Cabires célébraient leur culte, et un autre à Clusium, en Etrurie, que Porsenna s'était fait construire pour tombeau. Du temps de Pline, les labyrinthes de Crète et d'Etrurie avaient entièrement disparu; celui de Lemnos ne montrait plus que des ruines lamentables; seul, celui d'Egypte durait encore.

1202. La mer de Carpathos était la partie de la Méditerranée située à l'est de l'île de ce nom, auj. Scarpento, entre Rhodes et la Crète.

1203. La mer de Libye, plus souvent nommée aujourd'hui golfe de Libye, s'étendait sur la côte nord-est de l'Afrique, de la pointe de Cyrène à celle de Carthage, et englobait les deux Syrtes.

1204. Cf. note 5.

1205. Il est, en effet, appelé tantôt *Troja* (cf. Suétone, *César*, XXXIX) : *Trojam lusit turma duplex ;* tantôt *Trojanus ludus* ou *Trojae ludus* (cf. Suétone, *Aug.*, XLIII) : *Trojae ludum edidit frequentissime :* tantôt *Trojae ludicrum* (cf. Tacite, *Annales*, XI, 11).

Virgile a sans doute ajouté ce jeu troyen aux jeux funéraires donnés en l'honneur d'Anchise, parce qu'Octave aimait beaucoup ce divertissement : c'est lui qui, en ~ 27, après Actium, donna le premier jeu troyen lors de la dédicace du temple de César.

1206. Cf. note 1190.

1207. Cf. note 15.

1208. Cf. note 1032.

1209. Cf. note 6.

1210. L'arc-en-ciel, cf. note 1032.

1211. Les femmes, à l'époque de la guerre de Troie et encore dans les premiers temps de Rome, n'étaient admises à aucun spectacle public. — Virgile, pour une fois, respecte l'ancien usage.

1212. Béroé n'est pas connue par ailleurs.

1213. Le Tmarien (habitant du Tmare, montagne de l'Epire) Doryclus n'est pas connu autrement. Virgile a emprunté son nom au Doryclus de *l'Iliade* (XI, 489), fils de Priam, tué par Ajax.

1214. Des Grecs, cf. note 77.

1215. Servius note avec raison qu'un an s'est écoulé depuis l'arrivée des compagnons d'Enée à Carthage, et que, comme c'était alors le septième été depuis la chute de Troie; cf. I, 755-756, c'en est maintenant le huitième.

1216. Cf. *En.*, III, 496.

1217. Cf. note 1046.

1218. Puisqu'ils ne peuvent trouver un asile.

1219. Les fleuves de la Troade, sur laquelle régnait Hector.

1220. Cf. note 154.

1221. Cf. note 38.

1222. Cf. note 326.

1223. Soit pour obtenir des vents favorables (cf. vers 59), soit pour satisfaire au vœu de Cloanthe, qui avait promis un sacrifice aux dieux de la mer, s'il était vainqueur (cf. vers 235).

1224. Cette nourrice « royale » des enfants de Priam est inconnue.

1225. L'épouse troyenne; le cap Rhétée est un promontoire de la Troade (cf. note 578).

1226. Cf. note 137.

1227. Un arc-en-ciel.

1228. Le feu qui brûle devant les Pénates, dans le camp des Troyens.

1229. Le feu.

1230. Des figures représentant, on l'a vu, des bêtes ou des monstres : la Baleine, la Chimère, la Scylle, etc.

1231. *Au tombeau d'Anchise et à l'amphithéâtre*... Voisins l'un de l'autre.

1232. Inconnu par ailleurs.

1233. Grecs, cf. note 14.

1234. Pour qu'elles pussent le reconnaître.

1235. Possédées par elle, elles l'ont exorcisée.

1236. L'étoupe, enduite de poix, donc très inflammable, qui garnissait les jointures des navires.

1237. Virgile songe surtout au héros ou demi-dieu Enée et à son fils, qui dirigent les manœuvres pour éteindre l'incendie.

1238. En signe de deuil et de détresse.

L'usage de déchirer ses vêtements en signe de deuil était commun à tous les peuples de l'antiquité. C'est ainsi que, dans la Bible, nous voyons David déchirer ses habits en apprenant la mort d'Absalon; que dans *l'Enéide* (cf. XII, 702) nous voyons aussi Latinus déchirer les siens en apprenant la mort de la reine Amata. Une grande douleur, un insuccès, une mauvaise nouvelle suffisaient à provoquer semblable démonstration : Tite-Live nous montre Paul-Emile déchirant sa toge à Pydna, en voyant qu'il ne peut rompre la phalange macédonienne, et Suétone nous décrit Néron déchirant ses vêtements à la nouvelle de la révolte de Galba.

1239. Tempête préparée : sans doute le ciel était d'abord serein (vers 105), mais dès le jeu de l'arc nous voyons la colombe s'envoler vers les nuages (vers 512 et 516) que l'arc-en-ciel supposait encore (vers 609, 658).

1240. Cf. note 1039.

1241. Il reste encore à Enée quinze vaisseaux.

1242. Cf. note 178.

1243. On rattachait à Nautès la *gens Nautia*, qui avait la garde du Palladium (cf. Denys d'Halicarnasse, VI, 69). Selon les uns, Nautès avait sauvé le Palladium du sac de Troie, et Enée lui en avait laissé la garde; suivant les autres, Diomède l'avait emporté, après l'avoir enlevé avec Ulysse, mais, effrayé par un oracle, il le rendit à Enée lorsque le héros troyen arriva en Calabre, et ce fut Nautès qui en reçut la garde. Cf. aussi note 303.

1244. Cf. note 306.

1245. Cf. note 66 et 1053.

1246. Virgile accommode au nom du héros le nom de la ville appelée par les Grecs Egeste Ἔγεστα (cf. Thucydide, VI, 2, 3) ou Αἴγεστα (cf. Lycophron, 368) et par les Romains Ségeste. Il ne subsiste de l'antique Ségeste que quelques ruines, entre autres celles d'un théâtre et d'un temple doriques; ces ruines sont près de Calatafimi, à l'ouest de la Sicile.

1247. Char à deux chevaux.

1248. Ainsi, dans Homère, voyons-nous Nestor apparaître à Agamemnon. Cf. *Il.*, II, 5 sq.

1249. Cf. note 1037.

1250. Cf. note 693.

1251. Virgile distingue le Tartare, séjour des criminels, de l'Elysée, séjour des bienheureux. Sur le Tartare, cf. la description du VIe livre, *En.*, 535-636.

1252. Il n'y a point contradiction, comme on l'a cru, entre le fait qu'Anchise habite l'Elysée et celui qu'il descend du ciel : les Anciens distinguaient entre l'âme du mort, qui montait au ciel, et son ombre, qui descendait aux Enfers.

1253. Cf. note 724.

1254. Parce qu'offertes aux divinités infernales. Cf. note 1075.

1255. Car les ombres ne pouvaient apparaître que la nuit, et le premier souffle du jour les fait fuir.

1256. Virgile confond ici, comme il arrive souvent, le Lare et les Pénates. Il y avait un Lare et deux Pénates par foyer. Le Lare, qui, selon le mot d'Ennius, « a le souci de tout ce qui touche la maison », formait avec les Pénates une trilogie tutélaire, subordonnée à Vesta. — Nous voyons ici Enée invoquer le Lare et Vesta, et, au livre IX, Ascagne prêter serment par les Pénates, le Lare et Vesta.

Il semble bien qu'à l'origine le Lare ait été un « esprit » infernal (cf. sa parenté avec *Larva*, « fantôme, spectre ») qui poursuivait les vivants, et qui fut transformé par la suite en divinité tutélaire. Cf. *P. F.* 273, 7 : *Pilae et effigies viriles et muliebres ex lana compitalibus suspendebantur in compitis, quod hunc diem factum esse deorum inferorum, quos vocant Lares, putarent, quibus tot pilae quot capita servorum, tot effigies quot essent liberi ponebantur, ut vivis parcerent, et essent his pilis et simulcaris contenti.*

1257. C'est-à-dire l'antique Vesta, déesse du feu et du foyer.

1258. Cf. note 299.

1259. C'était une boîte carrée, d'où l'on tirait quelques grains d'encens qu'on jetait sur l'autel enflammé *(ara turicrema)*. — Virgile oublie que l'encens n'était pas en usage au temps d'Enée, cf. Pline, XXIII, 1, 1 : *Iliacis temporibus non ture supplicabatur.*

1260. Les Anciens traçaient l'enceinte d'une ville nouvelle avec une charrue, attelée d'un taureau et d'une vache, en soulevant la charrue à l'emplacement des portes, car les portes, par où passaient toutes les choses nécessaires à la vie, et par où sortaient les cadavres, ne pouvaient être sacrées (cf. Caton, *Origines*, cité par Servius, et Plutarque, *Quest. Rom.*)

Quelques grammairiens latins font même venir le mot *urbs* du vieux mot *urbum* ou *urvum*, mancheron de la charrue, synonyme de *bura* (le mot *urvum*, cité par Varron, est demeuré en sarde). Cf. *M. L.*, 9092. Pomponius écrit à ce propos, cf. *Dig.*, L, XVI, 239 : *urbs ab urvo appellata est, urvare est aratro definire.* Cette étymologie n'est rien moins que certaine.

1261. La campagne de Troie, la Troade.

1262. Virgile songe aux villes romaines.

1263. Le temple à Vénus d'Idalie est élevé sur le mont Eryx, où a été enterré Eryx, fils, comme Enée, de Vénus. Ce temple de Vénus était célèbre et rivalisait avec celui de Paphos (cf. Suétone, *Claude*, XXV, et Tacite, *Annales*, IV, 43). Il n'en reste aucune trace. Sur l'emplacement a été construit un couvent, fréquenté comme autrefois par des colombes, qui, chaque année, s'en vont et reviennent aux mêmes dates. Les Anciens, en les voyant partir annuellement, croyaient qu'elles accompagnaient la déesse qui se rendait en Libye.

1264. Comme on faisait pour les héros.

1265. L'Auster, soufflant du sud, favorisait la flotte qui cherchait l'Italie.

1266. Ils ne pouvaient en entendre parler.

1267. Comme au héros du lieu.

1268. Les Tempêtes avaient un temple non loin de la porte Capène. Ce temple leur avait été voué par L. Cornélius Scipion, en 259 av. J.-C., au cours d'un orage qui l'avait assailli près de la Corse. Cf. Cicéron, *De Nat. deorum.* III, 51; Ovide, *Fastes*, VI, 193.

On immolait d'ordinaire aux Tempêtes une agnelle ou un chevreau. Cf. Horace, *Epod.*, X, 23 :

Libidinosus immolabitur caper
Et agna Tempestatibus.

1269. De façon qu'aucune ne dépassât les autres.

1270. C'est en vain que le pieux Enée a offert un sacrifice à Junon. Cf. *En.*, III, 547.

1271. Vénus feint d'ignorer les causes de la haine de Junon; Junon les lui a fait connaître. Cf. *En.*, I, 23 sq.

1272. La tempête déchaînée par Eole, à la demande de Junon, quand Enée quittait la Sicile. Cf. *En.*, I, 81 sq.

1273. Car Neptune apaisa les flots.

1274. De quatre vaisseaux seulement : Vénus exagère.

1275. Vénus exagère encore : la terre d'Eryx et d'Aceste — une terre où ils avaient abordé deux fois — n'était point inconnue des compagnons d'Enée.

1276. Le Tibre passait non loin des murs de Lavinium, ville du Latium et capitale des Laurentes.

1277. Les Parques, arbitres des destins.

1278. Ici, Neptune, fils de Saturne, comme Jupiter et Pluton.

1279. Cf. note 86.

1280. Allusion à la légende qui veut que Vénus soit née de l'écume de l'onde (gr. « aphros », écume, d'où le nom d'Aphrodite). C'est en vertu de cette légende que la fille de Jupiter et de Dioné est appelée quelquefois l'*Anadyomène*, c'est-à-dire « celle qui sort (de l'onde) ». Un tableau célèbre d'Apelle représentant Vénus *Anadyomène* fut acheté par Auguste aux habitants de l'île de Cos et placé à Rome dans le temple de César. Cf. Pline, XXXV, 24, 28.

1281. Une fois : au premier livre de *l'Enéide*.

1282. Cf. note 154.

1283. Cf. note 38.

1284. Nous voyons, en effet, au livre XXI de *l'Iliade*, le Xanthe se plaindre à Achille de voir son cours arrêté par les cadavres des Troyens qu'il massacre. Cf. *Il.*, XXI, 218.

1285. Cf. *Il.*, XX, 318 sq.

1286. Plus nombreux du côté des Grecs.

1287. Achille, fils de Pélée.

1288. Allusion au parjure de Laomédon. Cf. note 504, et *Géorg.*, I, 502.

1289. Neptune, ainsi qu'Apollon, avait aidé Laomédon à fonder Troie.

1290. Virgile a en vue le rivage de Cumes, où nous voyons Enée aborder. Cf. *En.*, VI, 2.

1291. Cette victime, qui paiera pour les autres *(victima*, « celui qui prend la place », cf. *in vicem)*, sera Palinure. L'idée de la *victime expiatoire* est familière aux peuples anciens : le dévouement des Décius en est, à Rome, un exemple illustre; chez les anciens Gaulois, au dire de Lactance, on tuait à coups de pierre un des habitants qu'on avait entretenu toute l'année aux frais de la cité; les Hébreux, à la fête des Expiations, lâchaient vers le désert un bouc *émissaire*, chargé des péchés de tous.

1292. Neptune.

1293. Cf. *Il.*, XIII, 24 et 36, où Homère nous montre les chevaux de Neptune ayant une crinière dorée et des entraves d'or aux pieds.

1294. Glaucus, pêcheur d'Anthédon, en Béotie, ayant goûté certaines herbes, se précipita dans la mer, où il devint un dieu marin : Ovide a conté sa métamorphose. Cf. Ovide, *Mét.*, XIII, 837-967, et Virgile, *Géorg.*, I, 437.

1295. Ino, femme d'Athamas, et son fils Mélicerte se jetèrent dans la mer pour éviter la fureur démente d'Athamas. Vénus obtint que la mère et le fils fussent changés en divinités de la mer, Ino sous le nom grec de Leucothoé et latin de Matuta, Mélicerte sous le nom grec de Palémon et latin de Portunus. Cf. *Géorg.*, I, 437 et la note 1111.

1296. Cf. note 57.

1297. Cf. note 1110.

1298. L'une des cinquante Néréides, mère d'Achille.

1299. Autre Néréide.

1300. Cf. note 1111.

1301. L'une des Néréides. Cf. *Il.*, XVIII, 39.

1302. Néréide.

1303. Néréide.

1304. Néréide. Virgile s'inspire sans doute pour ce brillant tableau du célèbre groupe de Scopas qui était au Circus Flamus. Cf. Pline, XXXVI, 5, 26.

1305. Allusion à la borne qui, dans les jeux du Cirque, marquait le milieu de la course.

1306. Les rames sont au niveau des mains des rameurs, quand ils sont assis, et sont au-dessus des rameurs quand ils sont étendus sur leurs bancs pour dormir.

1307. Le Sommeil, divinité allégorique empruntée aux Grecs par les Latins, est le fils de la Nuit, le frère jumeau de la Mort, et le père des Songes. L'art romain le représentait comme un éphèbe, presque un enfant, planant léger au-dessus du sol, tenant d'une main une tige de pavots, de l'autre une urne renversée d'où coule un liquide soporifique : son image se rencontre souvent sur les sarcophages.

Il paraît se venger ici des veilles continuelles du pilote Palinure.

1308. Le Sommeil est le père des Songes.

1309. Personnage inventé par Virgile, qui a emprunté son nom au Phorbas d'Homère, père d'Ilionée et chéri de Mercure. Cf. *Il.*, XIV, 490.

1310. Attentif à diriger le navire, Palinure ne s'occupe pas des paroles du faux Phorbas.

1311. Aux Austers. Cf. note 32.

1312. Les eaux du Léthé, cf. VI, 714, procuraient l'oubli.

1313. Le Styx, auj. Mavro Néro, était une rivière du Péloponnèse, qui se jetait dans le Crathis, fleuve du golfe de Corinthe. On en a fait un fleuve des Enfers. Pausanias dit que son eau était un poison mortel (c'est avec de l'eau du Styx qu'aurait été empoisonné Alexandre). Cf. Pausanias, VIII, 18. — Virgile attribue ici au Styx les propriétés des eaux du Léthé.

1314. Ce qui n'empêche pas Enée, vers 868, de prendre en main ledit gouvernail, pour diriger le bateau.

1315. Le Sommeil était souvent représenté avec des ailes aux tempes ou dans la chevelure.

1316. Les « écueils des Sirènes » ou îles Sérinuses, auj. îles Galli, se trouvaient au nord du golfe de Pestum, sur les côtes de Campanie, près du promontoire de Minerve.

Filles d'Achéloüs et de Calliope, transformées par Cérès en monstres marins pour ne s'être point opposées à l'enlèvement de leur compagne Proserpine, les Sirènes, à corps et à tête de femme, attiraient par leur voix harmonieuse d'oiseau les marins sur des écueils. Dans les *Argonautiques*, Orphée triomphe des Sirènes par son chant, mais dans *l'Odyssée* Ulysse doit, pour leur résister, boucher avec de la cire les oreilles de ses compagnons et se faire attacher par eux au haut d'un mât.

Peut-être la légende des Sirènes vient-elle du bruit, parfois mélodieux, que font les flots qui se brisent sur les écueils.

1317. Sans sépulture. Pour l'explication de l'accident, cf. E. de Saint-Denis, *La mer dans la poésie latine*, p. 216.

LIVRE SIXIÈME

LA DESCENTE D'ÉNÉE AUX ENFERS

1318. Enée a pris au gouvernail la place de Palinure. Cf. V. 858.

1319. La ville de Cumes, comme d'ailleurs Rhegium et Naples, était une colonie de Chalcis, auj. Nègrepont, capitale de l'île d'Eubée. Elle était située sur une montagne battue par les flots de la mer Tyrrhénienne, d'où, dit-on, son nom (du grec *kuma*, « flot »); Pouzzoles lui servait de port.

Cumes passait pour avoir été fondée bien après l'arrivée d'Enée en Italie; mais cette colonie de Chalcis eut, dès l'origine, semble-t-il, des liens étroits avec Rome : c'est ainsi que l'alphabet latin est, sans doute par Cumes, d'origine chalcidienne; et que le septième roi de Rome, Tarquin le Superbe, acquit mystérieusement les oracles sibyllins de Cumes. Cf. Varron, cité par Denys d'Halicarnasse, IV, 62.

1320. Pour que les navires fussent prêts à repartir.

1321. Pour qu'ils ne fussent pas ballottés par les vagues.

1322. Cf. note 171.

1323. Pour faire cuire les aliments. Cf. *Géorg.*, I, 135.

1324. Le temple d'Apollon était bâti sur la montagne où s'éleva depuis la citadelle de Cumes. A en croire l'annaliste Caelius Antipater, cité par le Ps.-Servius, la statue en bois du dieu n'avait pas moins de quinze pieds. Elle pouvait donc être qualifiée de « haute » à la fois pour sa situation et pour sa taille.

1325. Cf. note 724.

1326. Apollon, né à Délos.

1327. Diane infernale, c'est-à-dire Hécate. Le temple et le bois étaient consacrés à la fois à Apollon et à Hécate.

1328. Dédale, petit-fils d'Erechthée, Athénien, ayant tué par jalousie son neveu Perdix (ou Talus), fut exilé par l'Aréopage et alla construire le labyrinthe de Gnosse pour Minos, qui l'y enferma. Il se fabriqua alors, pour lui et pour son fils Icare, des ailes de cire, et s'échappa du labyrinthe : Icare, s'étant approché trop près du soleil, vit fondre ses ailes et tomba à la mer; Dédale se réfugia chez le roi de Sicile, Cocalus, qui le mit à mort. Servius dit que Dédale avait quitté la Crète sur un bateau à voiles, dont il était l'inventeur, et que la légende lui attribua des ailes.

1329. Cf. note précédente. — Minos, fils de Jupiter et de la nymphe Europe, fut après sa mort placé par les poètes au rang des juges des Enfers, en compagnie de son frère Rhadamante.

1330. La Septentrion.
En allant de la Crète à Cumes, Dédale voguait vers le nord-ouest. C'est au cours de ce vol que son fils Icare tomba, près de l'île nommée depuis lors l'île d'Icarie.

1331. Cumes. Cf. note 1319.

1332. Virgile avait employé la même figure poétique en parlant de Mercure (cf. *Én.*, I, 301), Eschyle (cf. *Agam.*, 52) et Euripide (cf. *Iphig. Taur.*, 789) avaient déjà dit: πτεροῖς ἐρέσσει ; et Lucrèce, parlant des oiseaux qui survolent l'Averne:

... Cum advenere volantes,
Remigii oblitae, pennarum vela remittunt.

Cf. *De Natura Rerum*, VI, 742.

1333. En ex voto.

1334. Androgée, fils de Minos et de Pasiphaé, étant venu à Athènes, remporta tous les prix aux Panathénées; jaloux, Egée, roi d'Athènes, le fit tuer. Minos, pour venger son fils, déclara la guerre aux Athéniens, les vainquit, prit leur capitale et ne leur accorda la paix qu'à condition qu'ils enverraient chaque année sept jeunes gens et sept jeunes filles, pour être livrés au Minotaure. La troisième année, Thésée, fils d'Egée, tua le Minotaure, délivrant d'un cruel tribut ses concitoyens.

1335. Les Athéniens descendants de Cécrops, le premier roi d'Athènes.

1336. Virgile ne parle que des sept jeunes gens; la légende ordinaire (cf. note 1334) y joignait sept jeunes filles.

1337. Les sept ou quatorze victimes du Minotaure étaient désignées par le sort.

1338. Sur l'autre battant de la porte.

1339. La Crète (cf. note 1142).

1340. Pasiphaé, fille d'Apollon et de la nymphe Perséis, épouse du roi Minos, s'éprit d'un taureau magnifique et formidable, envoyé pour dévaster la Crète par Neptune (Poséidon); elle s'accoupla furtivement avec lui, et c'est de leur amour que naquit le Minotaure.

1341. Cf. note précédente et note 1334. Le Minotaure, fils du taureau et de Pasiphaé, monstre moitié homme et moitié taureau, *semibovemque virum semivirumque bovem*, comme écrit élégamment Ovide dans l'*Art d'aimer* (II, 23), représente sans doute le taureau sacré qui recevait un culte dans la Crète de Minos : on lui offrait sans doute des sacrifices humains. Les monnaies de la ville de Gnosse gardent encore l'effigie de l'homme à tête de taureau.

1342. Allusion à l'amour d'Ariane, princesse de sang royal, fille de Minos, pour l'Athénien Thésée. On sait que, sur les instructions de Dédale, elle donna à Thésée un fil grâce auquel il put sortir du labyrinthe après avoir tué le Minotaure. Partie avec Thésée, elle fut abandonnée par lui dans l'île de Naxos; selon les uns, elle s'y tua en se précipitant dans la mer, et c'est la version suivie par Racine :

Ariane, ma sœur, de quel amour blessée,
Vous mourûtes aux bords où vous fûtes laissée...

Selon d'autres, elle y fut tuée par Diane; selon d'autres encore, elle y épousa Bacchus, qui lui fit don, le jour des noces, d'une couronne d'or et de pierreries, chef-d'œuvre de Vulcain. Certains prétendent que Bacchus avait épousé Ariane, avant qu'elle ne s'éprît de Thésée, et que c'est l'éclat de la couronne nuptiale fabriquée par Vulcain qui éclaira Thésée dans le labyrinthe.

1343. Cf. note 1328.

1344. Cf. note 47.

1345. C'est la seule fois que Virgile nomme la Sibylle. Varron énumère quelques-uns de ses noms : Manto, Daphné, Démophile, Hérophile, etc.

1346. Cf. note 1294.

1347. Cf. note 23.

1348. Cf. note 1319.

1349. De la main d'homme.

1350. La « roche Euboïque », c'est-à-dire la montagne de Cumes, est encore percée de nombreuses grottes qui sont superposées sur trois étages. Au VIe siècle, Narsès, général de Justinien, essaya de les détruire, dans la guerre contre les Goths d'Italie, en y entassant des matières combustibles. Au Moyen Age, elles servirent de repaire à des pirates.

Un écrivain du IIIe siècle (cf. Ps.-Justin martyr, *Cohort. ad gentes*, 37) décrit la grotte de la Sibylle comme une vaste salle avec trois bassins d'eau pour les purifications et un réduit plus secret où elle donnait ses audiences, assise sur un haut siège.

1351. Par où passent, sans doute, les effluves divins.

1352. La Sibylle a enlevé les bandelettes qui la retenaient, car il faut être dégagé de tout lien pour recevoir le dieu.

1353. Le Dieu, en la possédant, semble la rendre plus grande que nature, un peu divine.

1354. L'inspiration divine est comme un coup de tonnerre.

1355. Allusion aux interventions répétées de Phébus Apollon en faveur des Troyens, en particulier lorsqu'il sauva Enée. Cf. *Il.*, V, 344, et Hector, cf. *Il.*, XX, 443.

1356. Troyenne, cf. note 17.

1357. Cf. note 36.

Achille, petit-fils d'Eaque, fut tué d'une flèche par Pâris, au moment où il allait épouser, dans le temple d'Apollon, Polyxène, fille de Priam; Apollon dirigea la flèche de Pâris, à la demande de Neptune qui voulait venger la mort de son fils Cycnus, tué par Achille.

1358. Cf. note 864.

1359. Cf. note 833.

1360. C'est-à-dire la mauvaise fortune.

1361. Allusion à Minerve, Junon et Neptune.

1362. Allusion au temple d'Apollon (Phébus), voué par Auguste en 36 et dédié en 28 av. J.-C. On y honorait aussi Diane (Trivie) (cf. Suétone, *Aug.*, XXIX). La statue du dieu, par Scopas, était placée entre celle de Diane, par Timothée, et celle de Latone, mère d'Apollon et de Diane, par Céphisodote. Il était d'ailleurs d'usage d'invoquer très souvent ensemble les dieux latoniens, Apollon et Diane, cf. Horace, *Chant séculaire*, I, 3. — Le premier temple à Rome dédié à Apollon remonte à 481 av. J.-C.; il était situé sur le Champ-de-Mars, là où s'élevait un ancien autel au même dieu. Auguste, en faisant bâtir le temple de marbre massif du Palatin, restaura le temple du Champ-de-Mars.

1363. Les Jeux apollinaires, en l'honneur de Phébus Apollon, furent institués en ~ 212, au plus fort de la seconde guerre punique, par le Sénat, qui avait consulté préalablement les livres sibyllins (cf. Tite-Live, XXV, 12). Ces jeux, analogues aux Jeux pythiens, étaient célébrés tous les ans la veille des nones de juillet, sous la surveillance du préteur urbain, et ils duraient huit jours.

1364. Les livres sibyllins, d'abord conservés dans le temple de Jupiter Capitolin et détruits par un incendie sous Sylla, furent remplacés par un autre recueil, dont on alla chercher les éléments en Grèce, en Italie et en Afrique (cf. *Buc.*, IV, 4). Ces nouveaux livres, enfermés en deux coffres d'or, furent placés sous le piédestal de la statue d'Apollon, dans le temple d'Apollon. Cf. note 1363 et Suétone, *Aug.*, XXXI.

1365. Pour débrouiller le sens des livres sibyllins, il y eut d'abord des *duumvirs*, qui, en ~ 367, par une loi licinienne, devinrent des *decemvirs*, puis au Ier siècle av. J.-C., des *quindecemvirs*.

1366. Allusion à l'habitude qu'avait la Sibylle d'écrire sur des feuilles. Cf. *En.*, III, 443-457.

1367. Enée suit le conseil d'Hélénus : *poscas ipsa canat*. Cf. *En.*, III, 457.

1368. Où elle est descendue après avoir écouté Enée.

1369. C'est la première fois qu'un oracle apporte cette précision Cf. note 2.

1370. Cf. note 38.

1371. Cf. note 154.

1372. Cf. note 268. — Virgile veut dire : des guerres aussi terribles que celles que tu as soutenues contre les Doriens (Grecs).

1373. Turnus.

1374. Turnus avait pour mère une nymphe, Vénilie (cf. *En.*, X, 76), comme Achille avait pour mère la nymphe Thétis.

1375. De même que l'étrangère Hélène en épousant Pâris causa la guerre de Troie, de même Lavinie, autre étrangère, fiancée d'abord à Turnus, sera cause de la guerre latine en épousant Enée.

1376. Pallantée, bâtie sur le mont Palatin par l'Arcadien Evandre, chez qui Enée trouvera une aide. Cf. *En.*, VIII, 100.

1377. Prêtresse d'Apollon, la Sibylle parle par ambages : « une épouse étrangère », « une ville grecque » : ce n'est pas vainement que les Anciens nommaient Apollon prophétique *Laxias*, c'est-à-dire « l'Oblique ».

1378. Il sait tout d'avance, grâce aux prédictions de Céléno, d'Hélénus et d'Anchise.

1379. Le marais de l'Achéron *(Acherusia palus)*, près de Cannes, en Campanie, auj. lac de Fusaro, passait pour être un épanchement de l'Achéron infernal.

1380. Allusion à la descente d'Orphée aux Enfers (cf. *Géorg.*, IV, 466 sq.).

1381. Orphée était fils d'Œagre, roi de Thrace.

1382. Castor ayant été tué par Lyncée au cours d'une expédition en Arcadie, Pollux obtint de Jupiter de partager son immortalité avec son frère, ou plutôt avec son demi-frère, puisque, tous deux fils de Léda, Castor avait pour père un mortel, Tyndare, et Pollux un dieu, Jupiter : ce qui explique qu'il fût immortel.

1383. Selon Homère (cf. *Od.*, XI, 303), Castor et Pollux passaient alternativement et ensemble un jour sur la terre et un jour aux Enfers : Virgile semble suivre cette version. Selon d'autres, chacun des deux passait tour à tour six mois sur terre et six mois aux Enfers.

1384. Thésée, fils d'Egée, essaya avec son ami Pirithoüs d'enlever des Enfers Proserpine. Pluton les surprit et les enchaîna tous deux à un rocher, mais Hercule délivra Thésée.

1385. Hercule, petit-fils d'Alcée, descendit deux fois aux Enfers : une première fois, pour délivrer Thésée, et il emmena en même temps Cerbère; une seconde fois, pour délivrer Alceste, femme d'Admète, morte pour sauver son mari.

1386. Comme Hercule.

1387. Par sa mère Vénus, et par son ancêtre Dardanus. Cf. note 17.

1388. Attitude rituelle du suppliant.

1389. Aux Enfers.

1390. Cf. note 1037.

1391. Intermédiaire entre l'entrée souterraine et le royaume de Dis.

1392. Le Cocyte, ainsi nommé du verbe κωκύω, « gémir », environnait le

Tartare et mêlait ses eaux à l'Achéron. — Il y avait un fleuve Cocyte en Epire, et un autre en Campanie, qui se déversait dans le lac Lucrin.

1393. Maintenant, et au moment de sa mort, car les *ombres* des héros admis au Ciel habitaient cependant les Enfers : c'est ainsi qu'Ulysse y trouva l'*ombre* d'Hercule (cf. *Od.*, XI, 601), et Enée l'*ombre* de son divin père, Anchise.

1394. Cf. note 1251.

1395. La légende du rameau d'or est assez obscure. C'est une légende italique qui se rattache à d'autres légendes, celles-là celtiques, comme le rite du gui et celui de la fougère, qui, le soir de la Saint-Jean, porte une fleur d'or.

L'esclave fugitif qui voulait succéder au prêtre de Némi devait, avant de combattre le prêtre-roi en fonctions, détacher une branche d'un arbre sacré qui se trouvait à l'intérieur du temple de Diane. Cette branche passait pour contenir l'âme du prêtre. On sait que « le rameau d'or » a fourni à sir James Frazer le titre de son grand ouvrage sur la magie.

1396. Proserpine, reine des Enfers, comme Junon était reine du ciel. Cf. note 1020.

Le rameau d'or étant consacré à Diane (cf. note précédente), Virgile semble confondre ici Diane infernale, c'est-à-dire Hécate, avec Proserpine.

1397. Le fer est interdit. Les Druides, eux, se servaient pour couper le gui d'une faucille d'or.

1398. Misène, qui figure comme compagnon d'Enée sur la table iliaque du Capitole.

1399. Au tombeau.

1400. Fils du roi des Vents, qui lui avait sans doute appris à souffler dans une trompette.

1401. Donat conte, dans sa *Vie de Virgile*, qu'Eros, affranchi et secrétaire du poète, rapportait que le vers 164 demeurait inachevé et que Virgile le compléta et y ajouta le vers 165 en les improvisant à la lecture.

1402. Le clairon des Latins *(lituus)* était, comme la trompette *(tuba)*, d'origine étrusque; celle-ci était un long tuyau de plus de 1 m. 20 de longueur, s'évasant continûment en entonnoir; le clairon était aussi long, mais au lieu d'être entièrement droit, il avait un pavillon recourbé. Le *lituus* servait pour certains corps de cavalerie; la *tuba* pour les légionnaires. — Virgile prête ici à Misène un instrument latin, et non point la *salpinx* lydienne.

1403. Misène défie Triton en se servant de l'instrument du dieu.

1404. Cf. note 57.

1405. Le bûcher sur lequel on brûlait les corps était formé de bûches disposées cubiquement comme un autel.

1406. Les picéas *(picae)*, qu'il ne faut pas confondre avec les pins parasols et sylvestres *(pinus)*, servaient spécialement à construire des bûchers. Cf. Pline, XVI, 18.

1407. Tous les arbres que mentionne le poète : picéas, yeuses, hêtres, rouvres, ornes abondent en Campanie.

1408. Les colombes étaient consacrées à Vénus (cf. Ovide, *Mét.*, XV, 386 : *cythereiadas columbas*). On les représentait posées aux pieds de la déesse ou traînant son char. Dans les temples de Vénus, notamment à Paphos, on élevait des colombes.

1409. Situé dans « la forêt immense ».

1410. Des vapeurs sulfureuses s'en échappaient.

1411. Les feuilles nouvelles du gui apparaissent, en effet, vers le solstice d'hiver; elles sont d'un vert jaunâtre, « imitant, dit Servius, la couleur de l'or ».

1412. Le gui est une plante parasite.

1413. Le gui, que les Druides gaulois cueillaient sur les chênes et les rouvres, pousse aussi sur l'yeuse ou chêne vert, à feuilles persistantes. — Virgile choisit l'yeuse pour donner plus de justesse à sa comparaison.

1414. Les Romains plaçaient, en effet, sur les côtés du bûcher des pins et des ifs, dont le feuillage est sombre.

1415. Le cyprès était sans doute employé comme arbre funéraire à cause de son noir feuillage, mais surtout pour sa puissante odeur aromatique.

1416. Comme il était d'usage pour un guerrier.

1417. Pour les lotions à faire au cadavre.

1418. Les aromates le plus fréquemment employés étaient l'amome, la casse et la myrrhe.

1419. Le gémissement rituel poussé par la pleureuse à gages et auquel répondait l'assistance.

1420. Qui permettaient aux morts de se nourrir, car les Anciens croyaient que la vie continuait sous terre : *sub terra censebant reliquam vitam agi mortuorum*. Cf. Cicéron, *Tusc.*, I, 10.

1421. Personnage inventé par Virgile, sans doute le prêtre des compagnons d'Enée. Il est tué plus tard par Asilas. Cf. *En.*, IX, 571.

1422. Selon l'usage très antique. Cf. *Il.*, XXIII, 253; *Od.*, XXIV, 73. Le *cadus* (gr. κάδος, hébreu *kad*) ou *situla* est une urne de grandes dimensions, pouvant contenir trois urnes ordinaires.

1423. L'aspersion était faite d'ordinaire avec un rameau de laurier. Donat, dans sa *Vie de Virgile*, prétend qu'un laurier ayant poussé sur le Palatin le jour de la naissance d'Auguste, ce détail détermina le poète à remplacer le laurier traditionnel par l'olivier.

1424. Les rameaux portant des fruits étaient seuls admis dans les cérémonies funéraires et dans les sacrifices, cf. Horace, *Epodes*, II, 13.

1425. Cf. note 70.

1426. Ses instruments, qui sont une rame et une trompette, Misène étant à la fois et trompette et rameur.

1427. Le cap Misène, auj. encore cap Miseno, à l'ouest du golfe de Pouzzoles,

1428. L'Averne.

1429. De a privatif et ornis, « oiseau ».
Ce vers, que nous avons mis entre crochets, est sans doute apocryphe.

1430. Pour voir si les animaux auraient peur; en ce cas, ils auraient été écartés, comme indignes d'être sacrifiés.

1431. Cf. note 1033.

1432. Sous le nom de Phébé (la Lune). Cf. note 986.

1433. Cf. note 827.

1434. Contrairement à l'usage habituel qui veut qu'on recueille le sang, lorsqu'il s'agit de sacrifices aux dieux infernaux, dans des fosses préparées d'avance. Cf. *Od.*, XI, 32, et Ovide, *Mét.*, VII, 245.

1435. La nuit, fille du Chaos et mère non seulement des Euménides (cf. Hésiode et Eschyle), c'est-à-dire des Furies, mais de toutes sortes de divinités malfaisantes : la Mort, le Sommeil, les Songes, les Parques, Némésis, la Fraude, la Discorde, la Vieillesse.

1436. La Terre, « la grande Mère ». Cf. note 880.

1437. Stérile, comme Proserpine elle-même.

1438. On sacrifiait à Pluton la nuit.

1439. A Pluton.

1440. Il était d'usage, dans les sacrifices aux divinités infernales, de brûler la bête entière, sans en rien manger : c'est ce qu'on appelait un *holocauste* (de ὅλος, « entier », et de καύστος, « brûlé »).

1441. Le sacrifice a duré toute la nuit. Cf. note 1438.

1442. Les chiennes qui accompagnent Hécate; cf. Horace, *Sat.*, I, 8, 33.

1443. Pour écarter les ombres, comme fait Ulysse dans Homère. Cf. *Od.*, XI, 48.

1444. Cf. note 985.

1445. Le Phlégéthon ou Pyriphlégéthon « Feu-Brûlant » est le fleuve aux eaux enflammées qui entourait le Tartare et se jetait dans l'Achéron. Cf. *Od.*, X, 513.

1446. Virgile ne dit ni où, ni quand, ni comment.

1447. C'est-à-dire souvent voilée.

1448. Cf. note 371.

1449. Hésiode et Homère font également du Sommeil le frère de la Mort, cf. *Il.*, XIV, 231.

1450. Enée a traversé en partie le vestibule et voit le seuil de l'Enfer, qui lui fait face.

1451. Sans doute garnies de barreaux de fer. Il s'agit de leurs chambres natales où elles ont été enfantées par la Nuit.

1452. Comme les Euménides.

1453. Au milieu du vestibule.

1454. Petits génies ailés, fils du Sommeil et de la Nuit.

1455. Cf. note 1094.

1456. Cf. note 713.

1457. A tête de jeunes filles, à queue de dauphins.

1458. Géant à cinquante têtes et à cent bras, Briarée, selon Hésiode et Homère, prit part à côté de Jupiter à la lutte des dieux contre les Titans. Callimaque, que suit Virgile, le place au contraire parmi les ennemis des dieux : foudroyé par eux, il est enseveli sous l'Etna. Ovide en fait un géant marin, compagnon de Protée et de Triton. Pausanias prétend qu'à ce titre il arbitra un différend entre le Soleil et Neptune qui voulaient tous deux l'isthme de Corinthe : il attribua l'isthme à Neptune et l'Acrocorinthe au Soleil.

1459. L'Hydre, fille de Typhon et de la Vipère, qui hantait le marais de Lerne, non loin d'Argos. Le monstre avait neuf têtes; chacune d'elles, écrasée, repoussait. Hercule, aidé de son serviteur Iolaüs, mit le feu à une forêt voisine et, brûlant avec les brandons les cous tronçonnés, empêcha les têtes de repousser. La tête centrale, seule immortelle, fut enfouie sous un pesant rocher de la route qui va de Lerne à Elée (cf. Hésiode, *Théogonie*, 312). Ce fut le second des travaux d'Hercule. Le héros trempa, dit-on, ses flèches dans le sang de l'Hydre, et elles en demeurèrent empoisonnées.

1460. Cf. note 1090.

1461. Cf. note 445.

1462. Cf. note 624.

1463. Il s'agit de Géryon, monstre à trois corps, fils de Chrysaor et de Callirhoé, qui régnait « du côté de Vesper » dans l'île d'Erythie, « l'île Rouge », ainsi nommée parce qu'elle était enveloppée des rayons du soleil couchant (cf. Hésiode, *Théogonie*, 290). Hérodote identifie l'île d'Erythie avec le promontoire de Gadès (Cadix); Géryon, d'après la légende, gardait de grands troupeaux de bœufs, avec le géant Eurythion et le chien Orthros, frère de Cerbère, pour l'aider. On l'a assimilé parfois avec Cacus à cause de ses bœufs, et parce qu'il fut tué aussi par Hercule.

1464. Cf. note 1078.

1465. Cf. note 1392.

1466. Charon, le portier des Enfers, ignoré d'Homère et d'Hésiode, apparaît au VIe siècle dans le poème de la *Minyade*, attribuée à Prodicus de Phocée. Aristophane *(Grenouilles)* et Lucien y font allusion. C'est un vieillard chenu, d'aspect repoussant, avec un nez crochu, une bouche énorme, des oreilles pointues; il dirige, à travers le Styx, la barque où ne peuvent prendre place que ceux qui lui ont versé une obole pour prix du passage. Cette barque est le symbole de Charon dans les représentations qu'on en fait. Polygnote l'a peint sur la Lesché de Delphes; on le voit sur de nombreux lécythes athéniens. L'art romain le fait moins hideux que l'art grec, et le figure seulement comme un vieillard morose.

Chez les Etrusques, Charon est un bourreau infernal subalterne, qui a le maillet pour arme et symbole, et qui accompagne Mars sur les champs de bataille où il assomme et tue.

1467. Enumération répétée des *Géorgiques*, IV, 475-477.

1468. La Sibylle avait reçu d'Apollon le don de vivre autant d'années qu'elle avait pu tenir de grains de sable dans sa main. Cf. Ovide, *Mét.*, XIV, 135.

1469. Selon la fable, le dieu du Styx ayant pris parti pour Jupiter contre les Titans et envoyé à son secours ses deux filles, la Victoire et la Force, Jupiter, pour le récompenser, rendit sacré, même pour les dieux, le serment fait par le Styx : le dieu parjure était privé pour neuf ans de la table de Jupiter et d'autres prérogatives.

1470. L'Achéron était un fleuve marécageux, mais avec des courants et des remous.

1471. Inconnu.

1472. Ou plutôt l'équipage lycien, car « la flotte » se composait d'un navire. Cf. note 44 et *En.*, I, 113.

1473. Cf. note 45.

1474. Cf. note 32.

1475. Virgile ne mentionne qu'ici cet oracle.

1476. Cf. note 568.

1477. Palinure ignore, même aux Enfers, que le Dieu Sommeil l'a précipité dans les flots.

1478. Cf. note 32.

1479. Comme il était enjoint de le faire, sous peine de s'exposer à la colère divine; cf. Horace, *Odes*, I, 28, 23.

1480. Vélia ou Hélia ou Elée, ville de la Grande-Grèce, ne fut fondée qu'au ~ VIe siècle par des Phocéens, fuyant le joug des Perses. Elle était située entre Pestum et Posidonie, sur la côte de Lucanie : c'est aujourd'hui Castellamare della Brucca.

1481. On l'appelle aujourd'hui encore le cap Palinure, mais plus souvent la Punta della Spartivanto. Non loin, on montre une ruine assez vague, appelée Tombeau de Palinure.

1482. Jeu de mots grecs : Charon était ainsi appelé, par antiphrase, de χαίρω, « se réjouir ».

1483. Cf. note 1385.

1484. Cf. note 1384.

1485. Hercule, Pirithoüs étaient fils de Jupiter; Thésée, fils de Neptune.

1486. Sous lequel Cerbère, épouvanté, s'était réfugié.

1487. La prêtresse d'Apollon qui avait fait paître, sur les bords de l'Amphrysus, en Thessalie, les troupeaux du roi Admète. Cf. *Géorg.*, III, 2.

1488. Cerbère.

1489. Proserpine, fille de Jupiter, est la nièce de Pluton.

1490. Qu'il avait vu déjà, au moment de la descente d'Orphée aux Enfers.

1491. Car elle était formée de pièces cousues, en cuir ou en osier.

1492. Espèce de massette, plante des marais, cf. *Géorg.*, III, 175. — Ce détail se retrouvait dans le tableau de Polygnote. Cf. Pausanias, X, 28.

1493. *Cerbère...* Chien monstrueux, fils de Typhon et de la Vipère, chargé de défendre l'entrée des Enfers. Il avait cinquante têtes, selon Hésiode; trois selon Virgile et la plupart des autres auteurs. Homère n'en parle pas. Cf. Apollonius de Rhodes, *Argon.*, IV, 139-161.

1494. Ces couleuvres, au dire d'Horace, étaient au nombre de cent; cf. *Odes*, III, 11, 13.

1495. Sans doute imprégnées d'une drogue soporifique et enrobées dans le miel, qui en dissimule le goût.

1496. Allusion à l'usage romain de tirer au sort sur une liste de jurés (sénateurs et chevaliers répartis en décuries) les juges de chaque procès.

1497. Cf. note 1329.
Minos avait pour assesseurs son frère Rhadamanthe et Eaque.

1498. L'urne où l'on tire au sort les noms des jurés, et l'ordre des jugements; l'urne aussi où les juges déposent leurs votes. Les poètes parlent souvent de cette urne de Minos, qui fixait à chacun le moment de sa mort (cf. Horace, *Odes*, II, 3, 25) :

... Omnium
Versatur urna serius ocius
Sors exitura et nos in aeternum
Exsilium impositura cymbae.

et encore *Od.*, III, 1, 16; Sénèque, *Agamemnon*, 24.

1499. Les Pythagoriciens et les Platoniciens condamnaient sévèrement le suicide; les Stoïciens le considéraient comme permis et même parfois recommandable. — Virgile ici le condamne, comme étant un faux calcul. A son époque déjà on était moins rigoureux envers les suicidés qu'aux premiers temps de la République, où le droit pontifical interdisait de donner la sépulture à ceux qui s'étaient pendus.

1500. Les myrtes étaient consacrés à la déesse de l'amour, à Vénus.

1501. Phèdre, fille de Minos et de Pasiphaé, épousa Thésée et se pendit de désespoir parce que son beau-fils Hippolyte avait dédaigné son amour : c'est le sujet de l'*Hippolyte porte-couronnes* d'Euripide et de la *Phèdre* de Racine.

1502. Procris, fille du roi d'Athènes Erechthée, épousa Céphale, roi de Phocide, et se tua de désespoir dans un accès furieux de jalousie, son mari s'étant épris de l'Aurore (cf. Ovide, *Mét.*, 661-832). — Selon d'autres traditions, que ne suit pas Virgile, c'est Céphale, au cours d'une partie de chasse, qui aurait tué Procris.

1503. Eriphyle, femme du devin Amphiaraüs, éprise de Polynice, qui était beau et qui lui offrait un collier d'or, lui découvrit la retraite où se cachait son époux, pour ne pas aller au siège de Thèbes où il savait qu'il devait périr. Il y périt en effet. Son fils, Alcméon, le vengea en tuant sa mère (cf. *Od.*, XI, 326; XV, 244 sq.). C'est le sujet de l'*Eriphyle* de Voltaire.

1504. Evadné, femme de Capanée, l'un des « Sept contre Thèbes », qu'elle adorait, ne survécut pas à sa mort, lorsqu'il fut foudroyé par Jupiter qu'il avait bravé, et elle se précipita dans son bûcher. Cf. Euripide, *Suppl.*, 990 sq.

1505. Cf. note 1340.

1506. Laodamie, femme de Protésilas, le premier Grec qui descendit sur le rivage de Troie, et qui fut tué par Hector, obtint de Jupiter que son mari, qu'elle adorait, revînt pour trois heures à la vie, mais ne pouvant se résigner à le perdre, au bout de ces trois heures, elle se tua pour le suivre aux Enfers. Cf. Ovide, *Héroïdes*, XIII; Catulle, LXVIII, LXXIII.

1507. Cénée, l'un des Lapithes, était à l'origine une fille, Cénis, qui plut à Neptune, se donna à lui et obtint d'être changée en un jeune homme invulnérable. Dans le combat entre Centaures et Lapithes, Cénée, que les Centaures ne pouvaient arriver à tuer, fut enseveli par eux sous une masse de troncs d'arbres, puis changé en oiseau. Il reprit aux Enfers son sexe primitif. Cf. Ovide, *Mét.*, XII, 171-209; 459-530.

1508. Comparaison empruntée à Apollonius de Rhodes, cf. *Argon.*, IV, 1479.

1509. Montagne de l'île de Paros, d'où l'on tirait de beaux marbres blancs. Cf. note 186.

1510. Virgile a sans doute tenu à cette rencontre de Sychée et de Didon pour montrer, aux temps dissolus où il vivait, la sainteté du mariage unique.

1511. Tydée, fils d'Œnée, roi de Calydon, tua son frère Mélanippe, se réfugia à Argos, où il épousa Deiphile, fille du roi Adraste, et fut tué au siège de Thèbes. Il est surtout connu par son fils, Diomède. Cf. note 34.

1512. Parthénopée, roi d'Arcadie, fils d'Atalante et de Méléagre, fut avec Tydée et Adraste l'un des « Sept contre Thèbes ».

1513. Adraste, roi d'Argos, beau-père de Tydée et de Polynice, fut l'un des « Sept contre Thèbes ». Il échappa à la mort en fuyant : d'où l'épithète de « pâle » que lui décerne Virgile, « la pâleur, dit Servius, accompagnant la fuite ». Il recommença une nouvelle guerre contre Thèbes dix ans plus tard, en y envoyant les fils des chefs morts ou *Epigones*.

1514. Glaucus, fils d'Hippoloque, roi des Lyciens, qui échangea ses armes avec Diomède sur le champ de bataille (cf. *Il.*, VI, 119 sq.).

1515. Nommé par Homère, *Il.*, XVII, 216.

1516. Guerrier tué par Achille. Cf. *Il.*, XXI, 209.

1517. Ils se nommaient Polybe, Agénor et Acamas, cf. *Il.*, XI, 59-60.— Agénor lutta contre Achille, cf. *Il.*, XXI, 545; Acamas fut tué par Mérion, cf. *Il.*, XVI, 342.

1518. Cf. note 470.

1519. Le conducteur du char de Priam. Cf. *Il.*, V, 11; XXIV, 325, 470.

1520. Cf. note 19.

1521. Devant Hector. Cf. *Il.*, XV, 320.

1522. Cf. note 348.

1523. C'est Déiphobe qui tua Ascalaphe, fils de Mars. Cf. *Il.*, XIII, 518. On le voit aussi dans Homère se battre contre Mérion. Cf. *Il.*, XIII, 156.

1524. Cf. note 23.

1525. Grecs et Troyens mêlés.

1526. Cf. note 578.

1527. Cf. note 70.

1528. Un trophée.

1529. Hélène, cf. note 201. — Déiphobe évite de prononcer son nom.

1530. Ces mutilations et ces blessures.

1531. Cf. note 150.

1532. Peut-être aussi par le vin. Cf. *En.*, II, 265.

1533. Ulysse. — Une légende contait qu'avant d'épouser Laërte Anticlée s'était donnée à Sisyphe, fils d'Eole, et en avait eu Ulysse. Le terme de *Sisyphide* ou d'*Eloïde*, appliqué à Ulysse, est donc injurieux.

1534. Qui, par le fleuve Océan, passait pour aboutir aux Enfers.

1535. C'est le soleil qui a un quadrige; l'Aurore a un bige. Mais Virgile ici semble mettre l'Aurore pour le Jour.

1536. Cf. note 1445.

1537. Virgile entend par ce mot un métal dur, indomptable *(a* privatif, *damas)*.

1538. L'une des trois Furies. Cf. note 353 et *Il.*, XVIII, 539.

1539. Cf. notes 1339 et 1497.

1540. La gardienne, Tisiphone.

1541. Cf. *Il.*, VIII, 16; Lucrèce, *De Natura Rerum*, IV, 418.

1542. Fils de la Terre.

1543. Otus et Ephialte, fils d'Aloée (de Neptune, selon Homère) et d'Iphimédie « les héros les plus grands et les plus beaux de beaucoup que nourrit la Terre féconde » (cf. *Od.*, XI, 330), n'avaient pas neuf ans qu'ils déclarèrent la guerre à Jupiter, entassant le Pélion sur l'Ossa pour escalader le ciel; ils furent foudroyés par Jupiter ou, selon Homère, tués par Apollon. Cf. *Géorg.*, I, 281-283.
Ils passaient pour avoir fondé la ville d'Ascra en Béotie et institué le culte des Muses sur l'Hélicon.

1544. Salmonée, fils d'Eole et frère de Sisyphe, fondateur et héros éponyme de la ville de Salmonée en Elide, au nord de l'Alphée, passait pour avoir fait construire un pont de bronze sur lequel il passait dans un char de bronze, en lançant des torches et en faisant un bruit de tonnerre, imitant par là Jupiter. Cette impiété fut cruellement punie.

1545. Où Jupiter avait un culte particulier.

1546. Jupiter.

1547. L'un des Géants, fils de Jupiter et d'Elara, osa outrager Latone (cf. *Od.*, XI, 576), et fut tué par les enfants de celle-ci : Diane et Apollon.

1548. La légende conte que, pour soustraire Tityos à la fureur jalouse de Junon, Jupiter le cacha avec sa mère dans le sein de la terre.

1549. Soit 9 fois 28 800 pieds carrés, c'est-à-dire 225 ares environ.

1550. ... *rongeant son foie, etc.* Lucrèce interprète en philosophe le mythe de Tityon. Cf. *De N. R.* III, 997 sq. :

Nec Tityum volucres ineunt Acheronte jacentem...
Sed Tityus nobis hic est, in amore jacentem
Quem volucres lacerant atque exest anxius angor
Aut alia quavis scindunt cupidine curae.

1551. Les Lapithes, peuple légendaire de Thessalie, avaient pour roi Pirithoüs. Au mariage de celui-ci, ils entrèrent en conflit avec les Centaures, qui, s'étant enivrés, voulaient faire violence aux femmes lapithes. Aidés de Thésée, ils triomphèrent des Centaures, mais furent plus tard exterminés par Hercule. Cf. *Géorg.*, II, 357.

1552. Ixion, fils de Phlégyas et époux de Dia, tua son beau-père Déionée, fut purifié de ce meurtre par Apollon ou par Jupiter, mais osa ensuite poursuivre Junon de ses assiduités. Jupiter, pour le surprendre, donna à une nuée la forme de Junon; Ixion s'accoupla à la nuée, et en eut un fils, Centaurus, qui, s'unissant aux cavales de Magnésie, en eut à son tour pour fils les Centaures. Ixion fut puni par le supplice de la roue.

1553. Cf. note 1384.

1554. Cette légende qui est dans Homère contredit le vers 393 (cf. note 1385). — Virgile est éclectique.

1555. Phlégyas, fils de Mars, héros éponyme des Phlégyens, qui habitaient Orchomène en Béotie, voulut se venger d'Apollon qui avait enlevé sa fille

Coronis et mit le feu au temple de Delphes. Il est le père des Lapithes et de tous le plus malheureux, puisqu'il assiste au supplice de ses fils.

1556. Alectô.

1557. Crime prévu et puni par la loi des XII Tables :

Patronus, si clienti fraudem faxit (facerit), sacer esto.

1558. Le mari trompé pouvait tuer sa femme et l'amant de sa femme. La loi *Julia de Adulteriis* (17 av. J.-C.) adoucit le droit ancien, mais excuse encore le meurtre en cas de flagrant délit.

1559. Allusion possible à la guerre servile ou aux esclaves fugitifs qui composaient en grande partie l'armée de Sextus Pompée.

1560. Allusion possible à Curion qui vendit Rome à César, ou à Lasthénès qui vendit Olynthe à Philippe de Macédoine.

1561. Allusion possible à Antoine.

1562. Vers répétés des *Géorg.*, II, 43, et imités d'Homère. Cf. *Il.*, II, 489-490.

1563. On peut comparer à la description que donne Virgile des Champs-Elysées celle d'Homère, *Od.*, IV, 563; d'Hésiode, *Œ.*, 170; de Pindare, *Olymp.*, II; de Platon, *Rép.*, X; de Tibulle, I, 3, 59 sq.

1564. Comme dans Platon. Cf. *Rép.*, X.

1565. Orphée, qu'Horace appelle « l'interprète sacré des Dieux », Cf. *Buc.*, III, 46; *Géorg.*, IV, 453 sq.

1566. Cf. note 90.

1567. Cf. note 17.

1568. Cf. note 17.

1569. Le péan était primitivement un hymne de reconnaissance en l'honneur d'Apollon-Péan, « Apollon guérisseur ». Le nom du chant est venu de la répétition de l'acclamation : Péan! Puis il a désigné tout chant de victoire ou de joie.

1570. Le Pô. — Selon Pline (cf. III, 20, 3), l'Eridan, non loin de sa source, disparaissait et coulait sous terre : on croyait qu'il arrosait les Enfers. Cf. *Géorg.*, I, 482.

1571. Qui indique leur caractère sacré.

1572. Musée, fils d'Eumolpe et de la Lune, disciple d'Orphée, est un poète légendaire dont les chants sacrés passaient pour contenir les vérités fondamentales de la morale et de la société.

1573. Anchise avait demandé à Enée de venir le voir aux Enfers. Cf. V, 722.

1574. Le fleuve de l'oubli.

1575. L'astre né du Titan Hypérion, le Soleil, frère de la Lune.

1576. Cf. Homère, *Il.*, XIV, 273 : « Ἄλα μαρμαρέην », Ennius, cité par Aulu-Gelle, II, 26, 21 : *Marmore flavo... sale ;* et *Géorg.*, I, 254.

1577. Idée stoïcienne.

1578. Cf. Platon, *Rép.*, X.

1579. Fils posthume d'Enée. Caton l'Ancien conte qu'après la mort d'Enée Lavinie, grosse de Silvius et craignant la jalousie d'Ascagne, se réfugia chez un ancien intendant d'Enée, nommé Tyrrhée; elle mit au monde chez lui un fils, qui, élevé dans les bois, reçut le nom de Silvius. Selon les uns, Silvius régna sur Albe, après la mort d'Ascagne; selon les autres, il déposséda Ascagne de son pouvoir royal et ne lui laissa que les fonctions sacerdotales.

Tite-Live, sans doute pour effacer cette rivalité entre deux demi-frères, fait de Silvius le fils d'Ascagne et son successeur légitime. Cf. Tite-Live, I, 3, 6.

1580. Selon Tite-Live, tous les rois d'Albe prirent le *cognomen* de Silvius, comme plus tard les empereurs prirent celui de César ou d'Auguste.

1581. Procas, père de Numitor et d'Amulius.

1582. Capys, qui porte le nom du père d'Anchise, passait pour être le sixième roi d'Albe.

1583. Numitor, fils de Procas, détrôné par son frère cadet Amulius, grand-père de Romulus et de Rémus.

1584. Silvius Enée fut, nous dit Servius, détrôné par son tuteur, et il ne remonta sur le trône qu'à l'âge de cinquante-trois ans.

1585. La couronne civique, composée de feuilles de chêne avec leurs glands, était donnée aux fondateurs de villes et aux soldats qui avaient sauvé leurs compagnons.

Virgile y fait sans doute allusion ici, parce qu'elle avait été décernée par le Sénat à Auguste, le 13 janvier ~ 27, « pour avoir rétabli la République ». Cf. Ovide, *Fastes*, I, 614.

1586. Nomentum, auj. Mentana, était une ville de la Sabine, à douze milles de Rome, avec laquelle elle fut reliée par la voie Nomentane.

1587. Gabies, ville du Latium, entre Rome et Préneste, avait été fondée par les Sicules. Elle n'existait déjà plus au temps d'Auguste (cf. Horace, *Epodes*, I, 11, 7). On y montre encore aujourd'hui les ruines d'un temple de Junon.

1588. Fidène, ville de la Sabine, près du confluent du Tibre et de l'Anio, était peut-être d'origine étrusque. Cf. Tite-Live, I, 15. Il n'en reste plus que quelques ruines près du village actuel de Castel Giubileo.

1589. Collatie, auj. Castellaccio, était une ville de la Sabine, bâtie sur une hauteur, au bord d'un petit affluent de l'Anio.

1590. La cité des Pométiens, Pométie, était la capitale des Volsques, sur les Marais Pontins. Elle fut détruite par les Romains. Son nom subsiste dans celui des Marais Pontins ou Pometins.

1591. *Castrum Inui* était une ville forte du pays des Rutules. (Cf. Silius, VIII, 359) : elle s'élevait au bord de la mer Tyrrhénienne près d'Ardée, entre Antium et Lavinium, et tirait, selon certains, son nom du dieu Pan ou Faune, appelé *Inuus* par les Latins.

1592. Bola, auj. Zagarolo, était une ville du pays des Eques. Cf. Tite-Live, IV, 49, 3.

1593. Cora, auj. Cori, était une ville du pays des Volsques, située non loin de Pométie, la capitale, et de Norba, sur les Marais Pontins; elle revendiquait pour héros éponyme un certain Coras, frère de Tiburtus, fondateur de Tibur, et fils ou petit-fils d'Amphiaraüs.

1594. Il ne semble pas que ces villes énumérées par Virgile formassent une ligue présidée par Albe : bien des faits contredisent le système accepté par Virgile et par Tite-Live.

1595. Romulus rétablit son aïeul Numitor, détrôné par Amulius. Cf. note 1583.

1596. Mars. Cf. note 96.

1597. Rhéa Sylvia. Cf. note 94.

1598. Donc troyenne. Cf. note 94.

1599. Allusion à l'apothéose de Romulus, devenu le dieu Quirinus.

1600. L'Aventin, le Capitole, le Célius, l'Esquilin, le Palatin, le Quirinal et le Viminal. Cf. *Géorg.*, II, 535.

1601. Cybèle, la mère des Dieux (cf. note 492), était particulièrement adorée en Phrygie, sur le mont Bérécynte, l'un des sommets de la chaîne de l'Ida. Sur son rôle dans *l'Enéide*, cf. Graillot, *Le culte de Cybèle*, pp. 108 sq.

1602. Ainsi figurée parce qu'elle présidait à la fondation des villes. Cf. Lucrèce, *De N. R.*, II, 606-607.

1603. Auguste, nommé toujours *Augustus Caesar* dans les inscriptions concernant son culte associé à celui de la déesse Rome.

1604. La *gens Julia.*

1605. Fils adoptif de Jules César, qui avait été mis au rang des dieux.

1606. Cf. note 890.

Les Garamantes avaient été vaincus par Cornelius Balbus en 20 av. J.-C., l'année qui précéda la mort de Virgile.

1607. Des ambassadeurs indiens venus à Rome pour la première fois sous Auguste (cf. le monument d'Ancyre) avaient frappé les imaginations. On prêtait à Auguste l'intention d'étendre l'Empire jusqu'au Gange, mais il eut la prudence de ne pas le faire.

1608. Vers le nord inconnu.

1609. Vers le sud inconnu.

1610. Cf. notes 248 et 974.

1611. Allusion probable aux Parthes, qui se soumirent en 22 av. J.-C. et renvoyèrent à Auguste les aigles enlevées à Crassus et à Antoine.

1612. Annonçant la venue et la puissance d'Auguste. Cf. Suétone, *Aug.*, XCIV.

1613. Le pays des Scythes, au bord du *Palus Maeotis*, auj. mer d'Azov.

1614. Hercule, considéré ici comme le héros de la civilisation.

1615. Virgile, suivant Euripide (cf. *Hercule furieux*, 377), et contrairement à d'autres traditions qui veulent qu'Hercule ait attrapé la biche à la course, admet qu'elle a été tuée à coups de flèches. La biche aux pieds d'airain habitait la montagne de Cérynée, en Arcadie.

1616. Cf. note 1168.

1617. Cf. note 1459.

1618. Bacchus, considéré ici comme le dieu conquérant des pays lointains. Cf. Horace, *Odes*, III, 3, 9-15.

1619. Des rênes enveloppées de pampres, attribut de Bacchus.

1620. Nysa, auj. Nagar, montagne et ville de l'Inde fondée par Bacchus au confluent de l'Indus et du Cophène.

1621. Numa Pompilius, second roi de Rome.

1622. Cures, auj. Correse, petite ville de la Sabine, au nord-est de Rome, patrie de Tatius et de Numa Pompilius.

1623. Tullus Hostilius, troisième roi de Rome.

1624. Ancus Martius, quatrième roi de Rome.

1625. Ancus Martius établit sur l'Aventin les Latins soumis, origine de la plèbe romaine.

1626. Tarquin l'Ancien, cinquième roi de Rome; son gendre, Servius Tullius, le sixième roi; et le gendre de celui-ci, Tarquin le Superbe, septième et dernier roi.

1627. Brutus, neveu de Tarquin le Superbe, chassa les Tarquins après la mort de Lucrèce, et fonda la République. Il périt en ~ 508, dans un combat contre Aruns, fils de Tarquin le Superbe.

1628. Symbole du pouvoir, les faisceaux avaient été apportés d'Etrurie à Rome par Tarquin l'Ancien.

1629. Pour ramener les Tarquins.

1630. Publius Decius Mus, consul en 340 av. J.-C., se dévoua aux dieux infernaux à la bataille de Véséris contre les Latins pour assurer la victoire de Rome. (Cf. Tite-Live, VIII, 9). Son fils se dévoua à la bataille de Sentinum, livrée contre les Gaulois en ~295 (cf. Tite-Live, X, 28). Son petit-fils en fit autant à la bataille d'Asculum, livrée contre Pyrrhus en ~ 279 (cf. Cicéron, *De Fin.*, II, 19).

1631. M. Livius Drusus Salinator vainquit Hasdrubal au Métaure. La *gens Livia* à laquelle il appartenait donna Livie, femme d'Auguste, et Drusus, son beau-fils.

1632. Torquatus, consul en ~ 340 avec Publius Decius Mus (cf. note 1628), fit périr son fils sous la hache pour avoir combattu et vaincu malgré ses ordres. Cf. Tite-Live, VII, 7.

1633. Camille reprit aux Gaulois les étendards romains perdus à la bataille de l'Allia, 395 av. J.-C.

1634. Pompée et César.

1635. César, dont Pompée épousa la fille Julie.

1636. Monœcus, où se trouvait un temple dédié à Hercule Monœcus, c'est-à-dire à « Hercule qui n'admet pas d'autre temple à côté du sien », auj. Monaco.

1637. Pompée avait levé son armée en Orient.

1638. César, descendant de Vénus.

1639. L. Mummius Achaïcus, vainqueur des Achéens (Grecs), destructeur de Corinthe (~ 146), réduisit la Grèce en province romaine sous le nom d'Achaïe.

1640. Paul-Emile, vainqueur de Persée, roi de Macédoine (~ 168), détruisit la puissance d'Argos, l'une des capitales de Persée en Grèce, de Mycènes, abandonnée depuis plus de trois siècles, mais célèbre par les souvenirs de la guerre de Troie.

1641. Persée disait descendre d'Achille, petit-fils d'Eaque.

1642. Allusion à la profanation commise par les ravisseurs du Palladium. Cf. *En.*, I, 41; II, 165, 403.

1643. Caton l'Ancien, célèbre par sa censure (∼ 185).

1644. Cossus tua le roi des Véiens Volumnius et consacra dans le temple de Jupiter Férétrien les secondes dépouilles opimes. Cf. Tite-Live, IV, 20.

1645. Les deux Gracques, Tibérius et Caïus, tribuns du peuple, fils de T. Sempronius Gracchus, dont l'un fut tué en ∼ 133, l'autre en ∼ 123, tous deux précurseurs de César et d'Auguste dans leur lutte contre le parti aristocratique.

1646. Scipion l'Africain, vainqueur d'Hannibal à Zama (∼ 204); son petit-fils, Scipion Emilien, destructeur de Carthage (∼ 146) et de Numance (∼ 133).

1647. Fabricius, vainqueur des Samnites (∼ 282), refusa les présents de Pyrrhus; il était « content » de si peu que l'Etat dut se charger des frais de ses funérailles et de la dot de sa fille.

1648. Régulus, ainsi surnommé parce qu'il était occupé à ensemencer son champ quand on vint lui annoncer son élévation au consulat (cf. Pline, XVIII, 4). Il vainquit les Carthaginois aux îles Lipari (∼ 257).

1649. Les Fabius, qui, au nombre de 306, se firent tuer jusqu'au dernier dans la guerre dont ils s'étaient seuls chargés contre les Véiens (∼ 478).

1650. Q. Fabius Maximus surnommé *Cunctator*, « le Temporisateur », parce qu'il épuisa Annibal par ses lenteurs calculées.

1651. Vers emprunté presque textuellement à Ennius. Cf. *Ann.*, XII :

Unus homo nobis cunctando restituit rem.

1652. Allusion aux Grecs.

1653. Auguste voulait être l'Empereur de la Paix.

1654. « J'ai préféré, dit le monument d'Ancyre, pardonner aux peuples étrangers, quand on pouvait le faire sans danger, plutôt que de les exterminer. » Cf. Horace, *Chant séculaire*, 51.

1655. M. Claudius Marcellus, surnommé l'*Epée de Rome*.

1656. Il remporta, après Romulus et Cossus, les dépouilles opimes pour la troisième fois, en tuant à Clastidium le chef des Gaulois Insubriens, Viridomare (∼ 222). — Une tragédie de Nevius, *Clastidium*, chantait cet exploit.

1657. Guerre en Italie ou en Gaule Cisalpine.

1658. A Nole, où il battit Hannibal en ∼ 214.

1659. A Clastidium. Cf. note 1656.

1660. A Romulus, devenu dieu.

1661. M. Claudius Marcellus, descendant du précédent, fils d'Octavie, neveu et gendre d'Auguste, mort tout jeune à dix-neuf ans (23 av. J.C.).

1662. Le Champ-de-Mars.

1663. Le tombeau de Marcellus, qui était celui d'Auguste et de sa famille, s'élevait sur la rive gauche du Tibre. Des fouilles ont permis de retrouver, dans la crypte du monument, la place réservée à Marcellus : c'était, au centre de la rotonde, une niche carrée au bord d'un couloir circulaire, avec une inscription portant à la fois le nom de Marcellus, « gendre d'Auguste César », et celui d'Octavie, « sœur d'Auguste César. » La mère, morte douze ans après son fils, reposait donc à côté de lui. Cf. Carcopino, *Bulletin des antiquaires de France*, 1927, pp. 244-247.

1664. Donat et Servius rapportent que lorsque Virgile lut l'épisode de Marcellus devant Auguste et Octavie, celle-ci s'évanouit. Revenue à elle, elle fit donner au poète dix mille sesterces pour chacun des vers contenant l'éloge de son fils. Sénèque, de son côté, a décrit dans une page fameuse (*Consolatio ad Marcium*, 2) le deuil de cette mère inconsolable.

1665. Les Latins.

1666. Lavinium, capitale du roi Latinus. Cf. note 2.

1667. Cf. *Od.*, XIX, 562-566; Horace, *Odes*, III, 27, 40. On croyait que les songes vrais, sortant par la porte de corne, visitaient les mortels après minuit, les songes faux, sortant par la porte d'ivoire, avant minuit.

1668. Caiète, auj. Gaète, était une ville et un port du Latium.

LIVRE SEPTIÈME

L'ARRIVÉE DANS LE LATIUM

1669. Comme Misène donne son nom à un cap, cf. VI, 235, et Palinure à un promontoire, cf. VI, 381, ainsi Caiète donne son nom à une ville.

1670. On sait l'importance du rôle de la nourrice dans les sociétés patriarcales, et par suite dans l'épopée et la tragédie. Voyez : dans *l'Enéide*, Barcé, nourrice de Sychée (IV, 432); dans *l'Odyssée*, Euryclée (XIX, 357 sq.); dans la *Phèdre* d'Euripide, Œnone.

1671. Caiète, nourrice d'Énée selon Virgile, d'Ascagne ou de Créuse selon d'autres auteurs, donna son nom à la ville de Caiète, auj. Gaète.

Servius rapporte une autre étymologie du nom de la ville : Caiète viendrait du verbe grec « caiein », *brûler*, parce que la flotte troyenne aurait été incendiée en cet endroit.

1672. Ceux de l'Italie : Caiète (Gaète) se trouve aux confins du Latium et de la Campanie.

1673. L'Hespérie ou pays du Couchant (Hesper ou Vesper) désigne dans *l'Enéide* l'Italie, cf. I, 530, 561; II, 781; III, 163, 185, 186, 503; IV, 355, etc. Dans d'autres auteurs, ce nom parfois désigne l'Espagne.

1674. L'épithète, qui est pittoresque, semble empruntée à Ennius, *Mélanippe*, cf. Macrobe, *Saturnales*, VI, 4, 7.

1675. Cette terre semble avoir été autrefois une île, *insula Circae*, cf. *En.*, III, 386. Selon Varron, qui suit d'ailleurs Virgile, cette île a été plus tard rattachée au continent et a formé le promontoire de Circé, auj. le Monte Circeo, à l'extrémité des Marais Pontins. Le souvenir de Circé subsiste dans la « Grotte de la Magicienne », qu'on montre aujourd'hui au Monte Circeo.

1676. Circé avait le Soleil pour père et Persa, une Océanide, pour mère. Cf. *Od.*, X. 138,

1677. Le cèdre, que les Anciens confondaient souvent avec le genévrier, fournissait un bois odorant et une huile dont on se servait pour la conservation des livres et l'embaumement des morts. Il est difficile de dire s'il s'agit ici de branches de cèdre qu'on allumait ou d'huile de cèdre qu'on brûlait dans des lampes. Une note de Servius, qui affirme que les anciens Latins ignoraient l'usage de cette huile, nous fait pencher vers la première hypothèse.

1678. Cf. *Géorgiques*, I, 294.

1679. Les métamorphoses accomplies par Circé sont contées dans *l'Odyssée* (X, 203 sq.), dans les *Argonautiques* d'Apollonius de Rhodes (IV, 672 sq.) et dans les *Métamorphoses* d'Ovide (XIV, 254 sq.).

1680. Ils participent à la piété d'Enée.

1681. Neptune est favorable aux Troyens depuis que Vénus l'a imploré pour eux; cf. *En.*, V, 779-815.

1682. Les flots sont plus agités près d'un rivage montueux.

1683. La déesse, femme de Tithon et bru du roi troyen Laomédon.

1684. Littéralement : de la couleur du *lutum*, qui est la sarrette, plante qui servait à teindre en jaune vif. — Homère, lui, écrit que le péplum de la déesse avait la couleur du crocus (*Il.*, VIII, 1).

1685. Virgile attribue ici à l'Aurore un bige, char à deux chevaux; au livre VI (vers 535), se conformant à la tradition la plus courante, il lui confie un quadrige.

1686. L'image est empruntée à Homère et à Ennius; cf. *Géorg.*, I, 254.

1687. A cause des arbres plantés sur ses bords. « Virgile ici, note Constans, *l'Enéide*, p. 233, a tout embelli et poétisé. » Cf. pourtant Boissier, *Nouvelles promenades archéologiques*, pp. 264 sq.

1688. Le Tibre est un fleuve lent (*leni agmine*, dit ailleurs Virgile, *En.*, II, 781), mais, surtout à son embouchure, ses eaux sont sujettes à des crues considérables.

1689. Devant le fleuve et la terre désignés par Créuse, cf. *En.*, II, 781.

1690. Erato est, comme son nom l'indique, la Muse de la poésie érotique. Apollonius de Rhodes l'invoque en cette qualité avant de raconter les amours de

Jason et de Médée (*Argon.*, III). Virgile fait de même ici, au début de la seconde partie de l'*Enéide*, avant de chanter l'hymen d'Enée et de Lavinie.

1691. L'Ausonie désigne tantôt le pays des Ausoniens, peuple de l'ancienne Italie, sur la côte occidentale, près des Volsques, qui avait pour capitale Suessa Aurunca; tantôt l'Italie tout entière.

1692. Mézence, roi d'Étrurie; Turnus, roi des Rutules.

1693. L'armée des Tyrrhéniens ou Étrusques, qui passèrent du côté d'Énée contre leur roi Mézence.

1694. Hyperbole : la guerre sera limitée au Latium et à l'Étrurie.

1695. Ce héros éponyme de la race latine, roi du Latium, semble un personnage purement littéraire, inventé par les historiens et les poètes. Il a sans doute pour origine le *Jupiter Latiaris*, dieu national des peuples latins, qui avait son sanctuaire sur le mont Albain, et qui devint le roi Latinus de la même façon que le *Jupiter Indiges* devint Enée. Hésiode (cf. *Théog.*, 1013) en fait le fils d'Ulysse et de Circé. Virgile lui attribue Faunus pour père et la nymphe Marica pour mère. Denys d'Halicarnasse en fait le fils d'Hercule et d'une nymphe.
On ne connaît de Latinus aucune représentation certaine.

1696. Faunus, confondu parfois avec Silvain et avec Pan, est un dieu très ancien. Les légendes font de lui le fils de Picus, le petit-fils de Saturne, le père de Latinus. Honoré sous le nom de Lupercus, il eut son sanctuaire sur le Palatin : le *Lupercal ;* ses prêtres : les Luperques; sa fête : les Lupercales. En 196 av. J.-C. on lui éleva, sous son propre nom de Faunus, un temple dans l'île Tibérine, avec le produit d'amendes imposées aux fermiers des pâturages publics. On l'adorait aussi dans les Faunalies, au printemps et à l'automne.

1697. C'est-à-dire du pays des Laurentes dont la capitale, Lavinium, serait aujourd'hui Prattica di Mare, au S.-E. d'Ostie. Cf. Carcopino, *Virgile et les origines d'Ostie.*

1698. Divinité antique des Latins, la nymphe des marécages Marica avait entre Minturnes et la mer, à l'embouchure du Liris, auj. Garigliano, son temple, son bois sacré et son tombeau. C'est là, au dire de Plutarque, que Marius vint chercher un refuge au cours de sa lutte contre Sylla.
La légende avait fait de la nymphe Marica l'amante de Faunus et la mère de Latinus. Certains la confondirent avec Circé, soit à cause de l'origine hésiodique de Latinus, cf. note 1695, soit à cause du voisinage du promontoire de Circello, cf. note 1675. D'autres l'identifièrent avec Aphrodite, soit parce qu'il y avait non loin du bois sacré de Marica une chapelle consacrée à Aphrodite, soit par suite d'un jeu de mots sur son nom : *Marica, de Mare.*

1699. Picus est une divinité agricole des Latins. Son nom, qui est celui du pic ou pivert, fait supposer qu'il s'agissait à l'origine d'un dieu-oiseau qui aurait passé pour une incarnation de Mars, qu'on appelle souvent *Martius Picus.* Chez les Eques, un pivert, perché au sommet d'une colonne, rendait des oracles. Picus était considéré à la fois comme un dieu du mariage et comme un dieu des champs. Ovide, qui lui a constitué une légende, conte que Circé avait transformé en pivert un héros, Picus ou Picumnus, pour le punir d'avoir dédaigné son amour; cf. *Mét.*, XIV, 372 sq.

1700. Saturne est une divinité italienne, qui a été confondue peu à peu avec le Chronos des Grecs. Festus en fait le laboureur divin, dont le nom, *Saturnus* ou *Saeturnus,* vient de semailles (*a satu dictum*), et qui a pour attributs la faucille du moissonneur et la serpette du vigneron.
Selon les poètes et les annalistes, Saturne, proscrit, se serait enfui en Italie, où il aurait fait régner l'âge d'or : *Saturnus vitae melioris auctor* (Macrobe, I, 7, 24). Le Latium est la terre de Saturne, *Saturnia tellus*, *Saturnia arva ;* le Capitole s'appelait d'abord mont de Saturne, *Saturnus mons*, et l'on racontait que Saturne y avait fondé une ville dont Evandre, cf. VIII, 35, montrera les ruines à Énée : cette cité primitive s'élevait à la montée de la colline, là où fut plus tard le principal autel du dieu.
Picus, fils de Saturne, se trouve donc être le frère de Jupiter.

1701. Qui préparaient ainsi à Enée la domination de l'Italie.

1702. Au moment de l'arrivée d'Enée en Italie.

1703. Selon les uns, ce fils était mort en bas âge; selon les autres, Picus aurait eu deux fils, que la reine Amata avait mis à mort.

1704. Turnus, roi des Rutules, fils de Daunus et de la nymphe Vénilia.

1705. Amata, femme de Latinus, tante de Turnus.

1706. Le laurier était consacré à Apollon.

1707. Hérodien, dans sa *Vie de Commode*, dit que les Laurentes prirent leur nom du grand nombre de lauriers qui poussaient aux portes de la ville. L'histoire rapportée par Virgile a été inventée pour expliquer le nom.

1708. Pline rappelle plusieurs présages nés de l'invasion d'un essaim d'abeilles: un essaim s'abattit sur la tente de Drusus, général en chef, la veille de la bataille d'Arbalon en Germanie; des abeilles s'étaient posées sur la bouche de Platon enfant, etc.

1709. L'essaim d'abeilles et la troupe des Troyens sont venus du côté de la mer.

1710. Du côté de la capitale des Laurentes.

1711. La fille de la maison aidait son père dans les sacrifices, cf. Tibule, I, 10, 24.

1712. Les torches de certains arbres seulement *(castae arbores)* pouvaient alimenter le feu de l'autel.

1713. Assombrie par la fumée.

1714. Le feu.

1715. Faunus, cf. note 1696, abonde en prédictions : il est appelé, en ce sens, *fatuus* ou *fatuelus*. Ovide (*Fastes*, III, 291, IV, 644) cite de ses oracles.

1716. La montagne d'Albunée, aujourd'hui Acque Albule, s'élevait non loin de Tibur, aujourd'hui Tivoli. Une source jaillissait là, parmi un bois sacré « sous un haut rocher volcanique tout blanc, presque à pic, assez élevé », dit Bonstetten, *Voyage sur la scène des derniers livres de* l'Eneide; au pied de la montagne se trouvait un sanctuaire consacré à Faunus.

1717. Les sources de Tivoli et de l'Albunée étaient sulfureuses. Les Anciens avaient fait de Méphitis la déesse des vapeurs soufrées et des exhalaisons de gaz carbonique qui émanent d'un sol volcanique. Ces vapeurs, qui enivraient les prophètes, expliquaient leurs inspirations. Varron a dressé la liste des « lieux méphitiques » de l'Italie.

1718. Œnotrus, fils de Lycaon et petit-fils de Pélasge. Arcadien, il était venu dans le Bruttium et en Lucanie cinq cents ans, disait-on, avant la guerre de Troie. Aristote et d'autres, suivis par Virgile, rapportent qu'un roi d'Œnotrie, Italus, donna ensuite son nom au pays tout entier, cf. *En.* I, 532.

1719. Cet usage de se coucher dans les temples sur la peau des victimes et d'y attendre des songes envoyés par les dieux fut, dit-on, introduit à Rome par le devin Amphiaraüs, cf. Plaute. *Curc.*, I, 1, 61.

1720. Le lac Averne, entrée des Enfers, et par suite les Enfers, le lieu « sans oiseaux » grec *a-ornos.*

1721. Le fleuve des Enfers, par suite les dieux qui hantent ses rives.

1722. Préparée par la reine Amata, favorable au mariage de sa fille Lavinie avec Turnus.

1723. De l'océan Indien où il se lève à l'océan Atlantique où il se couche.

1724. Les Troyens, descendants du roi de Troie Laomédon, père de Priam, cf. *En.*, III, 248; VIII, 18.

1725. Les câbles qui retiennent les navires sont fixés au rivage.

1726. Ces gâteaux, qui servent d'assiettes aux compagnons d'Énée, étaient faits de farine de froment *(ador)*, de lait caillé et d'œufs. Ils étaient destinés à recevoir les offrandes. On procédait de même en Égypte, et les fellahs d'aujourd'hui se servent encore de galettes en pâte de céréales pour y déposer les mets.

1727. Qui leur a suggéré cette idée, pour que fût accomplie la prophétie de Céléno, cf. *En.*, III, 255-257.

1728. Les gâteaux de froment sur lesquels sont posés les mets des Troyens.

1729. Il n'était point permis de consommer les gâteaux offerts aux Pénates.

1730. Les gâteaux étaient ronds.

1731. Chaque gâteau était divisé en quatre morceaux, assez larges, pour recevoir les offrandes aux dieux. Cf. Hésiode, *Travaux et Jours*, 442; *Moretum*, 49; Horace, *Ep.*, I, 17, 49.

1732. Sans voir la portée de ce qu'il dit.

1733. Leurs prédictions, cf. *En.*, III, 163, se réalisent.

1734. Anchise, présent à la prophétie de Céléno, avait pu en entretenir son fils.

1735. Les Romains bâtissaient les villes comme les camps, en creusant un fossé dont ils rejetaient la terre en dehors de façon à former un retranchement.

1736. Les libations se faisaient au début du second service.

1737. Pour le second service, cf. note 1736.

1738. Chaque lieu a son génie, cf. *En.*, V, 95. Ce génie était représenté sous la forme d'enfants, de jeunes gens ailés, de vieillards, parfois de serpents vivants. Servius pense qu'il s'agit ici d'Apollon, « qui avait sous sa tutelle toute la région ». Hélénus (*En.*, III, 395) a dit à Énée : *...Adéritque vocatus Apollo.*

1739. La Terre-Mère *(Terra Mater)*, déesse de la fécondité, associée à Jupiter, le *Père*, vit sa personnalité s'effacer peu à peu devant celle de Cérès.

1740. Cf. Sophocle, *Antigone*, 338.

1741. Cf. *En.*, VIII, 71.

1742. Le Tibre. Cf. *En.*, VIII, 72.

1743. La Nuit, mère du Sommeil et de la Mort, mère des Furies, est une divinité infernale. C'est à elle qu'Enée a immolé une agnelle noire (*En.*, VI, 250).

Ovide (*Fastes*, IV, 662) nous montre Numa offrant un sacrifice à Faunus et au Sommeil : la Nuit apparaît « les tempes couronnées de pavots et traînant à sa suite les Songes noirs ».

1744. Jupiter adoré sur le mont Ida, en Crète, où, selon certaines traditions, il fut élevé.

1745. Cybèle, mère des Dieux, particulièrement honorée en Phrygie, cf. *En.*, II, 788.

1746. Vénus, sa mère, et Anchise son père; la première habitait « le ciel », étant déesse; le second l'Erèbe, c'est-à-dire les Enfers.

1747. Jupiter.

1748. Quand Jupiter était « brillant », c'est-à-dire quand le ciel était lumineux, et que le père des dieux faisait entendre son tonnerre, le présage était généralement tenu pour favorable. Cf. *Odyssée*, XX, 102, et *Enéide*, IX, 630. Il y a toutefois des exceptions : Virgile lui-même (*Géorg.*, I, 487) met au nombre des prodiges qui annoncèrent la mort de César « la foudre tombée d'un ciel serein », et Suétone *(Titus)* conte que Titus regarda comme un présage funeste qu'il eût tonné « dans un ciel serein ».

1749. En faisant une collation composée de fruits.

1750. Où l'on mélangeait le vin et l'eau, et où l'on puisait avec le *cyathus* pour remplir les coupes.

1751. On *couronnait le vin* en remplissant les coupes jusqu'aux bords *(corona)*.

1752. Le Numicus est un ruisseau du Latium, qui coulait lentement des marais vers la mer, parallèlement au Tibre : ses eaux croupissaient çà et là en flaques stagnantes. C'est aujourd'hui, suivant les uns, le Stagno di Levante, suivant les autres, et beaucoup plus probablement, le Rio Torto, qui séparait le territoire de Lavinium du territoire d'Ardée, donc ici les Laurentes des Rutules.

Enée, selon une tradition qu'a rapportée Tite-Live, se noya dans ses eaux.

1753. Le Tibre coulait à une trentaine de kilomètres seulement du Numicus. Virgile diminue encore cette distance et unit les deux cours d'eau.

1754. Au lieu que les Romains n'envoyaient que des sénateurs.

1755. Les Romains n'envoyaient qu'une ambassade de dix membres au plus.

1756. Un rameau d'olivier, arbre de Pallas et symbole de paix. Ce rameau, que portaient les suppliants, était garni de bandelettes, qui retombaient sur les mains en les voilant, d'où son nom de *velamentum*, cf. Tite-Live, XXIV, 30, 14.

1757. Cf. note 1785.

1758. Les Anciens situaient cette cité près d'Ardée, en un lieu que semblait désigner un temple de Vénus. Virgile la place au nord de Lavinium, non loin d'Ostie, cf. Strabon, V, 3, 2.

1759. De la ville des Latins, Lavinium.

1760. La taille des Troyens ne dépassait pas celle des Latins, mais, comme l'observe Servius, le jeune messager exagère la taille de gens qu'il voit pour la première fois et qui l'effrayent.

1761. Le temple.

1762. Picus est dit Laurente, parce que la capitale des Laurentes fut fondée par son petit-fils Latinus, cf. Ovide, *Mét.*, XIV, 336.

1763. Virgile attribue aux Laurentes antiques les usages romains.

1764. Cf. note 1763.

1765. Cf. note 1763. Les festins sacrés avaient lieu dans les temples. C'est ainsi qu'on offrait au triomphateur un repas dans le temple de Jupiter Capitolin, cf. Tite-Live, V, 39.

1766. Cf. note 1763. On immolait un bélier, les jours de fête, au Palatium.

1767. Les anciens Romains mangeaient, en effet, assis. L'usage de se coucher fut introduit plus tard. Cela n'empêche d'ailleurs point Virgile, au chant I, de nous présenter les hôtes de Didon couchés sur des lits de pourpre.

1768. Les statues primitives étaient en bois, cf. Ovide, *Fastes*, I, 281; Tibulle, I, 10, 19. A Rome, en 207 av. J.-C., on offrit solennellement à Junon Reine deux statues en bois de cyprès, cf. Tite-Live, XXVII, 37, 12. — Les bois les plus usités étaient le cyprès et le cèdre, qui, au dire de Pline (XIII, 11), est incorruptible : « *Materiae ipsi aeternitas : itaque et simulacra deorum ex ea factitaverunt.* »

Plus tard, on fit en cire les statuettes des ancêtres, conservées dans l'atrium, cf. Juvénal, VIII, 19.

1769. Italus, fils de Télégone et de Pénélope, si l'on en croit certaines légendes, s'établit en Italie et donna son nom au pays.

1770. Sabinus ou Sabus, fils de Sancus, donna son nom au pays des Sabins; son père était le dieu italique de la bonne foi, « *qui fœdera sancit* ».

1771. Les vignes de la Sabine étaient célèbres.

1772. Cf. note 1700.

1773. Janus, ancien roi du Latium, fils d'Apollon et de Créuse, fille du roi d'Athènes Erechthée, venu de Delphes, s'établit au bord du Tibre, sur la colline qui prit le nom de Janicule. Il fut déifié après un règne pacifique.

1774. La plus ancienne unité monétaire, l'as, portait la figure de *Janus bifron* ou *anceps* ou *geminus*. Ce double visage qu'on voit aussi aux statues de Janus désigne la connaissance qu'a le dieu du présent et de l'avenir : gardien des portes *(januae)*, le dieu avait aussi l'un de ses visages tourné vers l'intérieur, l'autre vers l'extérieur. Par suite il est le dieu des commencements : on doit le nommer au début de toute prière, et son prêtre, le *rex sacrorum*, passe avant tous les autres.

Romulus lui éleva un temple, sous le nom de *Janus bifrons*, entre le Quirinal et le Capitolin, où il était honoré comme le dieu qui ouvre l'année; Numa lui en dédia un autre, sous le nom de *Janus geminus*, où il était honoré comme le dieu de la guerre et de la paix.

Ce profil de Janus, d'abord barbu, fut plus tard imberbe et juvénile, probablement sous l'influence du double Hermès.

Sur quelques monuments, Janus est représenté avec un quadruple visage *(quadrifrons)*, par allusion à sa qualité de dieu des carrefours : l'arc de Janus *quadrifrons*, sur le Forum Boarium, est l'un des monuments les mieux conservés de la Rome antique.

1775. C'est dans le vestibule, c'est-à-dire dans la partie des édifices ouvrant sur le dehors, que les Romains disposaient les images des ancêtres et les trophées de guerre.

1776. Ces rois « depuis l'origine » *(ab origine)* ou Aborigènes — mais, comme le note Servius, le mot *Aboriginum* ne rentre pas dans un vers — étaient ceux des populations primitives autochtones, comme l'étaient en Italie, outre les Latins, les Œnotriens, les Osques et les Sicules.

1777. Aux portes des temples, où il était usuel de suspendre les offrandes.

1778. Certains chars de guerre, très légers, pouvaient être suspendus à un mur.

1779. Les verrous ou barres, qui maintenaient fermés les battants des portes, dans les villes prises d'assaut ou ayant capitulé.

1780. La trabée, manteau court qu'on agrafait sur l'épaule, fut portée par les premiers rois, cf. *En.*, XI, 334, par les augures et certains autres prêtres, puis, en des circonstances solennelles, par des chevaliers et des consuls. Le nom de ce manteau vient des bandes *(trabes)* horizontales qui le caractérisent : bandes pourpres et blanches pour les rois; pourpres et jaunes pour les augures; pourpres et écarlates pour les chevaliers, etc.

1781. Picus était assis, tandis que les autres se tenaient debout : une place à part lui est faite par Virgile.

1782. Le bâton recourbé des augures, servant à diviser le ciel, soit pour observer le vol des oiseaux, soit pour déterminer l'enceinte d'un temple ou d'une ville, et dont Romulus Quirinus avait usé pour fonder Rome.

1783. L'ancile était un petit bouclier de forme oblongue et ovale, échancré des deux côtés, d'où son nom *(amb-, caedere)*. Un ancile mystérieux étant tombé du ciel sous Numa, celui-ci en avait fait fabriquer onze autres de tout point identiques, et en avait confié la garde aux prêtres Saliens, dans la *Curia Saliorum*, sise sur le Palatin, où l'on trouvait aussi une statue de Mars armé de la lance et le bâton augural de Romulus. — Picus est donc représenté ici par Virgile avec les insignes de Romulus Quirinus et de Numa.

Des anciles sont représentés souvent sur les monnaies romaines.

1784. Epithète homérique *(hippodamos)*.

1785. Cf. note 1699, *in fine*.

1786. Le pic ou pivert, qui, d'après la légende, protégea Romulus, et Rémus, déposés par les eaux du Tibre sous le figuier du Ruminal. Cf. note 1699.

1787. Les Troyens descendants de Teucer, fils du fleuve Scamandre et de la nymphe Ida, premier roi de Troie, beau-père de Dardanus, ancêtre d'Enée, cf. *En.*, I, 38, 89, etc.

1788. Troyens. Cf. note 1787.

1789. On peut se demander comment Latinus sait ce que ses guerriers ignorent, cf. vers 167.

1790. Cf. note 1700.

1791. La soumission spontanée à la justice est un trait de l'âge d'or, confondu avec le règne de Saturne. Cf. Ovide, *Mét.*, I, 89 sq.

> *Aurea prima sata est aetas, quae, vindice nullo,*
> *Sponte sua, sine lege, fidem rectumque colebat :*
> *Pœna metusque aberant...*

1792. Les Auronces ou Ausones étaient une ancienne population du Latium, qui habitait, entre les Volsques et les Campaniens, sur les deux rives du Liris. Ils avaient pour capitale Suessa Aurunca, aujourd'hui Sezza. Cf. note 1691.

1793. Cf. *En.*, III, 167. — La légende fait de Dardanus un prototype d'Enée. Venu d'Arcadie ou de Crète ou de Samothrace en Italie, il y apporta le Palladium et les Pénates troyens, puis quitta l'Italie, partant, selon les uns, de Cortone ou Corythe, ville d'Etrurie, cf. *En.*, III, 170; selon les autres, de Cora, ville du Latium, cf. Pline, *N. H.*, III, 63, et Virgile ici même. Enée, par suite, en arrivant en Italie, ne fait que rapporter les Pénates de Troie dans leur première patrie.

1794. Voisines du mont Ida.

1795. Ile de la mer Egée, près des côtes de la Thrace et de l'embouchure de l'Hèbre, Samothrace fut d'abord appelée Leucosia, « la Blanche », sans doute à cause de la blancheur de ses rochers, puis la Samos de Thrace, quand elle fut colonisée par les Samiens. C'est aujourd'hui Samothraki.

1796. Corythe était une des douze villes tyrrhéniennes ou étrusques. Cf. note 1793, et *En.*, III, 170.

1797. Epithète homérique (*Il.*, IV, 44; *Hymn.*, XXX, 17). Cette épithète avait déjà été reprise par Lucrèce, IV, 212.

1798. Ilionée est le chef de l'ambassade troyenne. Cf. *En.*, I, 120 et 521.

1799. Cf. note 1696.

1800. Il faut entendre : une observation erronée des astres ou une mauvaise connaissance des rivages.

1801. Du côté de l'Orient.

1802. L'ascendance d'Enée est, en effet, la suivante : Jupiter, Dardanus, Erichthonius, Tros, Assaracus, Capys, Anchise, Enée.

1803. Enée descend de Jupiter à la fois par son aïeul, Dardanus, et par sa mère, Vénus.

1804. La guerre.

1805. Mycènes, patrie d'Agamemnon, est prise ici pour la Grèce entière, cf. *En.*, I, 284.

1806. Qui s'étendent entre Troie et la mer.

1807. A l'extrémité du monde, le fleuve Océan revient, refoulé, sur lui-même, cf. *Il.*, XVIII, 399.

1808. C'est-à-dire dans la zone torride.

1809. Excessif.

1810. Certains comprennent : « Où nous vivrons sans que personne nous nuise. »

1811. Cf. note 1793.

1812. Cf. III, 96 : *Antiquam exquirite matrem.*

1813. Le Tibre est tyrrhénien, c'est-à-dire étrusque, dans son cours supérieur.

1814. Les eaux du Numicus (fleuve) ou Numicius (dieu) sont sacrées parce que son cours est régi par un dieu, qui fut tour à tour Jupiter Indigète, Latinus, puis Enée. Il y avait à Lavinium un temple consacré à Jupiter Indigète avec cette inscription : « [Temple] du Dieu Père Indigète qui régit le cours du fleuve Numicius. » Cf. Denys d'Halicarnasse, *Antiq.*, I, 64, 5, et la note 1752.

1815. La tiare, coiffure des Phrygiens, était un bonnet conique auquel étaient attachés des cordons *(redimicula)* qu'on nouait sous le menton ou qu'on laissait flotter sur les épaules. Les rois, comme Priam, portaient la tiare droite *(recta tiara)*; leurs sujets la portaient inclinée.

1816. Les broderies des Troyennes et des autres Phrygiennes étaient fort renommées. Les Phrygiens, si l'on en croit Pline, avaient inventé l'art de broder les vêtements : *Acu facere Idaei Phryges invenerunt* (*H. N.*, VIII, 74, 1), et les broderies à Rome étaient appelées *Phrygiones.* Cf. III, 484, et Plaute, *Mén.*, II, 372.

1817. Cf. III, 5 : *Auguriis agimus divum.*

1818. Picus, aïeul de Latinus, est appelé par Virgile (vers 189) « dompteur de chevaux », et Ovide, cf. *Mét.* XIV, 321, mentionne son goût pour les chevaux de guerre. — Virgile attribue ici à Latinus un troupeau considérable, comme fait Homère à Erichthonius, ancêtre d'Enée et fils de Dardanus, cf. *Il.*, XXI, 221.

1819. Des Teucères qui faisaient partie de l'ambassade.

1820. Ces colliers étaient formés de phalères, plaques rondes en métal précieux ou en ivoire, sur lesquelles étaient gravées diverses figures. On les suspendait au cou des chevaux et des animaux favoris : cf. Ovide, en parlant d'un daim (*Mét.*, X, 112).

1821. Leurs housses de pourpre sont brodées d'or.

1822. Ils descendent des chevaux du Soleil, père de Circé.

1823. Comme ceux du Soleil, cf. Ovide, *Mét.*, II, 84.

1824. Circé, ingénieuse comme Dédale, inventeur de tous les arts.

1825. C'est la troisième intervention de Junon, dans *l'Enéide*, contre les Troyens; elle est déjà intervenue aux livres I et IV; elle interviendra encore au livre XII.

1826. Argos, l'un des principaux centres du culte de Junon, qui y avait un temple et une fête célèbre, avait été fondée par Inachus, père d'Io.

1827. Le promontoire de Pachynum, aujourd'hui cap Passaro, au sud-est de la Sicile, cf. III, 429.

1828. Ce qui est, chez elle, signe de colère, cf. *Od.*, XVII, 475, 491, et *En.*, XII, 894.

1829. Aux destins que Junon méditait pour Carthage.

1830. Dans les plaines de la Troade, dont le cap Sigée est un promontoire, cf. II, 312.

1831. Antithèse empruntée à Ennius : *capta capi* (*Ann.*, XI, cité par Macrobe, *Sat.*, VI, 1).

1832. Malgré Jupiter et Neptune.

1833. Cf. I, 111.

1834. Cf. III, 553.

1835. Cf. III, 684.

1836. Mars, seul de tous les dieux, n'ayant pas été convié aux noces de Pirithoüs et d'Hippodamie, suscita entre les Lapithes et les Centaures une rixe terrible, dans laquelle les Lapithes succombèrent, cf. Ovide, *Mét.*, XII, 210-59.

1837. Œnée, roi de Calydon, ville d'Etolie, n'ayant pas compris Diane parmi les déesses auxquelles il rendait un culte, en fut puni par Jupiter, qui, à la demande de Diane, suscita contre Calydon un sanglier dévastateur que tua Méléagre, cf. Ovide, *Mét.*, VIII, 270-544.

1838. Les Lapithes n'avaient fait que défendre leurs femmes, que les Centaures voulaient violer.

1839. La ville de Calydon n'était point responsable de l'inadvertance impie de son roi Œnée.

1840. Les dieux des Enfers, par opposition à ceux « d'en haut ».

1841. Car les dieux peuvent bien retarder, mais non modifier les destins.

1842. Lavinie.

1843. Bellone, déesse de la guerre *(bellum)*, fille, femme ou sœur de Mars, probablement d'origine sabine, et qui fut plus tard identifiée avec la déesse grecque Enyô, puis avec la grande déesse lunaire orientale dont le culte avait son centre à Cappadoce, avait elle-même son temple à Rome, à l'extrémité du Champ-de-Mars, hors du pomérium. Voué en ~ 495 par Appius Claudius Regillensis, il fut reconstruit en ~ 296 par Appius Claudius Cæcus. Le Sénat y recevait les ambassadeurs étrangers, ainsi que les généraux vainqueurs attendant les honneurs du triomphe. C'est devant ce temple que se dressait la colonne de la guerre *(columna bellica)* par-dessus laquelle le fécial lançait un javelot en signe de déclaration de guerre.
Bellone était représentée la chevelure emmêlée de serpents (comme Enyô), armée d'une lance, d'une torche et d'un fouet.

1844. Au lieu de Junon *(Juno pronuba)*.

1845. Hécube, fille du roi de Thrace Cissée, étant enceinte de Pâris, crut voir dans son sein une torche, symbole du fils qui allait naître, et qui devait porter l'incendie de la guerre dans la Troade, en allumant les flambeaux de son hyménée avec Hélène.

1846. Enée sera pour Troie renaissante ce que Pâris fut pour la première Troie.

1847. La citadelle de Troie, exactement les tours fortifiées (πέργαμα) de la citadelle; par suite la ville elle-même, cf., *En.*, I, 466, etc.

1848. Virgile applique la même épithète à Camille, *horrenda virgo* (XI, 507), et Horace à Rome, *Odes*, III, 3, 45.

1849. Allecto (Ἀληκτώ) est l'une des Furies ou Erinnyes, les deux autres sont Mégère et Tisiphone. Les trois sœurs reçoivent d'ordinaire, dans *l'Enéide*, l'épithète de *dirae*, « farouches ».

1850. Lieu des Enfers où sont les coupables, cf. VI, 535-636, et où les Furies exercent leurs sévices.

1851. Allecto et ses sœurs sont filles de la Nuit.

1852. La Gorgone Méduse avait, comme Allecto, la tête couronnée de serpents.

1853. Amata est la femme du roi Latinus. De même que Latinus représentait le culte de Jupiter Indigète, Amata représentait celui de Vesta. Quand le pontife suprême consacrait une Vestale, il prononçait une formule terminée par ces mots : « *Ita te, Amata, capio.* »

1854. Au premier souffle de l'Aquilon (Kaikias), vent du nord-est, qui poussera les navires vers la Sicile.

1855. Pâris, élevé sur le mont Ida par des pâtres de Phrygie.

1856. Où vivait Hélène, femme du roi Ménélas.

1857. Turnus était fils de Vénilie, sœur d'Amata.

1858. Cf. note 1826.

1859. Acrisius est, comme son ancêtre Inachus, un roi d'Argos. Danaüs, menacé par un oracle de périr de la main du fils qui naîtrait de sa fille Danaé, enferma celle-ci dans un coffre et la fit jeter à la mer. Elle fut portée sur les côtes du Latium, épousa Pilumnus, aïeul de Turnus, et fonda Ardée, capitale des Rutules.

1860. Mycènes est au centre de l'Argolide. — Toute l'argumentation d'Amata revient à dire que Turnus est d'origine grecque, donc étrangère, et qu'il répond aux prédictions de l'oracle.

1861. Sur les fureurs des Bacchantes, cf. Euripide, *Bacchantes ;* Catulle, LXIV; Ovide, *Mét.*, III, 701 sq.

1862. Des torches de l'hyménée.

1863. Cri que l'on poussait dans les Bacchanales. Le mot appartient à une langue non hellénique et a été transcrit en grec, puis en latin. Il faut voir une fantaisie d'étymologiste dans l'origine grecque *en vie* « Bien, mon fils! », paroles que Jupiter aurait adressées à son fils Bacchus dans le combat soutenu contre les géants.

1864. Le thyrse était un bois de lance flexible, enveloppé de feuilles de lierre et de vigne, qui servait d'attribut à Bacchus et aux Ménades. Cf. *Buc.*, V, 41.

1865. Les Ménades se figuraient que Bacchus était au centre de leur ronde.

1866. Les jeunes filles, peu de temps avant leur mariage, coupaient leur chevelure et la consacraient à un dieu. Les Ménades laissent croître la leur pour Bacchus : on les représente toujours échevelées. Cf. Euripide, *Bacchantes*, 493 : « *Ma chevelure est sacrée ; je l'entretiens pour le dieu.* »

1867. Les forêts.

1868. La tête rejetée en arrière, entraînant tout le corps, la chevelure déroulée tombant jusqu'aux reins, la robe, ayant glissé à demi, découvrant d'un côté l'épaule, le sein, la hanche, telle que Scopas nous montre une Ménade frénétique ans le morceau célèbre du temple de Bacchus à Sicyone.

1869. De peaux de faon ou *nébrides* qui sont un ornement de Bacchus et de ses prêtresses, cf. Claudien, *Cons. Honor.*, IV, 605 : *Intextus nebrida gemmis Liber*, « Bacchus (Liber) recouvert d'une nébride ornée de gemmes ».

1870. Des thyrses, cf. note 196.

1871. Cf. Euripide, *Bacch.*, 689-690.

1872. Le thyrse était le plus souvent une branche de pin.

1873. Cette interjection, suivie souvent d'*évoé*, était employée surtout dans les Bacchanales et dans les fêtes de l'hymen.

1874. Les dames romaines portaient leurs cheveux retenus par une bandelette; seules, les courtisanes les laissaient flotter sur leurs épaules, cf. Ovide, *Ars am.*, I. 31 : « Disparaissez, minces bandelettes, emblème de la pudeur. »

1875. Turnus.

1876. Cf. note 1859.

1877. Le Notus ou Auster, vent qui souffle du sud.

1878. Ardée, capitale des Rutules, au sud de Rome, près de la mer, joua un rôle important dans l'histoire ancienne des Romains, servit de médiatrice entre Rome et la Ligue latine (~ 496), puis devint une colonie romaine (~ 442). Ce n'est plus aujourd'hui qu'un petit village.

1879. Selon Hygin, Ardée devait son nom à l'augure fourni par un héron *(ardea)*. Ovide, cf. *Mét.*, XIV, 174, 59, conte l'histoire du héron né des cendres de la ville. Les deux légendes reposent sans doute sur la similitude des noms; les hérons abondaient d'ailleurs dans les marécages où s'élevait Ardée.

1880. Au temps de Virgile, Ardée avait cessé de jouer un grand rôle, mais la ville subsistait encore : Pline la cite parmi les cités du Latium, et dit qu'il y avait encore dans Ardée, à son époque, des peintures dans les temples plus anciennes qu'à Rome. Cf. Pline, III, 9, 5.

1881. Calybé est un nom de fantaisie (grec *calybé*, cabane).

1882. Le sang versé par Turnus pour défendre les Latins, cf. infra.

1883. Turnus et les Rutules s'étaient alliés aux Latins contre leurs frères tyrrhéniens.

1884. Junon, fille de Saturne.

1885. Junon-Reine avait son temple à Ardée, un temple magnifique, décoré de peintures par un artiste grec, et dont Pline fait mention, cf. Pline, *H. N.*, XXXV, 115.

1886. Cf. Homère *Il.*, VI, 492.

1887. De même Ovide nous peint Tisiphone, sœur d'Allecto, arrachant deux serpents de sa chevelure pour les lancer sur Ino et Athamas; cf. *Mét.*, IV, 495.

1888. Des Erinnyes ou Furies, cf. note 1890.

1889. Les guerriers suspendaient d'ordinaire leur épée au chevet de leur lit, cf. VI, 524.

1890. Cette comparaison d'un être excité par la colère à une eau bouillante est fréquente dans les poètes. Cf. *Il.*, XXI, 363, et le Tasse, *Jérusalem délivrée*, VIII, 74, qui compare à de l'eau qui bout dans un vase les grondements d'une émeute.

1891. Infernales.

1892. La vierge infernale : le Cocyte est, comme le Styx (cf. note 1891), un fleuve des Enfers.

1893. Nom de fantaisie.

1894. « La sauvage », autre nom de fantaisie.

1895. Comme le faisaient, en signe de douleur, les Anciens. Cf. Ovide, *Mét.*,

IX, 635 : *Planxitque suos furibunda lacertos ;* Claudien, *De raptu Proserpinae*, II, 248 : *Planctuque lacertos verberat.*

1896. Allecto.

1897. Le signal qui appelait les bergers dispersés, et qui était donné à l'aide du buccin *(buccina*, c'est-à-dire *bovicina)*, de même que l'on convoquait au son du buccin les comices. Cf. Properce, *El.*, IV, 1, 13 :

Buccina cogebat priscos ad verba Quirites.

1898. Infernale, cf. notes 1891 et 1892.

1899. Un buccin, cf. note 1897.

1900. Le lac de Diane Trivie, déesse des carrefours, qu'on appelait aussi « miroir de Diane », *speculum Dianae.* Ce lac, situé près d'Aricie, au pied des monts Albains, est aujourd'hui le lac de Némi. On a trouvé les ruines du temple de Diane, célèbre par un usage que Straton rapporte : pour être prêtre du temple, il fallait avoir tué de sa main celui qui était en fonctions. Cf. Renan. *Le Prêtre de Némi*, et Frazer, *Le Rameau d'or*, t. II, p. 1 de la trad. française, et t. III, p. 539.

1901. Le Nar, aujourd'hui la Néra, affluent de gauche du Tibre, grossi lui-même du Vélinus, sortait du mont Fiscellus, traversait l'Ombrie, arrosait Narnia, aujourd'hui Narni. La rivière de la Néra est encore remarquable de nos jours par ses eaux blanches et sulfureuses.

Servius note que le soufre se disait *nar* dans la langue des Sabins.

1902. Le Vélinus, aujourd'hui le Vélino, nommé Avens dans son cours supérieur, était un affluent du Nar, cf. note précédente. Il descendait des hauteurs de la Sabine, et formait aux environs de Reate, aujourd'hui Rieti, un lac, nommé aussi Vélinus, aujourd'hui Pie di Lugo. Son cours, qui rendait marécageuse toute la contrée, fut détourné par Manlius Curius Dentatus, consul en ~ 464, qui le fit passer par-dessus des rochers et tomber en cascades. Cicéron donne le nom de *Tempé* aux fraîches vallées qu'arrose le Vélinus : *Reatini me ad sua tempé duxerunt* (*Ad Att.*, IV, 14).

1903. Comparaison empruntée aux *Géorgiques*, III, 237 sq., et imitée d'Homère, *Il.*, IV, 422-426.

1904. Servius fait observer avec raison que Virgile aime à donner à ses guerriers des noms de rivières. L'Almon, aujourd'hui Aquataccio, est un ruisseau, souvent à sec en été, qui se jetait dans le Tibre au sud de Rome, près de la porte Capène, après avoir coupé la voie Appienne et la route d'Ostie.

1905. Cf. note 1904. Le Galésus, aujourd'hui Galeso, est un fleuve côtier du golfe de Tarente.

1906. Allecto.

1907. Cf. note 1884.

1908. Les Enfers.

1909. Le lac d'Amsanctus, aujourd'hui le Moffete, se trouve dans le pays des Hirpins, aux confins du Samnium, non loin de la ville d'Æclanum, aujourd'hui grotte di Mirabella. Ce lac est un ancien cratère éteint, et il s'en exhalait, au dire de Pline et de Cicéron, des vapeurs méphitiques, qui le faisaient regarder comme une entrée des Enfers, cf. Pline, *Hist. Nat.*, II, 33; Cicéron, *De Divin.*, 36. Non loin du lac se dressait un temple de la déesse Méphitis; les victimes, à en croire Servius, n'y étaient pas égorgées, mais suffoquées par les vapeurs du lac. Aujourd'hui encore le Moffete répand des émanations sulfureuses.

1910. Dis Pater est l'ancienne divinité italique à qui succéda Pluton.

1911. Cf. *supra*, V, 385 sq.

1912. Danses bachiques.

1913. C'est Amata qui, par l'influence de son nom, a entraîné les femmes latines.

1914. La guerre.

1915. Comparaison imitée d'Homère, qui compare les Grecs attendant le choc des Troyens à un roc bravant la fureur des vents et des flots, cf. Homère, *Il.*, XV, 618-621. Virgile a repris et développé cette comparaison plus loin, X, 593 sq.

1916. Même image dans *l'Enéide*, III, 432.

1917. Pour avoir résisté aux oracles de Faunus.

1918. Et par suite, de la guerre.

1919. Cet usage est rapporté à Numa, cf. Tite-Live, I, 19, 2.

1920. Les trente villes de la Ligue latine, colonies d'Albe, cf. III, 391.

1921. Cf. *Géorgiques*, II, 534 :

... Rerum facta est pulcherrima Roma.

1922. Cf. *Il.*, V, 737.

1923. Allusion à l'expédition de Crassus, qui soumit les Gètes. Ceux-ci, peuple scythe d'Europe, après avoir occupé la rive droite du Danube, s'étaient établis entre le Borysthène et le Pont-Euxin, dans la contrée appelée désert des Gètes, aujourd'hui la Bessarabie.

1924. Allusion probable aux affaires d'Arménie, pays voisin de l'Hircanie, réglées par Tibère, en ~ 20. Artaxe, roi d'Arménie, protégé par le roi des Parthes, Phréate, avait massacré les résidents romains; Tibère les vengea.

1925. Allusion probable à l'expédition d'Ælius Gallius, gouverneur d'Egypte, qui, en ~ 24, pénétra le premier dans l'Arabie heureuse.

1926. Allusion probable au succès d'Auguste qui, après la victoire d'Actium, reçut à Samos, pendant l'hiver de ~ 30 - ~ 29, une ambassade des Indiens effrayés. Cf. *Géorg.*, III, 27.

1927. Allusion à la pénétration de l'influence romaine dans tout l'Orient.

1928. Les Parthes, effrayés des préparatifs de guerre que faisait Auguste, lui renvoyèrent, en ~ 20, les étendards ravis à Crassus en ~ 53, et promis par leur roi Phréate à Auguste en ~ 23.

1929. Les deux portes du temple de Janus, ouvertes en temps de guerre, fermées en temps de paix. Elles ne furent fermées que trois fois avant la mort de Virgile : une fois à la fin de la première guerre punique (~ 235), et deux fois par Auguste, en ~ 29 et en ~ 25.

1930. Virgile donne ici Janus comme le gardien du temple, où étaient enfermés Mars et la guerre. Selon Horace, au contraire, c'est Janus lui-même qui était enfermé dans le temple, cf. *Epodes*, II, 1, 255.

1931. Cf. note 1780.

1932. Un pan rejeté sur la tête et l'autre passé comme une ceinture autour des reins, cf. Tite-Live, VIII, 3 : *Decius incinctus cinctu Gabino, velato capite, manu subter togam ad mentum exserta.*

1933. En prononçant les paroles consacrées : « Qui veut le salut de l'Etat, me suive », *Qui rempublicam salvam esse vult me sequatur.*

1934. Junon.

1935. Junon.

1936. Vers imité d'Ennius :

...... Postquam Discordia taetra
Belli ferra os postes portasque refregit.

1937. *Tous cherchent des armes...* Hémistiche emprunté à Ennius : *Omnes arma requirunt*, cf. Macrobe, VI, 1, 54.

1938. Atina, ville des Volsques, au pied des Apennins. La ville a gardé son nom antique.

1939. Tibur, ville du Latium, sur l'Anio, aujourd'hui Tivoli. On y montre les ruines du temple de la Sibylle, de la maison de Mécène et des bains de la reine de Palmyre, la fameuse Zénobie, qui, vaincue par Aurélien et emmenée prisonnière, mourut à Tibur C'est là qu'Horace avait, comme Mécène, sa maison de campagne.

1940. Cf. note 1878.

1941. Crustumérie, ou Crustumium, ville des Sabins, près de l'Allia, sur la voie Salarienne, aujourd'hui Monte Rotondo, cf. *Géorg.*, II, 88.

1942. Antemnes, ville des Sabins, au confluent de l'Anio et du Tibre.

1943. Ce mot d'ordre (tessera, σύνθημα) était alors inscrit sur une tablette de bois, que des soldats, nommés *tesséraires (tesserarii)*, portaient de groupe en groupe.

1944. Cf. III, 467.

1945. L'Hélicon, aujourd'hui Zagora-Vouni, était une montagne de la Grèce. située aux confins de la Phocide et de la Béotie et consacrée aux Muses.

1946. Muses.

1947. Les Muses sont filles de Mémoire.

1948. Mézence, roi de Céré ou Agylla, aujourd'hui Cervetri, en Etrurie, exerçait, d'après la tradition la plus répandue, sa tyrannie sur tout le Latium. Cf. Tite-Live, I, 2, 3; Denys d'Halicarnasse, I, 64-65; Justin, XLIII, 1; Pline, *H. N.*, XIX, 88; Ovide, *Fastes*, IV, 881.

Virgile, lui, en fait un roi fugitif, qui a trouvé un asile chez les Rutules et qui, par reconnaissance, les aide contre Enée. Quant aux Etrusques, ils donnent leur concours à Enée pour se venger de Mézence.

1949. Caton, dans ses *Origines*, rapporte que Mézence aurait exigé des Latins les prémices de leurs offrandes sacrées.

1950. C'est-à-dire d'origine étrusque.

1951. Turnus n'était pas de l'Etat des Laurentes, mais d'Ardée; seulement il était l'allié des Laurentes.

1952. Comme Picus, cf. note 1784.

1953. Car Lausus fut tué par Enée, cf. X, 789-820.

1954. Agylla est l'ancien nom de Céré, aujourd'hui Cervetri, cf. note 1948.

1955. Virgile donne à ce héros le nom de l'Aventin, colline de Rome. Selon Servius, un roi des aborigènes fut tué et enterré sur l'Aventin; un roi d'Albe porte aussi ce nom.

1956. On attribue à Hercule d'autres fils latins : Pallas, qu'il eut d'une fille du roi Evendre; le premier, Fabius, qu'il eut d'une nymphe; Latinus, qu'il eut de Fauna.

1957. Allusion à l'hydre de Lerne, dont la destruction est l'un des douze travaux d'Hercule.

1958. L'Aventin fut plus tard fortifié par Ancus Martius.

1959. Cette tradition n'est pas sans analogie avec celle qui se rapporte à Rhéa Silvia, mère de Romulus et de Rémus.

1960. Hercule, fils d'Amphitryon, qui régnait sur Tirynthe, ville d'Argolide.

1961. Géryon, fils de Chrysaor et de Callirhoé, monstre à trois corps, tué par Hercule. C'était, dit-on, un roi d'Ibérie, cf. *En.*, VI, 289.

1962. Le Tibre, cf. vers 242 et note 1813.

1963. Les vaches appartenant à Géryon, roi d'Ibérie, cf. note 1961.

1964. Cette lance *(veru)* est dite ailleurs volsque, cf. *Géorg.*, II, 168. C'était une arme commune à plusieurs peuples italiens.

1965. La dépouille du lion de Némée.

1966. Selon certaines légendes, Tibur (Tivoli) aurait été fondée par les trois fils du devin Amphiaraüs : Tiburtus, Catillus et Coras. Peut-être y a-t-il un rapport entre le nom de Catillus et le mont Catillo qui surplombe Tibur, au nord; entre le nom de Coras et la ville de Cora, aujourd'hui Cori, dont il est question au vers 775 du livre IV.

Selon une autre légende, recueillie par Caton, par Horace et par Silius Italicus, Tibur aurait été fondée par le seul Catillus, Arcadien, chef de la flotte d'Evandre. Cf. Caton, cité par Solin, II, 8; Horace, *Od.*, I, 18, 2; Silius Italicus, VIII, 364.

1967. Cf. note 1966. Amphiaraüs était le gendre d'Adraste, roi d'Argos.

1968. Ixion, coupable d'un meurtre, mais purifié par Jupiter et admis à la table des dieux, avait osé concevoir pour Junon un amour sacrilège. Il déclara cet amour à la reine des dieux. Jupiter irrité donna à une nue l'apparence de Junon. De l'accouplement d'Ixion et de la Nue naquirent les Centaures, moitié hommes et moitié chevaux.

Servius traduit par « justes » et rappelle que les Romains avaient emprunté aux Falisques certaines de leurs lois, entre autres le droit fécial.

1969. Montagne de Thessalie, célèbre par ses sources, cf. Pausanias, IX, 8, 6.

1970. Autre montagne de Thessalie, allant du Pinde au golfe Pagasétique, séjour des Lapithes, aujourd'hui le Gouza ou Katavotri.

1971. Préneste, ville du Latium, dans le pays des Eques, au sud de Tibur, célèbre par sa forteresse et par son temple de la Fortune, aujourd'hui Palestrina. C'était, comme Tibur, un lieu de villégiature.

1972. Céculus, d'après la légende, naquit d'une étincelle de Vulcain et fut trouvé dans le foyer d'un temple de Jupiter par des jeunes filles qui allaient puiser de l'eau. Le nom de Céculus lui fut donné parce que l'ardeur des flammes où il était né lui avait donné l'habitude de cligner des yeux (*caecus*, aveugle). Il fonda

Préneste, et, pour peupler la ville nouvelle, invita à des jeux les habitants du voisinage; ceux-ci refusant d'admettre qu'il était le fils de Vulcain, il les entoura d'un cercle de flammes et les força, épouvantés, à se fixer près de lui.

1973. Préneste était bâtie sur la pente d'une haute montagne, au sommet de laquelle s'élevait sa forteresse.

1974. Junon était honorée à Gabies, ville voisine de Préneste, fondée par les Sicules, cf. VI, 773, et Silius Italicus, XII, 537.

1975. L'Anio, aujourd'hui Teverone, est un affluent de gauche du Tibre, qui se jette dans ce fleuve au nord de Rome. Il séparait autrefois le Latium de la Sabine. Cf. *Géorg.*, IV, 369.

1976. Les Herniques, peuple du Latium, habitaient au nord-est des Rutules, un pays rocailleux (*herna*, dans la langue des Marses, signifie « rocher »).

1977. Anagnie était la capitale des Herniques : elle s'élevait au milieu de champs fertiles en blé, d'où l'épithète de *riche*. Cf. Strabon, V, 3, 10, et Silius Italicus, XII, 553.

1978. L'Amasène, aujourd'hui Amaseno, traverse les Marais Pontins, reçoit l'Ufens, aujourd'hui l'Ufente, et se jette dans la mer entre Circéi et Terracine.

1979. Cette coutume, qu'on attribue aussi aux Etoliens, permettait d'avoir le pied gauche aussi libre que possible pour lancer de la main droite.

1980. Virgile, au dire de Servius, donne à ce chef étrusque le nom du héros grec qui vint s'établir en Italie, dans la Messapie (Calabre).

1981. Cf. note 1784.

1982. Fescennium est une ville des Falisques, en Etrurie, non loin de leur capitale, Faléries. C'est là que prirent naissance les chants licencieux nommés *vers fescenniens*, qui furent l'origine de la satire, cf. Horace, *Epod.*, II, 1, 145.

1983. Faléries était probablement une colonie des Eques.

On peut comprendre aussi que les Falisques étaient établis dans la plaine, *in aequo*.

1984. Les Falisques avaient pour capitale Faléries, près du Tibre.

1985. Les hauteurs du Soracte, aujourd'hui Monte San Oresto, se voyaient de Rome; elles dominaient la ville de Faléries.

1986. On ignore l'emplacement exact de Flavinie; la ville était sans doute voisine de Faléries.

1987. Le lac Ciminus, aujourd'hui lac de Vico, près de Viterbe. Quand les eaux du lac étaient claires, dit Ammien Marcellin, on y voyait les ruines d'une ville engloutie.

1988. Le mont Ciminus, aujourd'hui Cimino, marqua longtemps la limite de la conquête romaine en Etrurie. Il dominait le lac du même nom.

1989. Capène, aujourd'hui Civitucola, était une colonie des Véiens, sur la rive droite du Tibre, au pied du Soracte. Son bois était consacré à la déesse des Sabins, Féronia.

1990. Comparaison empruntée à Homère, *Il.*, II, 459 sq.

1991. Le Caystre, fleuve d'Asie Mineure, qui se jette dans la mer près d'Ephèse.

1992. Cf. *Géorg.*, I, 383.

1993. Le Sabin Clausus vint, après l'expulsion des Tarquins, s'établir à Rome avec sa famille et cinq mille clients, cf. Tite-Live, II, 16, 4. Il changea son nom d'Atta Clausus pour celui d'Appius Claudius et fonda la *gens Claudia*, à laquelle appartenait le premier mari de Livie.

1994. La tribu Claudia figurait parmi les trente-deux tribus rurales.

1995. Après l'enlèvement des Sabines, un traité fut conclu entre Romulus et Tatius : les Sabins furent admis à Rome, mais gardèrent leur roi et leur sénat; à la mort de Tatius, ils se soumirent à Romulus.

Il semble bien que Virgile fasse ici allusion à cette admission des Sabins dans la cité romaine, mais elle est antérieure de deux cents ans à l'arrivée de Clausus-Claudius.

1996. Amiterne, ville de la Sabine, patrie de Salluste, aujourd'hui le village de San Vittorino.

1997. On appelait primitivement Quirites les habitants de Cures, capitale des Sabins, patrie de Numa, cf. *En.*, VI, 811.

1998. Erétum, ville du Latium aux confins de la Sabine, sur la rive gauche du Tibre. En l'attribuant aux Sabins, Virgile étend le domaine de ceux-ci.

1999. Mutusca ou Trebula Mutusca, qu'il ne faut pas confondre avec une autre ville sabine, Trebula Suffenas, est aujourd'hui la bourgade de Monte Leone.

2000. Nomentum, ville des Sabins, à douze milles de Rome, aujourd'hui Mentana. La voie Nomentane y conduisait. Cf. *En.*, VI, 773.

2001. Les champs Roséans *(Rosulanus ager)* ou « Champs de Roses » se trouvaient sur le territoire de Réate, aujourd'hui Riéti, près du lac Vélinus, cf. note 1902.

2002. Le mont Tétricus, dans l'Apennin central, séparait la Sabine du Picénum; aujourd'hui Monte San Giovanni.

2003. Autre mont de l'Apennin central, qui n'est pas mentionné ailleurs.

2004. Caspérie, bourg de la Sabine, peut-être l'actuelle bourgade d'Aspra, cf. Silius Italicus, VIII, 416.

2005. Forules, autre bourg de la Sabine, aujourd'hui Civita Tommasa, situé près d'Amiterne, et dont les maisons, au dire de Strabon, étaient taillées dans le roc, cf. Strabon, V, 3.

2006. L'Himelle, aujourd'hui Salto, prend sa source près du lac Fucin et se jette dans l'Avens.

2007. Le Fabaris ou Farfarus, aujourd'hui Farfa, rivière charmante de la Sabine, qui se jette dans le Tibre en aval du Soracte. Cf. Ovide, *Mét.* XIV, 330.

2008. Nursie, ville du nord de la Sabine, près des Apennins, aujourd'hui Norcia.

2009. Horta, bourgade de la Sabine, au confluent du Tibre et du Nar, aujourd'hui Orte.

2010. L'Allia, rivière de la Sabine, qui se jette dans le Tibre au nord de Rome; son nom est « sinistre » parce que les Romains y furent battus par une armée gauloise le 18 juillet ~ 390. L'anniversaire de cette défaite était un jour néfaste. Ovide parle de l'Allia, dont le nom « fait pleurer », *flebilis Allia,* et Lucain écrit que le nom de l'Allia est un nom condamné. Cf. Ovide, *Art d'aimer*, I, 413; Lucain, *Pharsale*, VII, 409.

2011. Orion, fils d'Hyriée, ayant défié Diane, succomba à la piqûre d'un scorpion, et, après sa mort, fut placé au ciel, où il forma une constellation. Son lever (1-12 juillet) et son coucher amenaient des tempêtes. Cf. *En.*, I, 535; III, 517; IV, 52.

2012. Au début de l'été.

2013. L'Hermus, rivière d'Asie Mineure, affluent du Pactole, coulait dans une vallée fertile et passait pour rouler des flots d'or, cf. *Géorg.*, II, 137.

2014. La Lycie, contrée d'Asie Mineure méridionale, cf. *En.*, IV, 143.

2015. Selon les uns, Halésus était le fils d'Agamemnon; selon les autres, le fils d'un compagnon d'Agamemnon ou d'un devin de son entourage.

2016. Comme l'était Agamemnon lui-même.

2017. Halésus fonda, selon Ovide, Faléries, capitale des Falisques, cf. *Fastes*, IV, 73; *Amours*, III, 13. Virgile en fait le chef des Osques et des Auronces de Campanie.

2018. Le Massique, montagne de Campanie célèbre par ses vins, les plus réputés d'Italie après le Cécube et le Falerne; aujourd'hui Massico.

2019. Cf. note 1792.

2020. Les Sidicins, qui faisaient partie, comme les Auronces, de la nation des Osques, habitaient la plaine voisine et avaient pour capitale Teanum Sidicinum, aujourd'hui Teano. L'attaque de Teanum Sidicinum par les Samnites fut l'origine de la guerre du Samnium.

2021. Calès, ville de Campanie, près de Capoue, aujourd'hui le village de Calvi.

2022. Le Vulturne, né dans la Sabine, traverse la Campanie et se jette dans la mer à Vulturnum, aujourd'hui Castellamare di Volturno.

2023. L'habitant de la ville de Saticula, au pied du Taburnus, dans le Samnium, aujourd'hui Sant'Agata de'Goti.

2024. Les Osques ou Opiques habitaient la Campanie et la partie méridionale du Latium. Ils avaient un dialecte spécial.

2025. Cette courroie flexible, terminée par une boucle où l'on passait les doigts, l'*ammentum*, augmentait la portée du trait.

2026. Ce bouclier de cuir *(cetra)* était employé par les Ibères, par les Africains, par les Bretons, cf. Suétone, *Caligula*, XIX.

2027. *Œbalus*, fils de Télon et de la nymphe Sébéthis, fille elle-même du fleuve Sébéthus, qui se jette dans le golfe de Naples, aujourd'hui Fiume de la Maddelena, passa en Italie et s'établit sur le fleuve Sarnus, aujourd'hui Sarno, au pays des Hirpins.

2028. Les Téléboens sont les habitants de Taphos, aujourd'hui Meganisi, l'une des îles Echinades; ils sont ainsi nommés de Téléboas, fils de Taphius, petit-fils de Neptune, l'un des premiers rois de l'île.

Les Téléboens quittèrent Taphos en Acarnanie pour venir coloniser l'île de Caprée, aujourd'hui Capri.

2029. Riverains du fleuve Sarnus, aujourd'hui Sarno, cf. note 2027.

2030. Cf. notes 2027 et 2029.

2031. Rufres, bourg du Samnium, mais situé aux confins de la Campanie à laquelle Virgile le rattache, aujourd'hui Presenzano.

2032. Site inconnu.

2033. Site inconnu. Servius dit que *Celemna* est un nom de Junon et que Célenne était consacrée à la déesse.

2034. Abella, ville de Campanie située sur une hauteur, non loin de Nole, aujourd'hui Avella Vecchia.

2035. Abella ou Avella était surtout fertile en avelines, « noisettes d'Avella » *(avellinae nuces)*.

2036. Les Teutons et autres peuples barbares lançaient un javelot spécial, la *cateia*, qui, comme le boumerang australien, revenait à son point de départ.

2037. Nersa, ville des Equicules, petit peuple dépendant des Eques, sur la rive droite de l'Himelle.

2038. Comme plus haut à Almon (vers 532) et à Galèse (vers 535), comme plus bas à Umbron (vers 752), Virgile donne à un guerrier le nom d'un cours d'eau; celui-ci est une rivière qui sort des montagnes volsques, traverse une partie des Marais Pontins et se jette dans l'Amasène, cf. *supra*, non loin de Féronie. C'est aujourd'hui l'Ufente.

2039. Les Equicules, qui se rattachaient aux Eques, habitaient dans le Latium, entre les Latins au nord et les Herniques au sud, cf. note 2037. Leur capitale était Préneste, cf. note 1971.

2040. Les Marruviens ou Marses, peuple guerrier qui joua un rôle important dans la guerre sociale, habitaient les bords du lac Fucin. Ils étaient réputés comme charmeurs de serpents. Leur capitale était Marruvium. Cf. *Géorg.*, II, 167.

2041. Virgile donne au roi des Marses le nom d'une ancienne ville, Archippe, qu'on croyait engloutie dans les eaux du lac Fucin. Cf. Pline, III, 12 : *Lacu Fucino haustum Marsorum oppidum Archippe, conditum a Marsya, duce Lydorum.*

2042. Cf. note 2038. L'Umbron, aujourd'hui Ombrone, est une rivière d'Etrurie, qui a donné son nom à l'Ombrie et aux Ombriens, le peuple le plus ancien, disait-on, de l'Italie, et qui parlait un dialecte spécial.

2043. Cf. note 2040.

2044. Le bois sacré d'Angitie, déesse des enchantements chez les Marses et sœur d'Umbron, *lucus Angitiae*, aujourd'hui Luco, se trouvait sur la rive méridionale du lac Fucin, aujourd'hui lac de Célano. Angitie a été parfois confondue avec la Grecque Médée.

2045. Cf. notes 2041 et 2044. Le lac Fucin (lac de Célano) est aujourd'hui desséché; César déjà avait conçu le projet de ce dessèchement, et Claude avait tenté, en vain, de le réaliser.

2046. Le fils de Thésée et d'Antiope, dont Euripide dans ses deux *Hippolyte* et Racine dans *Phèdre* ont raconté l'histoire.

2047. Ce Virbius, fils d'Hippolyte, passa pour avoir été le premier prêtre de Diane à Némi, et fut confondu avec Hippolyte lui-même, dont on disait qu'il avait été sauvé par Diane du monstre marin et mis en sûreté dans le bois d'Aricie. Il y avait à Naples un flamine de Virbius *(flamen Virbialis)*.

2048. Nymphe de Diane, qu'Hippolyte épousa, après avoir été sauvé du monstre, cf. note 2047, et qu'il emmena avec lui en Italie. Racine *(Phèdre)* en a tiré le personnage d'Aricie, « jeune Athénienne de grande naissance ».

2049. A l'origine, nymphe de la source dans le bois d'Aricie, Egérie fut adorée par les Romains comme une divinité : elle avait le don de prophétie et passait, comme beaucoup de naïades, pour favoriser les accouchements. Numa feignait d'avoir avec elle des entretiens secrets, pour donner plus d'autorité à ses lois et institutions.

2050. La Diane d'Aricie était accessible aux prières et non pas implacable, comme celle de Tauride, qui exigeait des sacrifices humains. Contrairement à la tradition et à Virgile, Silius Italicus la traite pourtant de déesse cruelle, *immitis*, cf. Silius Italicus, IV, 367; VII, 362.

2051. Aux calomnies de sa belle-mère, Phèdre, seconde épouse de Thésée, qui l'accusa d'avoir voulu attenter à son honneur, parce qu'il n'avait pas répondu à sa flamme, et qui fut cause de sa mort.

2052. C'est Thésée qui, ayant cru Phèdre, livra son fils Hippolyte aux fureurs de Neptune et du monstre marin.

2053. Qui, à la vue du monstre, brisèrent le char d'Hippolyte et traînèrent son corps pantelant sur les rochers de la côte.

2054. Péon, médecin des dieux, guérit avec des herbes Pluton blessé par Hercule et Mars blessé par Diomède, cf. *Il.*, V, 401 et 899. On l'a confondu parfois avec Apollon et, comme ici (cf. note 2057), avec Esculape.

2055. Dont il était le prêtre.

2056. Jupiter.

2057. Esculape, fils de Phébus Apollon et de la nymphe Coronis, qui avait aidé Diane à ressusciter Hippolyte.

2058. Diane, la déesse des carrefours *(Trivia)*, cf. vers 516.

2059. Servius invente pour ce nom l'étymologie de *vir bis*, « deux fois homme », parce qu'Hippolyte avait été ressuscité.

On l'a aussi rapproché de *Vires*, nymphes des bois et des eaux.

2060. Comme Musée, au livre VI, 668 : *humeris exstantem altis*.

2061. Monstre fabuleux ayant la tête d'un lion, le corps d'une chèvre et la queue d'un dragon.

2062. Io, fille d'Inachus, premier roi d'Argos, fut aimée de Jupiter, qui, pour la soustraire à la vengeance de Junon, la changea en génisse. Cf. Ovide, *Mét.*, I, 588 sq.

2063. Argus, que Junon avait donné pour gardien à Io, fut tué par celle-ci; Junon, furieuse, attacha un taon à la poursuite d'Io, qui se sauva en Egypte, où elle reprit sa forme première et fut adorée sous le nom d'Isis, cf. Ovide, *Mét.*, I, 588 sq.

2064. Inachus était à la fois le père d'Io et l'ancêtre de Turnus.

2065. Inachus était le fleuve et le roi d'Argos.

2066. Cf. note 1792.

2067. Les Sicanes, ancienne population du Latium, furent chassés par les aborigènes et passèrent dans la Sicile, dont ils occupèrent la partie occidentale. Cf. I, 557; V, 923, etc.

2068. Selon les scoliastes, le peuple des Sacranes devait son nom, soit à un Corybante, qui avait établi en Italie le culte *(sacra)* de la Mère des Dieux, soit à des Ardéates, qui, pour mettre fin à une peste, avaient offert aux dieux, avant de s'expatrier, un « printemps sacré », *ver sacrum*, c'est-à-dire l'immolation de toutes les bêtes nées au printemps.

2069. Habitants de Labicum, petite ville au nord de Tusculum, aujourd'hui Monte Compatri.

2070. Cf. note 1752.

2071. Cf. note 1675.

2072. Le Jupiter enfant adoré à Anxur, ville des Volsques, dont le nom grec est Terracine *(Trakinê)*. Son temple dominait la région, cf. Horace, *Sat.*, I, 26.

On voit encore, dans la cathédrale de Terracine, des colonnes de ce temple ancien.

2073. Déesse rurale très ancienne, Féronie était adorée par certains peuples de l'Italie centrale (Etrusques, Sabins, Latins, Volsques, Ombriens), notamment à Capène, à Terracine et à Préneste. La Féronie de Capène était surtout célèbre : elle avait un temple en rotonde, où elle était associée au dieu solaire Soranus et desservie par les Hirpins Soraniens. On y célébrait une fête annuelle, durant laquelle les prêtres marchaient pieds nus sur des charbons ardents. Son sanctuaire, qui était très riche, fut pillé par les Carthaginois dans la seconde guerre Punique.

A Terracine (Anxur), la déesse était considérée comme la protectrice des affranchis. Un bois lui était consacré à trois milles de la ville, où les affranchis venaient recevoir l'insigne de la liberté, le bonnet nommé *pileus ;* un banc y portait l'inscription suivante : *Bene meriti servi sedeant, surgant liberi.*

Féronie, dont il y a peu d'images, portait une couronne à rayons.

2074. Dans les Marais Pontins.

2075. Cf. note 370.

2076. Les Lyciens étaient des archers renommés, cf. *En.*, VIII, 166, et XI, 773.

2077. Le myrte servait à faire les houlettes des bergers et les javelots des soldats, cf. *Géorg.*, II, 447.

LIVRE HUITIÈME

ÉVANDRE ; LE BOUCLIER D'ÉNÉE.

2078. Allusion à un usage des Romains : quand il y avait *tumulte,* cf. VI, 857, c'est-à-dire quand une guerre éclatait subitement soit en Italie, soit en Gaule cisalpine, le général en chef montait au Capitole et y arborait deux étendards : l'un, rouge, pour appeler l'infanterie; l'autre, bleu, pour la cavalerie, et il disait : *Qui rem publicam salvam esse vult, me sequatur.* « Qui veut le salut de l'Etat, me suive. »

Ici, c'est Turnus qui, par suite du désistement de Latinus, prend l'initiative qui incombe au général en chef.

2079. Les cors ou cornes *(cornua)* étaient de grandes trompettes semi-circulaires ressemblant à nos cors de chasse. On les nommait ainsi parce qu'ils rappelaient les cornes d'animal dans lesquelles soufflaient les pâtres pour rassembler leurs troupeaux : les pâtres s'étant faits soldats, les cornes étaient devenues tout naturellement l'instrument de musique employé dans les armées.

Pour maintenir la courbure du cor et en rendre le maniement plus commode, les deux extrémités en étaient réunies par une courroie qui suivait à peu près le diamètre de la circonférence.

Les musiciens qui sonnaient du cor, *cornicines*, avaient d'abord formé, dans l'armée primitive, une centurie spéciale, puis avaient été répartis plus tard dans chaque cohorte ou dans chaque légion.

2080. En frottant, selon l'usage, la hampe du javelot contre le bouclier, cf. VII, 722, et XII, 332.

2081. L'enrôlement *(conjuratio)* consistait à prêter ensemble le serment; on le distinguait de la levée normale *(sacramentum)*.

2082. Cf. note 2178.

2083. Cf. note 1980.

2084. Cf. note 2038.

2085. Cf. note 1948.

2086. Cette même idée se retrouve chez la plupart des poètes latins. Virgile déjà avait dit (*Géorg.*, I, 507) : ... *squalent abductis arva colonis.*

Ennius écrit : ... *et detondit agros laetos.* Cf. aussi, Lucain (*Phars.*, I, 29).

2087. Ce personnage n'est connu que par Virgile. Vénulus est un Argien, venu probablement en Italie avec les fils d'Amphiaraüs, fondateur de Tibur; Virgile, parlant du combat de Tarchon et de Vénulus, dit de celui-ci : *praedam Tiburtum ex agmine*, cf. XI, 758. Il est donc bien choisi pour être ambassadeur auprès de Diomède. Cf. note 2088.

Selon une tradition rapportée par Servius, Vénulus aurait régné à Lavinium.

2088. Cf. *En.*, I, 97. D'après la légende, Diomède, devenu roi d'Argos, était retourné à Argos, après la guerre de Troie, mais en avait été chassé et avait abordé en Apulie, où le roi du pays, Daunus, lui avait donné en mariage sa fille Euippe. On lui attribuait la fondation de plusieurs villes de la Grande-Grèce, entre autres de Bénévent, de Brindes et de Vénafre.

Il s'agit ici de la ville d'Argyripe en Apulie, dont le nom grec fut Argos Hippium, aujourd'hui Arpi.

2089. Cf. note 1797.

2090. Enée.

Comme l'observe justement Servius, Virgile appelle ici Enée « le héros dardanien » parce que Dardanus était originaire d'Italie, cf. III, 167 : *hinc Dardanus actus*. La communauté d'origine d'Enée et des peuples italiens devait les amener à contracter alliance.

2091. Parce qu'il avait été en butte, bien avant Turnus et Latinus, à l'hostilité des Troyens.

2092. Le héros troyen, descendant de Laomédon, cf. note 1724.

2093. Même image, IV, 532.

Lucrèce dit de même : *mentis aestus* et *curarum fluctus ;* Cicéron : *Qui aestus, qui error... ;* Catulle, *curarum undae*, etc. Cf. Lucrèce. III, 174; VI, 33; Cicéron, *Div. in Verr.*, 14; Catulle, LXII.

2094. ... arrête sa pensée ... tous les sens. Mêmes vers, IV, 285-286.

2095. Comparaison imitée d'Apollonius de Rhodes, cf. *Arg.*, III, 754-758, et de Lucrèce, cf. IV, 211 sq. — On la trouve encore dans Silius Italicus, cf. VIII, 143; dans Claudien, cf. *De raptu Proserpinae*, II, et en français dans Ronsard, cf. *Franciade*, III, et dans Voltaire, cf. *Henriade*, II.

2096. La rive du Tibre.

2097. Le Tibre coule entre des rives ombragées de peupliers, cf. le vers 32.

2098. Un dieu fluvial était presque toujours représenté sous la forme d'un vieillard à la barbe chenue.

2099. Le mot grec (d'origine sanscrite) *carbasus* désignait proprement le coton de l'Inde. Les poètes (Ennius, Virgile, etc.) l'emploient également, comme ici, pour désigner du lin très fin, qui croissait en Espagne, et dont on faisait des manteaux, des voiles de navires, des toiles de tente, etc.

2100. La couleur glauque *(glaucus)* ou azurée *(caeruleus)* était celle des dieux marins ou fluviaux, cf. *Géorg.*, IV, 388 : *caecruleus Proteus.*

2101. Le héros dardanien « ramène » en effet les Pénates de Troie, amenés une première fois par Dardanus.

2102. Cf. note 1847.

2103. Allusion à l'oracle de Faunus, cf. VII, 81-106.

2104. *Sous les yeuses... fatigues.* Ces quatre vers reprennent ceux du livre III, 390-393.

Virgile, pour donner plus de force à la prédiction du dieu du Tibre, met dans sa bouche les paroles mêmes dont s'était servi Hélénus.

2105. Trente ans, de même que la laie avait trente petits marcassins, et que la confédération latine comprenait trente villes.

2106. Clair comme la laie blanche, dont elle tire son nom.

2107. Evandre, petit-fils de Pallas, fils de Mercure et de la prophétesse romaine Carmenta, passait pour être venu de Pallantium en Arcadie, et pour avoir fondé sur le Palatin la ville de Pallantée.

Evandre dont le nom a le même sens que celui de Faunus *(qui favet)* a été confondu souvent avec Pan ou avec Faunus, et sa mère Carmenta identifiée à Fauna, sœur ou femme de Faunus.

Sous Marc-Aurèle, Evandre et Pallas avaient leur temple, avec leurs deux statues, à Pallantium d'Arcadie, cf. Pausanias, VIII, 44, 5.

2108. C'est-à-dire dès l'aube, cf. II, 9.

2109. Cf. note 2100.

2110. A l'embouchure du fleuve.

2111. Cette « grande demeure » du dieu Tibre fut plus tard consacrée par un temple, cf. C. I. L., XIV, 376.

2112. Des villes de l'*É*trurie.

2113. Il était d'usage que ceux qui adressaient des prières aux dieux se tournassent vers l'Orient, cf. XII, 172.

2114. Il était d'usage de procéder à une purification après un prodige ou après un songe.

2115. Vers imité d'Ennius :

Teque, pater Tiberine, tuo cum flumine sancto

(Macrobe, VI, 1, 12). Cf. *Géorg.*, II, 147.

2116. Vers imité d'Homère. Cf. *Od.*, XI, 239.

2117. Epithète donnée aux fleuves par les poètes. Dans le même livre (vers 727), Virgile appelle le Rhin *Rhenus bicornis ;* ailleurs, cf. *Géorg.*, IV, 371, il dépeint l'Eridan (Pô) sous l'aspect d'un taureau à deux cornes. Il semble, du point de vue iconographique, qu'on ait d'abord représenté les fleuves sous la forme de taureaux, animaux qui paissent l'herbe des prairies, au bord des fleuves, et qui grondent comme les torrents; puis, sous celle de taureaux à face humaine (monnaies de Géla); enfin, sous la figure d'hommes à cornes de taureaux.

2118. L'Italie, cf. note 1673.

2119. D'une manière plus sensible.

2120. Equipe de rameurs.

2121. La forêt qui borde les rives du Tibre.

2122. Le Tibre remonte vers sa source pour faciliter la navigation des Troyens.

2123. Le navire enduit de poix.

2124. Les carènes des Anciens étaient peintes le plus souvent au minium.

2125. La navigation, commencée le jour, se prolonge toute la nuit et le lendemain jusqu'à midi, cf. vers 97.

2126. *Le soleil de feu avait franchi la moitié de la voûte céleste...* Vers imité d'Homère. Cf. *Il.*, VIII, 68.

2127. Le contraste entre la pauvreté de la Rome primitive et la puissance de la Rome d'Auguste est un lieu commun des poètes contemporains de Virgile : Horace, Properce, Tibulle, Ovide. Cf. en particulier Properce, *Elégies*, IV, I, 1-32.

2128. Vers le rivage.

2129. Evandre, cf. note 2107.

2130. Cette périphrase désigne Hercule, qui n'est pas, à vrai dire, le fils d'Amphitryon, mais d'Alcmène, femme d'Amphitryon, et de Jupiter.

2131. Il était d'usage d'invoquer les autres dieux, à côté de celui à qui l'on offrait le sacrifice. Toutefois Plutarque et Varron nous disent que, dans les sacrifices offerts à Hercule le 12 août, sur l'*Ara Maxima*, aucun autre dieu n'était nommé.

2132. Parce qu'il prenait, lui tout seul, la décision de les contrecarrer tous.

2133. Il était interdit, sous peine de sacrilège, d'interrompre volontairement un sacrifice. Si l'interruption était involontaire, elle était regardée comme un mauvais présage.

2134. Le nom de la Dardanie.

2135. Comme en portaient les suppliants, cf. note 1756.

2136. Grecs, ainsi nommés de l'Egyptien Danaüs fondateur de la ville d'Argos, cf. I, 30, etc.

2137. Evandre est petit-fils de Maia, grand-tante d'Atrée et arrière-grand-tante des deux Atrides, Agamemnon et Ménélas.

2138. Maia était à la fois la grand-mère d'Evandre et la mère de Dardanus, ancêtre d'Enée.

2139. Electre, demi-sœur de Maia, fille d'Atlas et de la nymphe Pléione, avait eu de Jupiter un fils qui était, selon les uns, Dardanus, selon les autres, Corythus, père de Dardanus.

2140. Atlas, l'un des Titans, fils, selon Hésiode, de Japet et de Clymène; selon Hygin, de l'Ether et de la Terre; selon Diodore, d'Uranus et de Clito, se révolta avec les Titans contre Jupiter et fut condamné à porter le ciel sur ses épaules. Cf. I, 741.

2141. Ce pluriel désigne ici Evandre et Pallas.

2142. Maia, nymphe d'Arcadie, et l'aînée des Pléiades, fille d'Atlas, aimée de Jupiter, conçut et mit au monde Mercure dans une grotte de Cyllène, qui abritait ses amours avec le roi des Dieux. Elle est associée au culte de Mercure, son fils, avec qui elle avait un temple commun près du grand Cirque. Leur fête était célébrée le 15 mai.

2143. Le mont Cyllène, au nord-est de l'Arcadie, aujourd'hui le Ziria, d'où s'élancent des torrents glacés.

2144. Toutes deux descendent en effet d'Atlas, et leur généalogie se résume brièvement ainsi :

ATLAS

Electre	Maia
Dardanus, ancêtre d'*Enée*	Mercure, père d'*Evandre*

2145. Les Rutules, dont le roi Turnus avait pour père Daunus, fils de Lycaon. C'est ce même Daunus qui soutint Diomède dans sa lutte contre les Messapiens, cf. Ovide, *Mét.*, XIV, 457-459.

2146. La mer Adriatique ou mer Supérieure.

2147. La mer Tyrrhénienne ou mer Inférieure.

2148. Hésione, sœur de Priam, fut délivrée par Hercule d'un monstre marin envoyé par Neptune pour la dévorer, et épousa Télamon, roi de l'île de Salamine, aujourd'hui île de Colouri.

2149. L'Arcadie est un pays montagneux.

2150. Image empruntée à Homère, cf. *Od.*, X, 279, et XI, 319, et qu'on trouve encore dans Virgile, aux livres IX, 181 et X. 324, Paeuvius avait dit aussi :

Nunc primum opacat flore lanugo genas.

2151. Les Anciens attachaient une grande importance aux avantages physiques, et en particulier à la taille. Cf. VI, 668; VII, 784, et la note 2060.

2152. Phénée était une ville d'Arcadie, non loin du mont Cyllène, cf, *Il.*, II, 605. Les Arcadiens de Phénée avaient été amenés en Italie par Hercule, vainqueur de Laomédon, comme les Arcadiens de Pallantium y avaient été conduits par Evandre.

2153. Cf. note 2076.

2154. La chlamyde était devenue, à partir d'Alexandre, un vêtement de luxe, souvent teint de pourpre ou brodé d'or, arrondi (au lieu d'être rectangulaire) aux angles inférieurs. Cf. III, 484.

2155. Didon avait prononcé les mêmes paroles en s'adressant à Ilionée, cf. I, 571.

2156. Le blé travaillé, c'est-à-dire le pain.

2157. Le vin.

2158. On honorait un hôte en lui offrant le dos entier, non découpé, de la victime. Ainsi, dans Homère, voyons-nous Agamemnon offrir à Ajax le dos entier d'un taureau, ou Eumée offrir à Ulysse le dos entier d'un porc. Cf. *Il.*, VII, 321; *Od.*, XIV, 437.

2159. Purificatrices. On donnait à Rome le nom de *lustration* à la purification, et c'est parce que la lustration de la cité avait lieu tous les cinq ans que le mot *lustre* a désigné par la suite une période quinquennale.

2160. Vers imité d'Homère, cf. *Od.*, III, 67.

2161. La fête d'Hercule avait lieu le 12 août; elle comportait un sacrifice solennel offert chaque année par le préteur urbain; la victime était d'ordinaire un taureau, parfois une génisse; les femmes et les esclaves, du moins au début, étaient exclus de la cérémonie; les mouches et les chiens devaient être tenus soigneusement à l'écart.

2162. C'est en 312 avant J.-C. qu'Appius Claudius consacra au grand Hercule, Vainqueur ou Invaincu, l'*Ara Maxima*, édifiée en bordure du *Forum Boarium*, dans la partie méridionale.

2163. Des vieux dieux nationaux. Hercule (Héraklès) était d'origine grecque, et son culte, d'abord achéen, était relativement récent en Italie. Sous le nom d'Hercule il apparaît au ∼ VIe siècle dans les monuments étrusques. Par Poséidonia et Cumes il arrive jusqu'à Rome. Cf. Jean Bayet, *Les Origines de l'Hercule romain*, 1926.

2164. Le demi-homme, demi-dieu Cacus, fils de Vulcain, était un géant qui habitait un antre aux bords du Tibre, au pied de l'Aventin. Il vola à Hercule, pendant son sommeil, quelques génisses du troupeau que le héros avait lui-même dérobé à Géryon; pour dissimuler son larcin, il les emmena à reculons, mais Hercule s'en aperçut et le tua.

Le combat d'Hercule et de Cacus se trouve dans Tite-Live (I, 7), Valerius Flaccus (IV, 177), Denys d'Halicarnasse (I, 59). Deux poètes, Properce (IV, 9) et Ovide (*Fastes*, I, 543 sq.), se sont inspirés du récit de Virgile. Cette légende nationale est présentée avec des variantes chez les uns ou les autres.

Il ne semble pas, comme on l'a cru (cf. Preller, *Myth. rom.*, XI, 3), que Cacus soit le même dieu que Céculus ou Caecus, dont il est question au livre VII, vers 681, cf. note 1972. Il ne semble pas non plus qu'il faille, avec Bréal (*Hercule et Cacus*, 1863), rattacher le mythe de Cacus aux mythes de l'Inde.

2165. Le poète veut dire qu'Hercule, qui avait exaucé les vœux de tant d'autres créatures implorant son secours, délivre *aussi* les sujets d'Evandre.

2166. Hercule, le héros destructeur des monstres, était honoré sous le nom de sauveur » (σωτήρ), de « libérateur » (ἀλεξίκακος) et de « vengeur » *(ultor)*.

Lors du premier lectisterne qui fut tenu à Rome à l'occasion d'une peste (399 av. J.-C.), Hercule, dans son sanctuaire de la porte Trigémine, fut invoqué sous le nom de « libérateur » (ἀλεξίκακος), à côté d'Apollon et de Diane.

2167. Cf. VI, 289. — Géryon, monstre à trois corps, ou à trois têtes *(tricorpor* ou *tricorpus, ter geminus)*, fils de Chrysaor et de Callirhoé. régnait, si l'on en croit Hésiode, cf. *Théog.*, 290, sur l'île d'Erythie, « la Rougeâtre », qu'Hérodote (IV, 8) identifie avec Gadès (Cadix). Ses troupeaux étaient gardés par le géant Eurytion ou Erythion, et par le chien Orthros ou Orthos, frère de Cerbère.

2168. Hercule, ainsi nommé très souvent parce qu'il descend d'Alcée, fils de Persée et d'Andromède :

Alcée
|
Amphitryon, roi de Tirynthe,
ép. d'Alcmène
|
Hercule

cf. note 2130.

2169. Cette épithète est souvent accolée au nom d'Hercule *(Herculus Victor* ou *Invictus)*.

Tibur, aujourd'hui Tivoli, possédait un sanctuaire élevé à « Hercule vainqueur », dont les caractères étaient assez particuliers. Des Saliens, analogues aux Saliens de Rome, lui offraient des sacrifices; l'Hercule tiburtin était vêtu d'une longue robe semblable à celle d'une femme. Cf. Varron, d'après Macrobe, *Sat.*, III, 12, 6 sq., et Properce, II, 32, 5.

2170. Du Tibre.

2171. Cf. note 2130.

2172. L'Eurus ou Volturnus est proprement le vent du sud-est; il désigne ici le vent en général.

2173. Vulcain.

2174. Cf. note 1960.

2175. Le mont Aventin est situé sur la rive gauche du Tibre, vers laquelle se penche son sommet. Hercule, pour pousser le rocher, se place du côté opposé à celui vers lequel il penche, c'est-à-dire à droite.

2176. Cette comparaison est imitée d'Homère, qui décrit la terre ébranlée par le combat des dieux et des hommes et par le trident de Neptune, et remplissant d'épouvante Pluton lui-même. Cf. *Il.*, XX, 61-65.

2177. Potitius et Pinarius, compagnons d'Evandre, furent la tige des deux familles qui instituèrent et conservèrent, pendant plusieurs siècles, le culte romain d'Hercule. La légende rapporte que les Potitii, qui avaient le principal rôle, ayant, sur le conseil d'Appius Claudius, confié le culte d'Hercule à des esclaves publics, Claudius perdit la vie et tous les Potitii périrent l'année même, cf. Tite-Live, I, 7.

2178. « *Ex illo celebratus honos laetique minores / Servavere diem primusque Potitius auctor / Et domus Herculei custos Pinaria sacri / — Hanc aram luco statuit, quae Maxima semper / Dicetur nobis et erit quae maxima semper.* Il semble qu'il faille donner pour sujet à *statuit* Hercule, et non Potitius; en ce cas Potitius *(auctor)* se serait borné à fonder le culte, non le sanctuaire d'Hercule, cf. note précédente. Celui-ci, si l'on en croit Virgile, et, avec lui, Tite-Live, IX, 34, 18; Ovide, *Fastes*, I, 581, 59; Properce, *Elégies*, IV, 9, 67, aurait dressé lui-même son autel, à l'endroit où paissaient ses bœufs, sur le *Forum Boarium* entre l'Aventin et le Palatin. Cet autel fut appelé l'*Ara Maxima* et garda ce nom.

Selon une autre tradition, qui a pour elle Plutarque, *Quest. rom.*, XC; Pline,

XXXIV, 7; Denys d'Halicarnasse, I, 39, 4; I, 40, 2; et Strabon, V, 290, Hercule aurait bien dressé un autel, mais à *Jupiter Inventor*, « Jupiter Trouveur », pour le remercier d'avoir trouvé l'endroit où Cacus cachait ses bœufs; ce serait Evandre qui lui aurait élevé ensuite à lui-même, en sa présence, l'*Ara Maxima*.

Quoi qu'il en soit, les femmes étaient écartées du culte rendu à Hercule sur l'*Ara Maxima*. Properce *(loc. cit.)* justifie cette interdiction en contant qu'après sa victoire sur Cacus le héros altéré avait demandé à boire aux sectatrices de la Bonne Déesse, fille de Faunus, qui le lui refusèrent; celles-ci n'admettaient à leurs cérémonies que des femmes; par représailles, Hercule n'admit à son propre autel que des hommes.

Servius rapporte que l'*Ara Maxima* existait encore de son temps, *sicut videmus hodieque post januas Circi Maximi*. Tacite le met cependant au nombre des temples qui avaient été détruits, cf. *Ann.*, XV, 41.

2179. D'où son nom d'*Ara Maxima*, « l'autel très grand ».

2180. Arcadiens et Troyens, ayant fait alliance, devaient honorer les mêmes dieux.

2181. Le vin des libations.

2182. La feuille du peuplier est verte d'un côté, blanche de l'autre.

2183. Le peuplier était l'arbre consacré à Hercule, cf. *Buc.*, VII, 61 : *populus Alcidae gratissima*.

Servius rapporte toutefois qu'après la fondation de Rome le laurier remplaça le peuplier dans les sacrifices offerts à Hercule.

2184. Selon le rite grec consacré par Evandre, cf. Tite-Live, I, 7 : *Romulus sacra diis aliis Albano ritu, Graeco Herculi ut ab Evandro instituta erant, facit*.

2185. Servius rapporte qu'Hercule avait apporté en Italie une coupe en bois dont les Latins se servirent pour les sacrifices et qui était à l'issue de chaque cérémonie enduite de cire pour ne pas se détériorer, *ne carie consumeretur*. Cette coupe *(scyphus)* était pourvue de deux anses, et, d'après Stésichore, cf. Athénée, XI, p. 499, avait la capacité de trois bouteilles. On en trouvera une description détaillée dans Stace, cf. *Thébaïde*, VI, 53 sq.

2186. Les libations se faisaient tantôt sur l'autel, tantôt sur la table, cf. I, 736 : *in mensam laticum libavit honorem*.

2187. Cf. note 2131.

2188. L'étoile du soir, dite étoile du Berger, cf. *Buc.*, VI, 86.

2189. C'était l'usage des Luperques, prêtres de Faunus, de fêter le dieu vêtus de peaux de chèvres.

2190. Qui servaient à la fois de torches, car la nuit était venue, et de flammes qu'on mettait sur l'autel.

2191. Le second service consistait en vin et en fruits.

2192. Ces bassins de forme plate *(lances)* étaient de grandes dimensions, cf. Pline, XXXIV, 52, 1; Horace, *Sat.*, II, 4, 41, et presque toujours en métal précieux et orné.

2193. Virgile est le seul poète ou annaliste qui mentionne les participations des Saliens au culte d'Hercule. La tradition courante attribue l'institution des Saliens au roi Numa, qui leur avait confié la garde d'un bouclier merveilleux tombé du ciel, et, pour mieux le protéger des voleurs, en avait fait fabriquer onze autres tout pareils *(ancilia)* : ils étaient voués à Mars, en l'honneur de qui ils exécutaient la danse sacrée *(saltatio)*, d'où venait leur nom de prêtres « danseurs ».

Cependant un ancien auteur, Polémon, que cite Scaliger, dit qu'Enée avait créé un collège de Saliens, et Turnèbe affirme qu'ils avaient pris leur nom d'un certain Salius, compagnon arcadien d'Evandre, qui les exerça dans la musique, art où excellaient les Arcadiens, *soli cantare periti Arcades* (*Buc.*, X, 32).

2194. Cf. note 2183.

2195. Ils chantaient de vieux poèmes nommés *axamenta*, que personne, pas même eux, ne comprenait au temps de Virgile : d'où la jolie impertinence d'Horace, cf. *Epodes*, II, 1, 86.

Quintilien note, de son côté, que les Saliens ne comprenaient à peu près rien à leurs chants (I, 6, 40).

2196. La marâtre en question est Junon qui, irritée de la naissance d'Hercule, né des amours de Jupiter et d'Alcmène, envoya deux serpents pour le dévorer dans son berceau. Théocrite a décrit Hercule enfant, étouffant de sa main les deux monstres, cf. *Id.*, XXIV.

2197. Cf. *Géorg.*, I, 502. La légende conte que Laomédon roi de Troie, père de

Priam, ayant refusé de donner à Apollon et à Neptune le salaire qu'il leur avait promis pour l'érection des murs de Troie, les dieux firent ravager son royaume par un monstre marin. Hercule délivra le pays du monstre et sauva Hésione, fille de Laomédon; mais celui-ci lui ayant aussi manqué de parole, Hercule punit ce nouveau parjure en le faisant périr et en détruisant Troie avec lui.

Troie fut donc détruite deux fois, cf. *En.*, II, 652 : une première fois, du temps de Laomédon, par Hercule; une seconde fois, du temps de Priam, par les Grecs.

2198. Œchalie était une ville, dont le roi, Eurytus, avait promis sa fille, Iole, à qui le vaincrait, lui et ses fils, au tir de l'arc. Hercule triompha d'Eurytus et de ses fils, mais Eurytus refusa de tenir sa parole, et Hercule détruisit la ville d'Œchalie.

Il y avait quatre villes de ce nom : l'une en Etolie, une autre en Messénie, une autre en Thessalie, une autre en Eubée. Strabon nous dit qu'on ignore laquelle fut détruite par Hercule; on pense généralement que ce fut celle d'Eubée. Créophile avait écrit un poème sur le sujet, cf. Callimaque, *Epigr.*, VI.

2199. Cf. *Géorg.*, III, 4. La légende conte qu'Hercule, ayant épousé Mégara, fille du roi de Thèbes, Créon, en eut trois enfants et les tua tous les trois dans un accès de colère furieuse. La Pythie, en expiation, l'envoya au service d'Eurysthée, roi de Tirynthe; ce « dur » maître, à l'instigation de Junon, lui imposa les travaux fameux.

Virgile, dans les vers suivants, énumère successivement quelques-uns de ces « travaux » :

1° Sa victoire sur les Centaures *(Nubigenas)* ;
2° Sa capture du taureau de Crète *(Cresia prodigia)* ;
3° Sa victoire sur le lion de Némée *(Nemea leonem)* ;
4° Sa capture de Cerbère *(Janitor Orci)* ;
5° Son intervention en faveur des dieux dans leur combat contre Typhée *(Typhœus arduus)* ;
6° Sa victoire sur l'hydre de Lerne *(Lernaeus anguis)*.

2200. La légende argienne, constituée aux ~ Vᵉ et ~ IVᵉ siècles, à l'époque d'Alexandre, attribue à Hercule *douze* travaux, accomplis en une période de douze années. Mais les mythographes en signalent plus de douze. Le nombre de mille doit être d'ailleurs pris dans un sens vague et indéterminé.

2201. Junon était inique en faisant supporter à Hercule, fils de Jupiter et d'Alcmène, la peine des amours adultères de son père.

2202. Cf. note 2169.

2203. Les Centaures, qui ont à la fois des membres d'hommes et des membres de chevaux, exactement un corps de cheval à poitrine, bras et tête d'homme, et qui sont les fils d'Ixion et de la Nue, cf. note 1968.

2204. Deux des Centaures. — Pholus est celui qui avait donné l'hospitalité à Hercule, quand le héros poursuivait le sanglier d'Erymanthe; comme il était l'hôte de Pholus, Hercule ouvrit une outre contenant un vin remarquable offert par Bacchus à Pholus; l'odeur délicieuse de ce vin attira les Centaures du voisinage, qui assiégèrent la grotte de Pholus; repoussés par Hercule, ils s'enfuirent dans la caverne de Chiron, non sans que le héros en eût tué un grand nombre, parmi lesquels, sans le vouloir, son hôte Pholus et son ami Chiron.

2205. La légende conte que Neptune avait fait sortir de la mer un taureau magnifique, pour que Minos, roi de Crète, le lui offrît en sacrifice; mais l'animal était si beau que Minos le garda pour lui et en sacrifia un autre. Neptune alors rendit furieux son taureau, qui dévasta l'île. Hercule le captura dans un filet, et réussit à l'amener vivant à Eurysthée. Le taureau, remis en liberté, fut plus tard dompté à Marathon par Thésée. — Cet exploit est tenu d'ordinaire pour le septième des travaux d'Hercule.

2206. Junon avait envoyé un énorme lion qui dévastait la vallée de Némée, en Argolide; c'était un animal merveilleux dont la peau ne pouvait être transpercée par aucune flèche. Hercule l'étouffa dans ses bras et porta désormais sa dépouille sur lui. — Cet exploit est tenu généralement pour le premier des travaux d'Hercule.

2207. Allusion à la descente d'Hercule aux Enfers, cf. *En.*, VI, 123. — Sur l'ordre d'Eurysthée, le héros descendit vers l'ombre souterraine, délivra Thésée et Pirithoüs et traîna Cerbère jusque sur la terre, d'où il le renvoya ensuite aux Enfers, après l'avoir fait voir à Eurysthée. — Cet exploit est tenu généralement pour le douzième des travaux d'Hercule; c'est le seul que connaisse Homère.

2208. Cerbère, cf. VI, 392 et 400. — Cerbère était un chien monstrueux, fils de Typhon et d'Echidna, qui gardait la porte de l'Orcus (nom du dieu de la mort chez les Romains), c'est-à-dire la porte des Enfers. Tous les textes anciens ne l'ont pas représenté pareillement. Hésiode lui attribue cinquante têtes; d'autres, comme Horace, en font un monstre à une seule tête de chien et de multiples têtes de serpents sur toutes les parties du corps; la tradition la plus répandue, que suit Virgile, en fait un chien à trois têtes.

2209. Servius tire de ce détail une étymologie grecque du nom de Cerbère, « le dévoreur de chair » (*créas*, chair, *bibrôskô*, dévorer).

2210. La légende conte que Typhée ou Typhon, fils, selon Hésiode, du Tartare et de la Terre, était un géant formidable au corps terminé par d'énormes vipères. D'après les uns, il escalada le ciel à lui seul, mit les dieux en fuite, et fut enfin réduit à l'impuissance par Jupiter qui l'accabla sous l'Etna; d'après d'autres, il participa, en s'y distinguant, à l'assaut des Géants et ne fut vaincu que grâce à l'aide qu'Hercule apporta, en cette occasion, à Jupiter. Cf. *Géorg.*, I, 279, et Pindare, *Ném.*, I, 67.

2211. Le serpent ou hydre de Lerne, près d'Argos, était un monstre à neuf têtes, auquel la légende attribuait pour père Typhon et pour mère la Vipère (Echidna). Chaque fois qu'on écrasait ou coupait l'une de ses têtes, elle renaissait. Hercule lui trancha d'un coup les neuf têtes, et son serviteur Iolaüs brûla avec des brandons les cous décapités, de façon qu'aucune tête ne repoussât. Seule, celle du milieu, qui était immortelle, fut enfouie sous un rocher, dans le chemin qui allait de Lerne à Elée, cf. Hésiode, *Théog.*, 313.

Les flèches d'Hercule, trempées dans le sang du serpent, s'infectèrent de poison, et leur blessure empoisonna ensuite Pholus et Chiron. — Cet exploit est tenu généralement pour le second des travaux d'Hercule.

2212. Tite-Live écrit de son côté (I, 7, 10) : « Fils de Jupiter, ô Hercule, salut; ta mère (la prophétesse Carmenta) m'a annoncé que tu accroîtrais le nombre des dieux du ciel. »

2213. Virgile voit déjà dans la ville de Pallantée, fondée par Evandre sur l'emplacement où fut Rome plus tard, la ville de Romulus.

2214. Les Faunes étaient des génies de la campagne, qu'on se représentait comme des personnages trapus, barbus, la tête ceinte de feuillage, le corps recouvert d'une peau de chèvre. Ils tiraient leur origine de Faunus (cf. note 1696), confondu, semble-t-il, avec les génies à demi animaux du cortège de Bacchus, comme le furent aussi Pan, Silvain et Silène.

2215. Cette tradition, qui vient de ce que les premiers hommes habitaient sans doute le creux des arbres, se trouve dans Homère et dans beaucoup de poètes latins. Cf. Pénélope à Ulysse (*Od.*, XIX, 162-163).

Juvénal, de son côté, parle de ceux qui sont « nés du chêne rompu », *rupto robore nati* (VII, 12); et Stace conte que « les chênes et les lauriers portaient des béliers, que le frêne ombreux créa des peuples, qu'on vit sortir de l'orne des enfants verdoyants » (*Théb.*, 277-279).

2216. Par les fruits qu'ils portent. Cf. III, 649-650 :

Victum infelicem, baccas lapidosaque corna
Dant rami.

2217. La tradition conte que Saturne, chassé du ciel par Jupiter, aborda au Latium où régnait Janus, y apprit aux habitants l'art de cultiver la terre et fut associé au pouvoir par Janus reconnaissant. Il fonda sur le sommet N.-E. du Capitole, où plus tard se dressait la citadelle *(arx)*, la ville de Saturnie, et fit régner dans le pays l'âge d'or, dont les Romains rappelaient le souvenir par la fête annuelle des Saturnales.

De là viennent les noms de *Mons Saturninus* donné au Capitole, de *Saturnia tellus* ou *Saturnia arva* donnés au Latium par les poètes.

2218. Latium, de *lateo*, « se cacher ». — Cette étymologie, donnée par Virgile, est reproduite par Ovide, cf. *Fastes*, I, 238 :

Dicta quoque est Latium terra latente deo.

Varron donnait aussi *lateo* comme origine du mot, mais parce que le Latium *se cache* parmi les montagnes.

Mommsen suppose que *Latium* vient de *latus*, large, le Latium étant la large bande de plaine opposée au territoire étroit et accidenté où vivent les Sabins.

2219. L'âge de fer.

2220. L'âge de fer n'a pas succédé brutalement à l'âge d'or; entre les deux se place l'âge d'argent, cf. Ovide, *Mét.*, I, 25 :

...subiit argentea proles,
Auro deterior, fulvo pretiosior aere.

2221. Ovide, cf. *Mét.*, I, 42, dit de même :

...et vis et amor sceleratus habendi.

2222. Cf. note 1691.

2223. Cf. note 2067.

2224. Thybris fut d'abord un grand dieu que M. Jérôme Carcopino (*Virgile et les origines d'Ostie*, pp. 561-720) a identifié avec Vulcain; puis il devint le dieu du Tibre (*Tiberinus pater*).

La légende imagine un roi de Véies de ce nom, ou un roi latin, Tiberinus, qui aurait péri dans les eaux du fleuve Albula en lui laissant son nom, cf. Varron, *L. L.*, V, 30.

2225. Les causes de cette expulsion ne sont pas connues.

2226. La mère d'Evandre s'appelait Thémis ou Nicostrate, et reçut le nom de Carmenta, parce que, comme la plupart des Nymphes, elle avait le don des prédictions (*carmina*).

Plutarque, cf. *Romulus*, XXI, fait de Carmenta la femme et non la mère d'Evandre.

2227. Dictés à Carmenta.

2228. La porte Carmentale, ainsi nommée du sanctuaire voisin de la nymphe Carmentis, était au pied du Capitole, du côté du Tibre, entre le Vélabre et le forum Olitorium. C'est par cette porte que sortirent, en ~ 277, les trois cent six Fabius, pour aller combattre les Véiens; après leur mort, la porte prit le nom de *porta Scelerata*, « porte Maudite ».

2229. L'Asile, ouvert par Romulus pour peupler Rome, se trouvait entre les deux sommets du Capitole, recouverts chacun d'un bois sacré. Le droit de refuge, créé par Romulus, fut aboli seulement par Tibère, cf. Suétone, *Tib.*, XXXVII.

2230. Le Lupercal était une grotte profonde, composée de trois galeries parallèles, qui s'ouvrait à l'angle N.-O. du Palatin et où se réfugia, dit-on, la louve fameuse qui avait nourri Romulus et Rémus. Evandre y avait institué le culte du dieu Pan, confondu d'ailleurs avec Faunus et Silvain, cf. note 1696.

2231. La coutume de Parrhasie, ville d'Arcadie, séjour de Pan. L'adjectif *Parrhasien* est synonyme d'Arcadien chez les poètes latins, cf. Ovide, *Fastes*, I, 618; IV, 577; *Tristes*, II, 190.

2232. Pan, dieu national de l'Arcadie boisée et montagneuse, dieu des bergers, fut plus tard adopté par l'Attique. Il apparaît, dans un hymne homérique, comme le fils de Mercure et de la dryade Dryopé. A sa naissance, sa mère le trouva si laid qu'elle s'enfuit, mais son père ingénieux l'enveloppa d'une peau de lièvre, le présenta aux autres dieux qui lui donnèrent le nom de Pan parce qu'il les avait tous (gr. *pan*) réjouis. A l'origine, Pan est un dieu velu et barbu, ayant les pieds et les cornes d'un bouc; sauvage, bruyant et libertin, il aime prendre son plaisir avec les Nymphes. Les poètes et les philosophes en ont fait peu à peu l'une des grandes divinités de la Nature, et finalement la personnification du Grand Tout, danseur et musicien, inventeur de la flûte, chasseur et soldat, connaissant l'art de guérir par les simples et possédant la science de l'avenir. Platon, à sa naissance, fut exposé par ses parents sur l'Hymette pour être consacré à Pan, aux Nymphes et à l'Apollon des Pâturages. Plutarque conte qu'on apprit sous Tibère, au déclin du paganisme, la mort du grand Pan.

2233. Le Lycée, « mont des Loups », point culminant des montagnes d'Arcadie, était consacré à Jupiter et à Pan.

Par les deux adjectifs : parrhasien et lycéen, Virgile rappelle la rivière et la montagne qui furent le double berceau du dieu pastoral de l'Arcadie.

2234. L'Argilète était un quartier et une rue de Rome, entre le Quirinal et le Forum, que prolongeaient le quartier et la rue de Suburre. Au temps du poète Martial, c'était le quartier des marchands de chaussures élégantes, cf., I, 118, 9.

Son nom vient de l'argile qui s'y trouvait, cf. Varron, *L. L.*, V, 157.

2235. Virgile adopte ici une tradition, qui prête au nom d'Argilète une origine de pure fantaisie : un certain Argus, hôte d'Evandre, ayant conçu le projet de tuer le roi pour s'emparer du pouvoir, fut mis à mort par les Arcadiens à l'insu d'Evandre. Celui-ci, par respect pour les liens de l'hospitalité, lui fit élever un tombeau dans l'Argilète, *Argi letus*, « le lieu de la mort d'Argus ».

2236. Le Capitole, appelé d'abord *mons Saturninus*, reçut en une de ses parties le nom de *sedes* ou *rupes Tarpeia*, parce que Tarpeia, fille de Tarpéius, gouverneur de Rome sous Romulus, séduite par les bracelets d'or que les Sabins portaient au bras gauche, les introduisit dans la citadelle; elle périt écrasée sous leurs boucliers.

Virgile donne ici au Capitole, dès l'époque d'Evandre, un nom qu'il ne prit que sous Romulus.

2237. Virgile fait sans doute allusion au fronton du Capitole, surmonté de statues dorées et terminé par un quadrige doré, où était la statue de Jupiter.

C'est d'ailleurs un lieu commun des poètes du ~ Ier siècle que d'opposer les fastes de la ville des Césars à l'aspect sauvage de la Rome primitive, cf. Tibulle *El.*, II, 5; Properce, *El.*, IV, 1; Ovide, *Fastes*, I.

2238. L'égide était le bouclier forgé par Vulcain pour Jupiter, et ainsi nommé parce qu'une peau de chèvre (gr. *aix, aigos*), celle d'Amalthée, qui avait nourri le dieu dans son enfance, le recouvrait.

Jupiter tenait l'égide dans sa main droite et rassemblait les nuages en l'agitant, « obscurcissant le monde » ainsi. Homère (*Il.*, XVII, 593-594) nous montre Zeus (Jupiter) couvrant l'Ida de nuages noirs en secouant son égide. Cf. aussi Silius Italicus, XII, 720. L'égide fut donnée plus tard par Jupiter à Minerve, qui y plaça la tête pétrifiante de Méduse.

2239. La forteresse de ce nom, bâtie, selon la tradition, par Janus, fut restaurée par Ancus : elle protégeait la navigation du Tibre, cf. Tite-Live, I, 33; Denys d'Halicarnasse, III, 45.

2240. Cf. note 2217.

2241. Le quartier des Carènes s'étendait sur le Fagutal, à l'extrémité occidentale de l'Esquilin. C'était, à l'époque de Virgile, l'un des quartiers les plus élégants de la ville, habité surtout par les hommes d'affaires : Spurius Cassius, Quintus Cicéron, l'orateur Philippe, Pompée, Antoine y eurent leurs maisons.

Suivant Servius, on donna au quartier le nom de *Carènes* parce que les toits des maisons étaient en forme de carènes; selon d'autres, parce que le sol y était enfoncé comme la carène d'un navire.

2242. Solin dit que les ours de Libye étaient plus grands que ceux des autres pays, et Pline rapporte que les Romains faisaient venir pour leurs spectacles des ours de Libye, cf. V, 37.

2243. La demeure de Vulcain était somptueuse. Homère conte que, lorsque Thétis vint demander au dieu des Enfers des armes pour Achille, il s'avança, soutenu par des statues en or qu'il avait animées. Cf. *Il.*, XVIII, 369 sq.

2244. Les chefs grecs.

2245. Cf. note 1847

2246. Les deux tours, cf. note 1847.

2247. Surtout à Pâris, qui lui avait décerné, sur le mont Ida, la pomme jetée par la Discorde aux noces de Thétis et de Pélée, et qui devait être donnée à la plus belle déesse.

2248. A la fois pendant la guerre et depuis la chute de Troie.

2249. Thétis, qui obtint de Vulcain des armes pour son fils Achille, cf. note 2243.

2250. L'Aurore, épouse de Tithon, qui obtint aussi de Vulcain des armes pour son fils Memnon, quand il vint à Troie secourir Priam, cf. I, 489.

2251. L'électrum (ἤλεκτρον) était un métal composé d'or et d'argent; la proportion la plus fréquente était de 4/5 d'or et de 1/5 d'argent, cf. Pline, *H. N.*, XXXIII, 80. — Les Anciens attribuaient à l'électrum un éclat supérieur à l'or même. C'était l'un des métaux employés par l'orfèvrerie mycénienne; les fouilles de Chypre ont livré des bagues en électrum. Homère le mentionne à plusieurs reprises.

2252. Les travaux féminins (broder et coudre), auxquels préside Minerve et qui rapportent peu.

2253. Telle Baucis, dans Ovide, ranimant le feu de la veille, cf. *Mét.*, VIII, 641-642.

2254. On trouve la même idée dans Juvénal, VI, 280.

2255. Comparaison imitée d'Homère, *Il.*, XII, 433 sq., et d'Apollonius de Rhodes, *Argon.*, IV, 1062 sq.

2256. De Sicile.

2257. Lipara, aujourd'hui Lipari, était la plus considérable des îles Eoliennes, appelées encore îles Vulcaniennes ou Héphestianes (de Vulcain ou Héphaistos), et situées au nord de la Sicile.

Les Anciens y plaçaient, en effet, le séjour d'Eole, roi des vents, et assuraient que par l'inspection des fumées du Strongile, aujourd'hui Stromboli, autre île Eolienne, ils pouvaient prédire trois jours à l'avance les vents qui allaient souffler.

2258. Lipara (Lipari) est hérissée de montagnes volcaniques; la plus élevée s'appelle aujourd'hui le Monte Sant'Angelo.

2259. Semblables à ceux de l'Etna.

2260. Hiéra, c'est-à-dire « l'île sacrée » de Vulcain (Ἱερὰ Ἡφαίστου), aujourd'hui Vulcano, l'une des îles Eoliennes.

2261. Brontès, le « cyclope du Tonnerre », Stéropès, le « cyclope de l'Eclair », Pyracmon, le « cyclope du Feu de l'Enclume », se retrouvent chez divers poètes. Cf. Ovide, *Fastes*, IV, 288; Claudien, *Cons. Hon.*, 193; Stace, *Silv.*, I, 4, 3; IV, 6, 48. Hésiode, cf. *Théog.*, 140, cite Brontès, Stéropès et Argès.

2262. Une médaille d'Auguste montre à son revers les quatre éléments dont parle Virgile : grêle, pluie, feu et vent, représentés par des rayons de formes diverses.

2263. Cf. note 2238.

2264. Ces écailles d'or formaient le fond de l'Egide.

2265. Qui étaient sur les bords du bouclier.

2266. Méduse, décapitée par Persée, cf. II, 616; VI, 289.

2267. Virgile semble suivre la tradition qui fait de l'Etna le séjour des Cyclopes, cf. aussi *Géorg.*, I, 471-472. Homère les situe, lui, sur la côte occidentale de la Sicile, cf. *Od.*, IX, 106.

2268. Vulcain (Héphaistos), lorsqu'il fut précipité du ciel par Jupiter, tomba, d'après la fable, dans l'île de Lemnos, aujourd'hui Lemno, où il fut accueilli par les Sintiens et vit donner à la capitale de l'île le nom d'Héphaistias.

2269. Virgile prête ici à Evandre la chaussure romaine par excellence, le *calceus*, d'origine tyrrhénienne, c'est-à-dire étrusque. Le *calceus* était formé par quatre courroies. Il y en avait de sortes différentes. Le poète a sans doute en vue le *calceus senatorus* ou *patricius*, de cuir fin et de couleur noire, fendu sur le devant, et lacé par un ingénieux système de courroies.

La pointe relevée (un peu à la poulaine) du *calceus* étrusque, conservée à Rome pour le culte *(calceoli repandi)* fait supposer que les Tyrrhéniens avaient eux-mêmes emprunté cette chaussure aux Orientaux.

2270. De Tégée, en Arcadie, c'est-à-dire arcadienne.

2271. En descendant sans doute quelques marches.

2272. Dans la cour intérieure, où ils sont isolés.

2273. Le Tibre, fleuve toscan, c'est-à-dire étrusque par son cours supérieur et sa rive droite. Cf. notes 1813 et 1962.

2274. Cf. notes 1948 et 1954.

2275. Une tradition, rapportée par Hérodote, veut qu'une partie des Lydiens, au moment d'une famine, ayant quitté leur pays, sous la conduite de Tyrrhénus, fils de leur roi, s'établirent en Ombrie sous le nom de Tyrrhéniens.

2276. Cf. note 1948.

2277. Cette torture, dont Virgile attribue l'invention à Mézence, était, au dire de Cicéron (*Hort.*, cité par saint Augustin, *Adv. Pelag.*, IV), usitée par les Etrusques, qui l'infligeaient à leurs prisonniers.

2278. Au dire de Tite-Live, cf. I, 3, c'est au contraire Turnus qui implora le secours de Mézence.

2279. Devin qui pratiquait la divination, à la manière étrusque, par l'examen des entrailles *(haru)*.

2280. Ancien nom de la Lydie.

2281. *Fleur et vertu de nos anciens héros...* Hémistiche emprunté, dit Servius, à Ennius.

2282. Tarchon, fils de Télèphe, frère cadet de Tyrrhénus, avait pris le commandement des Etrusques après la fuite de Mézence. Il serait le chef de la famille étrusque Tarchna et le fondateur de Tarquinie, cf. Strabon, V, p. 152. Nous le retrouvons aux livres X et XI.

2283. Vénus, adorée à Cythère.

2284. Découvert de nuages, serein et pur.

2285. La trompette tyrrhénienne ou étrusque *(tuba)* était un long tuyau de plus de 1 m 20 qui s'évasait continûment en entonnoir. Virgile la distingue ici d'une autre trompette droite, la *salpinx* des Grecs, d'origine lydienne, moins longue que la *tuba* (de 1 mètre à 1 m 20) et dont le diamètre, au lieu de s'évaser progressivement, reste le même jusqu'au pavillon, qui s'épanouit en forme de cloche. Les *tubae* constituaient avec les cors circulaires *(cornua)* la fanfare de la légion romaine *(cornicines* et *tubicines)*.

2286. Cf. note 1971.

2287. Il était d'usage, chez les Romains, de brûler les armes des ennemis, en offrande à Vulcain. Ainsi fait Tarquin, vainqueur des Sabins, cf. Tite-Live, I, 37 : *Spoliis hostium (votum id Vulcano erat) ingenti cumulo accensis.*

2288. Ce roi de Préneste est inconnu par ailleurs. Denys d'Halicarnasse, qui parle de l'arrivée d'Evandre dans le Latium, ne mentionne ni Erylus ni les luttes que les Arcadiens durent soutenir; il dit, au contraire, qu'Evandre fut accueilli « avec beaucoup d'amitié » par le roi Faunus, cf. Denys, I, 3.

2289. Cf. note 2073.

2290. Le triple corps d'Erylus rappelle celui de Géryon.

2291. La chlamyde était un manteau court et léger porté d'abord par les Thessaliens et les Macédoniens, puis par les jeunes Athéniens qui faisaient du cheval. A Rome, c'était surtout un vêtement de guerre et de luxe : Scipion, Sylla portaient souvent une chlamyde. Virgile (IV, 137) en prête une à Didon.

2292. Cf. XII, 281 : *pictis Arcades armis.* Les armes des Arcadiens avaient des ornements d'or et d'argent, et sur leurs boucliers étaient peintes des images des dieux.

2293. L'Etoile du Matin, qui avait pour père Jupiter et pour mère l'Aurore.

2294. Lucifer était consacré à Vénus.

2295. Ennius avait écrit moins habilement :

Summo sonitu quatit ungula terram.

et ailleurs :

It eques et plausu cava concutit ungula terram.

cf. Ennius, dans Macrobe, VI, I, 22.

2296. Le fleuve qui coule à Céré ou Agylla, aujourd'hui Cerveteri, était appelé *Caeretanus amnis*, cf. Pline, III, 8, 2. C'est aujourd'hui le Fiume Vaccino. Le bois sacré dont il est question couvrait sans doute le Monte Abetone. Cf. Carcopino, *op. cit.*, p. 319.

2297. Selon Denys d'Halicarnasse, les Pélasges furent les premiers habitants du pays. Cf. Denys, I, 20.

2298. Silvain, souvent confondu avec Pan, Faune ou le dieu Terme, est un dieu latin. Il fut sans doute un dédoublement de Faunus à l'époque où commencèrent les grands défrichements, et représenta la clairière des forêts, puis devint « le dieu des guérets et du bétail ». Horace le nomme *tutor finium*, « gardien des domaines » : on lui consacre les bornes; on l'honore, au moment des moissons, en même temps que Cérès, Bacchus *(Liber Pater)* et Palès.

Dieu bienveillant, mais bourru *(horridus*, disent Horace et Martial), aimant à plaisanter et à faire des farces, il fut plus tard identifié surtout au dieu Pan. On le représente avec une longue chevelure, une barbe touffue; il est toujours accompagné d'un chien, défenseur des troupeaux et ami des chasseurs. L'architecte français Formigé a retrouvé à Saint-Rémy (Bouches-du-Rhône) le seul temple actuellement connu de Silvain. Cf. *Géorg.*, I, 20.

2299. Cf. note 2283.

2300. Il était sans doute orné d'une Chimère vomissant des flammes, comme celui de Turnus, cf. VII, 786.

2301. Cf. note 2251.

2302. Avant Virgile qui décrit le bouclier d'Enée, Homère avait décrit celui d'Achille, cf. *Il.*, XVIII, 478, et Hésiode celui d'Hercule, cf. 139-321. Après Virgile, Silius Italicus décrira le bouclier d'Hannibal, cf. II, 406-452, et Stace celui de Crénée, cf. *Thébaïde*, IX, 332-338.

2303. Le Lupercal, cf. note 2230. Mavors est l'ancien nom de Mars, que Virgile lui donne souvent, cf. I, 276; III, 13; VI, 477, 872, etc., et, plus loin, note 2925.

2304. Selon l'attitude consacrée par la peinture et la sculpture.

2305. Sur l'enlèvement des Sabines, cf. Tite-Live, I, 9.

2306. Il n'y avait pas alors de cirque à Rome; les Grands Jeux (appelés Jeux Romains au ~ IVe siècle) se donnaient dans la plaine. Romulus les célébra pour la première fois en l'honneur de Consus, le dieu qui présidait à l'engrangement des récoltes. (Le nom de Consus vient de *condere*.) Sa fête avait lieu le douzième jour des calendes de septembre, c'est-à-dire le 21 août. Tarquin fit bâtir un autel en l'honneur de Consus dans le grand Cirque dont il avait fait faire les premiers aménagements dans le vallon resserré qui s'allonge entre les revers du Palatin et de l'Aventin. Cet autel, si l'on en croit Tacite, jalonnait la ligne primitive du *pomerium*. Le *Flamen Quirinalis*, assisté des Vestales, y offrait un sacrifice au dieu Consus, après avoir déblayé l'autel, qui restait toute l'année couvert de terre. Les *Consualies* existaient encore à l'époque de Denys d'Halicarnasse (II, 31) et revenaient alors deux fois l'an : le 21 août, après les moissons, et le 15 décembre, après les semailles.

2307. Les sujets de Romulus.

2308. Roi des Sabins de Cures.

2309. Habitants de Cures, capitale des Sabins, patrie de Numa, cf. VI, 811.

2310. Tite-Live, à propos de Numa, célèbre la discipline sévère des Sabins, cf. I, 18, 4 : *Instructum (Numam)... disciplina tetrica ac tristi veterum Sabinorum, quo genere nullum quondam incorruptius fuit.*

Horace, de son côté, vante la vigueur des soldats sabins. Cf. *Odes*, III, 6, 37-41.

2311. Vase à libations (la *phialé* des Grecs).

2312. La victime ordinaire, lors d'un traité, était non point une truie, mais un cochon de lait, *suillus*. Sur les pierres gravées, sur les antiques monnaies osques, samnites et étrusques représentant des guerriers qui font la paix, on voit ceux-ci brandissant leurs épées au-dessus d'un cochon de lait que tient un petit garçon. Cf. Varron, *R. R.*, II, 4; Tite-Live, IX, 5; Cicéron, *De Inv.*, II, 30.

2313. Mettus ou Mettius Fufetius, dictateur d'Albe, tint ses troupes dans l'inaction pendant la bataille que livrait aux Fidénates Tullus Hostilius, avec l'arrière-pensée de se rallier au vainqueur. Tullus le fit attacher à deux chars et écarteler, cf. Tite-Live, I, 28.

2314. Porsenna, roi des Etrusques, prit les armes pour rétablir sur le trône de Rome Tarquin le Superbe chassé par Brutus. Selon Tite-Live, il leva le siège de la ville après avoir fait la paix avec les Romains. Cf. Tite-Live, II, 12.

2315. Horatius Coclès défendit seul contre l'armée de Porsenna qui occupait le Janicule le pont de bois Sublicius, le coupa, et, se jetant à l'eau avec ses armes, rentra à Rome sain et sauf, cf. Tite-Live, II, 10.

2316. Clélie, jeune patricienne de Rome, emmenée en otage par Porsenna, brisa ses chaînes et, entraînant avec elles les neuf autres jeunes filles livrées au roi étrusque, rentra à Rome. Le consul Valerius Publicola l'ayant renvoyée à Porsenna, celui-ci la libéra avec tous les otages. Cf. Tite-Live, II, 13. Selon Denys (V, 33), le Sénat fit don à Clélie d'un cheval de guerre magnifiquement harnaché.

2317. Manlius, après la défaite de l'Allia, et comme les Gaulois étaient sur le point de prendre le Capitole où les Romains s'étaient réfugiés, fut éveillé par le cri des oies consacrées à Junon, donna l'alarme et sauva la citadelle, cf. Tite-Live, V, 45.

2318. Cf. note 2236.

2319. Le temple de Jupiter Capitolin.

2320. Le palais de Romulus était une chaumière située sur le Capitole, près de l'Intermont; des gardiens spéciaux étaient chargés de l'entretenir, de veiller à ce que ni sa forme ni son aspect ne fussent modifiés; le chaume qui le couvrait en était, par leurs soins, renouvelé fréquemment. Cette chaumière existait encore sous Néron, cf. Denys d'Halicarnasse, I, 79; Sénèque, *Controv.*, IX.

2321. Servius mentionne qu'une oie d'argent consacrait au Capitole le souvenir de l'événement.

2322. Les sayons ou saies *(sagula)*, vêtements de guerre des Gaulois, furent adoptés plus tard par les Romains.

2323. Les Gaulois étaient généralement blonds, et avaient une peau blanche, qui contrastait avec la peau brune des Romains. Cf. Ammien Marcellin : *Candidi paene sunt Galli omnes.*

2324. Les Gaulois portaient des colliers. Manlius reçut le surnom de *Torquatus*,

« l'homme au collier », pour avoir dépouillé de son collier un Gaulois tué par lui en combat singulier.

2325. Les Gaulois, surtout ceux des Alpes, portaient des javelots longs et pesants *(gaesa)*, cf. César, *Guerre des Gaules*, V, 4; Properce, *Elégies*, IV, 10, vers 41-44. Ces javelots furent plus tard adoptés par les Romains, cf. Tite-Live, VIII, 8, et par les Carthaginois, cf. Silius Italicus, II, 444.

2326. Cf. note 2193.

2327. Cf. note 2189.

2328. Que portaient les Flamines de Jupiter, de Mars et de Quirinus. Ces houppettes *(apices)* étaient composées d'un morceau de bois d'olivier, aiguisé par le bout et fixé au bonnet dans une touffe de laine.

2329. A la garde desquels étaient préposés les Saliens, cf. note 2193.

2330. Les jours de fête et dans les cérémonies, les Vestales et les dames romaines se servaient de voitures plus souples *(pilentum)* au lieu d'employer les chars ordinaires *(carpentum)*. Cf. Horace, *Ep.*, II, 1, 192; Claudien, *Nupt. Honor. Epithal.*, 286.

2331. Pluton. Cf. note 1910.

2332. Catilina conspira pour prendre le pouvoir (63 av. J.-C.), fut chassé de la ville de Rome par Cicéron, consul, et mourut dans un combat à Pistoïe, en Etrurie.

2333. Supplice des criminels d'Etat.

2334. Qui harcèlent les coupables aux Enfers, cf. livre VI.

2335. Caton d'Utique, mort en ~ 46, après Thapsus, « pour ne pas survivre à la République ». On voit qu'Auguste, sûr de son pouvoir, et qui aimait à citer lui-même Caton d'Utique, cf. Suétone, *Aug.*, LXXXVII, ne craignait pas de laisser louer par Virgile les grands hommes de la République. Horace a loué aussi la grandeur d'âme de Caton et sa mort, cf. *Odes*, II, 1, 23-24 et I, 12, 35-36 :

...An Catonis
Nobile letum.

Virgile oppose ici deux contemporains : Catilina et Caton.

2336. La guerre civile entre Antoine et Octave, terminée par la bataille d'Actium (31 av. J.-C.), où Octave vainquit Antoine et Cléopâtre, cf. III, 280.

2337. Le promontoire de Leucate, dans l'île de Leucade, près de la côte de l'Acarnanie, non loin du promontoire d'Actium, à l'entrée du golfe d'Ambracie, où fut livrée la bataille fameuse.

2338. « Les flottes d'airain ».

2339. Octave devint Auguste trois ans et quatre mois après la bataille d'Actium, le 16 janvier ~ 27. Cf. Properce, *El.*, IV, 6, 23.

2340. Il ne s'agit point ici du reflet du casque ni même de la Chimère vomissant des flammes qui ornait certains casques, mais d'un prodige divin.

2341. Autre prodige. Le jour où Octave célébra les jeux funèbres en l'honneur de César, une comète parut soudain, et le peuple crut y voir l'âme de César reçue au ciel. Octave, pour encourager cette croyance, fit placer une constellation au-dessus de la statue de César. Cette constellation, qui semble être, si l'on en croit Properce, Vénus ou Vesper, a été représentée par Vulcain sur le casque d'Auguste.

2342. M. Vipsanius Agrippa, lieutenant d'Auguste, battit Sextus Pompée à Nauloque (~ 36) et décida de la victoire d'Actium (~ 31).

2343. La couronne navale, ornée de rostres, fut décernée pour la première fois à Agrippa, après la victoire de Nauloque. Cf. Velléius Paterculus, II, 81. — Elle fut, dans la suite, décernée au soldat qui sautait le premier à bord d'une galère ennemie.

2344. Antoine avait recruté son armée « barbare » chez les différents peuples de l'Orient, que Virgile oppose ici à l'Italie.

2345. Antoine avait vaincu les Parthes et les Arméniens (~ 41- ~ 36).

2346. L'Erythrée ou mer Rouge, que les Anciens faisaient s'étendre jusqu'au golfe Persique et à la mer d'Oman.

2347. La Bactriane était la plus lointaine contrée de l'Orient qu'Antoine avait soumise.

2348. Cléopâtre. On a remarqué que Virgile, Horace et Properce évitaient de prononcer son nom.

2349. Le combat eut lieu au large du promontoire d'Actium, où Octave et Agrippa, favorisés par les vents, réussirent à attirer la flotte d'Antoine, demeuré dans l'expectative jusqu'à midi à l'embouchure du golfe d'Ambracie.

2350. Allusion aux puissants navires d'Antoine, ayant de trois à dix rangs de rames, et qui se heurtèrent aux navires plus légers, mais plus rapides d'Octave. Cf. Plutarque, *Antoine*, LXI, et Horace, *Epod.*, I, 1.

2351. Florus écrit que les navires d'Antoine ressemblaient à des redoutes *(castellorum)* et à des villes *(urbium)*. Plutarque note que les soldats d'Antoine lançaient des traits avec des catapultes du haut de tours de bois. Cf. *Antoine*, LXVII.

2352. « La plaine liquide », la mer,

2353. Le sistre égyptien, « étroite lame de métal, dit Apulée, recourbée en forme de baudrier et traversée par plusieurs bâtonnets qui la heurtaient avec un son aigu quand on la secouait avec vigueur ». Cette sorte de crécelle était l'attribut des prêtres d'Isis; son bruit, comme celui des cymbales et du carillon, passait pour écarter les êtres malfaisants.

Virgile emploie ici le mot ironiquement, comme Properce qui note ailleurs les vains efforts de Cléopâtre pour substituer le sistre à la trompette romaine. Cf. Properce, *El.*, III, 2, 43; Ovide, *Ars amat.*, III, 635; *Met.*, IX, 783.

2354. Serpents symboliques. On disait que Cléopâtre s'était fait piquer par un aspic pour ne pas tomber vivante aux mains de l'impitoyable Octave.

2355. Les dieux égyptiens avaient des têtes d'animaux.

2356. Anubis, dieu égyptien, fils d'Osiris et d'Isis, avait une tête de chien. Properce dépeint aussi Cléopâtre « osant opposer à Jupiter latin l'aboyant Anubis ». *El.*, III, 2, 41.

2357. *Neptune, Vénus, Minerve...* Ces trois divinités latines représentaient contre la barbarie des dieux-animaux de l'Egypte la puissance navale, la beauté, la sagesse armée.

2358. Mars. Cf. plus loin, note 2925.

2359. Les Furies.

2360. La Discorde, divinité étrusque et latine, correspondant à l'Eris grecque.

2361. Cf. note 1843.

2362. Apollon avait un temple à Actium, cf. III, 280.

2363. Peuple de l'Arabie méridionale, dite Arabie Heureuse.

2364. Cléopâtre mit la première les voiles, donnant ainsi le signal de la débâcle. Antoine, pour ne pas la perdre, la suivit vers l'Egypte.

2365. Vent du nord-ouest, qui soufflait de l'Iapygie (ancien nom de l'Apulie) et qui favorisa la fuite de Cléopâtre.

C'est lui qu'invoque Horace, au moment du départ de Virgile pour la Grèce, cf. *Od.*, I, 3, 4.

2366. Octave.

2367. Octave triompha trois fois (août ~ 29) pour la guerre contre les Dalmates, pour la guerre d'Actium, pour la guerre d'Alexandrie. Chacun de ces triomphes dura trois jours. Cf. en particulier Suétone, *Aug.*, XXII.

2368. Dans son sixième consulat, Octave restaura 82 temples. Cf. Suétone, *Aug.*, XXIX; Horace, *Od.*, III, 6, vers 1-4.

2369. Octave.

2370. Le temple de Phébus-Apollon, voué en ~ 36, dédié en ~ 28, avait été construit en marbre blanc de Luna, en Etrurie. Ses portes étaient d'ivoire. Au fronton, un quadrige en airain doré représentait le char de Phébus. Il s'élevait sur le Palatin, à l'endroit où la maison d'Auguste avait été frappée de la foudre. Cf. Suétone, *Aug.*, XXIX.

2371. Les portes d'ivoire du temple.

2372. Vulcain, ainsi nommé parce qu'il « assouplit » le fer : *Volcanus a molliendo scilicet ferro dictus : mulcere enim mollire sive lenire est*, P. F., 129, 5 (doublet dialectal *Mulcifer*).

2373. Les tribus nomades de l'Afrique, cf. *Géorg.*, III, 339.

2374. Les Lélèges étaient un peuple d'Asie Mineure, que Strabon et Hérodote nous montrent occupant avec les Cariens la côte d'Ionie, où ils avaient précédé les Ioniens, et les îles de la mer Egée.

Homère en fait des auxiliaires de Priam, cf. *Il.*, X, 429.

2375. Les Cariens occupaient, à côté des Lélèges, la partie de l'Ionie appelée la Carie, et qui est située entre la Lydie, la Phrygie, la Lycie et la mer Egée.

2376. Les Gélons sont un ancien peuple de la Sarmatie, qui occupait les bords occidentaux du fleuve Borysthène, aujourd'hui le Dnieper. Cf. *Géorg.*, II, 115.

2377. Le nom du fleuve est mis ici pour celui des peuples qui habitaient ses rives, c'est-à-dire pour les Parthes, cf. *Géorg.*, I, 509 :

Hinc movet Euphrates, illinc Germania bellum.

2378. C'est-à-dire apaisée. Virgile a dépeint ailleurs (*Géorg.*, III, 28) le Nil aux ondes agitées par la guerre *(undantem bello)* et Horace nous montre de même le fleuve Médus apaisé, cf. *Od.*, II, 9, 21.

2379. Les Morins étaient la « cité » de la Gaule Belgique qui occupait le pays correspondant aux arrondissements français actuels de Boulogne, de Saint-Omer et de Montreuil. Ils furent vaincus par Labiénus et firent leur soumission à César, cf. *De Bello gall.*, IV, 22.

2380. Non point, comme l'ont compris certains, le Rhin aux deux bras (le Rhin proprement dit et le Wahal), mais le Rhin, figuré, comme beaucoup de fleuves, sous la forme d'un taureau à deux cornes, cf. *Géorg.*, IV, 371.

2381. Les Dahes étaient une tribu scythique de l'Asie, qui vivait en nomade sur les bords orientaux de la mer Caspienne.

2382. L'Araxe, aujourd'hui Aras, fleuve d'Arménie, prenait sa source dans le Parétacène et se jetait dans le Médus (cf. note 2378). Ses eaux débordées emportèrent le pont qu'Alexandre y avait construit.

LIVRE NEUVIÈME

ATTAQUE DU CAMP TROYEN ; NISUS ET EURYALE

2383. En Etrurie, où Enée, éloigné des siens, cherche des alliés.

2384. Cf. note 1935.

2385. Iris, fille du Centaure Thaumas et d'Electre, était la messagère des dieux dans la mythologie grecque, et, plus particulièrement, dans la mythologie latine, celle de Junon, cf. IV, 693 sq., qui la métamorphosa en arc-en-ciel.
On la voit, dans la *Théogonie*, aller puiser l'eau du Styx dans une aiguière d'or, pour que les dieux puissent jurer par cette eau.
Sur les vases peints, Iris est représentée avec une tunique flottante, des ailes aux épaules, quelquefois aussi ayant, comme Mercure, des talonnières, et portant, comme lui, le caducée, mais plus souvent sans talonnières, et tenant, au lieu du caducée réservé à Mercure, le ciste à parfums de Junon.

2386. Pilumnus, père de Daunus, est le grand-père de Turnus. Dieu agreste, il passe pour avoir inventé le pilon à broyer le grain *(pilum)* : de là son nom. Il est aussi le dieu des nouveau-nés, celui qui, en battant le seuil du pilon, protège la mère et l'enfant contre les attaques de Silvain, démon forestier; il est assisté dans cette tâche par Intercidona, qui frappe le seuil d'une hache *(intercisio)* et par Deverra, qui balaie le seuil *(deverro)*. — Le bois sacré en question serait le *Bosco Piangimino* qui borde le Numicus, aujourd'hui le *Rio Torto*. Cf. Carcopino, *op. cit.*, p. 402.

2387. Iris. Cf. note 2385.

2388. Le camp fortifié des Troyens, cf. VII, 758 sq.

2389. Ce nom est un anachronisme dans la bouche d'Iris.

2390. Corythe ou Cortone, l'une des douze cités étrusques, fondée par Corythus, cf. III, 167 sq. La ville de Corythe se trouvait au nord du lac de Trasimène. Enée, cherchant du secours, a pénétré sur les conseils d'Evandre (voir livre VIII) jusqu'en Etrurie.

2391. Etrusques, cf. VIII, 479, et note 2275.

2392. Cf. note 1980.

2393. Les fils de Tyrrhus, cf. note 1893.

2394. Troyen qui commandait l'un des vaisseaux d'Enée, cf. I, 183. Virgile lui a attribué le nom d'un fleuve.

2395. Ce vers reproduit le vers 594 du livre IV.

2396. Les chevaux thraces étaient célèbres. « La Thrace nourricière de chevaux », Θρῄκια ἱππότροφος, dit Hésiode, *Œ.*, 507.

Le jeune Polite, au livre V, monte un cheval thrace, analogue à celui de Turnus, cf. V, 565-466.

2397. Turnus accomplit ici l'acte symbolique de la déclaration de guerre chez les Romains.

Quand ceux-ci avaient à se plaindre d'un peuple voisin, un fécial, désigné par ses collègues et nommé *pater patratus*, se rendait sur le territoire ennemi et formulait ses griefs « d'une voix claire » *(clarigatio)* ; au bout de trente jours, si satisfaction n'était pas obtenue, le *père patrat* retournait à la frontière ennemie et lançait un javelot sur le sol étranger, en présence de trois guerriers, cf. Tite-Live, I, 32.

Cet usage, qu'on faisait remonter à Numa, fut abandonné au cours de la guerre de Pyrrhus : le fécial déclarait alors la guerre en lançant son javelot contre une petite colonne, la *colonne de guerre (columna bellica)*, qui fut érigée sur le Champ-de-Mars, devant le temple de Bellone. Cf. Ovide, *Fastes*, 206-208 :

Est tibi non parvae parva columna natae :
Hinc solet hasta manu, belli praenuntia, mitti
In regem et gentes, cum placet arma capi.

2398. Comparaison homérique, cf. *Il.*, XI, 548; *Od.*, VI, 130.

2399. Le feu, dont Vulcain est le dieu.

2400. Le mont Ida, en Phrygie, aujourd'hui Kas-Dagh, qui surplombait Troie, cf. II, 696, et III, 5.

2401. En partant du port d'Antandros.

2402. Cybèle, cf. II, 788.

2403. Cybèle était adorée sur le Bérécynte, l'un des sommets de l'Ida phrygien, cf. VI, 784.

Virgile introduit ici la Bérécyntienne, Mère des Dieux, sans doute parce qu'Auguste témoigna toujours d'une grande vénération pour la déesse. Il avait fait reconstruire le temple de la Mère Idéenne *(Ædes Matris Deum Magnae Idaeae)*, inauguré en ~ 191, à l'angle occidental du Palatin. Outre ce temple, Cybèle avait sur le Palatin un sanctuaire plus petit, en forme de rotonde, et en possédait quelques autres dans la ville, en particulier dans le quartier du Transtévère, sur la colline Vaticane. Il y avait aussi un temple de Cybèle ou Métrôon à Ostie. Cf. Graillot, *Le Culte de Cybèle, mère des dieux, à Rome et dans l'empire romain.*

2404. Jupiter était fils de Saturne et de Rhéa, mais on a souvent confondu Rhéa et Cybèle.

2405. Allusion à la victoire de Jupiter sur les Titans et les Géants révoltés contre sa puissance, cf. Horace, *Od.*, III, 4, 42.

2406. Le pin parasol *(pinus)* était l'arbre consacré à Cybèle. C'est à l'ombre d'un pin que le beau pâtre Attis, aimé vainement par la déesse et frappé par elle de folie, se dépouilla de sa virilité.

2407. A Enée, descendant de Dardanus, fondateur de Troie et fils de Jupiter et d'Electre.

La généalogie d'Enée est la suivante : Jupiter, Dardanus, Erichtonius, Tros, Assaracus, Capys et Anchise.

2408. Cf. IV, 269.

2409. Cf. note 1691.

2410. Sur une flotte de vingt navires, cf. I, 380, un avait été brisé par la tempête, cf. I, 584, et trois avaient été brûlés par les Troyens, cf. V, 699.

2411. Doto, fille de Nérée et de Doris, est mentionnée par Homère, qui en fait une suivante de Thétis, cf, *Il.*, XVIII, 44; par Hésiode, cf. *Théog.*, 248; par Pausanias, qui rapporte qu'elle avait un temple chez les Gaulois Gabales, cf. II, 1, 17.

2412. Galatée, fille aussi de Nérée et de Doris, fut aimée du cyclope Polyphème, cf. Théocrite, *Id.*, VI et XI. Elle a été chantée par les poètes bucoliques, cf. *Buc.*, VII, 38. Elle est souvent invoquée par les navigateurs, cf. Properce, *El.*, I, 8, 18; Ovide, *Am.*, II, 2, 34.

2413. Pluton, « le Jupiter Stygien », qui règne sur les Enfers où coule le Styx. Le serment fait sur le Styx était sacré, même pour les Dieux, cf. VI, 233. Celui des dieux qui manquait à ce serment était exclu pour neuf ans de la table de Jupiter et privé de ses privilèges. Les dieux juraient par l'eau du Styx qu'Iris avait puisée dans une aiguière d'or.

2414. Image homérique, cf. *Il.*, I, 528-530. Horace nous montre Jupiter « remuant tout d'un froncement de sourcil », cf. *Od.*, III, 1, 8. Cf. aussi Stace, *Théb.*, VII, 3.

2415. Les trois déesses-sœurs, filles de la Nuit, qui filent le destin des mortels : Clotho, qui tient la quenouille; Lachésis, qui porte des tablettes ou un globe; Atropos, qui avec ses ciseaux coupe le fil. Cf. *Buc.*, IV, 47.

2416. Fixés par le destin.

2417. Cybèle, cf. notes 2402 et 2403.

2418. Venu de l'Orient. La Mère des dieux quitte l'Ida phrygien pour aller au secours des navires.

2419. Les chœurs des Corybantes.

2420. Cette métamorphose est contée dans le détail par Ovide, cf. *Mét.*, XIV, 527-565. Déjà Apollonius de Rhodes avait prêté au navire Argo une voix humaine, cf. *Argon.*, I, 525, et Homère avait conféré aux vaisseaux des Phéaciens, qui n'ont ni gouvernail, ni pilote, une intelligence humaine et le don de connaître tous les pays du monde, cf. *Od.*, VIII, 557.

2421. Quoiqu'il se prétendît fils de Neptune.

2422. Turnus fait allusion aux excitations d'Allectô, cf. VII, 419 sq., et d'Iris, cf. IX, sq.

2423. Lavinie, sa fiancée, qu'il regardait déjà comme son épouse, et que Latinus a promise à Enée.

2424. Allusion au rapt d'Hélène, femme et belle-sœur des Atrides Ménélas et Agamemnon.

2425. Capitale de l'Atride Agamemnon, chef des Grecs devant Troie.

2426. Neptune et aussi Apollon avaient aidé Laomédon, père de Priam, à élever les remparts de Troie.

2427. Des armes forgées par Vulcain pour Achille.

2428. De la nombreuse flotte grecque d'Agamemnon.

2429. Allusion à l'enlèvement du Palladium par Ulysse et Diomède, cf. livre II.

2430. Pergame.

2431. Le cheval de Troie, cf. livre II.

2432. Grecs.

2433. Cette jeunesse grecque : les Pélasges sont les Grecs de la préhistoire.

2434. Le nombre sept était tenu par les Anciens pour un chiffre indivisible et sacré.

2435. Une centurie.

2436. Déjà nommé, IV, 288, et V, *passim*.

2437. Déjà nommé, IV, 288; V, 487.

2438. Déjà nommé, V, 294 sq.

2439. Déjà nommé, V, 492 et 503. Un Hyrtacus est dans Homère (*Il.*, XIV, 759) le père d'Asius.

2440. Ida est une nymphe de Phrygie, inconnue par ailleurs.

2441. Déjà nommé, V, 294 sq.

2442. Les compagnons d'Enée.

2443. Formule propre au peuple romain et appliquée ici aux Troyens, leurs ancêtres.

2444. Cf. note 2213.

2445. Virgile donne au père d'Euryale le nom d'un héros béotien.

2446. La terreur inspirée par les Grecs ou Argiens qui combattaient devant Troie.

2447. En contradiction avec le vers 35 du livre XI, où Virgile semble admettre qu'un certain nombre de femmes troyennes ont suivi Enée et ses guerriers jusqu'en Italie.

2448. Des remparts qu'avait fondés Enée et Aceste pour laisser à Egeste, en Sicile, les vieillards et celles des femmes que la mer effrayait, cf. V, 715 sq.

2449. Ascagne.

2450. *Tenaient conseil sur les grands intérêts du royaume...* — Vers emprunté presque textuellement, selon Servius, à Lucilius.

2451. C'est-à-dire un peu en arrière de la tente du chef ou prétoire.

2452. Les premières maisons de Pallantée, bâties sur le Palatin, sont visibles du fond de la vallée.

2453. Déjà nommé, I, 121.

2454. Les pénates de Troie.

2455. Le Lare d'Assaracus, trisaïeul d'Ascagne, protecteur de la famille d'Enée, cf. note 2407.

2456. Vesta, déesse du foyer, était « chenue » parce que son culte était très ancien; elle était adorée dans chaque maison romaine, avec les deux Pénates et le Lare. Cf. V, 744.

2457. Arisba, ville de la Troade, située entre Lampsaque et Abydos, avait envoyé des secours à Troie, cf. *Il.*, II, 836. Nous devons supposer qu'avant la guerre de Troie elle avait été prise et pillée par Enée.

2458. Récompenses fréquentes des vainqueurs dans les jeux, cf. V, 110, ou des chorèges à Athènes, qui les exposaient dans une rue, nommée rue des trépieds. La plupart de ces trépieds d'honneur étaient en bronze.

2459. Le talent valait 6000 drachmes : ce n'était pas une monnaie romaine, mais les Romains se servaient souvent du mot pour désigner la somme correspondante, cf. Cicéron, *Pro Rabir.*, 8 : *vociferabare decem milia talentum Gabinio esse promissa.* Cf. V, 112.

2460. Didon était originaire de Tyr, colonie de Sidon.

2461. Il s'agit non du royaume, mais du domaine particulier de Latinus, celui qu'il offrira à Enée, cf. XI, 316-321, en gage de son alliance.

Les rois avaient, dans l'antiquité, comme encore aujourd'hui, des propriétés personnelles : c'est ainsi que Bellérophon reçoit des Lyciens, à titre personnel, un enclos de vignes et de guérets (τέμενος), cf. *Il.*, VI, 194.

2462. Ascagne applique à Euryale l'épithète de « vénérable » en pensant à son dévouement.

2463. Euryale invoque la déesse qui va favoriser son entreprise.

2464. Ascagne veut dire que la mère d'Euryale sera pour lui une seconde mère, une seconde Créuse.

2465. Lycaon est un nom pris à la mythologie pour désigner un artiste imaginaire; Gnosse est la capitale de la Crète, sur la côte septentrionale de l'île.

2466. Virgile applique cette épithète à plusieurs compagnons d'Enée : Achate, Alétès, Oronte.

2467. Virgile s'est plu à donner à ce guerrier rutule un nom qui rappelle celui des *Ramnenses* ou *Ramnes*, l'une des trois tribus génétiques de Rome.

2468. Le cumul de la royauté et du sacerdoce est fréquent dans l'antiquité. Il explique qu'après l'expulsion des Tarquins et l'établissement de la République les Romains aient conservé à certains grands-prêtres le titre de *roi*, par ex. : le roi des sacrifices, *rex sacrorum* ou *rex sacrificulus ;* le roi de Némi, etc.

2469. Homère dit de même de l'augure Ennomus, cf. *Il.*, II, 858-860.

2470. Virgile donne ici à un guerrier rutule le nom du frère jumeau de Romulus, selon le procédé employé plus haut, cf. note 799.

2471. Virgile attribue à ce guerrier rutule un nom grec : λαμυρος, « pétulant ».

2472. Virgile confère à ce guerrier rutule le nom d'un personnage d'Homère, Lamus, fils de Neptune et roi des Lestrygons, cf. *Od.*, X, 81. On attribuait à ce Lamus la fondation de Formies, aujourd'hui Mola di Gasta, cf. Silius Italicus, VIII, 529 : *Caieta regnata Lamo*. La famille romaine des Ælius Lamia prétendait l'avoir pour ancêtre, cf. Horace, *Od.*, III, 17, 1.

2473. De même qu'en conférant à un Rutule le nom de Lamus Virgile flattait la famille romaine des Ælius Lamia, cf. note précédente, il flattait celle des Atilius Serranus en donnant le nom de Serranus à un autre Rutule. On racontait que le membre le plus illustre de cette famille, Régulus, avait reçu le surnom de Serranus, parce qu'on l'avait trouvé en train de semer *(serere)* quand on était venu le faire consul.

2474. Bacchus, dieu du vin, dont Serranus s'était « abondamment » abreuvé.

2475. Comparaison homérique, cf. *Il.*, XII, 299; XV, 323; *Od.*, VI, 130, et qui a été reprise par l'Arioste, cf. *Rol. fur.*, XII, 178.

2476. Virgile attribue aux Rutules des noms grecs, cf. notes 2471 et 2472.

2477. Les phalères étaient des plaques rondes en métal précieux ou en ivoire, sur lesquelles étaient gravées diverses figures; elles ornaient, suspendues en colliers, le harnachement des chevaux. On donnait des plaques analogues, à titre de récompenses, aux soldats qui s'étaient signalés par leurs faits d'armes; quelques-uns en avaient la cuirasse constellée. Certaines de ces plaques, comme celles du musée de Berlin provenant de Lamersfort, sont de véritables œuvres d'art, avec une décoration au repoussé et la signature de l'auteur. L'usage des phalères semble avoir été emprunté par les Romains aux Etrusques. Cf. Florus, I, 5, 6.

2478. Les guerriers portaient deux ceinturons autour des reins : le *cinctorium* auquel était suspendue l'épée; le *cingulum* (dont il est question ici) qui assurait le bas de la cuirasse, et qu'ornaient des bulles ou clous de métal.

2479. Création de Virgile.

2480. Autre création de Virgile, qui a forgé le nom de Rémulus en combinant ceux de Romulus et de Rémus.

2481. Car il n'en jouira pas longtemps.

2482. Terme fort juste, puisque à l'origine, à Rome, la légion ou « levée » *(legere, legio, dilectus)* comprenait l'ensemble des citoyens enrôlés et armés.

2483. C'est le contingent numérique de l'aile *(ala)* attachée à la légion romaine.

2484. Ce titre donné à Volcens rappelle celui du « maître de cavalerie », *magister equitum*, des Romains.

2485. Du camp de Turnus.

2486. L'ombre n'est pas complète, soit qu'il y eût un peu de lune, cf. vers 374, soit que l'aube approchât déjà, cf. vers 355 : *lux inimica propinquat.*

2487. Ces taillis (arbres et pâquis) que les Latins nommaient *calles* et que les paysans français appellent çà et là des « chaux » ou « chaulx », pluriel de « chal », cf. les bourgades ou lieuxdits de ce nom.

2488. Phébé (Diane).

2489. Phébé ou Diane était la fille de Latone et de Jupiter.

2490. La même déesse était à la fois la Lune (Phébé) dans le ciel, et, comme telle, « l'honneur des astres »; Diane (Artémis) sur terre, et, à ce titre, « la protectrice des forêts »; Hécate aux Enfers. De là les épithètes qui sont appliquées à la « triple » Hécate : *tergemina*, « trois fois jumelle d'elle-même », cf. *En.*, IV, 511; *triformis*, « triforme », cf. Horace, *Od.*, III, 22, 4, et Ovide, *Mét.*, VII, 94; *triceps*, « aux trois têtes », cf. Ovide, *Mét.*, VII, 194; *trivia*, « la déesse des carrefours de trois routes », grec τριοδῖτις, etc.

2491. Diane était sur terre la déesse de la chasse.

2492. A la voûte en forme de rotonde *(tholus)*, qu'on trouvait dans les temples à coupoles, comme étaient à l'accoutumée ceux de Diane, de Vesta, de Mercure et d'Hercule. Cf. Stace, *Théb.*, II, 733-734.

2493. Ici, comme il l'a fait ailleurs, Virgile donne à un guerrier le nom d'un cours d'eau. Cf. Galèse, VII, 535; Ufens, VII, 745; Umbron, VII, 752; Tagus, IX, 418; Liris, XI, 607.

2494. Cf. note 2493.

2495. *Tu me paieras de ton sang chaud...* Hémistiche emprunté à Ennius : *... nam mi calido das sanguine pœnas.* Cf. Macrobe, VI, 1, 15.

2496. Cette comparaison, qui se trouve dans Homère (*Il.*, VIII, 306), a été imitée, avant Virgile, par Apollonius de Rhodes (*Argon.*, III, 1396), par Catulle, (XI, 227), et, après lui, par Ovide (*Mét.*, X, 190).

2497. Apostrophe célèbre et souvent imitée. Cf. Ovide, *Tristes*, III, 7, 51; Silius Italicus, IV, 398. Stace, en sa *Thébaïde* (X, 436-439), y a fait allusion par une belle paraphrase, en s'adressant aux héros Hoplée et Dymas.

2498. Virgile appelle indifféremment Rutules ou Latins les adversaires des Troyens, c'est-à-dire toutes les troupes de Turnus.

2499. Des dépouilles enlevées par Euryale à Rhamnès et à Messape.

2500. Virgile attribue à ce guerrier mort, et qu'il n'a point mentionné plus haut, le nom du second roi de Rome.

2501. *Et déjà... terre.* Vers répétés du quatrième livre, 584-585. L'Aurore.

sœur du Soleil et de la Lune, fille du Titan Hypérion et de Thya, quittait chaque matin la couche de son époux Tithon, montait sur son char et surgissait de l'Océan, précédant vers les airs le Soleil, tandis que devant elle volait l'Etoile du matin, Lucifer.

2502. Les expressions de *droite* et de *gauche* doivent être entendues par rapport à la mer. A droite les Troyens ont le fleuve, à gauche le camp des Rutules.

M. Carcopino a justement fait remarquer à ce propos que le camp d'Enée se dressait « non à deux cents mètres au sud du fleuve, mais au bord même du Tibre ». Cf. J. Carcopino, *Ostie*, p. 29.

2503. Par l'absence d'Enée.

2504. Le camp des Troyens.

2505. Cf. Lucain, *Phars.*, II, 298-299.

2506. C'était une coutume sacrée chez les Romains de fermer les yeux des mourants et de les rouvrir sur le bûcher. Cf. Pline, XI, 55, 3.

2507. Cf. *En.*, IV, 683-684. Macrobe (VI, 2, 21) cite à ce propos deux vers des *Cresphontes* d'Ennius :

Neque terram injicere neque cruenta convestire corpora
Mihi licuit neque miserae lavere lacrimae salsum sanguinem.

2508. Jupiter.

2509. Idée et Actor ont des homonymes, cf. IV, 485; XII, 94.

2510. Servius cite le vers célèbre d'Ennius :

At tuba terribili sonitu taratantara dixit.

Virgile s'est gardé avec goût d'en reproduire l'onomatopée.

2511. Les Volsques, peuple du Latium, alliés de Turnus, sont mis sans doute ici pour les coalisés en général, appelés ailleurs Rutules ou Latins, cf. note 2498.

2512. Dans les sièges, les Romains, pour saper la base d'un mur ou pour donner l'assaut, se serraient étroitement les uns contre les autres en se protégeant de leurs boucliers; ceux-ci, côte à côte, formaient une carapace, comparable à celle de la tortue. Cette manœuvre est représentée sur les colonnes de Trajan et d'Antonin.

2513. On appelait ainsi la ligne des défenseurs qui garnissaient les murs, *qui muros coronabant*.

2514. Car la tortue leur cache leurs adversaires.

2515. Mézence était étrusque, cf. note 1848.

2516. Cf. notes 1980 et 1784. — Messape, on l'a vu, se prétendait fils de Neptune.

2517. Parmi les Muses, Virgile invoque particulièrement Calliope, la première d'entre elles, et qui, à en croire Hésiode *(Théog.*, 79*)*, s'installe à côté des rois pour les inspirer. Presque égale à Apollon Musagète, elle conduit la troupe de ses huit sœurs. Parfois on en a fait l'épouse d'Apollon, et Virgile (*Buc.*, IV, 57) en a fait la mère d'Orphée.

Les fonctions de Calliope ont beaucoup varié. Elle est, comme l'indique son nom, la Muse *à la belle voix.* Elle donne l'inspiration prophétique. Plus tard, quand l'éloquence fut considérée comme le premier des arts, elle devint la Muse de l'éloquence. Ses attributs sont les tablettes et le style. Elle est occupée à écrire ou à relire ce qu'elle a écrit. Après Virgile on a fait de Calliope la Muse de l'épopée.

2518. Orcus est le nom d'une divinité infernale, et, par extension, des Enfers, puis de la mort chez les anciens Romains, cf. Plaute, Névius, etc.

Virgile dit « dépêcher ou précipiter chez Orcus » *Orco demittere*, comme Homère dit « dépêcher chez Hadès », cf. *Il.*, I, 3.

2519. *Déroulez avec moi les grands tableaux de cette guerre*... Ce vers est imité d'Ennius, *Annales*, VI. Cf. Servius et Macrobe, VI, 1, 18.

Les poètes pensent à un tableau ou à un livre, qu'on déroule pour le voir jusqu'aux bords *(oras)* ou pour le lire jusqu'au bout.

2520. *Car vous vous en souvenez, déesses, et vous pouvez le raconter*... Ce vers reproduit VII, 645.

Les Muses, filles de Jupiter et de Mnémosyne, sont souvent appelées *les filles de Mémoire.*

2521. Etages. — Nous disons, en français, des vaisseaux à deux ponts, à trois ponts. Cf. dans César (*Guerre des Gaules*, VII, 9) la description de la tour de Marseille.

2522. *Déployaient leurs suprêmes ressources pour le renverser*... Ce vers est imité d'Ennius, *Annales*, IV :

Romani scalis summa nituntur opum vi.

Cf. Macrobe, VI, 1, 17.

2523. Virgile a sans doute songé, en donnant ce nom de fantaisie, à Elpénor et à Hélénus.

2524. Autre nom de fantaisie, cette fois géographique.

2525. La Méonie est un canton de la Lydie, et les poètes désignent quelquefois par ce nom toute la Lydie. C'est ainsi qu'Homère est souvent appelé le « vieillard ou le poète méonien », *Maeonius senex*, *Maeonius vates*. Cf. *En.*, IV, 216 et *Géorg.*, IV, 380.

2526. Nom de fantaisie, que Virgile emprunte à d'autres personnages.

2527. Selon les uns : malgré la défense de son père, qui prévoyait ou connaissait par un oracle l'issue fatale d'une telle entreprise : ainsi les fils de Mérops dans Homère (*Il.*, II, 831). Selon les autres : parce qu'il ne pouvait pas, étant esclave, porter les armes. Cette seconde interprétation, qui est celle de Servius et de Donat, est sans doute la bonne. Les lois romaines interdisaient en effet aux esclaves le droit de porter les armes : ce fut par dérogation à ces lois que le Sénat romain, après le désastre de Cannes, acheta et arma huit mille esclaves, cf. Tite-Live, XXII, 47.

2528. C'est-à-dire sans inscription ni emblème.

2529. Comparaison homérique, cf. *Il.*, XII, 41.

2530. Suspendu au mur qu'il veut escalader.

2531. L'aigle, cf. Horace, *Od.*, IV, 4, 1 : *Ministrum fulminis alitem.*

2532. Le loup, animal cruel, était consacré à Mars.

2533. Sans doute, selon l'usage des Romains, de la terre et des fascines.

2534. Virgile donne ici à un guerrier le nom du dieu osque correspondant à Jupiter, Lucétius, « dieu de la lumière du jour ».

2535. Nom de fantaisie, emprunté, comme il arrive souvent dans Virgile, à un cours d'eau, cf. note 2493.

2536. Nom de fantaisie emprunté au grec « le diurne ».

2537. Nom de fantaisie, formé sans doute sur *asilus*. Il y a dans *l'Enéide* deux autres guerriers de ce nom, cf. X, 175; XII, 127 et 550.

2538. Autre nom grec : « la massue ». On retrouve plus loin un autre Corynée, cf. XII, 298.

2539. Autre nom emprunté au grec.

2540. Nom tiré de la géographie : Ortygie est le nom de Délos, « l'île aux cailles » et celui de la grande île en face de Syracuse, qui est devenue un quartier de la ville.

2541. Nom emprunté au grec.

2542. Nom emprunté au grec.

2543. Nom emprunté au grec.

2544. Nom emprunté au grec.

2545. Nom tiré de la géographie. Cf. *En.*, V, 263.

2546. Nom emprunté au grec. On trouve plus loin un autre Idas, cf. X, 351.

2547. Virgile donne à ce guerrier le nom du fondateur de Capoue. Cf. *En.*, I, 183; II, 35; X, 145. — Il y a aussi, dans *l'Enéide*, un roi albain de ce nom, cf. VI, 768.

2548. Nom emprunté à la géographie : Privernum, aujourd'hui Piperno Vecchio, est une cité volsque, qu'arrose l'Amasénus, cf. XI, 540.

2549. Nom emprunté au grec.

2550. Autre nom de fantaisie.

2551. La pourpre d'Espagne (Hibérie), un peu foncée, était très renommée.

2552. La Mère des dieux, c'est-à-dire Cybèle, qui était particulièrement adorée en plusieurs endroits de la Sicile, et qui fut plus tard confondue souvent avec Cérès.

2553. Le Symèthe, aujourd'hui le Giaretta, se jette dans la mer sur la côte orientale de la Sicile, un peu au sud de Catane, après avoir contourné l'Etna.

2554. Les Paliques étaient deux frères siciliens, fils de Jupiter et de Thalie selon les uns, de Vulcain et de la nymphe Etna, suivant les autres. Ils étaient honorés comme des dieux et avaient leur temple, qui servait de refuge aux esclaves fugitifs, près de deux cratères que les gens du pays appelaient « delli », aujourd'hui lac des Paliques ou Naftia, près de la petite ville de Palagonia. Macrobe (V, 13, 19) conte qu'en cas de vol l'accusateur et l'accusé s'approchaient des cratères formant lacs; l'accusé jurait qu'il était innocent; s'il avait fait un faux serment, il était immédiatement noyé. Eschyle, dans sa tragédie perdue, l'*Etna*, parlait des dieux Paliques.

Si Virgile n'en mentionne qu'un, c'est sans doute que de son temps déjà, comme aujourd'hui, il n'y avait plus qu'un cratère. Le cratère actuel est rempli de gaz carbonique l'été, et, à la saison des pluies, d'une eau gazeuse et irrespirable, que traversent, au centre du lac, deux jets de gaz. Les petits animaux y meurent; les oiseaux l'évitent.

L'autel de Palicus est qualifié de « propitiatoire », parce qu'à en croire Servius on y avait remplacé les sacrifices humains par des immolations d'animaux.

2555. Les Anciens croyaient que les balles de plomb s'amollissaient en traversant l'air. Cette erreur, que nous trouvons déjà dans Lucrèce (VI, 177), est répétée ici par Virgile, et ailleurs par Sénèque, cf. *Quest. nat.*, II, 57.

2556. Virgile donne encore ici à un guerrier le nom d'une ville : Numana, aujourd'hui Umana, dans le Picénum.

Quant au surnom de Rémulus, cf. note 2480. Il y a trois Rémulus dans *l'Enéide :* IX, 360; IX 592; XI, 636.

Il convient de noter qu'en donnant à Numanus un surnom Virgile va à l'encontre de Varron, qui dit que les Italiens ne portaient pas de surnom. Mais ce n'est pas la première fois que Virgile attribue un usage purement romain aux Italiens.

2557. La sœur aînée de Turnus est la déesse des sources, Juturne ou Diuturne, cf. XII, 138; la cadette, l'épouse de Numanus Rémulus.

2558. Il est difficile de dire si Numanus fait allusion aux deux prises de Troie : la première, sous Laomédon, par Hercule; la seconde, sous Priam, par les Grecs, — ou si, tenant prématurément les Troyens pour captifs, il veut parler de la prise de leur ville par les Grecs et de la prise actuelle de leur camp.

2559. Allusion à Lavinie.

2560. Cette purification était la coutume chez beaucoup de peuples anciens.

2561. *Notre jeunesse, exercée aux travaux et habituée à peu...* Vers des *Géorgiques*, II, 472. Cf. Horace, *Ep.*, II, 1, 139.

2562. Le safran vermeil *(crocus puniceus, crocus ruber, crocus rubens)* teignait en jaune les vêtements. Le plus estimé était celui du mont Corycus en Cilicie, cf. Pline, XXI, 17, 1.

Cicéron raille Clodius d'avoir porté des vêtements efféminés, teints de safran *(crotoca)*. Cf. *Har. resp.*, XXI.

2563. La pourpre, tirée du *murex* ou d'un autre coquillage, la *purpura*, servait à teindre en rouge les vêtements. La plus estimée était celle de Tyr et de Sidon. L'usage de la pourpre remonte à la plus haute antiquité; on la trouve chez les Assyriens, chez les Hébreux, et, en Egypte, on a recueilli des fragments d'étoffe teinte en pourpre de la XXIe dynastie.

2564. Les vieux Romains méprisaient la danse. Cicéron prétendait qu'il fallait être un peu fou pour danser : *Nemo fere saltat sobrius, nisi forte insanit.* Cf. *Pro Murena*, XIII.

2565. Cicéron reproche aux complices de Catilina de porter des tuniques dont les manches tombent jusqu'aux talons : *manicatis et talaribus tunicis*, cf. *Cat.*, II, 10, 22.

2566. Les mitres étaient de longues bandes d'étoffe, dont on se coiffait soit à la façon d'un turban, soit en nouant la bande sous le menton et en laissant les rubans pendre sur les épaules ou la poitrine, cf. *En.*, IV, 215-217; Bacchus, le plus efféminé des dieux, portait une mitre.

Cicéron raille Clodius d'avoir porté la mitre, cf. *Har. resp.*, XXI.

2567. Ainsi, dans *l'Iliade*, Ménélas traite de Grecques les guerriers grecs qui n'osent relever le défi d'Hector, cf. *Il.*, VI, 96.

2568. Le Dindyme était une montagne de Phrygie célèbre par son temple de

Cybèle, la Mère des dieux, appelée de son nom Dindymène. Cette montagne est aujourd'hui le Mouraddagh.

2569. La flûte dont on se servait aux cérémonies de Cybèle avait deux branches, comme toutes les flûtes, mais l'une des branches, plus longue que l'autre, se recourbait en forme de corne et se terminait par un pavillon évasé *(curva tibia)* ; la branche la plus longue, qu'on tenait de la main gauche, était percée de deux trous, l'autre d'un seul.

2570. Les tambourins ou tympanons étaient formés d'une peau tendue sur un cercle de bois ou de bronze, qu'on frappait avec les mains ou avec un plectre. Leur taille était variable. Le cercle et la peau étaient souvent décorés de motifs géométriques; parfois l'instrument était muni de grelots. Les tambourins, d'origine orientale, jouaient un grand rôle dans les cultes de Bacchus et de la Mère des dieux.

2571. Ces fifres étaient en buis, d'où leur nom de *buxus*.

2572. La Mère des dieux était particulièrement adorée sur le mont Bérécynte, l'un des sommets de l'Ida phrygien. Cf. VI, 784.

2573. La Mère des dieux, adorée sur l'Ida, cf. note précédente.

2574. Le bras gauche en avant pour tenir l'arc; le bras droit en arrière pour tendre la corde et tenir la flèche, attitude de l'archer prêt à tirer.

2575. Les taureaux, surtout blancs, étaient particulièrement agréables à Jupiter.

2576. On dorait souvent les cornes des victimes, cf. *En.*, V, 366.

2577. *Qui déjà attaque de la corne et fasse voler sous ses pieds la poussière...* Ce vers se trouve déjà dans les *Bucoliques*, II, I, 87.

2578. Jupiter.

2579. Le côté gauche est favorable dans l'observation de la foudre. Cf. II, 693. Virgile imite ici Ennius : *Tum tonuit laevum bene tempestate serena.* Cf. Cic., *De divin.*, II, 82.

2580. Ascagne répète les termes de Numanus, cf. note 2558.

2581. Apollon est souvent représenté avec de longs cheveux. Horace l'appelle « le Cynthien non tondu », *Intonsum Cynthium* (*Od.*, I, 21, 2). L'Apollon citharède du Vatican porte aussi de longs cheveux.

Apollon apparaît ici au titre de protecteur de la *gens Julia*.

2582. Le camp des Troyens.

2583. Ascagne descend de Jupiter par son ancêtre Dardanus, et de Vénus par son père Enée, le premier fils du dieu, le second fils de la déesse. Il aura pour fils les dieux Romulus, César et Auguste.

2584. Cf. note 1802.

2585. Ce mot rappelle celui de Philippe à Alexandre : « Enfant, cherche pour toi un royaume qui t'égale; la Macédoine ne te convient plus. » Cf. Plutarque, *Alex.*, VI.

2586. Ce Butès n'est pas le même que ceux qui sont mentionnés : V, 372 et XI, 690.

2587. Il est bon qu'Apollon prononce ces paroles, car il est essentiellement un dieu jaloux. Il châtie cruellement ceux qui, dans leur superbe, osent rivaliser avec lui : c'est ainsi qu'il a mis à mort Linus, écorché vif Marsyas, et puni Midas, coupable seulement d'avoir préféré à la sienne la flûte de Pan.

2588. Les flèches sont, avec l'arc, l'attribut principal d'Apollon. L'hymne homérique à Apollon Délien dit qu'aussitôt né au sommet du Cynthe, près d'un palmier, le dieu demanda son arc et ses flèches.

2589. Cf. *Il.*, I, 46.

2590. Les lanières en question (*ammenta*, grec ἅμματα) étaient nouées autour de la hampe des javelots, formant à leur milieu une boucle où l'on passait les doigts. Cf. Ovide, *Mét.*, XII, 321 : *inserit ammento digitos.* On faisait ainsi tournoyer le javelot par un mouvement rapide, avant de le lancer, pour lui donner plus de force et une portée plus longue. Cette portée en était quelquefois augmentée de 50 à 80 mètres.

Le javelot à lanière, à en croire Pline, avait été inventé par Etolus, fils de Mars, cf. Pline, VII, 17, 9.

2591. La constellation des Chevreaux était formée de deux étoiles, qui se levaient le soir, aux alentours de l'équinoxe, saison des pluies, sur le bras du Cocher, cf. *Géorg.*, I, 204-205.

Pline note que les Chevreaux sont avec l'Arcture et Orion l'une des constellations qui amènent les orages, la grêle, les tempêtes, cf. Pline, XVIII, 69, 1.

2592. Virgile a emprunté à Homère le nom de ce guerrier.

2593. Il y a un autre Bitias, celui-là Carthaginois, dans *l'Enéide*, cf. I, 738.

2594. Alcanor, habitant de l'Ida; Virgile a inventé son nom.

2595. Virgile a donné à cette Oréade de l'Ida le nom d'une Néréide d'Homère, cf. *Il.*, XVIII, 42.

2596. Homère dit de même, *Il.*, V, 560.

2597. Désobéissant ainsi aux ordres d'Enée, cf. IX, 42.

2598. Le Pô était plus souvent nommé par les Anciens l'Eridan, cf. *Géorg.*, I, 482.

2599. L'Adige est ici nommé à côté du Pô, non loin duquel il se jette dans l'Adriatique et avec lequel il est relié par de petits canaux.

2600. Nom de fantaisie.

2601. Nom de fantaisie. Peut-être Virgile a-t-il songé, en le formant, à la gens Æquicula, cf. VII, 747.

2602. Virgile attribue à ce guerrier un nom grec de montagne, le Tmarus, aujourd'hui Tomaro, dans l'Epire, près de Dodone, cf. *Buc.*, VIII, 42.

2603. C'est-à-dire le « martial », le belliqueux. Lucrèce (I, 32) appelle Mars Mavors, et l'on retrouve ce doublet ancien dans Virgile et beaucoup d'autres poètes. — Ancienne divinité italique, identifiée plus tard avec le dieu grec Arès, Mavors ou Mars est le même dieu que le Mamers des Osques.

2604. Virgile donne à ce guerrier un nom grec, apparenté à l'Hémus, chaîne des Balkans qui divise la plaine de Thrace, cf. *Géorg.*, I, 492.

2605. A la porte du camp des Troyens, que Pandarus et Bitias ont ouverte.

2606. Nom emprunté au grec.

2607. Sarpédon, fils de Jupiter et de Laodamie ou d'Evandre et de Déidamie, roi de Lycie, vint au secours de Troie et fut tué par Patrocle, cf. *Il.*, XVI, 480, et *En.*, I, 99-100.

2608. La Thèbes dont cette femme était originaire était la ville de Thèbes en Mysie, au pied du mont Placus, cf. *Il.*, VI, 425. La ville fut détruite par Achille, qui tua son roi, Eétion, père d'Andromaque, cf. *Il.*, VI, 414 sq.

2609. Le cornouiller *(cornus)*, cultivé en Italie comme arbre fruitier, comportait deux espèces : le cornouiller mâle et le cornouiller femelle. Le mâle, au bois très dur, servait à faire des javelots et des lances.

2610. Les Anciens croyaient que l'air n'opposait pas de résistance : de là les épithètes qu'ils lui donnent : *tener*, *vacuus*, *tenuis*.

L'expression « l'air tendre » se trouvait déjà dans Lucrèce (II, 146) et on la retrouve dans Ovide (*Mét.*, IV, 615).

2611. Nom emprunté au grec.

2612. Nom emprunté au grec. Le poète a sans doute songé en le formant au nom apparenté de l'Erymanthe, montagne d'Arcadie fameuse par le sanglier qu'y tua Hercule, cf. V, 448; VI, 802.

2613. Nom emprunté au grec.

2614. La phalarique était un lourd javelot, auquel on ne pouvait adapter l'*ammentum*, cf. note 2590. L'arme avait été inventée, dit Tite-Live, par les Sagontins, quand Hannibal fit le siège de leur ville : la phalarique avait trois pieds de long et était garnie d'une lourde pointe de fer, cf. Tite-Live, XXI, 8. On s'en servait à la guerre et aussi à la chasse. Cf. Ennius, *Ann.*, 534, cité par Nonius :

Quae valido venit contorta phalarica missu.

Grat., *Cynég.*, 342.

2615. Baïes, sur le rivage de la Campanie, était située près de Cumes, colonie des Eubéens de Chalcis.

2616. Les Romains qu'attiraient les délices de Baïes empiétaient sur la mer par des digues, sur lesquelles ils construisaient des terrasses ou même des maisons de plaisance. Horace qui a chanté Baïes, cf. *Ep.*, I, 1, 83, proteste contre cet empiétement sur la mer. cf. *Od.*, II, 18,20.

Marius, Pompée, César, Cicéron eurent des villas à Baïes. Sous Néron, la jolie ville devint un lieu de corruption et de débauche, cf. Suétone, *Néron*, XXVII.

Il ne reste plus, de cette splendeur ancienne, que quelques ruines, les anciens fondements, sous les eaux, des villas luxueuses : Baïes, aujourd'hui Baia, est à peu près abandonnée.

2617. Prochyta, aujourd'hui Procida, est une île rocheuse située non loin de Baïes, aujourd'hui Baia, entre l'île d'Ischia, chère à Lamartine, et le cap Misène.

2618. L'île rocheuse d'Inarimé, aujourd'hui Ischia, cf. note précédente, était appelée Pithécuse par les Grecs (de πίθος, pot de terre, à cause de ses fabriques de poteries : *a figlinis doliorum*, cf. Pline, III, 12, 3) et surnommée par les Latins Ænaria, à cause du séjour qu'y firent les vaisseaux d'Enée : *a statione navium Æneae*, cf. Pline, III, 12, 3.

Le nom d'Inarimé que lui donnent Virgile et les poètes vient de « Aux Arimes » contrée de Cilicie où Homère place la sépulture du géant Typhée, cf. *Il.*, II, 782-783. Pindare et Eschyle transportèrent de Cilicie en Sicile et dans les îles volcaniques de l'Italie le théâtre de la lutte de Jupiter et de Typhée, et firent de l'île de Pithécuse le « dur lit » du géant; d'autres poètes placent son tombeau sous l'Etna.

Sur Typhée lui-même, cf. *Géorg.*, I, 279; *En.*, VIII, 298, et la note 2210.

2619. Cf. *Il.*, IV, 440 : Δεῖμός τ' ἠδὲ Φόβος.

Les Anciens personnifiaient les attributs des dieux, adoraient Bellone, attribut de Mars, l'Honneur, la Vertu, se plaisaient aux allégories.

2620. On a vu que Turnus était d'une taille gigantesque.

2621. Le palais d'Amata, que Lavinie, sa fille, doit apporter en dot.

2622. Cf. note 1878.

2623. Virgile a dit déjà (VI, 89) en parlant de Turnus :.......*Alius Latio jam partus Achilles.*

Les paroles de Turnus à Mandarus rappellent celles de Pyrrhus à Priam, cf. II, 547-549.

2624. Ainsi, dans *l'Iliade*, voyons-nous Apollon détourner d'Hector le javelot lancé par Teucer (VIII, 31) et Minerve détourner d'Achille le javelot lancé par Hector (XX, 438).

2625. Nom emprunté au grec; Virgile a sans doute songé à Phalaris et à son taureau.

2626. Nom emprunté au grec; Virgile a sans doute pensé à Gygès et à son anneau.

2627. Nom emprunté au grec.

2628. Nom emprunté au grec.

2629. Nom emprunté au grec, cf. *Il.*, V, 678.

2630. Nom emprunté au grec, cf. *Il.*, V, 678.

2631. Nom emprunté au grec, cf. *Il.*, V, 678.

2632. Nom emprunté au grec, cf. *Il.*, V, 678.

2633. Nom emprunté au grec.

2634. Nom emprunté au grec.

2635. Cet usage est mentionné déjà dans Homère : Ulysse demande à Ilos du poison pour en imprégner ses traits, cf. *Od.*, I, 261-262.

Virgile arme de poison le fer des Troyens, cf. *En.*, X, 140 et XII, 857.

2636. Nom emprunté au grec. *L'Iliade* a un Clytius (XV, 419, 427).

2637. Parmi les Eolides, descendants ou fils d'Eole, le fondateur de la race éolienne, Virgile mentionne Misène (VI, 164), Ulysse lui-même, dont, suivant certaines légendes, la mère, Anticlée, s'était laissé enlever par Sisyphe, fils d'Eole (VI, 529), et enfin Clytius.

2638. Nom emprunté au grec. Un autre guerrier du même nom est tué par Turnus, cf. XII, 538.

2639. Cf. note 2436.

2640. Cf. note 2437.

2641. Cf. *Il.*, XV, 735.

2642. Il faut sans doute voir dans ce terme, ici, une nuance de mépris. Suétone et Tacite rapportent que César, lorsqu'il était en colère contre ses soldats, les traitait de Quirites.

2643. Cf. note 2518.

2644. Comme Ajax dans *l'Iliade* quand l'apparition d'Hector, comme ici l'intervention de Mnesthée et de Séreste, rétablit le combat. Cf. *Il.*, XI, 544 sq.

2645. Cet hémistiche est emprunté à Lucrèce (V, 34), décrivant le dragon :

Asper, acerba tuens, immani corpore serpens.

Virgile avait déjà écrit, dans les *Géorgiques* (III, 149) : *Asper, acerba sonans...*

2646. Cf. note 2385.

2647. Junon était la femme et la sœur de Jupiter.

2648. De l'épée.

2649. Où la sueur et le sang se mêlent à la poussière.

2650. Macrobe (*Sat.*, VI, 3, 2-4) rapproche ces vers d'un passage d'Ennius (*Annales*, XVI), décrivant le combat du tribun C. Ælius contre les Istriens.

2651. Le poète écrit *avec* son gouffre blond *(cum gurgite flavo)* pour bien marquer qu'en recevant Turnus dans ses flots le Tibre répond à l'invocation que le Rutule lui adressait secrètement. La forme de l'invocation était, en effet : *Adesto, Tiberine, cum tuis undis*, « Assiste-moi, dieu du Tibre, *avec* tes ondes ». Cf. VIII, 72, et note 447.

« Blond », *flavus*, est l'épithète ordinaire du Tibre et désigne la couleur de ses eaux.

2652. Le doux mouvement des flots accueillant le plongeon de Turnus témoigne de la faveur avec laquelle le dieu du Tibre reçoit le chef rutule.

LIVRE DIXIÈME

EXPLOITS ET MORT DE PALLAS, DE MÉZENCE ET DE LAUSUS

2653. *Pendant ce temps s'ouvre la demeure de l'Olympe tout-puissant...* Ce vers est la reproduction presque textuelle d'un vers de Névius ou de Lévius, que cite Apulée (*De Orthog.*, XV). :

Panditur interea domus altitonantis Olympi.

La demeure olympienne de Jupiter était fermée la nuit et ouverte le jour, cf. I, 374. Nous sommes donc, quand commence le dixième chant, au matin du second jour de la lutte.

Cette demeure de Jupiter, qu'Homère place sur la cime la plus élevée de l'Olympe, a été décrite dans le détail par Ovide, qui en indique l'accès : la voie lactée, et les divers logements occupés, selon les lois de la hiérarchie, par les dieux. Cf. *Il.*, VII, 2, et Ovide, *Mét.*, I, 163 sq.

2654. Jupiter.

2655. Cf. *Il.*, XIX, 128.

2656. Cf. notes 1802 et 2144.

2657. Au levant et au couchant.

2658. Jupiter cependant l'avait bien prévue cette guerre, puisqu'il disait à Vénus (I, 263) : « L'Italie soutiendra une énorme guerre. »

On peut penser que cette contradiction aurait disparu si Virgile avait eu le temps de revoir *l'Enéide.*

2659. Allusion au passage des Alpes, « barrière de l'Italie » (cf. Tite-Live, XXI, 34) par Hannibal, l'an 218 av. J.-C. Les Alpes étaient restées inviolées jusqu'alors : Hannibal les « ouvrit », s'il faut en croire la tradition, en dissolvant les rochers avec du vinaigre. Cf. Tite-Live, *id.*, et Juvénal, *Sat.*, X, 953.

2660. Les sept collines de Rome, cf. *Géorg.*, II, 170-172.

2661. Homère dit de même : « Aphrodite d'or », cf. *Il.*, III, 64.

2662. Son char. Il semble cependant, d'après le livre XI, que Turnus combatte à pied.

2663. Vénus évite de prononcer le nom de Diomède, fils de Tydée, qui l'avait blessée au siège de Troie, quand elle essayait de soustraire Enée à ses coups, cf. *Il.*, V, 330.

Diomède, dont le grand-père, Œnée, était roi d'Etolie, y avait fondé la ville d'Arpi, anciennement Argyripe (nom messapien hellénisé en Argos Hippium). On racontait que Diomède avait aidé le roi d'Apulie Daunus, son beau-père, contre les Messapiens, et qu'en reconnaissance il avait reçu de Daunus l'emplacement où fut fondé Arpi. — On attribuait d'ailleurs à Diomède la fondation de plusieurs autres villes, telles que Vénafre, Brindes, Salapie d'Apulie et Bénévent, cf. VIII, 8; XI, 246, et la note 2088.

2664. Le Tydide Diomède s'était déjà signalé, pendant la guerre de Troie, par ses exploits contre les Teucères, auxquels est consacré le cinquième chant de *l'Iliade*. Rappelons seulement ici qu'il blessa Hector, faillit tuer Enée, et prit part, avec Ulysse, à l'enlèvement du Palladium, cf. *En.*, II.

2665. Vénus avait déjà été blessée par Diomède devant Troie, cf. note 2668.

2666. Apollon. Allusion à l'oracle de Délos : *antiquam exquirite matrem*, cf. *En.*, III, 96.

2667. Les Mânes d'Hector, de Créuse et d'Anchise. Allusion aux prédictions d'Hector, de Créuse, d'Anchise, cf. II, 294-295; II, 781; V, 729-730.

2668. Vénus désigne Junon sans la nommer.

2669. Allusion à l'incendie de la flotte d'Enée par les Troyennes, cf. V, 605 sq.

2670. Allusion à la tempête suscitée par Eole, à la demande de Junon, au moment où la flotte d'Enée quittait la Sicile, cf. I, 34 sq.

2671. Allusion aux deux missions d'Iris, chargée par Junon la première fois d'exciter les Troyennes à brûler la flotte d'Enée, la seconde fois de pousser Turnus à la guerre contre Enée. Cf. V, 605 sq., IX, 2 sq.

2672. Les Enfers, séjour d'Allecto.

2673. Cf. note 1849.

2674. Vénus se reporte en pensée au moment de la chute de la ville.

2675. Amathonte, ville située sur la côte méridionale de l'île de Chypre, était une colonie de la ville syrienne d'Amath, aujourd'hui Hama, sur l'Oronte. Les Syriens d'Hamath avaient introduit à Amathonte et dans toute l'île de Chypre le culte d'Aphrodite (Vénus), joint à celui d'Adonis. C'est dans le temple de Vénus à Amathonte que fut primitivement placé le collier d'or pour lequel Eriphyle trahit son époux Amphiaraüs, cf. Pausanias, IX, 41, 2.

2676. Paphos était, avec Amathonte, Aphrodisium et Idalie, une des villes de l'île de Chypre où Vénus avait son temple. On distingue la vieille Paphos, fondée avant la guerre de Troie par le Tyrien Cyniras, qui y transporta le culte phénicien d'Astarté, et la nouvelle Paphos, fondée au retour de Troie par le Grec Agapénor, qui y transporta le culte d'Aphrodite : le culte des deux déesses se confondit bientôt. Les deux Paphos, toutes deux situées sur la côte occidentale de l'île, sont aujourd'hui la première un amas de ruines, près du village de Kouklia, la seconde, un village, Baffa. Cf. *Od.*, VIII, 362 sq.; Tacite, *Hist.*, II, 3; et, dans *l'Enéide*, I, 415.

2677. Cythère, aujourd'hui Cérigo, est une île de la mer de Crète, consacrée à Vénus, qui y avait un temple magnifique, et qui est souvent nommée par Virgile et les poètes *Cytherea*, « la Cythérée ».

2678. Idalie ou Idalium, ville située dans l'intérieur de l'île de Chypre, un peu au nord de Citium, était consacrée à Vénus et célèbre par ses bosquets et ses vergers. On y adorait la déesse sous le nom de *Florale* (Ἄνθαια) comme la divinité qui faisait croître les fruits et les fleurs; on lui présentait en offrandes des fruits et des épis, et on lui consacrait la pomme de grenade.

La ville s'étageait sur les pentes de la montagne du même nom, où se trouvait le temple de Vénus : ce temple, qui était l'un des séjours préférés de la déesse, cf. Théocrite, XV, 40, n'existait déjà plus, de même que la ville, du temps de Pline. Cf. Pline, V, 35.

2679. Carthage était une colonie de Tyr, cf. *En.*, I, 20 sq.

2680. L'incendie de Troie par des Argiens, c'est-à-dire par des Grecs.

2681. Cf. note 1847.

2682. Cf. *En.*, III, 302-303; V, 803; VI, 88. — Le Xanthe ou Scamandre et le Simoïs sont deux rivières de la Troade; le premier a pour affluent le second, qui descend du Cotylon, l'un des sommets de l'Ida. Le Xanthe porte aujourd'hui le nom de Kirké-Kenzler ou de Mendéré, le Simoïs celui de Doumbrek.

2683. Les prédictions faites par Cassandre dans un accès de fureur prophétique, et qui n'étaient jamais écoutées. Junon cherche à affaiblir la portée des oracles qui désignaient l'Italie à Enée.

2684. Enée a remonté le Tibre pour se rendre chez Evandre. L'exagération de Junon est évidente.

2685. A Ascagne. Mais c'est à Mnesthée et Séreste, non à Ascagne, qu'Enée, on l'a vu, a confié le commandement, cf. IX, 173. Junon est de mauvaise foi.

2686. Des Etrusques, cf. VIII, 478 sq., et la note 2275.

2687. Junon reprend les termes de Vénus, cf. vers 38. C'est pourtant Iris, envoyée par elle, qui a prévenu Turnus de l'absence d'Enée et l'a poussé à l'attaque du camp.

2688. Cf. note 2386.

2689. Virgile fait de Vénilie la fille de Pilumnus et la sœur d'Amata. En la traitant de *déesse*, Junon cherche à piquer Vénus. Vénilie était d'ailleurs la déesse des eaux et on l'associait à Neptune; certaines légendes en font l'épouse de Janus.

2690. Junon exagère : le seul acte de violence commis par les Teucères est jusqu'ici la mort du cerf tué par Ascagne.

2691. Allusion à Lavinie, promise à Turnus avant l'arrivée d'Enée.

2692. Comme l'ont fait Ilionée se rendant chez Latinus et Enée se rendant chez Evandre, cf. VII, 154, et VIII, 116.

2693. Comme l'a fait Enée en remontant le Tibre, cf. VIII, 80, 93.

2694. Comme l'ont fait une fois Vénus, cf. *Il.*, V, 314, et une fois Neptune, cf. *Il.*, XX, 321.

2695. Allusion à la métamorphose du livre IX, 80 sq.

2696. Junon reprend les termes mêmes de Vénus, cf. vers 25.

2697. Cf. vers 51-52.

2698. Pâris.

2699. L'enlèvement d'Hélène.

2700. Pâris descend de Dardanus par Erichthonius, Tros, Assaracus, Capys et Priam.

2701. Servius affirme sans preuves qu'Hélène refusant de suivre Pâris, celui-ci sortit de Sparte, l'assiégea, la prit d'assaut et emmena Hélène comme butin. Il est plus simple de prendre l'expression métaphoriquement et d'entendre que Pâris s'est conduit, vis-à-vis de Ménélas, comme en pays ennemi, dans une ville prise d'assaut.

2702. Ce n'est pas Junon, mais Cupidon qui a empli Pâris d'un désir coupable et c'est Vénus qui est responsable de la guerre, puisqu'elle a laissé faire son fils Cupidon.

2703. Les uns approuvaient Junon, les autres Vénus.

2704. Ce vers reproduit un vers du livre III, 250.

2705. Une mauvaise interprétation des oracles.

2706. Jupiter sait que les destins sont pour Enée, cf. I, 257.

2707. *Par le fleuve... a tremblé.* Ces vers reproduisent ceux du livre IX, 104-106. Cf. notes 2413 et 2414.

2708. Comme les sénateurs conduisaient le consul, cf. Ovide, *Pont.*, IV, 4, 41.

2709. Virgile emprunte à Homère ces deux noms, dont le premier désigne, dans *l'Iliade*, deux guerriers différents : Asius, fils d'Hyrtacus (*Il.*, II, 837), et Asius, fils de Dymas (*Il.*, XVI, 716); et dont le second y désigne un Thrace, Peiroos, fils d'Imbrasus (*Il.*, IV, 520).

2710. Virgile emprunte à Homère ces deux noms, cités dans *l'Iliade* comme ceux de deux vieillards, qui entourent Priam assis aux portes Scées (*Il.*, III, 146). Homère fait d'Hicétaon un fils de Laomédon : Diodore fait de Thymétès un autre fils de Laomédon.

Ce Thymétès dont il est question ici et au chant XII n'est pas le même dont a parlé Virgile au livre II, 32.

2711. *Les deux Assaracus, le vieux Thymbris avec Castor...* Virgile emprunte ces trois noms, le premier à la légende troyenne, le second à la géographie, le troisième à la mythologie.

2712. Virgile invente le nom de ces deux frères de Sarpédon. Sarpédon fils, selon les uns, de Jupiter et de Laodamie, selon les autres, d'Evandre et de Déidamie, vint de la Lycie, où il régnait, pour secourir les Troyens assiégés. Il fut tué par Patrocle (*Il.*, XVI, 480), Jupiter, pour venger son fils, poussa Hector à tuer Patrocle. Cf. *En.*, I, 100.

2713. Virgile invente le nom d'Acmon; Lyrnesse est une ville de Troade, près de laquelle des Lydiens fondèrent la ville d'Adramyttium, cf. Pausanias, IV, 27, 5. Lyrnesse, qu'Homère mentionne plusieurs fois (c'est là qu'Achille enleva Briséis), n'existait déjà plus au temps d'Auguste; quant à Adramyttium, aujourd'hui Adramit, ce n'est plus qu'un pauvre village d'Anatolie.

2714. Virgile emprunte ce nom à Homère. Le Clytius de *l'Iliade* est fils de Laomédon, frère d'Hicétaon et père de Calétor, cf. *Il.*, XX, 238, et XV, 419 et 427.

2715. Virgile emprunte ce nom à Homère, cf. *Il.*, V, 609.

2716. Des traits enflammés.

2717. Ascagne.

2718. Le térébinthe (τέρμινθος), vulgairement nommé pistachier, est un bois à la fois souple et dur, de couleur noire, qu'on trouvait surtout en Syrie, en Troade et en Macédoine, cf. Pline, XIII 12, 1. — Oricus ou Oricum est la ville d'Epire où Andromaque résida, auprès d'Hélénus, après la guerre de Troie. Elle était célèbre par son térébinthe et, dit Nicandre (*Thér.*, 516), par son buis.

2719. Epithète homérique : μεγάθυμοι.

2720. *Ismare, noble rejeton d'une maison de Méonie, où l'homme travaille un sol fertile, où le Pactole roule sur de l'or...* Virgile emprunte encore ici à la géographie le nom de ce guerrier : l'Ismare est une montagne de Thrace, que la légende d'Orphée a illustrée, cf. *Buc.*, VI, 30. — La Méonie est un canton de la Lydie, mais les poètes désignent souvent, comme ici, la Lydie tout entière par ce nom, cf. VIII, 493. — Le Pactole, aujourd'hui Tabak-Tchéi, est le fleuve de la Lydie : il descend du mont Tmolus, arrose la plaine fertile de Sardes, et se jette dans l'Hermus, aujourd'hui Sarabat. Selon la fable, le Pactole roulait des paillettes d'or depuis que Midas s'était baigné dans ses eaux, cf. Ovide, *Mét.*, 118-146.

2721. Cf. IX, 777 sq.

2722. Cf. note 2547.

2723. La quatrième nuit passée par Enée dans le camp. Le héros troyen a passé la première à remonter le Tibre, cf. VIII, 94; la seconde, dans la demeure d'Evandre, cf. VIII, 369; la troisième, au camp de Tarchon, cf. VIII, 607.

2724. Tarchon, cf. note 2282.

2725. Cf. note 1948.

2726. Qui l'obligeait à prendre un étranger pour chef, cf. VIII, 502.

2727. La nation étrusque, cf. note 2275.

2728. Les lions de la Mère phrygienne (Cybèle), protectrice des Troyens, et le mont Ida, où les Troyens avaient coupé des arbres pour leur flotte, étaient figurés sur la proue du navire d'Enée.

2729. Pallas, fils d'Evandre, parti avec Enée, cf. VIII, 558-584.

2730. Comme il sied à un inférieur à côté d'un supérieur, cf. Horace, *Ep.*, I, 6, 50; *Sat.*, II, 5, 17.

2731. Le poète invoque les Muses.

2732. On a vu, au livre V, que les Anciens désignaient leurs navires par le nom de la figure qu'ils portaient à la proue : la *Baleine*, la *Chimère*, le *Centaure*, etc.

2733. Clusium, aujourd'hui Chiusi, était l'une des douze cités étrusques; elle était située dans la vallée du Clain, près du lac auquel elle a donné son nom. Elle eut pour roi Porsenna. On a trouvé à Clusium des tombeaux étrusques remarquables.

2734. Cosa, aujourd'hui Ansedonia, près du lac d'Orbetello et du mont Argentarius, sur la côte, était un port important. Ses ruines montrent aujourd'hui des tours et des murailles cyclopéennes.

2735. Il ne faut pas confondre ce chef étrusque avec le guerrier troyen du même nom, cf. I, 121.

2736. L'usage voulait qu'on plaçât à la proue les emblèmes des navires, et à la poupe l'image des divinités protectrices.

2737. Populonie était une cité étrusque, située sur la côte, à la pointe du cap Faleria, aujourd'hui pointe de Piombino, en face de l'île d'Elbe. Populonie, qui avait été un centre de métallurgie au temps des Etrusques, fut détruite pendant les guerres civiles, et elle était déserte au temps de Virgile.

2738. L'île d'Ilva, aujourd'hui l'île d'Elbe, a des mines de fer qu'exploitaient déjà Etrusques et Romains.

2739. Il ne faut pas confondre ce chef étrusque avec le guerrier troyen du même nom, cf. IX, 571.

2740. Asilas était un haruspice qui connaissait l'avenir par l'examen des fibres, c'est-à-dire des extrémités saillantes des viscères.

2741. Il était aussi astrologue.

2742. Il était aussi augure et interprétait les langues, c'est-à-dire les cris ou chants des oiseaux.

2743. Asilas interprétait enfin les présages de la foudre; l'art fulgural était, avec l'extispicine ou examen des entrailles, la partie principale de l'art des haruspices.

2744. Pise, ville d'Etrurie, passait pour être une colonie de Pise, ville d'Elide, qu'arrose le fleuve Alphée, aujourd'hui Roufia.

2745. Virgile donne à ce héros étrusque un nom grec.

2746. Cf. notes 1948 et 1954.

2747. Le Minio, aujourd'hui Mignone, se jetait dans la mer Tyrrhénienne un peu au-dessus de Centum Cellae, aujourd'hui Civita-Vecchia.

2748. Pyrges (Πύργος), aujourd'hui Santa Severa, servait de port à Céré. Les Pélasges y avaient bâti un temple de Junon qui fut pillé par Denys le Tyran.

2749. Cette cité, qui servait sans doute de port à Tarquinies, ne nous est connue par que ce vers de Virgile; elle était ainsi appelée, au dire de Caton (cité par Servius), parce que ses habitants y souffraient de la « lourdeur de l'air » *(gravem aerem)*.

2750. Les Ligures étaient les montagnards des environs de Gênes, auxquels leur sol, dit Cicéron, avait appris que rien ne s'obtient sans efforts.

2751. Virgile donne un nom grec à ce chef ligure.

2752. Nom créé par Virgile.

2753. Cycnus, fils de Sthénélus, roi des Ligures, fut si affligé de la mort de son ami Phaéton qu'Apollon apitoyé le transforma en cygne. Dans la mythologie grecque, Cycnus est tantôt un fils de Mars tué par Hercule, tantôt un fils de Neptune tué par Achille : dans les deux cas, c'est un guerrier sauvage. Virgile a sans doute choisi ce nom à dessein pour l'attribuer au roi des rudes Ligures.

2754. Les sœurs de Phaéton ou *Héliades*, ayant pleuré leur frère quatre mois entiers sur les bords de l'Eridan, où il avait été précipité par Jupiter, furent métamorphosées en peupliers. Virgile (*Buc.*, VI, 62) les appelle, lui, *Phaéthontiades*, et dit qu'elles furent transformées en aulnes. Ovide a délicieusement décrit cette métamorphose, cf. *Mét.*, II, 367 sq.

2755. Ces guerriers du même âge (ἡλικιῶται) formaient ce que les Grecs appellent une hétairie.

2756. Cf. V, 122 et la note 1094.

2757. Le Centaure, figuré sur la proue du navire, tenait un rocher qu'il semblait se préparer à lancer dans la mer, cf. Properce, *El.*, IV, 6, 49.

2758. Ocnus (Ὄκνος), frère d'Aulestès, fondateur de Pérouse, semble avoir été confondu par Virgile avec Bianor, fils du Tibre, « fleuve toscan », et de la nymphe et prophétesse Manto, fille du devin Tirésias.

2759. Selon Servius, Ocnus aurait fondé Felsine ou Bologne, et aurait permis à ses officiers de fonder Mantoue. Mais le nom de la ville vient sans doute plutôt du dieu infernal étrusque Mantus que de la mère légendaire d'Ocnus ou de Bianor.

2760. Mantoue, selon Servius, fut successivement occupée et agrandie par des Grecs (Thébains), par des Etrusques et par des Gaulois (Ombriens).

Certains commentateurs pensent que Virgile par le mot *ancêtres* désigne les fondateurs de la ville; la tradition, en effet, attribuait différents fondateurs à Mantoue : Bianor, Ocnus et Tarchon.

2761. *Elle a trois tribus ; chaque tribu comprend quatre peuples ; elle est la capitale de ces peuples, tirant sa force du sang toscan...* Ce passage revient à dire que Mantoue était la capitale des douze lucumonies étrusques (toscanes) et que la tribu prépondérante, « dont elle tirait sa force », était la tribu étrusque.

2762. A cause de la haine que ses cruautés ont fait naître.

2763. Mincius, aujourd'hui le Mincio, fils du Bénacus, aujourd'hui lac de Garde, était le dieu personnifié du fleuve qui était figuré à la proue, « voilé de roseaux glauques ».

C'est le Bénacus qu'a chanté Catulle, et que Virgile ailleurs (*Géorg.*, II, 159-160) compare, pour l'agitation et la puissance de ses flots, à la mer elle-même.

2764. Aulestès, frère d'Ocnus et fondateur de Pérouse, cf. note 2749. Il est sans doute qualifié de « lourd » à cause de son pesant vaisseau.

2765. Les flots polis comme le marbre. Cette métaphore homérique (*Il.*, XIV, 273) a été reprise par Ennius, Virgile et beaucoup d'autres poètes.

2766. Le *Triton* est le nom du navire que monte Aulestès, parce qu'à sa proue était figuré Triton, dieu de la mer, fils de Neptune : Triton était toujours représenté comme un monstre marin, moitié homme, moitié poisson ou cétacé, ayant pour principal attribut la conque ou trompette marine dans laquelle il soufflait.

2767. Le poète a déjà indiqué plus haut (vers 147) qu'il était nuit.

2768. La lune.

2769. La Mère des Dieux. C'est la seule fois, ici, que Virgile donne à la déesse son nom grec et orgiastique — nom qui lui vient des prêtres ou « Cybèbes », Κύβηβοι, qui, dans la danse sacrée, faisaient des mouvements de tête en avant et en arrière.

2770. Cf. IX, 77-122.

2771. Virgile, transformant *Cymodoce* en *Cymodocea*, donne à cette nymphe le nom de la Néréide qu'il a lui-même nommée ailleurs (*Géorg.*, IV, 338; *En.*, V, 826), et que mentionnent aussi Homère, cf. *Il.*, XVIII, 39, Hésiode, cf. *Théog.*, 252. Silius Italicus (VII, 427) en fera l'aînée des Italides : *Nympharum maxima natu Italidum.*

2772. *Vigilasne, rex? Vigila* était la formule rituelle que les Vestales adressaient au roi des sacrifices. Virgile se plaît à la reprendre ici.

2773. Cf. note 2728.

2774. La Mère des dieux, Cybèle.

2775. On doit admettre qu'Enée avait envoyé par terre les quatre cents cavaliers que lui avait donnés l'Arcadien Evandre, et que ceux-ci, joints aux contingents étrusques, avaient occupé les positions prescrites par leur chef.

2776. Vulcain, cf. VIII, 369-454.

2777. Voir la description du bouclier, VIII, 617-731.

2778. Comparaison empruntée à Apollonius de Rhodes, *Argon.*, II, 600.

2779. Cybèle, adorée sur l'Ida, cf. note 2728.

2780. Cf. IX, 618, et la note 2568.

2781. Cf. note 2728.

2782. La comparaison est empruntée à Homère, cf. *Il.*, III, 359. Virgile s'en est déjà servi ailleurs, cf. *Géorg.*, I, 374 sq.

Le Strymon, aujourd'hui Strouma, est un fleuve de Macédoine, qui coule du nord au sud, forme près de son embouchure le lac Trachynos, aujourd'hui Prasias, se jette dans le golfe Strymonique, aujourd'hui golfe d'Organo, en arrosant Amphipolis, aujourd'hui Iamboli. Cf. *Géorg.*, I, 120; IV, 508.

2783. Le Notus est le nom grec de l'autan, vent du sud, que les Latins appelaient l'Auster : c'est le vent de la pluie, que des nuages noirs annoncent.

2784. Les Anciens croyaient que l'apparition d'une comète était un présage de malheur, cf. *Géorg.*, I, 488 : *diri cometae*. Cf. Claudien, *De raptu Proserpinae*, I, 232-234.

2785. Sirius ou le Chien est la constellation qui apparaissait au matin vers le 26 juillet et qui ouvrait les jours caniculaires.

2786. La vraie guerre, en rase campagne. Jusque-là, malgré les provocations de Turnus, les Troyens s'étaient tenus enfermés dans leur camp.

2787. Vieux proverbe, qu'on trouve dans Térence (*Phorm.*, I, 4, 16) : *fortes fortuna juvat*, dans Cicéron (*Tusc.*, II, 4, 11) : *fortes fortuna juvat, ut est in vetere proverbio*. Il était souvent cité en abrégé : *fortes fortuna*, cf. *De Fin.*., III, 4.

2788. Enfoncées dans le sable du rivage, pour servir de point d'appui.

2789. Cf. I, 110 : *dorsum immane mari.*

2790. Formés de paysans levés « tumultueusement » cf. VII, 573, et VIII, 8.

2791. Virgile donne un nom grec à ce guerrier latin.

2792. Autre nom grec donné à un guerrier latin.

2793. Les enfants mis au monde par l'opération césarienne étaient consacrés à Phébus, dieu de la médecine.

2794. Cf. note 2792.

2795. Il ne faut pas confondre ce guerrier latin avec le Troyen nommé ailleurs, cf. *En.*, I, 222, 612; V, *passim ;* XII, 460.

2796. La massue.

2797. Virgile prête à un compagnon d'Hercule, par ailleurs inconnu, le nom du devin et médecin Mélampus, qui guérit les Prétides rendues folles par Jupiter et introduisit en Grèce le culte de Bacchus.

2798. Hercule, fils d'Alcée.

2799. Les douze travaux.

2800. Cf. note 2792.

2801. Déjà nommé, cf. IX, 774; X, 129.

2802. Cf. note 2792.

2803. Phorcus est le dieu marin, fils de l'Océan et de la Terre, père des Gorgones et du dragon des Hespérides, dont il est question ailleurs, cf. *En.*, V, 240 et 824. — Virgile emprunte encore ici un nom de guerrier à la mythologie.

2804. Le compagnon et l'écuyer d'Enée, cf. I, *passim ;* III, 523; VI, 34, 158; VIII, 466, 521, 586.

2805. Cf. note 2792. — Méon est l'un des sept fils de Phorcus.

2806. Cf. note 2792. — Alcanor, est l'un des sept fils de Phorcus.

2807. Virgile donne à ce guerrier latin, fils de Phorcus, le nom d'un roi d'Albe, cf. VI, 768.

2808. Cf. notes 1993 et 1997.

2809. Virgile donne à ce guerrier troyen le nom d'un peuple pélasgique, les Dryopes, cf. IV, 146.

2810. Borée, dieu qui personnifiait le plus rapide et le plus furieux des vents, le vent du nord, « souffle de Jupiter lui-même », était, suivant Hésiode, fils du Titan Astrée et de l'Aurore; il avait enlevé Orythie, fille d'Erechthée, roi d'Athènes, et fondé un royaume en Thrace.

2811. Ismare est une ville de Thrace, située chez les Cicones, près de la montagne du même nom.

Virgile a déjà nommé Idas plus haut, cf. IX, 575.

2812. Cf. note 349.

2813. Cf. note 124.

2814. Cf. note 312.

2815. Comparaison homérique, cf. *Il.*, XVI, 765.

2816. *On s'accroche pied contre pied, on se presse homme contre homme...* Vers imité d'Homère et des vieux poètes latins. Cf. *Il.*, XIII, 131; Ennius :

Pes pede premitur, arma teruntur armis.

Furius Bibaculus, *Annales bell. gall.*, IV (cité par Macrobe, VI, 3, 5) : *Pressatur pede pes, mucro mucrone, viro vir.*

2817. Les cavaliers arcadiens avaient dû abandonner leurs chevaux à cause des pierres et des arbustes qui encombraient le champ de bataille, cf. le vers suivant.

2818. La nouvelle Troie, le camp des Troyens.

2819. Virgile donne un nom grec à ce guerrier troyen.

2820. Virgile donne un nom grec à ce guerrier troyen.

2821. Virgile donne un nom grec à ce guerrier troyen.

2822. Servius conte qu'Anchémolus, fuyant la colère de son père Rhétus, roi des Marrubiens et descendant du dieu marin Phorcus, s'était réfugié auprès de Daunus, père de Turnus. Cette légende se trouvait dans les œuvres, en cinq volumes, d'Alexandre Polyhistor de Milet, affranchi de Sylla, qui traitaient des origines de Rome.

2823. Caspérie. L'inceste fut cause de la colère de Rhétus et de la fuite d'Anchémolus.

2824. Inconnu par ailleurs.

2825. Virgile donne à ce guerrier, en le déformant légèrement, le nom du compagnon de Castor, Thymbris, cité plus haut, cf. X, 124.

2826. Inconnu par ailleurs.

2827. *Vous dont la parfaite ressemblance trompait vos parents et leur causait une agréable erreur...* Ces vers, consacrés à deux jumeaux, ont été souvent imités. Cf. Claudien (*Cons. Hon.*, IV, 206).

2828. L'épée qu'avait donnée Evandre à son fils, Pallas.

2829. Ovide (*Mét.*, VI, 560) dit de même, en parlant de la langue de Philomèle qui vient d'être coupée :

Palpitat et moriens dominae vestigia quaerit.

2830. *Tes doigts à demi morts tressaillent...* Vers imité d'Ennius : *semianimesque micant oculi.*

2831. Virgile emprunte ce nom à la géographie : le cap Rhétée est un promontoire de la Troade, cf. III, 108; V, 646; VI, 505.

2832. Il ne faut pas confondre ce guerrier rutule avec un guerrier troyen du même nom, cf. VI, 650.

2833. Inconnu par ailleurs.

2834. Inconnu par ailleurs.

2835. Allusion à la coutume de brûler en été les pacages pour renouveler le gazon et engraisser le sol, cf. Silius Italicus, VII, 364-366.

2836. Le feu qui gagne successivement les chaumes et les arbustes.

2837. *Ladon, Phérès, Démodocus...* Inconnus par ailleurs.

2838. Virgile donne à ce guerrier le nom épithète du Strymon, dont il s'est servi quelques vers plus haut (265), cf. note 2782.

2839. Inconnu par ailleurs.

2840. Ainsi, dans Homère, voyons-nous le devin Mérope ne pas vouloir laisser partir son fils, cf. *Il.*, II, 831-833.

2841. Nous comprenons *canentia* ainsi avec Macrobe (VI, 6, 5). Servius interprète : « dont la mort fait blanchir la cornée » : *cernuntur enim pupillae mortis tempore albescere.*

2842. Comme les créanciers sur les débiteurs ou comme les pontifes sur leurs victimes (*manus injectio* du droit civil et du droit pontifical).

2843. Ainsi Romulus consacre à un chêne « sanctifié par les bergers » les armes d'Acron, cf. Tite-Live. I, 10, 5.

2844. Inconnu par ailleurs.

2845. Cf. notes 1952 et 1953.

2846. Cf. note 2735.

2847. Jupiter.

2848. Pallas périra sous les coups de Turnus; Lausus, sous ceux d'Enée.

2849. Il s'agit de Juturne ou Diuturne, que le jeu de mots : *Turne, Juturne*, a poussé Virgile à faire sœur de Turnus.

Juturne était une antique déesse du Latium, qui présidait aux sources et aux eaux courantes. Il y avait, près de Lavinium, une source de ce nom : *Diuturna*, qui passait pour limpide et fraîche, *frigida, cruda, serena :* la légende fit de la nymphe de la source une nymphe froide et chaste, qui aurait repoussé l'amour de Jupiter. Plus tard le culte de la nymphe de Lavinium passa à Rome; son nom fut alors donné à une source, au bas du Palatin, et un temple lui fut dédié en ~ 78 au Champ-de-Mars, à l'endroit où aboutit l'aqueduc de l'*Aqua Virgo*. La fête de la déesse (les *Juturnales*) était célébrée le 13 janvier; les membres de la corporation des fontainiers y prenaient part, ainsi que les personnes qui avaient dans l'année échappé à un incendie.

2850. On nommait ainsi les dépouilles qu'un chef avait enlevées à un général ennemi après l'avoir tué de sa propre main. Trois Romains seulement remportèrent ces dépouilles : Romulus, vainqueur d'Acron, roi des Céniciens, et qui éleva à cette occasion le temple de Jupiter Férétrien, au Capitole; Cossus, vainqueur de Tolumnius, roi des Véiens (438 av. J.-C.); Marcellus, vainqueur de Viridomare, roi des Insubriens (222 av. J.-C.), cf. VI, 855.

2851. *Quand un lion*, etc. Comparaison homérique.

2852. Cf. VIII, 362.

2853. Hercule.

2854. Ces « fils de dieux » sont Sarpédon, fils de Jupiter, tué par Patrocle; Achille, fils de Thétis, tué par Pâris; Cycnus, fils de Neptune, tué par Achille; Ascalaphe, fils de Mars, tué par Déiphobe; Memnon, fils de l'Aurore, tué par Achille.

2855. Le baudrier représentait le crime des cinquante Danaïdes qui, forcées d'épouser leurs cinquante cousins, fils d'Egyptus, égorgèrent dans la nuit de leurs noces leurs époux, sauf la plus jeune, Hypermnestre, qui sauva Lyncée, et qui eut de lui un fils, Abas, père d'Acrisius et ancêtre de Turnus.

2856. Artiste imaginé par Virgile, comme Lycaon plus loin, cf. IX, 304.

2857. Quand Enée, sur le point de l'épargner, verra sur ses épaules le baudrier, « dépouille » de Pallas, et l'immolera.

2858. Virgile donne à Sulmon, qui a été tué par Nisus (IX, 142), le nom d'une ville des Volsques, aujourd'hui Sermonetta, arrosée par le cours d'eau du même nom. Cf. note 2493.

2859. Cf. note 2038.

2860. Inconnu par ailleurs.

2861. Le talent est un poids grec qui valait à l'époque classique 26 kilogs 178.

2862. Hémon a déjà été nommé, cf. IX, 685 et note.

2863. Le culte de Phébus et celui de Phébé (Trivie), l'un et l'autre fils de Jupiter et de Latone, étaient parfois associés : on a trouvé des traces de ce culte commun en Dacie, en Mésie, en Afrique, en Bétique. Phébus et Phébé sont d'ordinaire associés eux-mêmes à Latone : une métope de Sélinonte, récemment reconstituée au musée de Palerme, nous montre Latone entre Apollon (Phébus) et Diane (Trivie); dans le grand lectisterne de ~ 399, Trivie était associée à Latone et à Apollon. Sur le nom de Trivie donné à Diane, cf. note 1900.

2864. On s'est demandé comment Séreste, qui avait été chargé avec Mnesthée de la garde du camp (IX, 171), se trouve ici auprès d'Enée, puisque les Troyens n'ont pu sortir de leur camp que quelque temps après (vers 684). C'est sans doute une inadvertance du poète. On peut d'ailleurs admettre qu'il y eut un autre Troyen du même nom.

2865. Cf. III, 35. Gravidus *(Pater Gravidus Rex Gravidus)* est le dieu Mars lui-même *(Maspiter)*. Le nom assez ambigu de *Gravidus* paraît venir de *grandis, grandire ;* Gravidus serait le dieu qui fait grandir les plantations. D'abord dieu agricole, Mars, en effet, n'est devenu que tardivement un dieu guerrier. Chez les Italiotes, il était d'usage, au printemps, de dévouer à Mars les jeunes gens qui allaient parvenir à l'âge d'homme; exilés, contraints de conquérir une autre patrie, ceux-ci, de paysans, devenaient guerriers.

Il y avait, au bord de la Voie Appienne, entre le premier et le deuxième milliaire, au-delà de la porte Capène, un temple de Mars Gravidus, construit sans doute en ~ 387, après l'invasion des Gaulois.

2866. Cf. note 1972.

2867. Cf. note 2042.

2868. Virgile donne à ce guerrier rutule le nom d'une ville du pays des Volsques, cf. note 2072.

2869. Inconnu par ailleurs.

2870. Ou Faunus, cf. notes 1695 et 1696.

2871. Cette nymphe, dont le nom est dérivé de celui du chêne *(drys)*, est inconnue par ailleurs.

2872. Ce cruel discours d'Enée est imité du discours d'Achille à Lycaon, lorsque le roi des Myrmidons jette le corps du vaincu dans le Xanthe, cf. *Il.*, XXI, 122-124.

2873. Inconnu par ailleurs. Virgile prête à ce guerrier le nom du géant, fils de Neptune et de la Terre.

2874. Virgile prête à ce guerrier rutule un nom grec.

2875. Il ne faut pas confondre ce Numa avec le Rutule dont la mort est mentionnée au livre IX, 454.

2876. Nous retrouvons ce Camers au livre XII, 224.

2877. Cf. note 2484.

2878. Amyclées était une ville de Campanie, située sur la mer Tyrrhénienne, entre Gaète et Terracine, à peu de distance de Fundi (cf. Martial, XIV, 115). Elle avait été fondée par des Laconiens d'Amyclées, venus en Italie, sous la conduite de Glaucus, fils de Minos, cf. *Géorg.*, III, 89.

L'épithète de *taciturne* que lui appliquent Virgile ici et ailleurs Silius Italicus (VIII, 6) est diversement expliquée. Selon les uns, elle vient de ses origines laconiennes; selon les autres, de sa métropole, dont les habitants, ayant reçu défense de répandre des fausses nouvelles dans une guerre contre les Doriens, n'osèrent répandre le bruit de l'arrivée véritable des ennemis, qui prirent et détruisirent la ville. D'où le mot de Lucilius : *Mihi necesse est loqui : nam scio Amyclas tacendo perisse*, et le vers de Silius (VIII, 580) :

......Quasque evertere silentia, Amyclae.

Mais cette légende n'est pas dans Pausanias, qui parle pourtant plusieurs fois de la destruction d'Amyclées, cf. Pausanias, III, 2, 6; XIX, 5.

L'Amyclées campanienne n'existait déjà plus du temps de Virgile. Pline conte que ses habitants, disciples de Pythagore, n'osèrent pas tuer les serpents qui infestaient les marais voisins et qui forçaient les Amycléens d'évacuer leur ville, cf. Pline, *H. N.*, VIII, 104.

2879. Egéon ou Briarée était un géant à cinquante têtes et à cent bras. Selon Hésiode et Homère, il prit part, à côté de Jupiter, à la lutte des dieux contre les Titans. Antimaque de Colophon, Callimaque et Virgile (VI, 257) le placent au contraire parmi les ennemis des dieux : foudroyé par eux, il est enseveli sous l'Etna. Ovide en fait un géant marin, compagnon de Triton et de Protée; à ce titre, il arbitra, d'après Pausanias, un différend entre le Soleil et Neptune, qui voulaient tous deux l'isthme de Corinthe : il attribua l'isthme à Neptune et l'Acrocorinthe au Soleil.

2880. Inconnu par ailleurs.

2881. Inconnu par ailleurs.

2882. Cf. note 2535.

2883. Allusion aux deux blessures reçues par Enée devant Troie : la première, lorsque, atteint par une pierre lancée par Diomède, il fut sauvé par Vénus, cf. *Il.* V, 311 sq.; la seconde, quand, blessé par Achille, il fut sauvé par Neptune, cf. *Il.*, XX, 291 sq.

2884. Turnus est pieux envers sa patrie qu'il défend, envers sa fiancée à qui il est fidèle, envers les dieux qu'il a honorés.

2885. C'est-à-dire des dieux.

2886. Cf. note 2386.

2887. Le camp des Latins situé sans doute sur la côte, non loin du *Fosso della Crocetta.*

2888. Dans *l'Iliade*, Apollon, pour soustraire Enée aux coups de Diomède, lui substitue de même une ombre (εἴδωλον) à sa ressemblance, cf. *Il.*, V, 449-450.

2889. Enée est le fils d'une déesse.

2890. Les vents emportent l'ombre ténue qu'il aurait eu tant de joie à pourfendre.

2891. La passerelle.

2892. Servius pense que le roi Osinius est le même personnage que Massicus (vers 166), qui avait deux noms comme Pâris Alexandre, Pyrrhus Néoptolème, Numanus Régulus, etc. Le Ps.-Servius mentionne une autre opinion, qui distingue Osinius, roi et chef des guerriers de Clusium, de Massicus, qui commandait à la fois les soldats de Clusium et de Cosa (vers 167-168).

2893. Junon, fille de Saturne.

2894. La déesse personnifiée de la mort, *Mors* ou *Morta*, tenait chez les Latins le rôle de Thanatos. C'était une divinité des *Indigitamenia.* Elle fut plus tard remplacée par *Orcus*, en qui se fondent à la fois la Thanatos et l'Hermès des Grecs et le Charon des Etrusques.

L'expression « dépêcher à la Mort » se trouve déjà dans Plaute, cf. *Capt.*, 692, et *Merc.*, 472. Virgile dit plus souvent « dépêcher chez Orcus », *Orco demittere*, cf. II, 398; IX, 527. Homère disait : « dépêcher chez Hadès ».

2895. Jupiter.

2896. Bancs de sable.

2897. Ardée, cf. note 1878.

2898. Bien que Jupiter ait promis de rester neutre, *Jupiter omnibus idem* (vers 112), il pousse Mézence au combat, soit pour punir un impie en l'envoyant à la mort, soit pour balancer la fortune des deux partis en donnant à Enée un adversaire digne de lui.

2899. Etrusques.

2900. Les Etrusques détestaient Mézence et l'avaient chassé pour ses cruautés, cf. VIII, 481-495.

2901. Virgile donne à ce guerrier le nom d'un cours d'eau.

2902. Inconnu par ailleurs.

2903. Inconnus par ailleurs.

2904. Son fils.

2905. Inconnu par ailleurs.

2906. Inconnu par ailleurs.

2907. Théano est dans Homère la femme d'Anténor et la fille de Cissée, roi de Thrace, cf. *Il.* VI, 298.

2908. La reine Hécube est dans Homère la fille, non de Cissée (cf. note précédente), mais de Dymas. Ici, comme au livre VII (*Cisseis*, vers 320), Virgile suit la version donnée par Euripide, *Hécube*, 3, et non celle donnée par Homère.

2909. Cf. VII, 320-321, et la note 1845.

2910. Pâris, d'après les poètes homériques, fut tué par Philoctète, et son corps, outragé par Ménélas, fut enlevé et enseveli par les Troyens. Une autre tradition fait de Pyrrhus, vengeur d'Achille, le meurtrier de Pâris.

2911. Le Vésule, aujourd'hui Viso (3 840 mètres), est l'un des plus importants sommets des Alpes; il domine de sa masse pyramidale la plaine du Pô, qui prend sa source à ses pieds, et aujourd'hui encore il est couvert de pins et de mélèzes sur ses flancs méridionaux.

2912. Le sanglier du pays des Laurentes était moins estimé que celui des Alpes, précisément à cause de cette habituelle pâture d'ulves et de roseaux, qui lui faisait une chair molle et sans saveur. Cf. Horace, *Sat.*, II, 4, 32.

2913. Homère compare de même Ulysse attaqué par les Troyens à un sanglier cerné par les chasseurs et les chiens, cf. *Il.*, XI, 414-418.

2914. Cf. notes 1793 et 1796.

2915. Grec exilé *(profugus)*, Acron s'était joint aux Arcadiens d'Evandre.

2916. Il avait une fiancée; il a dû la laisser au pays.

2917. *Comme un lion à jeun, etc.* Comparaison homérique, cf. *Il.*, XII, 299 sq.; *Od.*, XXII, 402 sq.

2918. Inconnu par ailleurs.

2919. Le péan était primitivement un hymne de reconnaissance en l'honneur d'Apollon Péan, c'est-à-dire d'Apollon guérisseur. Le nom du chant est venu de la répétition de l'acclamation : Péan! Puis il a désigné tout chant de victoire ou de joie.

2920. Les Anciens croyaient que les mourants avaient le don de prophétie. Patrocle mourant prédit à Hector sa mort prochaine et Hector lui-même annonce avec plus de précision encore la mort d'Achille, cf. *Il.*, XVI, 852; XXII, 358.

2921. La réponse de Mézence à Orodès rappelle celle d'Achille à Hector. Cf. *Il.*, XXII, 365-366.

2922. Jupiter.

2923. Expression homérique : χαλκεον ὕπνος (*Il.*, XI, 241).

2924. Dans cette énumération, on a voulu distinguer les Latins des Etrusques par l'étymologie de leurs noms : Cédicus, Sacrator, Rapon, Messape, Valère, Salius seraient des Italiens de l'armée de Turnus, comme l'indique la forme latine de leur nom; les autres : Alcathoüs, Hydaspès, Parthénius, Orsès Clonius, Ericérès, Agis, Thonius, Néalcès, des Troyens de l'armée d'Enée. Une telle discrimination nous paraît très fragile, car nous avons déjà vu que Virgile donnait souvent à des guerriers latins des noms de forme grecque.

2925. Lucrèce (I, 32) appelle Mars Mavors, et l'on retrouve ce doublet ancien dans Virgile et beaucoup d'autres poètes. Une inscription de Tusculum (*C. I. L.*, 1, 49) donne une autre forme *Maurte*, datif de *Maurs*.
Ancienne divinité italique, identifiée plus tard avec le dieu grec Arès, Mavors ou Mars est le même dieu que le Mamers des Osques.

2926. Tisiphone est l'une des trois Furies, cf. *Géorg.*, I, 278; III, 552; *En.*, VI, 555 et 571. Elle est qualifiée de « pâle », comme la Mort *(pallida Mors)*. Elle joue ici le même rôle que la Discorde, le Tumulte et la Destinée dans Homère et Hésiode, cf. *Il.*, XVIII, 635; *Boucl. Herc.*, 248.

2927. Orion fils d'Hyriée, géant béotien, soit qu'il ait poursuivi de son amour l'Aurore (Eôs), soit qu'il ait offensé Diane elle-même, périt de la piqûre d'un scorpion suscité par la déesse. Après sa mort, il prit place au ciel parmi les constellations, cf. *En.*, I, 535; IV, 52.

Une autre tradition fait d'Orion le fils, non du géant Hyriée, mais de Neptune, dieu de la mer, qui lui aurait donné la faculté de marcher sur les eaux.

Virgile ici semble combiner les deux légendes en faisant d'Orion un géant d'une telle taille qu'il pouvait marcher dans la mer, *humero supereminet undas.*

2928. La mer.

Nérée est un dieu marin, le symbole de la mer bienfaisante. Hésiode le fait fils de l'Océan (Pontus), et on lui attribue pour mère tantôt Thétys, tantôt la Terre (Gaia). C'est, dit Hésiode, « un vieillard véridique et doux, qui n'oublie jamais les lois de l'hospitalité et qui n'a que des pensées de justice et de douceur ». Il est le père des cinquante Néréides. Cf. *En.*, II, 419; VIII, 383; *Buc.*, VI, 35; *Géorg.*, IV, 392.

2929. Virgile a déjà appliqué ce vers à la Renommée, cf. IV, 177.

2930. Mézence est un impie.

Stace a imité ce vers, cf. *Thébaïde*, III, 615-616 :

...... Virtus mihi numen et ensis
Quem teneo.

2931. Mézence a pour Enée le même mot injurieux qu'Amata, cf. VII, 362.

2932. Inconnu par ailleurs.

2933. Certains voient dans le dévouement funeste du jeune Lausus une allusion à la piété filiale de Scipion l'Africain qui, à peine âgé de dix-sept ans, sauva la vie à son père blessé, à la bataille du Tessin.

2934. Homère compare de même à une averse de neige la grêle de pierres que les Grecs font pleuvoir sur les Troyens pour défendre leur camp et leur flotte assiégée. Cf. *Il.*, XII, 156 sq.

2935. Périphrase très appropriée pour désigner Enée, au moment où le héros troyen va se troubler à la pensée de son propre fils.

2936. Nous retrouvons la même grandiloquence dans les paroles que Camille adresse à Ornytus, cf. XI, 688-689 :

...... Nomen tamen haud leve patrum
Manibus hoc referes, telo cecidisse Camillae.

2937. Comme c'était l'usage, en signe de deuil, chez les peuples anciens. Ainsi font, dans Homère, Achille, quand il apprend la mort de Patrocle; Laërte, quand il croit mort Ulysse, cf. *Il.*, XVIII, 23, et *Od.*, XXIV, 317. Ainsi fait, dans Racine, Mardochée, après le massacre des Juifs, cf. *Esther*, I, 3, où Esther lui dit :

Mais d'où vient cet air sombre et ce cilice affreux
Et cette cendre enfin qui couvre vos cheveux ?

Cet usage, d'ailleurs, variait : tantôt, en signe de deuil, on se couvrait la chevelure de poussière ou de cendre; tantôt, on la coupait, en partie ou en totalité, pour la déposer sur le bûcher funéraire; tantôt, au contraire, on la laissait croître, ainsi que la barbe, comme font encore les paysans serbes et albanais.

2938. Le premier mouvement de l'impie Mézence est un démenti qu'il se donne.

2939. Ainsi, dans Homère, voit-on Hector et Achille parler à leurs chevaux, cf. *Il.*, VIII, 184; XIX, 400.

2940. Le cheval de Mézence est triste de voir son maître blessé et mal en point.

Racine (*Phèdre*, V, 6) a élégamment développé cette pensée, en décrivant les chevaux d'Hippolyte, qui

L'œil morne maintenant et la tête baissée,
Semblaient se conformer à sa triste pensée.

2941. Nom grec qui signifie « cambré ».

2942. Jupiter.

2943. La bosse d'or du bouclier où les coups glissent.

2944. Cette expression a été reproduite par Lucain, cf. *Phars.*, VI, 205.

2945. Il est à pied; Mézence est à cheval.

2946. L'Etrusque.

LIVRE ONZIÈME

FUNÉRAILLES DES GUERRIERS ; CAMILLE

2947. *Pendant ce temps l'Aurore surgissante a quitté l'Océan...* Ce vers reproduit IV, 129.

2948. Il était d'usage, chez les Anciens, de faire un vœu avant une bataille ou un combat singulier, cf. Tite-Live, I, 12, 5; Properce, *Elég.*, IV, 10, 15. Enée en avait donc fait, que Virgile a d'ailleurs jugé inutile de mentionner. Il était, d'autre part, interdit d'offrir un sacrifice dans un lieu que souillait la présence de cadavres, mais les lois pontificales permettaient de déroger à la règle précisément quand il s'agissait de s'acquitter d'un vœu.

2949. Virgile ne spécifie pas si le tertre était une éminence naturelle ou si, comme il arrivait, il avait été dressé par le sacrificateur.

2950. Les trophées primitifs étaient, en effet, des troncs d'arbre ébranchés, généralement des troncs de chênes, auxquels on attachait les dépouilles des vaincus. Une série de monnaies du ~ IVe siècle montre une Victoire fixant à un tronc d'arbre un bouclier, une lance et une épée. Plus tard, les beaux trophées furent de marbre ou de bronze.

2951. Cf. note 1948.

2952. Virgile emprunte à Ennius l'adjectif *bellipotens* et s'en sert substantivement. Ailleurs, IX, 717, il qualifie Mars de dieu « puissant par les armes » *armipotens.*

2953. Ils s'étaient brisés sur le bouclier d'Enée, cf. X, 882 sq.

2954. Mézence a été tué par Enée d'un seul coup d'épée, cf. X, 907; mais il a été précédemment blessé, *vulnera siccabat lymphis*, cf. X, 834. Il est donc inutile de supposer, comme le fait Servius, que ces douze blessures lui ont été faites après sa mort par les chefs des douze tribus étrusques, venus insulter son cadavre, comme les Grecs, dans *l'Iliade*, insultent celui d'Hector, cf. *Il.*, XXII, 371-372.

2955. Les diverses pièces de l'armure sont disposées sur le trophée comme elles le sont sur un homme armé.

2956. L'épée de Mézence était en fer; son fourreau en ivoire, *vagina eburna*, cf. IX, 305.

2957. Enée, en offrant à Mars les « prémices » de Mézence, appelle la protection du « dieu puissant à la guerre » sur le reste de la lutte qu'il soutient, de même qu'en offrant à Cérès les prémices d'une récolte, les laboureurs appelaient sa protection sur les moissons. Cf. Ovide, *Fastes*, II, 520.

2958. Cette épithète convient plus qu'une autre à Mézence, le « contempteur des dieux ». Macrobe (*Sat.*, III, 5) prétend que Mézence avait exigé que les prémices de la lutte lui fussent offertes, et non à Jupiter.

2959. A Latinus.

2960. Les Romains attendaient l'assentiment des dieux supérieurs pour livrer bataille; cet assentiment était donné ou refusé par les auspices, en particulier par la façon dont mangeaient les poulets sacrés libérés de leur cage. On connaît, à ce propos, le trait d'impiété de Claudius Pulcher, qui, furieux de voir que les poulets ne mangeaient pas, les fit jeter à l'eau : « Qu'ils boivent, dit-il, puisqu'ils ne veulent pas manger! » Ce libre propos du général en chef fut naturellement suivi d'une cruelle défaite.

2961. Quand une armée campait, on plantait les enseignes devant la tente des généraux et des chefs de cohorte; lorsqu'on levait le camp, soit pour se mettre en marche, soit pour combattre, on arrachait les enseignes et on les portait en tête des troupes.

2692. Au fond des Enfers. Ici, comme ailleurs, et comme le fait Homère dans *l'Iliade*, Virgile étend à tous les Enfers le nom du fleuve infernal.

2963. « La sépulture, dit Homère, est la récompense des morts ». Cf. *Il.*, XVI, 675.

2964. Dont le cadavre avait été transporté dans la maison d'Enée, cf. X, 505.

2965. *Un sombre jour nous l'a ravi et l'a plongé précocement dans la mort...* Même vers VI, 429.

2966. L'exposition du cadavre était un usage constant chez les Anciens. Dans Homère, on voit le cadavre rester sur le lit funèbre, les pieds tournés vers la porte, douze jours pour Hector, dix-sept jours pour Achille.

2967. Arcadien. Cf. note 2231.

2968. Celles qui, comme la mère d'Euryale, avaient suivi Enée et ses compagnons dans le Latium. Le mot *sola*, appliqué à la mère d'Euryale, ne doit pas être pris à la lettre. Cf. note 2447.

2969. Comme le font encore de nos jours les « pleureuses » en Corse, en Sardaigne, en Serbie.
Un bas-relief du Louvre nous montre des femmes en deuil, les cheveux épars. Cf. III, 65; Properce, *El.*, II, 10, 36; Ovide, *Fastes*, II, 812.

2970. D'Enée.

2971. La lance de l'Ausonien Turnus.

2972. Sans duvet : Pallas est tout jeune.

2973. Pallas mort ne dépend plus des dieux d'en haut, mais des dieux infernaux.

2974. Cf. VIII, 532.

2975. Reçues par-derrière.

2976. Deux sens possibles : tu ne souhaiteras la mort de ton fils, sauvé par une lâche fuite; ou : tu ne souhaiteras ta propre mort, en apprenant que ton fils a sauvé sa vie par une lâcheté.

2977. Cette comparaison rappelle celle du pavot coupé par la charrue, cf. IX, 435-437.

2978. Cf. note 2460.

2979. *Et dont elle avait nuancé la trame d'un filet d'or ténu...* Vers répété de IV, 264.

2980. Ce sont autant de trophées anthropomorphes.

2981. « Les chevaux, dit Pline (VIII, 42), pleurent leurs maîtres et versent parfois des larmes de regret. »
Dans *l'Iliade*, on voit aussi les chevaux d'Achille pleurer leur maître, cf. XVII, 426-428, et XVII, 437-439.

2982. Le baudrier, que Turnus a enlevé à Pallas, cf. X, 496.

2983. La pointe dirigée vers la terre, en signe de deuil.

2984. *Voilés de rameaux d'olivier...* A la façon des suppliants, cf. note 1756.

2985. Cf. 15, 47 : *si vescitur aura aetheria.*

2986. Le pluriel étend à tous les Latins un mot qui se rapporte strictement au roi Latinus, cf. VII, 98.

2987. Les murs promis par le destin cf. vers 112 :

Nec veni, nisi fata locum sedemque dedissent.

2988. Pour y couper le bois nécessaire aux bûchers : frênes, pins, cèdres, rouvres et ornes.

2989. Cf. Lamartine, *Nouvelles méditations*, *Préludes* :

Le bruit lointain des chars gémissant sous leurs poids.

et V. Hugo, *Tristesse d'Olympio* :

Les grands chars gémissant qui reviennent le soir.

Virgile avait déjà décrit, dans les *Géorgiques* (III, 535-536), les bœufs « traînant, la nuque tendue, les chars grinçants », *stridentia plaustra.*

2990. Cf. IV, 173, 298, 666; VII, 104; IX, 474.

2991. Il était d'usage, si un fils de famille mourait en dehors de la ville, que ses amis et ses affranchis, des flambeaux à la main, allassent chercher son corps et le ramenassent chez lui : car l'enterrement, comme encore aujourd'hui dans certaines campagnes de Toscane et de Sicile, avait lieu la nuit.

2992. Troyens.

2993. Allusion probable aux efforts de ses amis qui invoquaient la majesté royale ou son grand âge pour empêcher Evandre d'aller au-devant du convoi funèbre.

2994. On songe aux vers que prononce le *Bajazet* de Racine (I, 1, 123) :

Et goûter, tout sanglant, le plaisir et la gloire
Que donne aux jeunes cœurs la première victoire...

et à la maxime de Vauvenargues (*Réflexions et Maximes*, CCCLXXV) : « Les feux de l'aurore ne sont pas si doux que les premiers regards de la gloire. »

2995. Il faut entendre : J'ai vécu plus longtemps que ne vivent d'ordinaire les hommes.

2996. Les Volsques, alliés à Turnus sous les ordres de Camille, cf. VII, 803, avaient sans doute particulièrement souffert des coups de Pallas.

2997. Epithète homérique. Cf. aussi Lucrèce, VI, 1 : *mortalibus aegris*, et *Géorg.*, I, 237 : *mortalibus aegris.*

2998. Cf. note 2282.

2999. Le plus proche parent portait ou conduisait au bûcher le corps du mort.

3000. Ce sont des bûchers funèbres, et il en monte d'abord une fumée noire.

3001. Cette course autour du bûcher était une des cérémonies des funérailles. Les fantassins la faisaient à pied *(decurrere)* ; les cavaliers à cheval *(lustravere in equis)*. Cf. la description donnée par Homère des funérailles d'Achille et de Patrocle, *Il.*, XXIII, 13 sq., XXIV, 68 sq., et Tite-Live, XXV, 17.

3002. Cf. *Il.*, XXIII, 15-16.

3003. Des roues échauffées par la course, cf. Horace, *Od.*, I, 1, 4 :

.... *Metaque fervidis*
Evitata rotis.

Virgile, Gaulois cisalpin, fait sans doute allusion ici à la coutume gauloise de jeter dans la sépulture de petites roues.

3004. Les armes qu'ils avaient l'habitude de leur voir porter et qu'ils leur apportent en offrandes.

3005. Qui n'ont pu les sauver de la mort.

3006. La Mort personnifiée, fille de l'Erèbe et de la Nuit, sœur du Sommeil, était une des divinités indigètes des Latins *(Mors* ou *Morta)*, confondue plus tard avec Orcus, où se fondaient aussi l'Hermès des Grecs et le Charon des Etrusques. Cf. Cicéron, *De Natura deor*, III, 17.

3007. Les Anciens croyaient que le ciel tournait autour de la terre en un jour. Cf. Ennius, cité par Macrobe (VI, 1, 8) :

Vertitur interea coelum cum ingentibus signis.

et *En.*, II, 250 :

Vertitur interea coelum et ruit Oceano Nox.

3008. Leurs pertes sont immenses.

3009. L'usage de brûler les corps n'était pas général en Italie; il s'est développé quand les Romains, dans leurs guerres lointaines, s'aperçurent que les tombeaux n'étaient pas des sépultures inviolables. Dans la famille Cornélia, le dictateur Sylla est le premier qui ait ordonné qu'on brûlât son corps, et, dans le tombeau des Scipions, que l'on voit sur la voie Appienne, on a trouvé des cercueils de pierre pour des corps entiers, entre autres celui de Cornélius Scipion Barbatus, qui a été placé à la Bibliothèque Vaticane.

Si l'on remonte à la plus haute antiquité, on trouve que les pratiques funéraires se divisent en deux grandes catégories : incinération et inhumation, et l'on distingue ; 1° la période néolithique, où les deux pratiques cœxistent; 2° la période préhomérique, où l'inhumation est seule pratiquée; 3° la période homérique, où la crémation était réservée aux gens riches, parce qu'elle était coûteuse; les pauvres étaient enfouis tout simplement; 4° la période archaïque, où, comme l'ont montré les fouilles du forum romain, l'incinération est seule pratiquée; 5° la période historique, où cœxistent encore les deux modes de sépulture.

3010. La capitale des Laurentes, Lavinium.

3011. Les soldats inconnus ou qui n'étaient ni de Lavinium, ni des campagnes voisines.

3012. Pour recueillir les ossements *(ossilegium)*. Tantôt, comme ici, les bûchers étaient constitués dans des fosses qui servaient de tombes; tantôt, les cendres et les os recueillis étaient enveloppés de linges et placés dans des vases, coffrets ou urnes de formes diverses.

3013. Tiède encore du feu des bûchers.

3014. Chéries de leurs frères, quand ils vivaient.

3015. Cf. Horace, *Od.*, I, 1, 24.

3016. A qui Lavinie avait été promise, avant d'être fiancée à Enée.

3017. Amata était pour Turnus.

3018. Vénulus avait été envoyé en ambassade par Turnus, pour demander à Diomède son alliance, cf. VIII, 9, 17. La ville de Diomède était Arpi ou Argyripe, cf. note 2663.

3019. Diomède avait pour père Tydée, roi d'Etolie.

3020. Cf. note 3018.

3021. Diomède était Argien par sa mère Déipyle, fille d'Adraste, roi d'Argos, et par son mariage avec sa cousine germaine Egialée, petite-fille de ce même Adraste, auquel il avait succédé sur le trône, cf. note 2663.

3022. Le mont Gargan, aujourd'hui Monte di Sant' Angelo, en Apulie, forme un massif qui s'avance dans la mer, cf. Lucain, *Phars.*, V, 380.
Ces guérets sont ici qualifiés d'iapygiens parce qu'un certain Iapyx, fils de Lycaon, avait colonisé la terre voisine de Labour, que les poètes, comme ici Virgile, confondent souvent avec l'Apulie.

3023. Cf. note 2663.

3024. Cf. note 2663.

3025. Cf. note 2217.

3026. Cf. note 2682 et I, 100-101.

3027. Nos crimes contre les dieux protecteurs de Troie.

3028. Allusion aux « malheurs » d'Agamemnon, de Ménélas, d'Ulysse, d'Ajax, etc.

3029. La constellation qui détermine la tempête, déchaînée par Minerve contre Ajax.

3030. Ajax, fils d'Oïlée, roi des Locriens, avait bousculé Cassandre, prêtresse de Minerve, dans le temple même de la déesse, pour s'emparer du Palladium. Il fut cruellement puni de cette injure par Minerve. Selon la version adoptée par Euripide et Virgile (I, 60), il fut foudroyé au cours d'une tempête qui engloutit sa flotte, près du promontoire de Capharée, dans l'île d'Eubée. Selon une autre version que suit Homère, Ajax, protégé par Poséidon et échoué sur les rocs de Gyræ, près de l'île de Mycone, y défia les dieux : Poséidon (Neptune) fendit alors les rocs de Gyræ et précipita Ajax dans les flots. Cf. *Od.*, IV, 499-511.

3031. La Méditerranée s'étendait pour les Anciens des colonnes d'Hercule (détroit de Gibraltar), à l'ouest, aux colonnes de Protée (île de Pharos) à l'est.
Homère conte que Ménélas, fils d'Atrée, après la guerre de Troie, fut jeté par la tempête dans l'île de Pharos, y séjourna vingt jours, y séduisit Idothée, fille du devin Protée, qui lui donna les indications nécessaires pour s'emparer de son père. Cf. *Od.*, IV, 360 sq.; *Géorg.*, IV, 387 sq.

3032. L'aventure d'Ulysse chez les Cyclopes est contée par Homère, cf. *Od.*, IX, 166. Virgile a ajouté à cette aventure l'épisode d'Achéménide, cf. III, 613 sq.

3033. Néoptolème ou Pyrrhus, fils d'Achille, fonda, après la guerre de Troie, un royaume en Epire, y épousa tour à tour Andromaque et Hermione, et fut tué par Oreste, fiancé d'Hermione. Cf. III, 330 sq.

3034. Idoménée, roi de Crète, fut, à son retour de Troie, assailli par une terrible tempête et fit vœu, s'il en réchappait, de sacrifier à Neptune la première personne qui viendrait à sa rencontre à son arrivée en Crète. Or ce fut son fils, et il l'immola. Une peste ayant éclaté quelque temps après, les Crétois attribuèrent ce fléau à Idoménée et « renversèrent ses Pénates », c'est-à-dire le chassèrent de l'île. Idoménée fugitif aborda en Italie, où il fonda Salente, aujourd'hui Soleta, cf. *En.*, III, 121, et Fénelon, *Tél.*, V et VIII.

3035. Selon Servius, les Locriens, compagnons d'Ajax, furent divisés par la tempête du cap Capharée; les uns, que Virgile est seul à mentionner, s'établirent sur la côte de Libye; les autres abordèrent dans le Bruttium, où ils fondèrent Locres Epizéphyrienne, aujourd'hui Gérace, cf. III, 399.

3036. Allusion au meurtre d'Agamemnon par sa femme Clytemnestre, devenue la maîtresse d'Egisthe. Selon Homère (*Od.*, XI, 411), Agamemnon aurait été poignardé dans un festin; selon Virgile, en entrant dans son palais.

3037. Diomède ne devait revoir ni l'épouse « désirée », et d'ailleurs infidèle, qu'il avait laissée à Argos, ni la petite ville de Calydon, en Etolie, où régnait son père Tydée.

3038. Les compagnons de Diomède avaient, selon la fable, été changés en hérons par Vénus pour avoir proféré des injures contre la déesse. Ils erraient, ainsi transformés, dans les îles Diomédées, aujourd'hui îles Tremiti, au nord du Gargan, en Apulie; un temple consacré à Diomède se trouvait là; ils le lavaient et le purifiaient chaque jour avec l'eau recueillie dans leur gosier et sur leurs ailes; ils accueillaient par des cris de joie les vaisseaux grecs et poursuivaient les autres de coups de bec et de cris hostiles. Cf. Ovide, *Mét.*, XIV, 458 sq.; Pline, X, 61, 1; saint Augustin, *Cité de Dieu*, XVII, 16.

3039. Diomède avait blessé Vénus (*Il.*, V, 330) et Mars (*Il.*, V, 841).

3040. La double citadelle de Troie.

3041. Il faut entendre sans doute : je ne me souviens pas des maux que j'ai soufferts; je ne me réjouis pas du mal que j'ai fait aux Troyens.

3042. Cf. *Il.*, V, 239 sq.
Diomède exagère ici la force d'Enée : dans le combat décrit par Homère, Enée s'avance bien « comme un lion confiant dans sa force », mais il est abattu du premier coup par une lourde pierre, et il aurait péri si Vénus, le dissimulant dans les plis de son manteau, ne l'eût entraîné loin du champ de bataille.

3043. La Troade, où se dressait le mont Ida.

3044. Hyperbole que le poète corrige un peu plus loin, en associant Hector à Enée.

3045. C'est-à-dire les Troyens (descendants de Dardanus) auraient attaqué les premiers les Grecs (descendants d'Inachus, fondateur et premier roi d'Argos).

3046. Homère désigne également Hector et Enée comme les plus vaillants des Troyens, cf. *Il.*, XVII, 513.

3047. Comparaison homérique, cf. *Il.*, II, 144-147 et 394-397.

3048. Selon l'usage des vieux Romains et des Grecs. Servius note que Caton et Caïus Gracchus s'y conformaient toujours, et Démosthène, au début de son discours *sur la Couronne*, invoque d'abord les dieux. Dans La Fontaine, qui s'en souviendra, le Paysan du Danube commence son discours au Sénat par ces mots :

Romains, et vous, Sénat, assis pour m'écouter,
Je supplie avant tout les dieux de m'assister.

3049. Latinus exagère : l'armée troyenne ne campe pas encore sous les murs de la capitale des Laurentes.

3050. Selon le précepte codifié dans le vers d'Ennius :

Qui vincit non est victor, nisi victu' fatetur.

Hannibal porte sur les Romains le même jugement que porte ici Latinus sur les compagnons d'Enée, cf. Tite-Live, XXVII, 14, 1; Horace, *Od.*, IV, 4, 57.

3051. Des soldats de Diomède, cf. note 3019.

3052. Comme fait le Jugurtha de Salluste (LXXXV) : *mihi spes omnes in memet sitae.*

3053. Du Tibre, étrusque ou toscan par son cours supérieur et sa rive droite.

3054. Cf. note 2461. Selon Carcopino, *op. cit.*, pp. 458-468, Latinus est prêt à céder aux Troyens la ligne de hauteurs qui va de la ville des Laurentes jusqu'au Tibre, c'est-à-dire aujourd'hui de Prattica à Dragoncello, l'ancienne Ficana.

3055. Cf. note 2067.

3056. Cf. note 1792.

3057. Il est probable que Rutules et Auronces cultivaient le domaine de Latinus, soit à titre de clients, soit à titre de fermiers.

3058. Cf. note 2861.

3059. L'ivoire, outre son emploi dans la statuaire, servait à fabriquer ou à décorer un grand nombre d'objets : pommeaux et gaines d'épées, manches de couteaux, flûtes, sceptres, chaises curules, etc.

3060. La selle ou chaise curule, enrichie d'ornements d'ivoire ou d'or, servait à Rome à certains magistrats : consuls, préteurs, édiles curules. Elle était l'un des insignes royaux de Latinus.

3061. Cf. note 1760.

3062. Cf. *supra*, vers 122.

3063. Julius Sabinus dit qu'il était « fils de la sœur de Latinus et d'un père campagnard ».

3064. Le commandement, qui comportait pour le général le droit et le devoir de prendre les auspices.

3065. Allusion à la fuite de Turnus, IX, 815, et peut-être aussi à son éloignement du champ de bataille, quand Junon le déroba aux coups d'Enée en l'abusant par une vaine image. cf, X, 607-689.

3066. Entendez : du fracas de ses armes (locution proverbiale). Cf. Racine, *Iphigénie*, IV, 6, où Agamemnon dit à Achille à peu près dans le même sens :

... vous qui, de l'Asie embrassant la conquête,
Querellez tous les jours le ciel qui nous arrête.

3067. Cadeaux: les talents d'or et d'ivoire, la selle curule, la trabée; propositions : la cession d'un domaine, cf. *supra*, vers 333 et 316.

3068. Le mariage d'Enée et de Lavinie.

3069. En enrôlant tous les paysans, cf. VIII, 8; X, 310.

3070. Le palais et la succession au trône, que Lavinie doit apporter en dot, cf. IX, 737.

3071. C'est Enée qui a permis d'ensevelir les morts.

3072. Turnus exagère, cf. note 3049.

3073. Cf. note 2925.

3074. Pallas était le fils unique d'Evandre.

3075. Pallas et les Arcadiens ont été dépouillés de leurs armes après leur mort.

3076. Guerriers troyens tués par Turnus, cf. IX, 672 sq., et notes 2592 et 2593.

3077. On se rappelle que Turnus avait pénétré seul dans le camp troyen et y avait fait un grand carnage, cf. IX, 728.

3078. A Enée.

3079. Le parti de la paix à tout prix.

3080. Cf. note 2558.

3081. Les Myrmidons étaient un peuple achéen établi primitivement dans l'île d'Egine; Pélée, père d'Achille, en établit une colonie dans la Phthiotide, région de la Thessalie méridionale, sur les bords du golfe Maliaque; Achille fut leur chef devant Troie, où ils se signalèrent par leur vaillance. Cf. II, 17.

3082. Diomède, fils de Tydée, cf. X, 29.

3083. Achille, roi de Thessalie, dont la capitale était Larissa, aujourd'hui Salembria, sur le Pénée, cf. II, 197. — Achille et Diomède sont ici nommés à dessein par Turnus, parce qu'ils étaient les plus vaillants des Grecs.

3084. L'Aufide, aujourd'hui Ofanto, traversait l'Apulie, où s'était établi Diomède, et se jetait dans l'Adriatique. « Il fuyait et reculait devant les ondes Adriatiques » signifie que Diomède reculait devant Enée.

3085. Turnus appelle ainsi Latinus par respect pour son âge et pour son sceptre, et aussi parce qu'il se considère, étant fiancé à Lavinie, comme son beau-fils.

3086. *Heureux... dans ses malheurs...* C'est l'expression grecque εὐτυχὴς τῶν πονῶν, reprise par Racine dans *Andromaque*, acte III, scène 6 : « Heureux dans son malheur. »

3087. *Les jours qui passent... lieu sûr.* Ces trois vers semblent imités de ceux d'Ennius, cités par Macrobe (*Sat.*, VI, 2) :

.... Multa dies in bello conficit unus ;
Et multi rursus fortunae forte recumbunt ;
Haudquaquam quemdam semper fortuna secuta est.

3088. Nous n'aurons pas l'appui de Diomède, qui règne sur Arpi. Cf. notes 3019 et 1663.

3089. Cf. note 1980.

3090. Selon Servius, Turnus qualifie d'« heureux » *(felix)* Tolumnius, qui est un augure, pour opposer son bonheur aux malheurs cités par Diomède. Nous retrouverons au livre XII l'augure Tolumnius.

3091. Cf. VII, 803-804.

3092. Vulcain avait forgé les armes d'Achille, à la prière de Thétis, et celles d'Enée, à la prière de Vénus. Cf. *Il.*, XVIII, 369 sq., et *En.*, VIII, 608 sq.

3093. La Paduse était l'une des branches méridionales du Pô; on la nommait encore Messanique ou Spinétique, du nom de la ville de Spina, qui était située tout près de l'endroit où elle se jetait dans l'Adriatique. Un canal, le canal d'Ascon, la reliait à Ravenne. Cf. Pline, III, 20, 5.

La Paduse semble avoir aujourd'hui disparu. Certains l'identifient pourtant avec le *Po di Argenta.*

3094. Virgile donne sans doute ce nom à un chef des Volsques.

3095. Le poète emploie à dessein ce vieux mot latin qui désigne une subdivision de la légion : il fallait trois manipules pour faire une cohorte, dix cohortes pour faire une légion.

A l'origine, un manipule était proprement ce qu'on pouvait tenir dans la main : une gerbe de blé, une botte de foin; puis il a désigné l'étendard d'une petite troupe, cet étendard consistant d'abord en une gerbe de blé ou une botte de foin piquée au haut d'une lance ou d'une fourche; enfin il a servi à nommer la petite troupe elle-même.

3096. Cf. note 1980.

3097. Cf. note 1966.

3098. Le frère de Coras se nommait Catillus, cf. note 1966.

3099. Des pierres, pour former un retranchement; des pieux, pour couvrir le retranchement d'une palissade.

3100. Les buccins étaient des trompettes courtes, très légèrement recourbées ou droites, à embouchure étroite, s'élargissant peu à peu pour se terminer par un pavillon largement ouvert.

3101. Minerve.

Déjà, dans Homère, Minerve est nommée *Tritogénie :* on disait, en effet, que la déesse était née sur les bords du Triton, son père. Ce dieu-poisson, soit du fleuve Triton en Béotie, soit de la source Triton en Crète, soit d'une rivière et d'un lac de Libye, apparaît pour la première fois dans Hésiode, qui en fait le fils de Neptune et d'Amphitrite. Il est lui-même le père et le parèdre de Tritogénie ou Tritonie, identifiée avec Minerve. Cf. *En.*, II, 171, 226, 615; V, 704.

3102. ...*Couche-le sous nos hautes portes...* Ces trois vers sont imités d'Homère, cf. *Il.*, VI, 305-307.

3103. Comparaison célèbre, empruntée à Homère, cf. *Il.*, VI, 506-511, et déjà imitée, avant Virgile, par Apollonius, cf. *Arg.*, III, 1529 sq., et par Ennius, cf. Macrobe, *Sat.*, VI, 3, 8.

3104. Par respect pour le chef de l'armée. Cf. Sénèque, *Ep.*, LXIV : *Si consulem videre aut praetorem, omnia, quibus honor haberi solet, faciam ? equo desiliam, caput adoperiam, semita cedam.*

3105. C'est-à-dire en réunissant les troupes des chefs alliés.

3106. Cf. note 1966.

3107. Diane, fille de Latone. Cf. note 2489.

3108. Opis, jeune fille de Thrace, venue à Délos avec quelques compagnes pour offrir à Diane un sacrifice, resta dans l'île et devint une des favorites de la déesse, près de qui elle était dans le ciel.

3109. Il ne faut pas confondre, comme l'a fait le Ps.-Servius, ce Métabus, père de Camille, avec Métabus, fils de Sisyphe, héros éponyme de Métaponte.

3110. Priverne, aujourd'hui Piperno Vecchio, était, sur l'Amasène, la capitale du pays des Volsques.

3111. Il est possible, comme l'a noté Varron, que le mot *Camilla* vienne d'un primitif *Casmilla*, mais si la chute de l'*s* s'est faite en latin, elle est très ancienne (cf. *Camenae*, de *Casmenae*).

Observons, d'autre part, qu'on nommait : 1° *Camillus :* un dieu serviteur des Grands Dieux dans les mystères de Samothrace, et père des trois Cabires; 2° *Camillus :* Mercure, chez les Etrusques; 3° *Camilli* (Καδμίλοι) : les ministres inférieurs du culte chez les Pélasges, les Etrusques et les Romains; 4° *Camilli :* les « enfants de chœur » romains, qui, de famille noble et ayant leurs père et mère vivants, les cheveux longs, vêtus d'une tunique blanche et couronnés de feuillage, portaient dans les sacrifices le vase d'eau lustrale et le coffre de sel et de farine.

Un tel nom, qui est d'ailleurs d'origine sémitique (*Qadm-El*, « serviteur de Dieu, qui se tient devant lui »), était assez riche en significations mythologiques ou liturgiques pour qu'il plût à un poète comme Virgile de le donner à son héroïne.

Cf. Varron, *L. L.*, VII, 34; Akusilaos d'Argos cité par Strabon, X, 472; Denys d'Halicarnasse, *Ant., rom.* II, 22, 2; Macrobe, *Sat.*, III, 8, 6.

3112. Cf. note 1978.

3113. Diane était la déesse chasseresse, qui régnait sur les bois, les prés et les pacages.

3114. Les traits et le carquois sont les deux attributs de Diane.

3115. Ce passage est diversement entendu. Les uns comprennent, avec Benoist, que la vigueur avec laquelle Métabus a lancé ses javelots a fait retentir, du sifflement du trait, les eaux de l'Amasène. D'autres, avec Dubner, pensent que les ondes du fleuve elles-mêmes sont émues et frémissent de l'audace que l'amour paternel inspire à Métabus. D'autres, encore, avec Sabbadini, estiment que le poète songe au grondement du torrent, qui rend plus terrible le risque que court le précieux javelot. L'interprétation de Benoist nous paraît la plus simple et la plus vraisemblable.

3116. Le salut de Camille est un présent de Diane. Sur l'appellation de Trivie donnée à la déesse, cf. note 1900.

3117. Une fois l'Amasène franchi, Métabus se trouvait en Campanie, région soumise aux Etrusques.

3118. Virgile avait peut-être en vue pour faire ce portrait de Camille l'une des célèbres statues d'Artémis (Diane) dues au ciseau du sculpteur messénien Damophon (IIe siècle av. J.-C.) Un groupe de marbre de ce sculpteur, signalé par Pausanias et conservé dans le sanctuaire de Lycosoura, en Arcadie, nous montre la chasseresse revêtue d'une peau de faon et le carquois aux épaules. Le même Pausanias nous dit que, sur le fameux coffret de Cypsélos, la déesse était figurée avec une petite panthère dans la main droite.

3119. Le Strymon, aujourd'hui Strouma, était un fleuve de Thrace, qui sortait de l'Hémus. L'hiver, les grues qui hantaient les bords du Strymon venaient dans la Grèce centrale ou dans l'Italie. Cf. *Géorg.*, I, 119.

3120. C'est un Italien, l'Etrusque Aruns, qui tuera Camille.

3121. Ainsi fait Apollon, dans Homère, quand sur l'ordre de Jupiter il transporte en Lycie le corps de Sarpédon, cf. *Il.*, XVI, 663 sq.

3122. En signe de deuil, Vénus, au contraire, quand elle apporta à Enée les armes forgées par Vulcain, était descendue éblouissante. Cf. VIII, 608.

3123. Virgile continue d'employer les termes militaires romains : cohorte, manipule, turme. Une turme est primitivement un escadron de trente hommes, réparti en trois décuries. Cf. Varron, *L. L.*, V, 91.

3124. *Le coursier aux pieds sonores (sonipes)*. Ce mot, synonyme noble de *equus*, est emprunté par Virgile à Accius et à Lucilius, cf. IV, 135. On le trouve abondamment employé par Silius Italicus et par Stace.

3125. Expression homérique, cf. *Il.*, XIII, 339. Ennius, cité par Macrobe (*Sat.*, VI, 4, 6), avait déjà dit :

Horrescit telis exercitus asper utrimque ;

et

Arma arrigunt, horrescunt tela ;

et

Sparsis hostis longis campus splendet et horret.

Virgile lui-même dit ailleurs, cf. VII, 525-526 :

... Atraque late
Horrescit strictis seges ensibus...

3126. Expression empruntée à Homère, cf. *Il.*, V, 619; VI, 319, et à Ennius, *Scipio* (cité par Macrobe, *Sat.*, VI, 4, 6) : *Sparsis hastis longe campus splendet.*

3127. Peut-être faut-il voir avec Servius dans l'épithète *rapides* une allusion aux « Rapides », nom donné par Romulus au corps de trois cents cavaliers qu'il avait institué et qui fut l'origine de l'ordre équestre et de la cavalerie des Romains. Cf. Tite-Live, I, 15.

3128. Comparaison homérique, cf. *Il.*, XII, 156-158.

3129. Nom propre d'un cavalier tyrrhénien, c'est-à-dire étrusque.

3130. Nom d'un cavalier latin.

3131. Pour se protéger en fuyant.

3132. Cf. note 2739.

3133. Cf. Homère, *Il.*, IV, 472; XV, 328.

3134. Cavalier troyen.

3135. Cavalier latin.

3136. Frère de Coras et de Tiburtus, cf. note 1966.

3137. Virgile emprunte le premier de ces noms au grec, le second à l'histoire romaine : Tite-Live cite, en effet, Herminius comme ayant secondé Horatius Coclès dans la défense du pont Sublicius, à côté de Spursus Lartius, « tous les deux (Herminius et Lartius) illustres par leur naissance et leurs exploits. » Cf. Tite-Live, II, 10, 6.

3138. Cf. *Il.*, XIII, 618.

3139. Pareille à une amazone.
Les Amazones étaient, selon la légende, un peuple de femmes guerrières, habitant les bords du Thermodon, fleuve d'Asie Mineure, et dont les capitales étaient Thémiscyre, Lycastie et Chadésie : car il y avait trois tribus. Filles de Mars et de la nymphe Harmonie, elles n'admettaient avec elles aucun homme. Mais, pour perpétuer leur race, elles se rendaient, chaque printemps, auprès des Gargaréens, peuple de la montagne voisine, et revenaient chez elles. Les enfants mâles nés de ces brèves unions étaient massacrés ou renvoyés aux Gargaréens; les Amazones ne gardaient que les filles.

3140. Cf. I, 492 :

Aurea subnectens exsertae cingula mammae.

Pour peindre ici Camille en amazone, Virgile avait sans doute comme modèle une des nombreuses figurations de ces femmes guerrières, qui sont souvent représentées vêtues à la mode grecque, en tunique et courte chlamyde, laissant à découvert le flanc, les bras et les jambes. Voir la célèbre Amazone du Vatican.

3141. La hache à deux tranchants *(bipennis)* et le javelot *(pilum)* étaient les armes habituelles des Amazones et passaient même pour avoir été inventées par la plus fameuse de leurs reines, Penthésilée. Cf. Pline, VII, 57, 10.

3142. A la façon des cavaliers parthes, cf. *Géorg.*, III, 31.

Fidentemque fuga Parthum versisque sagittis.

3143. *Larina, Tulla et Tarpéia...* Le poète donne à ces compagnes favorites de Camille des noms romains.

3144. Italiennes nées en Italie.
Le mot *Italides* semble avoir été créé par Virgile sur le modèle d'Océanides, Néréides, etc.

3145. Cf. note 3139.
Avant d'habiter l'Asie Mineure, les Amazones passaient pour avoir peuplé les rives du Tanaïs, aujourd'hui le Don, en Thrace, cf. Salluste, *Hist.*, III, 46.

3146. Elles foulent du sabot de leurs chevaux les eaux gelées du fleuve.

3147. Le Thermodon, aujourd'hui le Thermeh, coulait dans le Pont, de l'est à l'ouest, et se jetait dans le Pont-Euxin, après avoir arrosé près de son embouchure Thémiscyre, cf. note 3139.
Les poètes ont accoutumé de placer sur les bords du Thermodon le royaume des Amazones. Cf. Properce, *El.*, III, 14; IV, 4 :

Illa [Tarpeia] ruit qualis celerem prope Thermodonta
Strymonis abscisso pectus aperta sinu ;

Ovide, *Pont.*, IV, 10; et Heredia, *Le Thermodon :*

Vers Thémiscyre en feu qui tout le jour trembla
Des clameurs et du choc de la cavalerie,
Dans l'ombre, morne et lent, le Thermodon charrie
Cadavres, armes, chars, que la mort y roula...

3148. Comme celles des Gélons, des Garamantes et des Indiens.

3149. Hippolyte, fille de Mars et sœur d'Antiope, reine des Amazones, possédait le ceinturon de Mars. Hercule le lui enleva. Une tradition, suivie par certains auteurs, veut qu'Hippolyte ait été faite prisonnière par Thésée, et qu'elle en ait eu un fils, Hippolyte. Cf. Justin, II, 4.

3150. Penthésilée succéda, comme reine des Amazones, à Antiope et à Hippolyte. Elle vint au secours de Priam, à la fin de la guerre de Troie, et se fit tuer par Achille. Cf. I, 491 et Banville, *Les Exilés*, *Penthésilée :*

Quand son âme se fut tristement exhalée
Par la blessure ouverte et quand Penthésilée,
Une dernière fois se tournant vers les cieux,
Eut fermé pour jamais ses yeux audacieux,
Des guerriers, soutenant son front pâle et tranquille,
L'apportèrent alors sous les tentes d'Achille...

3151. Toutes les reines des Amazones se disaient filles de Mars, pour maintenir leur autorité, cf. Justin, II, 4.

3152. Les boucliers *(peltae)* des Amazones, comme ceux de plusieurs peuples d'Asie, étaient des boucliers ronds et petits, faits de bois ou d'osier tressé recouvert de cuir, et portant au sommet une ou deux échancrures en forme de croissant lunaire.

3153. Guerrier troyen ou étrusque, inconnu par ailleurs. Virgile lui prête un nom grec.

3154. De sa longue lance en bois de sapin.

3155. Guerrier troyen ou étrusque, inconnu par ailleurs. Virgile lui prête un nom grec.

3156. Guerrier troyen ou étrusque, inconnu par ailleurs. Virgile lui prête un nom grec.

3157. Guerrier troyen ou étrusque, inconnu par ailleurs. Virgile lui prête un nom grec.

3158. *Térée, Harpalycus, Démophoon, Chromis...* Guerriers troyens ou étrusques, inconnus par ailleurs. Virgile leur prête des noms grecs.

3159. Guerrier étrusque, porteur d'un nom grec.

3160. D'Apulie. Cf. note 2032.

3161. Guerrier troyen, cf. note 3134.

3162. Guerrier troyen, qu'il ne faut pas confondre avec l'écuyer d'Anchise, cf. IX, 647.

3163. Un tout jeune homme, puisqu'on le désigne par le nom de son père.

3164. *Habitant de l'Apennin... :* Ligure. *Incidit huic subitoque adspectu territus haesit / Appenninicolae bellator filius Auni.* Le mot *Apenninicola* n'a été employé que par Virgile; nous trouvons *Apenninigena* dans Ovide, *Mét.*, XV, 432; Claudien, *Cons. Honor.*, VI, 505,

3165. La mauvaise foi ligure était aussi célèbre dans l'Italie ancienne que la perfidie génoise aux XVe et XVIe siècles. « Tous les Ligures sont des menteurs », affirme Caton au second livre de ses *Origines*. Et Nigidius (cité par Servius) dit que les habitants de l'Apennin sont « des brigands poseurs d'embûches, des fourbes et des menteurs ».

3166. Contrairement à l'usage qui voulait que chaque soldat portât un emblème à lui sur son bouclier. Cf. Végèce, II, 3, et *En.*, IX, 548.

3167. L'éperon n'était pas en usage dans les temps héroïques. Mais, sans qu'il y ait d'anachronisme de la part de Virgile, on peut admettre que certains cavaliers portaient, attachée au talon, une simple lame de fer.

3168. Le mot *quadrupes*, plusieurs fois employé par Virgile pour *equus*, appartient au vocabulaire des poètes. On le trouve dans Ennius et Accius. Plaute ne manque pas de le mettre dans la tirade de l'*Asinaire* (708) où il parodie le style noble.

3169. Même image au vers 746 : *volat igneus aequore Tarchon.* Cf. Catulle, LXIV, 342.

3170. Déjà (VII, 807) Virgile avait tracé un portrait de la rapide Camille, « devançant les vents à la course ».

3171. Parce qu'on tire des présages de son vol.

3172. Jupiter.

3173. Jupiter.

3174. Cf. note 2282.

3175. De cavalerie.

3176. Cf. Furius, *Ann.*, XI (cité par Macrobe, *Sat.*, VI, I, 34).

3177. Cf. Furius, *id.* :

...............*Reficitque ad prœlia mentes.*

3178. Ces reproches de Tarchon aux Etrusques rappellent ceux d'Agamemnon à Mnesthée et à Ulysse, cf. *Il.*, IV, 338-348.

3179. Cf. note 2569.

3180. Les Etrusques, et en particulier les joueurs de flûte étrusques qui préludaient aux sacrifices, avaient à Rome une réputation solide de goinfrerie et d'ivrognerie. Tite-Live a délicieusement raconté la grève et la sécession à Tibur des joueurs de flûte de Rome, à qui le Sénat avait refusé le droit d'être nourris dans le temple de Jupiter, cf. Tite-Live, IX, 30, et aussi Ovide, *Fastes*, VI, 66. Virgile ailleurs (*Géorg.*, II, 193) a peint « l'Etrusque gras, *pinguis Tyrrhenus*, soufflant dans sa flûte d'ivoire près des autels », et Catulle, avant lui, avait parlé de « l'Etrusque obèse » (*obesus Etruscus)*, cf. XXXIX, 11.

3181. Cette sévérité à l'égard des Etrusques, qui constituèrent pourtant un puissant empire au VIIe siècle av. J.-C., n'étonnera pas le lecteur, s'il veut bien observer que les Romains n'ont connu les Etrusques qu'à leur époque de décadence, et surtout qu'ils n'en voyaient dans leur ville que des représentants de condition subalterne : joueurs de flûte, haruspices, acteurs, cf. Tite-Live, VII, 2, 4.

3182. L'haruspice était favorable quand l'examen des entrailles montrait d'heureux présages.

3183. Qui comportait toujours un festin.

3184. Où avaient lieu le sacrifice et le festin.

3185. Cf. note 2087.

3186. Cf. note 3169.

3187. Servius conte à ce propos que, dans la guerre des Gaules, César fut enlevé ainsi par un soldat gaulois et ne dut son salut qu'au hasard.

3188. *...et vim viribus exit.* Le mot *exit* signifie littéralement « se tire de, esquive ». Cf. V, 438.

3189. Comparaison homérique (*Il.*, XII, 200 sq.). Le passage d'Homère a été traduit en vers par Cicéron, cf. *De divinatione*, I, 47.

3190. Epithète homérique (*Il.*, XII, 201).

3191. Vénulus était venu d'Argos en Italie à la suite des trois fils d'Amphiaraüs, fondateurs de Tibur. Cf. note 2087.

3192. Les Etrusques, qui, sous la conduite du Méonien (Lydien) Tyrrhénus, s'étaient établis en Italie. Cf. note 2525.

3193. Au Cybèle (*Cybelus*, cf. III, 111) et non pas à Cybèle (*Cybèle*, cf. X, 220). Le nom de la montagne est d'ailleurs mis ici pour celui de la déesse, qui avait un sanctuaire illustre au mont Cybèle en Phrygie.

3194. Lorsqu'il était encore en Phrygie.

3195. Justin (XLI, 2) dit que les Parthes se servaient d'armures pareilles pour eux et leurs chevaux : *munimentum ipsis equisque loricae plumatae erant*, et Servius cite un passage de Salluste *(Hist.)* où il est question de ces armures : *Equis paria ac viris operimenta erant, quae lintea ferreis laminis in modum plumae adnexuerant.*

3196. Soit espagnole (cf. note 2563), soit d'un des pays qui fabriquaient une pourpre moins rouge que les ateliers fameux de Sidon et de Tyr.

Chlorée étant de Phrygie, il est probable que Virgile veut dire ici : d'une pourpre phrygienne; les pourpres de Phrygie, moins belles que celles de Syrie, étaient très appréciées par Alexandre et déjà connues à Rome au temps de Plaute.

3197. Gortyne est une ville de la Crète méridionale située sur le fleuve Léthé, près de la mer. Les Crétois, et notamment ceux de Goryne, étaient des archers plus renommés encore que les Lyciens.

3198. Cf. note 2076.

3199. L'arc de Chlorée n'est pas sur ses épaules, puisqu'au vers précédent il le tend et « décoche des dards ». Il y a dans ce passage une contradiction qu'on a vainement cherché à résoudre, mais que Virgile eût sans doute fait disparaître s'il eût eu le temps de revoir son poème.

3200. La chlamyde est un manteau léger et court, porté d'abord par les Thessaliens et les Macédoniens, puis par les jeunes Athéniens qui faisaient du cheval.

A Rome, c'était surtout un vêtement de guerre et de luxe : Scipion, Sylla portaient souvent une chlamyde. Virgile en prête une à Didon, cf. *En.*, IV, 137.

3201. Couleur de crocus, c'est-à-dire jaune d'or.

3202. Les Phrygiens et autres Asiatiques portaient des braies collantes, ainsi qu'on le voit sur les vases peints qui représentent Pâris ou Ganymède.

3203. Selon la mode phrygienne. Les Phrygiens passaient pour avoir inventé la broderie, cf. Pline, VIII, 74, 1 : *Acu facere Idaei Phryges invenerunt :* d'où le nom de *phrygiones* qu'on donnait souvent aux brodeurs et celui de « travail phrygien » *(opus phrygium)* qu'on donnait à la broderie. Cf. III, 287.

3204. En guise de trophées, comme c'était en effet l'usage.

3205. En fait, il ne s'adresse qu'au seul Apollon.

3206. On emploie cette épithète même pour d'autres dieux que Jupiter, à qui seul elle convient.

3207. Cf. note 1985. — Apollon était honoré sur le mont Soracte, et l'on a une dédicace : *Sancto Sorano Apollini.*

3208. Les Hirpins, prêtres de l'Apollon du Soracte, dont le nom (qui veut dire *loups* en sabin) est le même que celui des Luperques latins, marchaient, dit Pline, sans se brûler, sur le bûcher embrasé des sacrifices. Pline ajoute que, pour cette raison, un sénatus-consulte les exempta du service militaire et de toute autre charge. L'incrédule Varron affirme que les Hirpins n'étaient pas protégés du feu par leur piété *(freti pietate)*, mais par les sucs d'une certaine herbe dont ils s'enduisaient la plante des pieds. Cf. Pline, VII, 2, 11, et Varron, cité par Servius.
En faisant dire à Arruns « nous marchons » *(premimus)*, Virgile n'insinue pas qu'Arruns fut un Hirpin, mais se contente d'indiquer qu'il vient du pays où les Hirpins accomplissent ces pratiques.

3209. Cf. note 3206.

3210. Le Soracte (740 m.) est le plus haut sommet de la chaîne étrusque.

3211. Ici, les vents en général.

3212. Cf. note 3140.

3213. Comme, dans Homère, Euphorbe, quand il a porté à Patrocle le premier coup, cf. *Il.*, XVI, 813 sq.

3214. *Ainsi... un loup*, etc. Comparaison homérique, cf. *Il.*, XV, 586 sq.

3215. Expression reproduite par Ovide *Mét.*, V, 169.

3216. Nom donné sans doute par le poète en souvenir d'Acca Laurentia.

3217. Cf. IV, 703 : *Teque isto corpore solvo.*

3218. *Et sa vie, avec un gémissement, s'enfuit, indignée, chez les ombres...* Vers imité d'Homère, cf. *Il.*, XXII, 362.
Virgile l'a reproduit à la fin de *l'Enéide*, à propos de Turnus. Racine l'a imité aussi, cf. *Thébaïde*, V, 3 :

Et son âme en courroux s'enfuit dans les Enfers.

3219. Cf. II, 488, et Horace, *Epod.*, XVII, 41 : *sidus aureum.*

3220. Cf. note 3108.

3221. Pour s'être attaquée aux Troyens, que les destins protègent.

3222. Opis répète les propres paroles de Diane.

3223. Dercennius ou Dercennus, « antique roi des Laurentes », n'est connu que par ce passage. Selon le Ps.-Servius, d'autres légendes en faisaient un roi des Aborigènes.

3224. Opis était de Thrace, cf. note 3108.

3225. Nous retrouvons cet Atinas au livre XII, 661.

3226. Cf. note 3168. — Le vers se trouve déjà au livre VIII, 596.

3227. Cf. vers 475.

3228. Où il était allé tendre une embuscade à Enée, cf. vers 531.

3229. Cf. Lucrèce, *De Nat. Rer.*, V, 974.

3230. La mer d'Ibérie ou d'Espagne, au couchant par rapport à Rome.

3231. Cf. *Géorg.*, II, 481, et *Il.*, VIII, 485-486.

LIVRE DOUZIÈME

COMBAT ENTRE ENÉE ET TURNUS; VICTOIRE D'ENÉE.

3232. Turnus avait promis de provoquer Enée en combat singulier, cf. XI, 438.

3233. Sans attendre qu'on lui rappelle ses promesses.

3234. *Tel... le lion...* Comparaison homérique, cf. *Il.*, V, 136; XX, 164.

3235. Le chasseur qui l'a frappé par surprise. Phèdre (I, 1, 4) traite aussi de « brigand » *(latro)* le loup qui querelle l'agneau.

3236. Latinus.

3237. Allusion aux paroles adressées par Enée aux ambassadeurs latins, et qui l'engageaient moralement, cf. XI, 115-118.

3238. Aux Enfers, c'est-à-dire à la mort.

3239. Enée.

3240. Cf. X, 616 et 668, et la note 2145.

3241. Il faut entendre qu'il est riche et généreux, et qu'au lieu de sa fille il peut donner beaucoup d'or à Turnus.

3242. Ceux qui ont brigué sa main avant l'arrivée d'Enée.

3243. Latinus fait allusion aux oracles de Faunus, cf. VII, 81-106.

3244. Amata, épouse de Latinus, et Vénilie, mère de Turnus, étaient sœurs. Turnus était donc le neveu de Latinus.

3245. Les liens du traité qui promettait Lavinie à Enée, cf. VII, 268 sq.

3246. A Enée.

3247. Puisque Latinus, en combattant Enée, combattait contre les destins.

3248. La première fois dans le combat sur les bords du Tibre, où périt Mézence (livre X), la seconde fois, dans la plaine où périt Camille (livre XI).

3249. Allusion au premier combat (livre X), cf. note 3248.

3250. Allusion au second combat (livre XI), cf. note 3248.

3251. Daunus.

3252. Cf. note 1878.

3253. Au loin pour un vieillard, car Ardée était à peu de distance au sud de Laurente.

3254. Allusion au secours apporté par Vénus à son fils Enée dans son combat avec Diomède, cf. *Il.*, V, 311 sq.

3255. Mot méprisant dans la bouche d'un guerrier.
Dans Homère, Vénus protège son fils en l'enveloppant non d'un nuage, mais de son manteau.

3256. Ombres vaines en effet, puisque Diomède put voir et blesser Vénus, grâce à Pallas qui dessilla les yeux du héros, cf. *Il.*, V, 311 sq.

3257. Amata.

3258. Turnus qu'elle regardait comme son gendre.

3259. L'expression « altérer, souiller » l'ivoire (gr. *miainein*, lat. *violare*, *corrumpere*, *medicare*) se retrouve dans Homère, cf. *Il.*, IV, 141; dans Horace, cf. *Od.*, III, 5, 28; dans Stace, cf. *Achill.*, 137.
On altérait, en effet, en le teignant, la couleur primitive de l'ivoire.

3260. L'ivoire de l'Inde était renommé. Cf. *Géorg.*, I, 57 : *India mittit ebur.*

3261. Amata a prononcé des paroles de mauvais augure en déclarant qu'elle ne survivrait pas à Turnus.

3262. Il faut entendre : n'est point libre de retarder son destin. — Nous ne voyons dans ce passage, qui exprime un banal fatalisme, rien qui fût de nature à le faire mettre par Servius au nombre des treize vers « insolubles » de Virgile.

3263. Ce guerrier n'est nommé qu'ici.

3264. Ovide dit : « sur son char aux roues crocéennes », cf. *Mét.*, III, 150 :

...Lucem
Cum croceis evecta rotis Aurora reducet.

Virgile qualifie tour à tour l'Aurore de « pourprée », de « crocéenne » et de rose.

3265. Orithye, l'Acté des poètes, fille du roi d'Athènes Erechthée, se laissa enlever par Borée et alla habiter la Thrace avec lui. Les chevaux de Thrace, qui passaient pour les fils des vents (*Il.*, XVI, 150; XX, 221), étaient célèbres, cf. *En.*, V, 565, et IX, 49. Mais Virgile ne nous dit pas comment Orithye, reine de Thrace, a pu donner des chevaux à l'Italien Pilumnus.

3266. Ce « présent d'honneur » *(decus)* correspond au γέρας de *l'Iliade.*

3267. Cf. note 2386.

3268. La plupart des chevaux de Thrace étaient blancs ou pommelés, cf. V, 565; et IX, 49.

3269. Ils passaient pour être fils des Vents.

3270. L'orichalque est un métal fabuleux, que Platon, qui en fait l'un des métaux de son Atlantide, place immédiatement après l'or. La plupart des auteurs désignent par ce nom (*orichalcum*, de ὄρος, montagne, et χάλκος, airain) un corps dur et brillant qu'on trouvait dans les montagnes. Au IIIe siècle avant J.-C., le nom d'orichalque fut donné à un alliage de cuivre et d'airain, de couleur blanchâtre.

3271. On appelait « cornes » *(cornua* ou *cornicula)* les proéminences du cimier qui portaient l'aigrette.

3272. Vulcain.

3273. Pour la rendre incorruptible et invulnérable, comme sa mère fit d'Achille.

3274. Il ne faut pas confondre l'Auronce Actor avec le guerrier troyen du même nom, cf. IX, 500.

Il convient de supposer sans doute que les Auronces avaient été vaincus par Turnus avant de devenir ses sujets, et que c'est au cours de cette guerre que le chef rutule avait dépouillé Actor de sa lance.

3275. Au temps de Virgile, les Phrygiens étaient méprisés pour la mollesse de leurs mœurs. Cf. IV, 215 :

Et nunc ille Paris cum semiviro comitatu.

3276. Les Phrygiens portaient des cheveux frisés au fer ou calamistrés. Cette mode commença à paraître à Rome au temps de César, mais ne fut pas suivie par Auguste, qui portait les cheveux coupés court avec une frange sur le front.

3277. La myrrhe est un parfum, produit par un arbre qui croît surtout en Arabie, et dont les Anciens se mouillaient les cheveux, cf. Ovide, *Mét.*, V, 53 : *crines myrrha madidi.*

3278. Cf. *Il.*, XIX, 365.

3279. Cf. *Géorg.*, III, 232 sq.

3280. Comme le taureau, qui aiguise ses cornes contre un arbre.

3281. Qui promettaient le succès.

3282. *A souffler le jour de leurs naseaux dressés...* Ce vers est imité d'un vers d'Ennius (cité par Servius) :

......Funduntque elatis naribus ignem.

3283. La capitale des Laurentes.

3284. Les prêtres et les aides des sacrifices portaient une robe longue bordée d'un feston de pourpre qui lui avait fait donner son nom *(limus)*.

3285. Les prêtres se couronnaient la tête et garnissaient l'autel de verveine ou de romarin. Cf. Horace, *Od.*, IV, 11, 6 :

......Ara castis
Vincta verbenis.

3286. Les Latins.

3287. Le *pilum* était la principale arme offensive du légionnaire. C'était un javelot d'environ 2 m. 10 de long, se divisant en trois parties égales : 1/2 longueur du fer, 1/2 longueur du bois, la longueur commune de l'emmanchement. Son poids variait de 2 kilos à 2 kg. 1/2; sa portée, de 20 à 40 m. Son origine est incertaine, et l'on ignore si c'était une arme étrusque, samnite, ibérique ou nationale. Selon certains, il faisait partie de l'armement dès le temps de Servius Tullius; selon d'autres, il n'aurait paru qu'au ∼ IVe ou au ∼ IIIe siècle. Cf. Paul Couissin, *Les Armes romaines*.

3288. Pleines de la foule qui veut voir.

3289. Cf. note 2436.

3290. Cf. notes 2407 et 2455.

3291. Cf. note 2739.

3292. Cf. note 1784.

3293. Le mont Albain, qui, au dire de Caton, prit son nom d'Albe-la-Longue, aujourd'hui Monte Cavo, est situé à quinze milles au sud-est de Rome. Il était couronné par le temple de *Jupiter Latiaris* (cf. note 1695) bâti par Tarquin le Superbe, qui y établit les Féries latines, en mémoire de la confédération latine. Les généraux auxquels le Sénat avait refusé les honneurs du triomphe le célébraient sur ce mont.

3294. Juturne, cf. note 2849.

3295. C'est-à-dire t'admettre dans l'Olympe, parmi les divinités.

3296. Inégal à celui d'Enée.

3297. Le dernier jour, cf. Tibulle, *El.*, I, 8, 1 : *hunc cecinere diem Parcae*.

3298. Le pacte qui implique un combat singulier entre Enée et Turnus.

3299. Juturne hésite, car elle sait que Turnus a contre lui les destins.

3300. Les rois de *l'Iliade* ont aussi une stature puissante, cf. II, 557.

3301. Marica, mère de Latinus, était assimilée à Circé, fille du Soleil. Cf. note 1695.

3302. Un char attelé de deux chevaux blancs.

3303. Les guerriers portaient d'habitude deux javelines.

3304. Elles avaient été fabriquées par Vulcain.

3305. Toute blanche.

3306. Dans les sacrifices pour traiter de la paix, les Latins immolaient toujours un cochon ou une truie, cf. VIII, 641 :

......Caesa jungebant fœdera porca.

3307. A un an, les ovins perdent les deux dents du devant de la mâchoire inférieure; à dix-huit mois les deux dents voisines. La brebis *de deux dents* est donc une brebis qui a entre un an et dix-huit mois, celle que les paysans appellent une brebis *antenaise*, c'est-à-dire née l'année précédente *(ante, annus)*. Cf. IV, 57 : *mactant lectas de more bidentes*. Ces jeunes brebis, que les Romains immolaient comme victimes, n'avaient pas encore subi la tonte.

3308. Avant le sacrifice, on émiettait sur la tête de la victime une galette d'épeautre salée *(mola salsa)*. La farine, en effet, était considérée par les Anciens comme le plus précieux des biens, cf. Denys d'Halicarnasse, II, 25; le sel était le symbole de la pureté de l'âme, et Homère le qualifie de divin (θεῖος). Cf. II, 133.

3309. Cette marque, faite avec le couteau du sacrifice tenu à plat, allait du haut des tempes jusqu'à la queue. Le rite grec consistait à arracher à la victime une touffe de poils d'entre les oreilles et à la jeter dans le feu.

3310. Les patères, correspondant aux phiales des Grecs, étaient les vases à libations des Romains.

3311. Pour la dresser, selon l'usage, au-dessus des victimes.

3312. Le Dieu Soleil *(Sol)* était une divinité romaine, que Varron place, avant la Lune et après Jupiter et la Terre, parmi les douze divinités tutélaires des cultivateurs. On offrait un sacrifice public le 9 août au Soleil : *Soli indigiti in colle Quirinale*, et le dieu Soleil figurait au fronton du temple de Jupiter Capitolin. A partir d'Auguste, le dieu Soleil fut assimilé de plus en plus à de nombreux dieux orientaux, entre autres aux Baals syriens et à Mithra, comme le prouvent les inscriptions D. S. I. M. : *Deo Soli invicto Mithra ;* puis il fut associé par Aurélien au culte de l'Empereur.

3313. La Terre était aussi une divinité romaine indigète *(Tellus Mater* ou *Terra Mater) :* elle était la Mère par excellence, associée au Père, c'est-à-dire à Jupiter. Elle fut plus tard supplantée par Cérès ou assimilée à Cybèle. Il existait à Rome, dans le quartier des Carines, un sanctuaire de la Terre, en forme de rotonde. Ici, Enée la confond avec la terre d'Italie.

3314. Jupiter.

3315. Cf. note 2925.

3316. Comme un pilote, au gouvernail, fait tourner *(torquet)* le navire, c'est-à-dire le dirige.

3317. Pallantée.

3318. Car la victoire de Turnus implique la mort d'Enée.

3319. La déesse Victoire *(Victoria)* des Romains, née, selon Varron, d'une fusion entre la *Vacuna* des Sabins et la *Vica Pota* des Latins, avait dès le ~ IIIe siècle sa statue à Rome sur le Forum. En 294 av. J.-C., le consul Mégellus lui construisit un temple sur le Palatin, à l'endroit où se trouvait, dit-on, autrefois un autel dédié à la déesse par Evandre. Auguste restaura le temple construit par Mégellus, fit de la Victoire, après Actium, la protectrice du nouveau régime, lui dressa un autel en plein Sénat et institua la fête annuelle du 28 août, où la Victoire, « compagne de l'Empereur » *(comes Augusti)*, était associée à la Fortune impériale. A Lyon, l'énorme autel de Rome et d'Auguste fut dominé par la double image de la Victoire de Rome et de la Victoire d'Auguste.

Virgile n'a pas omis de faire invoquer par Enée une divinité à la fois si ancienne et si fort à la mode.

3320. Enée veut dire qu'il n'y aura point de nation vaincue, puisque aucune ne vivra sous les lois de l'adversaire.

3321. Lavinium.

3322. Apollon et Diane.

3323. Cf. notes 1773 et 1774.

3324. Il faut entendre : par la puissance des dieux infernaux.

3325. Cf. note 1910.

3326. Jupiter « qui sanctionne » *(Jupiter Sancus* ou *Sanctus)* présidait aux pactes; il fut, en cette qualité, confondu avec le dieu antique sabin *Semo Sancus*, génie protecteur de la bonne foi, assimilé lui-même avec *Dius Fidius*. Il possédait au Quirinal un temple où l'on déposait le texte de certains traités; on y offrait aussi des sacrifices quand on partait en voyage. On a trouvé sur son emplacement une statue de jeune dieu, du type dit des Apollons archaïques, mais avec les deux bras brisés et sans attribut; la dédicace porte : SANCO SANCTO SEMONI DEO FIDIO, cf. C. I. L., VI, 568.

3327. C'était l'attitude habituelle des suppliants et de ceux qui prêtaient serment. Cf. *En.*, IV, 219 : *orantem arasque tenentem*, et Ovide, *Am.*, I, 4, 27.

3328. *Aussi vrai que ce spectre*, etc. Comparaison homérique, cf. *Il.*, I, 234-237.

3329. Aux pères des premières familles latines, qui ont, à, l'occasion, droit au sceptre.

3330. Ce vers reproduit le vers VIII, 284.

3331. Cf. note 2876.

3332. Il était le fils de Volcens et le roi d'Amyclées, cf. note 2878.

3333. L'armée étrusque, qui, pour obéir aux oracles, avait attendu un chef étranger, cf. VIII. 503.

3334. Qui avait accueilli Mézence chassé par les Etrusques.

3335. C'est-à-dire notre armée est plus du double de celle des ennemis.

3336. L'aigle.

3337. Epithète empruntée à Ennius :

..Interea fax
Occidit Oceanumque rubra tractim obruit aethra.

3338. Cf. note 3090.

3339. Sur la mer.

3340. Cf. note 2609, et *Géorg.*, II, 447 : *bona bello cornus.*

3341. Les guerriers venus d'Agylla, cf. notes 1948 et 1954.

3342. Cf. Ennius, *Ann.*, VIII (cité par Macrobe, *Sat.*, VI, 1, 52) :

.........Fit ferreus imber.

3343. Les images des dieux qu'il avait apportées avec lui.

3344. Cf. vers 128, et note 1980.

3345. Cf. note 2764.

3346. L'épithète, qui signifie littéralement « gros comme une poutre », est empruntée à Ennius : *teloque trabali*. Horace l'applique à des clous, cf. *Od.*, II, 25, 18 : *clavos trabales*.

3347. Cf. VI, 228. Ce guerrier n'est pas le même que celui du chant IX, 571, cf. note 2538.

3348. Nommé ici seulement.

3349. Les Romains ont longtemps gardé l'usage de la barbe, comme le prouvaient les statues des vieux Romains, cf. Varron, *R. R.*, II, 2, 10.

3350. Nommé ici seulement.

3351. Nommé ici seulement.

3352. *Un dur repos... nuit éternelle*. Ces deux vers avaient déjà été appliqués par Virgile à Orodès, cf. X, 745-746.

3353. Pour être reconnu. Ascagne jette de même son casque, pour être reconnu des femmes troyennes qui incendiaient la flotte, cf. V, 673.

3354. L'Hèbre, aujourd'hui la Maritza, fleuve de Thrace, prenait sa source dans les monts Rhodopes et se jetait dans la mer Egée. Cf. I, 317, et *Buc.*, X, 65; *Géorg.*, IV, 463 et 524.

3355. Cf. note 2925.
Mavors (Mars) avait pour séjour favori les bords de l'Hèbre, c'est-à-dire la Thrace, cf. *Od.*, VIII, 361.

3356. De sa lance. Cf. Callimaque *Hymne à Délos*, 136.
Les guerriers frappaient ainsi leurs boucliers pour s'exciter au combat.

3357. Ici, les vents en général : le Notus ou Auster est, en réalité, le vent du sud ; le Zéphyre ou Favonius, le vent d'ouest.

3358. Cf. notes 3354 et 3355.

3359. Hésiode (*Boucl. d'Herc.*, 195) fait de l'Epouvante la fille de Mars, et Homère (*Il.*, IV, 440) la donne comme compagne à Mars, avec la Terreur et la Dispute.

3360. *Sthénélus, Thamyrius et Pholus...* Nommés seulement ici.

3361. Cf. note 2709.

3362. *Glaucus et Ladès...* Nommés seulement ici.

3363. Cf. note 2013.

3364. Son grand-père, porteur du même nom, était un héraut, cf. *Il.*, X, 314. Nommé seulement ici.

3365. Cf. *Il.*, X : Dolon, guerrier troyen, avait proposé à Hector d'aller espionner le camp des Grecs, à condition d'avoir les chevaux d'Achille. Hector les lui promit. Mais, au cours de son expédition nocturne, Dolon, surpris par Ulysse et Diomède, accusa en pleurant Hector de lui avoir imposé cette mission et donna aux deux chefs grecs les moyens de pénétrer jusqu'aux chevaux de Rhésus. Diomède le tua.

3366. D'Achille, fils de Pélée.

3367. Diomède, fils de Tydée, cf. note 3365, *in fine*.

3368. Jeu de mots cruel : il était d'usage, en effet, après une victoire, de mesurer et de partager aux soldats vainqueurs les terres conquises.

3369. Cf. note 1673.

3370. Guerrier troyen nommé seulement ici.

3371. Il ne faut pas confondre ce guerrier troyen avec le Troyen, prêtre de Cybèle, XI, 768.

3372. Guerrier troyen nommé seulement ici.

3373. Guerrier troyen qui a déjà paru au livre V, 369 sq.

3374. Guerrier troyen qui a déjà paru au livre VI, 363.

3375. Guerrier troyen qui a déjà paru au livre X, 123. Cf. note 2710.

3376. La Thrace. On appelait Edonide la partie de la Thrace voisine du mont Edon, dans le massif de l'Hémus, et qui était célèbre par ses hivers glacés, cf. Stace, *Théb.*, V, 78 : *Edonae hiemes*.

Le mot est souvent appliqué par les poètes au culte de Bacchus, célébré sur l'Edon, et aux Bacchantes. Cf. Horace, *Od.*, II, 7, 26 :

...Non ego sanius
Bacchabor Edonis ;

et Ovide, *Mét.*, XI, 69 :

Protinus in silvis matres Edonidas omnes.

3377. Cf. note 2810.

3378. La mer Egée, aujourd'hui l'Archipel.

3379. Cf. note 2628.

3380. Cf. note 2436.

3381. Les contemporains ont voulu reconnaître en Iapyx, dont le poète fait ici l'éloge, Antonius Musa, le médecin d'Auguste, et aussi celui de Virgile et d'Horace.

3382. Dont le nom veut dire en grec « guérisseur ».

3383. Apollon était aussi le dieu de la médecine qu'il enseigna à son fils Esculape.

3384. Apollon « citharède » était le dieu de la musique.

3385. Apollon « qui lance au loin ses flèches » (Homère) était le dieu des archers.

3386. L'usage, dit Servius, était de *déposer* devant leurs portes les malades dont on désespérait, soit pour qu'ils rendissent le dernier soupir à la Terre mère, soit pour que les passants pussent d'aventure indiquer un remède. Cf. Ovide, *Trist.*, III, 3, 40 :

Depositum nec me qui fleat ullus erit.

3387. La médecine fut longtemps exercée à Rome par des affranchis d'origine grecque ou asiatique.

3388. Le médecin des dieux, dans la mythologie. Cf. note 2054.

3389. La dictame, herbe ainsi nommée parce qu'elle croissait sur le mont Dicté, dans le massif de l'Ida, en Crète, avait la propriété, disait-on, de faire tomber les traits qui avaient pénétré dans le corps.

3390. Cicéron (*De Nat. Deor.*, II, 50) rapporte aussi cette tradition. Pline (VIII, 41; XXV, 53) en dit autant des cerfs et des biches.

3391. L'ambroisie est une liqueur mythologique, de composition incertaine, sans doute à base de miel. Elle est à la fois un parfum et un aliment. Dans les poèmes homériques, les divinités l'utilisent pour rendre incorruptibles et même immortels les corps des héros; les héros et leurs coursiers divins s'en servent pour se nourrir.

Pline prétend retrouver l'ambroisie dans l'armoise *(artemisia)*, plante très employée surtout en Cappadoce, cf. Pline, XXVII, 11 et 31.

3392. La panacée est une plante mythologique, à l'odeur âcre et forte, qui passait pour guérir tous les maux (d'où son nom : *pan*, « tout », *acée* « qui guérit »). Certaines légendes rapportent que l'usage en fut trouvé par Hercule et enseigné par lui aux Thessaliens, pour se prémunir contre les poisons; d'autres en attribuent la trouvaille au Centaure Chiron ou à Esculape.

3393. Car le casque le gêne pour le baiser commodément.

3394. La femme d'Enée, Créuse, était la sœur d'Hector.

3395. Guerrier troyen, pourvu par Virgile d'un nom mythologique, et dont il a déjà été question, I, 181, et 510.

3396. Comparaison homérique, cf. *Il.*, IV, 275 sq., déjà reproduite par Lucrèce, cf. *De Nat. Rer.*, VI, 431 sq.

3397. Troyen. Le cap Rhétée est un promontoire de la Troade. Cf. V, 646 : *Rhœteia conjux*, « une femme troyenne ».

3398. Guerrier troyen, pourvu par Virgile d'un nom géographique.

3399. Guerrier latin, pourvu par Virgile d'un nom mythologique.

3400. Guerrier nommé seulement ici.

3401. Guerrier nommé seulement ici.

3402. Guerrier troyen, cf. V, 118 sq.

3403. Cf. note 2038.

3404. Cf. note 3090.

3405. Métisque.

3406. Guerrier rutule, nommé seulement ici.

3407. Guerrier troyen, déjà nommé aux livres I et X, qu'il ne faut confondre ni avec le Bébryce du livre V, 373, ni avec le Troyen du livre IX, 771.

3408. Guerrier troyen, déjà nommé au livre V, 294 sq.

3409. Guerrier rutule, pourvu par Virgile d'un nom grec; nommé seulement ici.

3410. Guerrier rutule, pourvu par Virgile d'un nom de fleuve (le Tanïas est le Don actuel); nommé seulement ici.

3411. Guerrier rutule, nommé seulement ici.

3412. Guerrier rutule, nommé seulement ici.

3413. Guerrier rutule, père d'Onitès, nommé seulement ici.

3414. Mère du Rutule Onitès, nommée seulement ici.

3415. Clarus et Thémon, guerriers troyens, frères de Sarpédon, cf. X, 126.

3416. Cf. note 2014.

3417. Apollon avait à Patare, capitale de la Lycie, un temple célèbre, où, pendant les six mois de la saison froide, se rendaient des oracles; au printemps, le dieu se transportait à Délos, où des fêtes brillantes accueillaient son arrivée.

3418. Guerrier arcadien tué par Turnus, qu'il ne faut pas confondre avec le guerrier troyen du livre V.

3419. L'étang ou marais de Lerne, en Argolide, mais aux confins de l'Arcadie voisine, était célèbre par l'hydre qu'y tua Hercule.

3420. Cf. Horace, *Epod.*, II, 7.

3421. « Le laurier, dit Pline (XV, 40, 3), proteste contre le feu par un pétillement significatif et par une sorte de détestation. » Virgile l'appelle ailleurs le « craquant » laurier *(fragilis laurus)*, cf. *Buc.*, VIII, 82.

3422. Guerrier latin, dont les ancêtres, dit Servius, avaient formé la dynastie des Murranus.

3423. Guerrier troyen, nommé seulement ici.

3424. Hyllus portait un casque doré, comme Turnus lui-même, cf. IX, 50.

3425. Guerrier arcadien, qu'il ne faut pas confondre avec un guerrier du même nom, tué aussi par Turnus, IX, 774.

3426. Guerrier auquel Virgile donne le nom du prêtre *(cupencus)* chez les Sabins. Peut-être d'ailleurs ce Cupencus était-il prêtre.

3427. Guerrier troyen, à qui Virgile s'est plu à donner le nom du dieu des vents.

3428. Allusion à la haute taille du guerrier.

3429. Grecques.

3430. Cf. note 2400.

3431. *Lyrnesse...* Lyrnesse est une ville de Troade, à peu de distance au sud du mont Ida, près de laquelle des Lydiens fondèrent la ville d'Adramyttium, cf. Pausanias, IV, 27, 9. Lyrnesse, qu'Homère mentionne plusieurs fois (c'est là qu'Achille enleva Briséis), n'existait déjà plus au temps de Virgile. Cf. note 2713, et X, 128.

Pline (V, 39, 9) parle d'une île du même nom en face du promontoire de Sigée.

3432. Cf. note 2436.

3433. Guerrier troyen déjà nommé aux livres I, IV, V, IX et X.

3434. Cf. notes 1784 et 1980.

3435. Cf. note 2739.

3436. Des Etrusques.

3437. Cf. *En.*, I, 510; V, *passim.*

3438. *Jupiter se tient de notre côté...* Fin de vers reproduite d'Ennius, *Ann.*, VII (cité par Macrobe, *Sat.*, VI, 1) :

Non semper nostra evertit : nunc Juppiter hac stat.

3439. Enée ignore le stratagème de Juturne et croit que Turnus a fui.

3440. Dans la capitale des Laurentes, à Lavinium.

3441. La première fois, en rompant, à l'instigation de Junon et de Juturne, le traité conclu entre Latinus et Ilionée, porte-parole d'Enée; la seconde fois, en rompant, sur les conseils de Tolumnius, le pacte conclu devant les autels par Latinus et Enée.

3442. Pour lui faire signer un troisième pacte.

3443. Cf. *Géorg.*, IV, 44 :

Pumicibusque cavis exesaeque arboris antro.

Ailleurs Virgile place dans un trou de pierre ponce le nid d'une colombe, cf. *En.*, V, 214 :

Cui domus et dulces latebroso in pumice nidi.

3444. C'est le moyen toujours employé pour recueillir le miel, cf. *Géorg.*, IV, 230 :

.........*Fumosque manu praetende sequaces.*

3445. Cf. *Géorg.*, IV, 202 : *cerea regna*, « leurs royaumes cireux ».

3446. L'odeur de la sombre fumée.

3447. Cette comparaison des abeilles enfumées se trouve déjà dans Apollonius de Rhodes, qui l'applique aux Bébryces mis en déroute par les Argonautes. Cf. *Argon.*, II, 130 sq.

3448. La tradition littéraire nous montre plusieurs femmes mourant de ce genre de mort : Jocaste, mère d'Œdipe (*Od.*, XI, 278; Sophocle, *Œdipe roi*, 1260); Anticlée, mère d'Ulysse (*Od.*, XV, 359); Clité, fille de Mérope (Apollonius de Rhodes, *Argon.*, I, 1063); Phèdre (Euripide, *Hippolyte*, 798 sq.). Racine a conservé cette tradition sur la scène française, dans le dénouement de *Mithridate* (V, 1), où Monime dit élégamment :

« *Et toi, fatal tissu, malheureux, diadème,*
« *Instrument et témoin de toutes mes douleurs,*
« *Bandeau, que mille fois j'ai trempé de mes pleurs,*
« *Au moins, en terminant ma vie et mon supplice,*
« *Ne pouvais-tu me rendre un funeste service !*

Ce genre de mort a été substitué par Virgile à la tradition rapportée par Fabius Pictor (cité par Servius) et selon laquelle Amata se serait laissée mourir de faim : le poète, au douzième et dernier livre de *l'Enéide*, avait besoin d'une fin plus rapide.

Au reste la pendaison était la forme habituelle du suicide chez les anciens Romains. Un annaliste du IIe siècle av. J.-C., Cassius Hémina, conte que Tarquin le Superbe ayant forcé le peuple à creuser des égouts, beaucoup de Romains, plutôt que de se commettre à un travail servile, préférèrent se pendre et que Tarquin, furieux, fit crucifier leurs cadavres. A partir de Tarquin, ce genre de suicide fut considéré comme infamant et les *Livres des Pontifes* décidèrent de refuser la sépulture aux pendus; Varron dit, à ce propos, qu'on ne leur rendait pas d'honneurs funèbres, mais qu'on satisfaisait à leurs mânes en suspendant aux arbres des balançoires, *oscilla*, qui imitaient, par leur oscillation même, leur genre de mort. A la fin de la République la sépulture fut accordée aux pendus eux-mêmes.

3449. *Sa chevelure fleurie, floros crines.* Servius dit que cette épithète *florus* est empruntée par Virgile à Ennius et le Ps.-Servius note que Valérius Probus citait encore à l'appui des expressions d'Accius et de Pacuvius : *flora lanugo, flori crines.* — La forme *floros*, pour *floreos*, est d'ailleurs archaïque.

3450. Cf. note 2937.

3451. Cf. note 2937.

3452. *Il s'accuse mille fois, ... gendre* vers répétés de XI, 471-472.

3453. Servius dit que l'ardeur de Turnus faiblit en voyant que ses chevaux se fatiguent.

Certains comprennent : « de la façon dont le combat de cavalerie avance ».

3454. Cf. vers 529.

3455. *Puissant guerrier vaincu par une puissante blessure...* Vers répété du livre X, 842.

3456. Cf. vers 460.

3457. Qui lui reprochait de fuir le danger et le mettait au défi de se mesurer contre Enée, cf. XI, 368-375.

3458. Suétone *(Néron*, XLVII) rapporte qu'au moment où Néron, sentant sa mort prochaine, proposait à ses prétoriens de l'accompagner dans sa fuite, l'un d'eux lui répondit par cet hémistiche de Virgile.

3459. Turnus, pressentant sa mort, invoque les divinités infernales.

3460. Purifiée, lavée de toute souillure, irréprochable.

3461. De la fuite.

3462. Guerrier nommé seulement ici.

3463. Ailleurs *(Géorg.*, IV, 560-561), Virgile applique la même expression à César :

> *..............Caesar dum magnus ad altum*
> *Fulminat Euphraten bello.*

3464. Virgile identifie les guerriers et leurs chefs, Turnus et Enée, cf. VII. 98 : *Externi venient generi.*

3465. Cf. notes 1784 et 1980.

3466. Chef rutule. Cf. XI, 869 et note 3225.

3467. Cf. *Géorg.*, II, 142 :

> *.....Densisque virum, seges horruit hastis.*

3468. *Au fond de son cœur bouillonnent*, etc. Vers répétés du livre X, 870-872.

3469. *Le dieu...* Jupiter.

3470. Comparaison homérique, cf. *Il.*, XIII, 137 sq. et reproduite, après Virgile, par Stace, cf. *Théb.*, VII, 744 sq., et par Valérius Flaccus, cf. VI, 631 sq.

3471. Le pacte impliquant un combat singulier est aux yeux de Turnus une faute qu'il veut expier de sa vie.

3472. Le mont Athos, en Macédoine, à l'extrémité sud-est de la Chalcidique, aujourd'hui nommé l'Agionore ou Montagne-Sainte, à cause des nombreux couvents d'hommes qui y sont établis. Cf. *Géorg.*, I, 332.

3473. Le mont Eryx, en Sicile, aujourd'hui Monte San Giulano; c'est là qu'avait été enterré Eryx, fils de Vénus, tué par Hercule, et c'est à son sommet que s'élevait le fameux temple de Vénus Erycine, que Pausanias compare à celui de Vénus à Paphos. Cf. *En.*, I, 570, et Pausanias, III, 16, 4; VIII, 25, 6.

3474. Le Père Apennin, montagne et dieu, confondus ici par Virgile, comme il l'a fait ailleurs (IV, 247) pour l'Atlas.

Il y avait non loin du village actuel de la Schieggia, sur un contrefort de l'Apennin, le Monte Petrara, un temple à Jupiter Apennin, dont on voit encore les ruines aujourd'hui. On a des dédicaces à Jupiter Apennin (qu'il ne faut pas confondre avec le Jupiter Pénin, dieu du grand Saint-Bernard) à Iguvium, aujourd'hui Gubbio, et à Rusicade, en Numidie, cf. *C. I. L.*, XI, 5803; VIII, 7961. *L'histoire Auguste* (Vie de Claude le Gothique, X, 4) relate qu'au IIe siècle après J.-C., le Jupiter Apennin rendait des oracles par des vers de Virgile *(sortes Vergilianæ)*.

3475. De nombreux contreforts des Apennins sont couverts d'yeuses ou chênes verts.

3476. Le Gran Sasso, point culminant de l'Apennin, a 2.990 mètres, et son sommet est couvert de neiges éternelles.

3477. Les Latins.

3478. Les Troyens.

3479. Cf. Ennius, *Ann.*, XI (cité par Priscien, VIII, 96).

3480. Les vastes pacages du plateau de Sila, à l'extrémité sud de l'Apennin, étaient et sont toujours renommés pour l'excellente pâture qu'y trouvent les troupeaux du Bruttium. Cf. *Géorg.*, III, 219.

3481. Le Taburne, montagne du Samnium, aujourd'hui Monte Taburno, était célèbre par ses pins et ses pacages. Cf. *Géorg.*, II, 38.

3482. *Ainsi... quand deux taureaux...* Comparaison reproduite des *Géorgiques*, III, 220-224.

3483. Turnus, fils de Daunus.

3484. Comparaison homérique, cf. *Il.*, XXII, 208 sq., où Jupiter pèse les destinées d'Achille et d'Hector.

Macrobe *(Sat.*, V, 13) observe avec raison que Jupiter, dans *l'Enéide*, ne pouvait ignorer que les destins condamnaient Turnus, et que la comparaison est ici déplacée.

3485. L'Eurus ou Volturnus, vent du sud-est; ici, le vent en général.

3486. Turnus a pris l'épée de Métisque au lieu de la sienne.

3487. L'épée de Daunus avait été fabriquée par Vulcain, cf. vers 90-91.

3488. Les armes d'Enée avaient été aussi fabriquées par Vulcain.

3489. Le poète a déjà signalé plus haut (X, 709) que la plaine des Laurentes était marécageuse. Cf. Horace, *Sat.*, II, 4, 42 : « *Laurens* (aper) *ulvis et arundine pinguis.* »

3490. Par la flèche reçue (cf. vers 309) et extraite de la plaie grâce au dictame.

3491. *Ainsi parfois un chien de chasse...* Comparaison homérique, cf. *Il.*, XXII, 891 sq.

3492. La race des chiens de chasse ombriens était très renommée.

3493. Comme le font les chiens lancés par les fils de Borée à la poursuite des Harpies, cf. Apollonius de Rhodes, *Argon.*, II, 278.

3494. Les lagunes de la plaine marécageuse des Laurentes. Cf. note 3489.

3495. Cf. note 1696.

3496. Les matelots sauvés du naufrage avaient, en effet, coutume de suspendre aux branches d'un arbre consacré ou aux murailles d'un temple les vêtements qu'ils portaient pendant la tempête et qu'ils avaient fait vœu d'offrir au dieu protecteur. Cf. Horace, *Od.*, I, 5, 14 :

.........Me tabula sacer
Votiva paries indicat uvida
Suspendisse potenti
Vestimenta maris deo.

3497. La javeline qu'Enée avait lancée contre Turnus au commencement de la lutte, cf. vers 711.

3498. Et d'autant plus tenace.

3499. Cf. note 3313.

3500. Tels que les arbres, dont les Anciens avaient le culte, et en particulier les oliviers (comme ici), les chênes, les figuiers, les lauriers et les myrtes. On accrochait à un arbre en offrandes des bandelettes, des couronnes, des vêtements, des objets votifs. « Si, en pleine campagne, un arbre plusieurs fois séculaire pouvait ainsi rester chargé de dépouilles sans qu'elles tentassent la cupidité des passants, dit S. Reinach, c'est que ces dépouilles étaient protégées contre tout contact par la sainteté qui s'y attachait, et si elles restaient attachées aux branches mortes d'un vieux chêne presque pourri sans qu'on eût l'idée de les transférer sur un arbre encore vert, c'est que le support des dépouilles était aussi sacré que les dépouilles elles-mêmes; le temps seul et les accidents naturels pouvaient les réduire en poussière; la main de l'homme n'y pouvait pas contribuer. » *(Cultes, Mythes et Religions*, t. III. p. 228). On offrait aussi aux arbres des sacrifices, et des inscriptions les recommandaient à la piété des passants. Cf. Tibule, *El.*, I, 1, 11 :

Nam veneror seu stipes habet desertus in agris
Seu vetus in trivio florida serta lapis.

3501. Il s'agit d'un oliviver, non d'un chêne-rouvre; mais le mot *rouvre* désigne chez les Latins tout bois résistant et dur. Stace *(Théb.*, IV, 2, 39) l'applique au citronnier ou « arbre des Maures ».

3502. Juturne, fille de Daunus.

3503. Jupiter.

3504. Les Anciens nommaient Indigètes les hommes mis au rang des dieux et qui prenaient place parmi les *dii patrii*. Tel est le cas d'Enée. « le Jupiter Indigète », comme l'appelle Tite-Live (I, 2, 6), d'Enée dont Tibulle dit, cf. *El.*, II, 5, 45 :

Illic sanctus eris, cum te veneranda Numici
Unda deum caelo fecerit Indigetem.

3505. Enée.

3506. De Turnus, qui est vaincu d'avance par l'arrêt des destins.

3507. C'est, en effet, Junon qui a allumé la guerre en envoyant à Laurente Allecto, cf. VII, 323.

3508. Celle de Latinus, « entachée » par la mort « hideuse » d'Amata, cf. vers 603.

3509. Le dieu du Styx ayant pris parti pour Jupiter contre les Titans, et envoyé au secours du roi de l'Olympe ses deux filles, la Victoire et la Force, Jupiter, pour le récompenser, rendit sacré, même pour les dieux, le serment fait par le Styx : le dieu parjure était privé pour neuf ans de la table de Jupiter et d'autres prérogatives. Cf. *En.*, VI, 323, et Homère, *Il.*, XV, 37-38, qui dit que le serment par le Styx est le serment « le plus grand et le plus terrible » que peuvent faire « les dieux bienheureux ».

3510. Des Latins qui, par leur roi Latinus, descendaient de Saturne, père de Jupiter et fondateur du royaume. Cf. *En.*, VII, 47-49.

3511. Le mariage d'Enée et de Lavinie.

3512. Par cette intervention de Junon, le poète explique pourquoi le nom célèbre de Troie n'a pas été conservé par Enée et ses descendants, car il était d'usage que les peuples conquérants donnassent leur nom aux pays conquis.

3513. Horace attribue la même pensée à Junon, dans l'assemblée des dieux qui délibèrent sur l'accession au ciel de Romulus. Cf. *Od.*, III, 3, 57-64 :

Sed bellicosis fata Quiritibus
Hac lege dico, ne nimium pii
Rebusque fidentes, avitae
Tecta velint reparare Trojae.
Trojae renascens alite lugubri
Fortuna tristi clade iterabitur,
Ducente victrices catervas
Conjuge me Jovis et sorore.

3514. Et non Troyens, bien que descendants d'Enée par Ascagne.

3515. Jupiter.

3516. Junon fut en effet particulièrement honorée par les Latins.
Junon *Lucina* avait sur l'Esquilin un temple qui remontait au roi sabin Titus Tatius (735 av. J.-C.), et où l'on célébrait annuellement, au mois de mars, la fête des Matronalies; Junon *Juga* avait dans le quartier qui portait son nom : *vicus Jugarius*, un très antique autel; Junon *Sospita* avait deux temples, l'un sur le Forum Olitorium, dédié en ~ 197 par le consul Céthégus, l'autre sur le Palatin, reconstruit en ~ 91, après un incendie; Junon *Moneta* avait un temple, sur le Capitole, élevé en 344 av. J.-C. par Camille sur l'emplacement de la maison de Manlius Capitolinus; Junon *Regina* avait sa place au sanctuaire du Capitole à côté de Jupiter et deux autres sanctuaires, l'un sur l'Aventin, érigé par Camille et reconstruit par Auguste, l'autre au portique d'Octavie. En dehors de Rome, Junon *Regina* était particulièrement honorée à Véies; Junon *Sospita* à Lanuvium; Junon *Quiritis* à Faléries et à Tibur.

3517. Jupiter.

3518. Virgile ajoute « dit-on », parce qu'il suit ici une tradition spéciale, selon laquelle il y aurait deux des Furies, Allecto et Tisiphone, sur l'Olympe, et la troisième, Mégère, aux Enfers.
Cette tradition contredit celle que le poète suit au livre VI de *l'Enéide*, où il place les trois Furies à l'entrée des Enfers (vers 280) et au livre VII, où Junon appelle Allecto des Enfers (vers 324).

3519. Cf. note 1743.

3520. Des ailes qui font du vent dans leur vol, donc puissantes et rapides.

3521. Elles sont les « apparitions » de Jupiter.

3522. Les Parthes étaient renommés pour leur habileté à lancer des flèches.

3523. Le Cydone, habitant de la ville de Cydon, aujourd'hui la Canée, dans l'île de Crète, était renommé, comme d'ailleurs tous les Crétois, pour son habileté à lancer des flèches.

3524. Les Anciens croyaient que le venin des serpents était leur fiel que des conduites amenaient dans les crochets de la gueule, cf. *Pline*, *N. H.*, XI, 163. —

Les archers parthes et crétois avaient l'habitude d'empoisonner leurs flèches, cf. IX, 772 :

Ungere terra manu ferrumque armare veneno.

3525. Le brouillard qui couvre la terre et qui fait paraître plus rapide la flèche, car on ne voit pas d'où le coup est parti.

3526. Du hibou ou d'un oiseau de nuit de la même famille.

3527. De tout temps le chant du hibou ou d'un oiseau de nuit de la même espèce a passé pour sinistre. Cf. Pline *N. H.*, X, 16, 1 : *bubo funebris et maxime abominatus.*

3528. *Ses cheveux se sont dressés sur sa tête ; sa voix s'est arrêtée dans sa gorge...* Vers répété de II, 774; III, 48; IV, 280.

3529. *Se meurtrissant fraternellement le visage de ses ongles et la gorge de ses poings...* Vers répété de IV, 673 :

3530. Cf. *Géorg.*, I, 470 :

Obscenaeque canes importunaeque volucres.

3531. Ainsi voyons-nous, dans Bion, Vénus, en présence du corps sanglant d'Adonis, déplorer de ne pouvoir mourir, cf. *Id.*, I, 52 sq.

3532. *Oh ! quel abîme assez profond s'ouvrira sous mes pas !...* Vers répété de X, 675.

3533. Les poètes attribuaient aux divinités de la mer et des fleuves des vêtements et deux yeux de la même couleur que les eaux. Cf. *Géorg.*, IV, 451.

Ardentes oculos intorsit lumine glauco.

3534. Dans sa source. Ovide (*Fastes*, II, 588) dit aussi de Juturne :

Nunc in cognatas desiliebat aquas.

3535. Homère, comme Virgile, croit que les hommes de son temps sont moins forts et moins grands que ceux des anciens temps. Mais il exagère moins que Virgile : deux hommes (et non douze) eussent pu à peine élever du sol à leur chariot la pierre avec laquelle Hector brisa le retranchement des Grces, bien que Jupiter eût rendu cette pierre plus légère, cf. *Il.*, XII, 447-450.
On retrouve souvent dans les poètes anciens cette croyance à une race primitive plus forte. Cf. *Géorg.*, I, 497.

Grandiaque effossis mirabitur ossa sepulcris ;

et Juvénal, *Sat.*, XV, 70.

Terra malos homines nunc educat atque pusillos.

3536. Comparaison homérique, cf. *Il.*, XX, 199 sq.

3537. Ajax, aussi, a, comme Turnus, un bouclier couvert de sept peaux. Cf. *Il.*, VII, 220 : σάκος ἑπταβόειον; Sophocle. *Ajax*, 576; Ovide, *Mét.*, XIII, 2 : *clipei dominus septemplicis Ajax.*

3538. La prière de Turnus à Enée rappelle celle d'Hector blessé à Achille vainqueur, cf. *Il.*, XXII, 338 sq.

3539. Priam rappelle aussi à Achille, lorsqu'il lui réclame le corps d'Hector, le souvenir de son père Pélée, cf. *Il.*, XXIV, 486 sq.

3540. Ce qui est l'attitude classique du suppliant.

3541. Qui va être cause de sa mort, car les armes d'un ennemi portent malheur, cf. Sophocle, *Ajax*, 1028-1033.

3542. Les Anciens nommaient *bulles* les clous de métal qui ornaient les ceinturons et les baudriers, cf. IX, 359.

3543. Cf. X, 496.

3544. Aux dieux infernaux, cf. X, 503-505.

3545. *Et sa vie indignée s'enfuit avec un gémissement chez les ombres...* Même vers XI, 831, au moment de la mort de Camille. Cf. note 3218.

APPENDICES

I

CHRONOLOGIE DES VOYAGES D'ÉNÉE

On a beaucoup écrit, beaucoup disputé sur la chronologie des voyages d'Enée. Des deux dernières études consacrées à la question : l'une, l'ouvrage de Raymond Mandra, *The time element in the Æneid of Vergil* (Williamsport, The Bayard press, 1934); l'autre, la mise au point méticuleuse de Léopold Constans, *l'Enéide*, pp. 403-423 (Paris, Mellottée, 1935), il résulte que l'itinéraire chronologique suivant est le plus admissible :

	Fin de l'été.	**Prise de *Troie*.**
1re année (indéterminée).	**Pendant l'hiver.**	**Construction d'une flotte à *Antandros*, au pied du mont Ida en Phrygie, par Enée et ses compagnons.**
2e année.	**Printemps.**	**Départ d'*Antandros* et débarquement en *Thrace*.**
	Fin de l'année jusqu'au printemps suivant.	**Fondation d'une ville en Thrace.**
3e année.	**Printemps.**	**Arrivée à *Délos ;* consultation de l'oracle d'Apollon.**
	Eté.	**Arrivée et séjour en *Crète*, où une épidémie a lieu pendant la canicule.**
	Automne.	**Départ de *Crète*, tempête d'équinoxe, escale aux *Strophiades*, arrivée à *Actium*, en Epire.**
	Hiver.	**Séjour en Epire; rencontre avec Andromaque à *Buthrote* (Epire).**
	Fin de l'hiver.	**Départ de l'Epire, navigation et haltes le long de la côte de *Sicile*.**
4e année.	**13 février**	**Mort d'Anchise à *Drépanum* (Sicile).**
	Printemps, été, automne.	**Séjour à *Drépanum*.**

	Novembre, ou début de décembre.	Arrivée d'Enée à *Carthage*.
	12 février.	Enée, ayant quitté Carthage, arrive à *Drépanum*.
	21 février.	Jeux funèbres anniversaires en l'honneur d'Anchise.
5ᵉ année.	Fin de l'hiver et début du printemps.	Fondations diverses en Sicile.
	Printemps.	Enée quitte la *Sicile*.
	12 août.	Enée, débarquant dans le *Latium*, offre sur les bords du Tibre un sacrifice à Hercule.

II

L'ÉNÉIDE ET LES ARTS PLASTIQUES

Nous avons indiqué dans notre Introduction (t. I, pp. XV-XIX) l'influence considérable exercée par *l'Enéide* sur les écrivains postérieurs. Le chef-d'œuvre de Virgile a été aussi une source féconde d'inspiration pour les artistes, aussi bien dans l'antiquité que de nos jours.

A. — *Dans l'antiquité.*

Au dire de Macrobe (*Saturnales*, V, 17, 5), le fol amour de Didon pour Enée avait été si souvent traité par les auteurs de tapisserie, les peintres et les sculpteurs qu'on eût pu croire qu'ils ne disposaient pas d'autres sujets. On a retrouvé à Pompéi et à Herculanum des tableaux inspirés par *l'Enéide*, et même, signe de popularité, des peintures caricaturales, telle celle qui représente Enée, son père Anchise et son fils Ascagne avec des têtes de singes cynocéphales. A Dougga, en Afrique, on a retrouvé, sur une mosaïque, la forge des Cyclopes; à Halicarnasse, en Asie Mineure, sur une autre mosaïque, Enée et Didon à la chasse.

La sculpture s'est surtout emparée de la scène où l'on voit Enée portant Anchise sur son épaule et tenant Ascagne par la main. On sait qu'Auguste avait placé ce groupe sur son Forum, et Ovide relate (*Fastes*, V, 563 sq.) que Mars, du haut de son temple, voyait Enée chargé de son fardeau. L'autel de la famille des Jules, découvert il y a une trentaine d'années à Carthage, offre sur une de ses faces le même motif, que reproduisent encore un groupe en pierre à Cologne et une applique sise au musée de Naples.

Martial enfin nous apprend (*Epigr.*, XIV, 186) que l'antiquité connaissait des éditions illustrées de *l'Enéide*.

B. — *De la Renaissance à nos jours.*

On n'en finirait pas si l'on voulait donner ici la liste des principaux tableaux qu'inspira *l'Enéide*. Bornons-nous à citer : la *Construction du cheval de Troie* et le *Transport du cheval*, de Tiepolo (National Gallery de Londres), le *Cheval de Troie*, de Jules Romain (palais ducal de Mantoue); *Enée fuyant Troie*, d'Il Baroccio (galerie Borghèse); *Enée quittant Troie en flammes*, de Schonbrœk (musée de Vienne); un magnifique détail consacré à Enée portant Anchise dans l'*Incendie du Borgo*, de Raphaël (musée du Vatican).

Une toile du baron Guérin, qui est au Louvre, représente *Enée racontant à Didon les malheurs de Troie*.

L'aventure d'Enée et de Didon a inspiré à Perin del Vaga la suite de fresques qui est au palais Massimo, à Rome. Claude le Lorrain a peint *Didon et Enée dans la grotte* (National Gallery); Dosso Dossi, *La Douleur de Didon* (galerie

Doria, à Rome); Liberale de Verona, *La Mort de Didon* (National Gallery); François Perrier a représenté le *Combat des Troyens contre les Harpyes* (musée du Louvre).

Le thème de Vénus et de Vulcain a inspiré Van Dyck, *Vénus demandant des armes à Vulcain* (musée du Louvre) et *Vénus recevant de Vulcain les armes d'Enée* (musée de Vienne); Boucher, *Vénus et Vulcain présentant à Vénus les armes faites pour Enée* (musée du Louvre).

On a de Pietro da Cortona une *Rencontre d'Enée et de Vénus* (musée du Louvre); de Breughel le Jeune, un *Enée pénétrant aux Enfers* (musée de Vienne).

Signalons encore le beau Rubens du musée de Dresde, *Colère de Neptune*, deux Turner de la National Gallery, *Didon quittant Tyr* et *Didon fondant Carthage*, enfin, le tableau d'Ingres, malheureusement inachevé, qui représente *Virgile lisant le VIe livre de l'Enéide à Auguste et à Octavie* (musée de Toulouse), dont un fragment se trouve à Bruxelles.

On peut voir à la villa Borghèse un marbre du Bernin qui représente *Enée portant Anchise,* et Pierre de Nolhac a décrit le *Virgile du Vatican* avec les merveilleuses peintures qui l'illustrent.

TABLE DES MATIÈRES

Petite chronologie virgilienne 7
Introduction 11
Note sur cette édition 26

L'ÉNÉIDE

LIVRE PREMIER. — L'ARRIVÉE D'ÉNÉE A CARTHAGE . . 33

Sujet du poème. Invocation à la Muse (1-11). – Haine de Junon contre les Troyens; son attachement pour Carthage (12-33). – Enée quitte la Sicile. Plaintes de Junon à Jupiter (34-53). – Eole (54-80). – La tempête (81-123). – Neptune apaise les flots (124-158). – Les Troyens abordent en Libye (159-222). – Vénus implore pour Enée Jupiter, qui lui dévoile les destinées futures de Rome (223-296). – Mercure est envoyé à Didon (297-304).

LIVRE DEUXIÈME. — LE SAC ET LA RUINE DE TROIE . . 53

Préambule du récit d'Enée (1-13). – Ruse des Grecs : construction du cheval de bois, départ simulé; joie des Troyens et conseils de Laocoon (13-55). – Stratagème de Sinon; ses récits artificieux (56-198). – Mort de Laocoon et de ses enfants (199-233). – Introduction du cheval de bois dans les murs de Troie; les Grecs envahissent la ville (234-267). – Hector apparaît en songe à Enée et lui conseille de quitter la ville (268-297). – Sac et incendie de Troie (298-384). – Ruse des compagnons d'Enée; elle réussit d'abord, puis tourne mal (385-436). – Siège du palais de Priam (437-505). – Mort de Priam (506-558). – Enée veut tuer Hélène, mais Vénus l'appelle au secours d'Anchise (559-623). – Enée finit par décider Anchise à partir (624-704). – Enée s'en va avec Anchise, Créüse et Iule (705-734). – Disparition de Créüse (735-770). – L'ombre de Créüse apparaît à Enée et lui prédit de nouveaux destins (771-794). – Enée quitte Troie (795-804).

LIVRE TROISIÈME. — LES VOYAGES D'ÉNÉE 73

Enée construit vingt navires à Antandros et quitte les rivages de la Troade (1-12). – Arrivée en Thrace. – Polydore (13-68). – Visite à Délos. – Oracle d'Apollon mal interprété par Anchise (69-130). – Arrivée en Crète, épidémie; second oracle d'Apollon : le dieu ordonne d'aller en Italie (131-191). – Les îles Strophades (192-209). – Les Harpyes. Prédiction de Céléno (220-269). – Jeux troyens à Actium (270-293). – Arrivée en Epire; entretien d'Enée et d'Andromaque; prédictions d'Hélénus (294-505). – Tarente, la Sicile (506-567). –

L'Etna (568-588). – Episode d'Achéménide : Polyphème et les Cyclopes (589-681). – Charybde et Scylla; arrivée à Drépane; mort d'Anchise; fin du récit d'Enée (682-718).

LIVRE QUATRIÈME. — DIDON 91

Amour de Didon pour Enée (1-30). – Conseil de sa sœur Anne (31-53). – Agitation de Didon (54-89). – Entretien de Junon et de Vénus : elles décident de favoriser cet amour (90-128). – Chasse, orage, incident de la grotte (129-172). – La Renommée apprend à Iarbas, l'un des prétendants de Didon, l'amour de la reine pour Enée (173-197). – Prière d'Iarbas à Jupiter (198-218). – Jupiter, par l'intermédiaire de Mercure, donne à Enée l'ordre de quitter Carthage (219-278). – Préparatifs de départ (279-295). – Didon cherche à retenir Enée (296-330). – Réponse d'Enée (331-361). – Colère de Didon (362-392). – Les préparatifs d'Enée se poursuivent (393-407). – Anne, à la prière de Didon, va trouver Enée, mais ne réussit pas à le fléchir (408-449). – Désespoir de Didon (450-553). – Départ d'Enée (554-583). – Imprécations de Didon (584-629). – Son suicide (630-705).

LIVRE CINQUIÈME. — LES JEUX FUNÈBRES. 109

Une tempête pousse les compagnons d'Enée vers la Sicile, où ils sont accueillis par Aceste (1-41). – Enée se prépare à célébrer l'anniversaire de la mort d'Anchise; sacrifice, prodige (42-103). – Jeux funèbres : joute nautique (104-285). – Course à pied (286-361). – Ceste (362-484). – Jeu de l'arc (485-544). – Carrousel (545-603). – Iris, messagère de Junon, invite les Troyens à brûler la flotte; commencement d'incendie que Jupiter éteint (604-695). – Sur les conseils de Nautès et après une apparition d'Anchise, Enée laisse en Sicile les vieillards et les femmes (696-778). – Vénus prie Neptune en faveur d'Enée (779-814). – Traversée; chute de Palinure; Enée dirige le navire (815-871).

LIVRE SIXIÈME. — LA DESCENTE D'ÉNÉE AUX ENFERS . 131

Arrivée à Cumes et prédictions de la Sybille (1-101). – Enée demande à descendre aux Enfers (102-124). – Instruction et recommandations de la Sibylle (125-155). – Rencontre du cadavre de Misène; découverte du rameau d'or; derniers honneurs rendus à Misène (156-235). – Sacrifices aux dieux infernaux (236-254). – La descente (255-272). – Le vestibule : Charon (273-336). – Rencontre de Palinure (337-383). – Passage du Styx; Cerbère (384-425). – Le Champ des Pleurs; Didon (426-476). – Le Champ des Guerrier (477-548). – Le Tartare (549-636). – Les Champs-Elysées (637-678). – Entrevue d'Enée et d'Anchise (679-723). – Anchise décrit à son fils le séjour des bienheureux, l'instruit de l'origine du monde et lui déroule la suite et l'histoire de ses descendants (724-891). – Enée sort des Enfers (892-901).

LIVRE SEPTIÈME. — L'ARRIVÉE DANS LE LATIUM . . . 153

Enée, après avoir donné la sépulture à sa nourrice Caiète et évité Circé, aborde à l'embouchure du Tibre (1-36). – Histoire du Latium (37-58). – Présages qui annoncent au roi Latinus un gendre étranger et des guerres (59-106). – Accomplissement de l'oracle de Caléno (107-147). – Enée envoie une ambassade à Latinus : le roi l'accueille avec bienveillance et offre à Enée sa fille Lavinie en mariage (148-285). – Colère de Junon qui évoque des Enfers la Furie Allecto (286-340). – Allecto remplit de colère la reine Amata et pousse aux armes Turnus, prétendant à la main de Lavinie (341-474). – Allecto réussit encore à faire tuer par Ascagne un cerf apprivoisé et à ameuter contre lui les paysans latins; Latinus, pressé par Turnus et par Amata, est impuissant à maintenir la paix (475-600). – Junon ouvre le temple de Janus (601-622). – Toute l'Ausonie prend les armes (623-640). – Dénombrement des guerriers italiens et de leurs chefs (641-817).

LIVRE HUITIÈME. — ÉVANDRE; LE BOUCLIER D'ÉNÉE 173

Turnus envoie Vénulus à Diomède pour l'associer à sa lutte contre les Troyens (1-17). – Enée, averti en songe par le dieu du Tibre, se rend chez Evandre pour lui demander du secours (18-184). – Episode de Cacus (185-267). – Enée prend part au sacrifice offert par Evandre et parcourt avec lui les lieux où Rome s'élèvera plus tard (268-368). – Vulcain, à la prière de Vénus, fabrique des armes pour Enée (369-453). – Sur le conseil d'Évandre, Enée se rend à Agylla, ville des Etrusques pour demander du secours (454-553). – Pallas, fils d'Évandre, part avec Enée; discours d'Evandre à Pallas (554-584). – Enée, arrivé en Etrurie, y reçoit de Vénus les armes que Vulcain a forgées : description du bouclier d'Enée (585-731).

LIVRE NEUVIÈME. — ATTAQUE DU CAMP TROYEN; NISUS ET EURYALE 191

Turnus, averti par Iris, attaque le camp des Troyens et, ne pouvant les amener à combattre en rase campagne, essaie de brûler leur flotte (1-76). – Jupiter transforme les vaisseaux d'Enée en nymphes (77-122). – Turnus entoure le camp troyen de postes armés, sous le commandement de Messape (123-175). – Nisus et Euryale proposent à Iule et aux autres chefs d'aller prévenir Enée (176-313). – Nisus et Euryale font un grand massacre de Rutules (314-366). – Découverts par les cavaliers latins qui venaient de Laurente auprès de Turnus, ils meurent courageusement, accablés par le nombre (367-449). – Désespoir de la reine d'Euryale (450-502). – Siège du camp troyen : Iule tue Numanus (503-671). – Turnus pénètre dans le camp, y fait un grand carnage, puis, pressé par l'ennemi, il s'élance dans le Tibre (672-818).

LIVRE DIXIÈME. — EXPLOITS ET MORT DE PALLAS, DE LAUSUS ET DE MÉZENCE 211

Jupiter convoque l'assemblée des dieux : Vénus défend les intérêts des Troyens; réplique de Junon; Jupiter déclare qu'il s'en remet aux destins et ne prendra parti pour aucun des deux peuples (1-117). – Nouvelle attaque du camp troyen (118-145). – Retour d'Enée, qu'accompagnent des auxiliaires étrusques et arcadiens (146-214). – Les nymphes, qui autrefois étaient ses vaisseaux, apparaissent à Enée et lui annoncent le danger que courent ses compagnons (215-255). – Enée débarque ses troupes sur le rivage (256-361). – Exploits et mort de Pallas. tué par Turnus (362-509). – Exploits d'Enée, qui immole un grand nombre de Rutules (510-605). – Junon, inquiète pour Turnus, l'entraîne dans un subterfuge loin du champ de bataille (606-688). – Exploits de Mézence, qui a pris la place de Turnus et fait un grand carnage : il est blessé par Enée (689-795). – Exploits et mort de Lausus, accouru au secours de Mézence (796-832). – Douleur de Mézence, qui succombe sous les coups d'Enée (833-908).

LIVRE ONZIÈME. — FUNÉRAILLES DES GUERRIERS; EXPLOITS ET MORT DE CAMILLE 233

Enée élève un trophée à Mars et renvoie à Evandre le corps de Pallas (1-99). – Trêve entre les deux camps; funérailles des guerriers; douleur d'Evandre (100-224). – Vénulus, qui avait été envoyé en ambassade auprès de Diomède, revient et annonce que le chef grec refuse de prendre part à la guerre (225-295). – Conseil de guerre présidé par Latinus : le roi et Drancès sont pour la paix; Turnus pour la guerre (296-444). – Une attaque des Troyens met fin au conseil (445-462). – Turnus envoie la cavalerie, sous la conduite de Camille, reine des Volsques, contre les cavaliers d'Enée; lui-même prépare une embuscade dans la montagne, où doit passer l'infanterie ennemie (463-531). – Diane conte à Opis l'enfance de Camille et lui remet une flèche qui vengera la mort de la guerrière (532-596). – Combat de cavalerie : exploits et mort de Camille (597-835). – Opis venge Camille en tuant son meurtrier, Arruns (836-867). – Déroute des Latins, que les Troyens poursuivent sous les murs de la ville (868-896). – Turnus accourt; Enée le suit de près; la nuit qui tombe empêche les deux chefs d'en venir aux mains (897-915).

LIVRE DOUZIÈME. — LE COMBAT D'ÉNÉE ET DE TURNUS; VICTOIRE D'ÉNÉE 257

Turnus, malgré l'opposition de Latinus et d'Amata, envoie un de ses compagnons provoquer Enée en combat singulier. Enée accepte; l'emplacement est choisi (1-133). – Junon instruit Juturne du danger qui menace Turnus (134-160). – Enée et Latinus s'engagent, par un serment solennel, à respecter les conditions et les conséquences du combat (161-221). – Juturne, sous la forme d'un guerrier rutule, fait rompre le traité (222-256). – Tolumnius perce d'un trait un Troyen : la mêlée commence (257-310). – Enée est blessé; Turnus fait un grand carnage (311-382). – Enée reprend la lutte et provoque Turnus (383-466). – Juturne éloigne son frère de la mêlée; Enée s'avance jusqu'aux murs de Laurente; Amata croit que Turnus est mort et se pend de désespoir (467-613). – La lutte continue. Combat d'Enée et de Turnus. – Mort de Turnus et victoire d'Enée (614-952).

NOTES

LIVRE PREMIER 281
LIVRE DEUXIÈME 293
LIVRE TROISIÈME 303
LIVRE QUATRIÈME 319
LIVRE CINQUIÈME 327
LIVRE SIXIÈME 338
LIVRE SEPTIÈME 352
LIVRE HUITIÈME 368
LIVRE NEUVIÈME 383
LIVRE DIXIÈME 394
LIVRE ONZIÈME 406
LIVRE DOUZIÈME 418

APPENDICES

Chronologie des voyages d'Enée 433
L'Enéide et les arts plastiques 434

PUBLICATIONS NOUVELLES

AGEE
La Veillée du matin (508).

ANDERSEN
Les Habits neufs de l'Empereur (537).

BALZAC
Les Chouans (459). La Duchesse de Langeais (457). Ferragus. La Fille aux yeux d'or (458). Sarrasine (540).

BARRÈS
Le Jardin de Bérénice (494).

CHEDID
Nefertiti et le rêve d'Akhnaton (516). *** Le Code civil (523).

CONDORCET
Esquisse d'un tableau historique des progrès de l'esprit humain (484).

CONRAD
Au cœur des ténèbres (530).

CONSTANT
Adolphe (503).
*** Les Déclarations des Droits de l'Homme (532).

DEFOE
Robinson Crusoe (551).

DESCARTES
Correspondance avec Elisabeth et autres lettres (513).

FRANCE
Les Dieux ont soif (544). Crainquebille (533).

GENEVOIX
La Dernière Harde (519).

GOGOL
Le Revizor (497).

KAFKA
La Métamorphose (510). Amerika (501).

LA HALLE
Le Jeu de la Feuillée (520). Le Jeu de Robin et de Marion (538).

LOTI
Le Roman d'un enfant (509) Aziyadé (550).

MALLARMÉ
Poésies (504).

MARIVAUX
Le Prince travesti. L'Ile des esclaves. Le Triomphe de l'amour (524).

MAUPASSANT
La Petite Roque (545).

MELVILLE
Bartleby. Les Iles enchantées. Le Campanile (502). Moby Dick (546).

MORAND
New York (498).

MORAVIA
Le Mépris (526).

MUSSET
Lorenzaccio (486).

NODIER
Trilby. La Fée aux miettes (548).

PLATON
Euthydème (492). Phèdre (488). Ion (529).

POUCHKINE
La Fille du Capitaine (539).

RIMBAUD
Poésies (505). Une saison en enfer (506). Illuminations (517).

STEVENSON
Le Maître de Ballantrae (561).

TCHEKHOV
La cerisaie (432)

TOCQUEVILLE
L'Ancien Régime et la Révolution (500).

TOLSTOÏ
Anna Karenine I et II (495 et 496).

VOLTAIRE
Traité sur la tolérance (552).

WELTY
L'Homme pétrifié (507).

WHARTON
Le Temps de l'innocence (474). La Récompense d'une mère (454).

GF GRAND-FORMAT

CHATEAUBRIAND
Mémoires d'Outre-Tombe. Préface de Julien Gracq (4 vol.)

FORT
Ballades françaises

GRIMM
Les Contes (2 vol.)

GUTH
Histoire de la littérature française (2 vol.)

HUGO
Poèmes choisis et présentés par Jean Gaudon

LAS CASES
Le Mémorial de Sainte-Hélène (2 vol.).

MAURIAC
Mémoires intérieurs et Nouveaux Mémoires intérieurs

Vous trouverez chez votre libraire le catalogue complet de notre collection.

GF — TEXTE INTÉGRAL — GF

2226-VIII-1990. — Imp. Bussière, St-Amand (Cher).
N° d'édition 12726. — 2e trimestre 1965. — Printed in France.